Rolf Hochhuth
Dokumente zur politischen Wirkung

KU-675-511

Rolf Hochhuth

Dokumente zur politischen Wirkung

Herausgegeben und eingeleitet
von Reinhart Hoffmeister

Mit erläuternden Zwischentexten
von Heinz Puknus
und einem Essay von Rolf Hochhuth

verlegt bei Kindler

© Copyright 1980 by Kindler Verlag GmbH, München
Alle Rechte vorbehalten, auch die des teilweisen Abdrucks,
des öffentlichen Vortrags und der Übertragung durch
Rundfunk und Fernsehen
Fotomechanische Wiedergabe nur mit Genehmigung des Verlages
Redaktion und Dokumentation: Ulrike Riemer
Korrekturen: Barbara Kaufer
Umschlaggestaltung: Hans Numberger
Satzherstellung: Welsermühl, Wels
Druck- und Bindearbeiten: Mühlberger, Augsburg
Printed in Germany

ISBN 3-463-00764-9

Inhalt

Soldaten

Guerillas

Die Hebamme

Lysistrate und die Nato

Tell 38

Hochhuth und die Juristen

Die Affäre Filbinger

Eine Liebe in Deutschland

Juristen

Anhang

REINHART HOFFMEISTER

Der Störer zwischen den Stummen
Anmerkungen zu Rolf Hochhuth

> Nur jene Gesellschaft ist stark,
> die es wagt, die Wahrheit der
> Sonne auszusetzen ...
> > Émile Zola an Louis Ulbach,
> > Herausgeber der *Cloche,*
> > am 6. November 1871

> In ihm verkörperte sich in einem
> großen Augenblick das Gewissen
> der Menschheit.
> > Anatole France in seiner
> > Totenrede auf Émile Zola,
> > am 5. Oktober 1902

In der Lion-Feuchtwanger-Gedenkbibliothek in Pacific Palisades, einer der kostbarsten Sammlungen der Welt mit 35 000 Bänden, die Lions Witwe Marta Feuchtwanger der University of California stiftete, hat inmitten der Wiegendrucke aus dem 15. Jahrhundert und anderer bibliophiler Raritäten ein vergilbtes Zeitungsblatt einen Ehrenplatz: *L'Aurore* mit dem Untertitel »Littéraire, Artistique, Sociale« vom Donnerstag, dem 13. Januar 1898, für Cinq Centimes erhältlich. Die Schlagzeilen machten Geschichte:

J'Accuse ...!

LETTRE AU PRÉSIDENT DE LA RÉPUBLIQUE
PAR ÉMILE ZOLA

Zolas offener Brief an den französischen Präsidenten Félix Faure war ein Akt des Zorns der Verzweiflung, die Verschwörung des Schweigens in der »Affäre Dreyfus« aufzubrechen.

Nicht der Hauptmann Alfred Dreyfus, ein Kommißkopf mit beschränkter Weitsicht, bewegte Zola, sondern das offensichtliche Unrecht, das einem Menschen zugefügt worden war. Drei Jahre zuvor war Dreyfus mit dem Verdikt »Lebenslänglich« wegen Hochverrats nach Französisch-Guayana, auf die »Teufelsinsel«, deportiert worden, er sollte dem »Erbfeind« Deutschland geheimes Material angeboten haben. Schon während des Prozesses vor dem Militärgericht waren Zweifel an seiner Schuld aufgetaucht, die sich in den Jahren danach zur Gewißheit verstärkten: Der jüdische Offizier war verurteilt worden, weil die Obrigkeit – in der politischen Pogrom-Stimmung – einen Schuldigen brauchte. Deutschenhaß und Antisemitismus gingen ein fatales Bündnis ein.

Wer es wissen wollte, wußte es inzwischen: Nicht Dreyfus hatte das ominöse »Bordereau« mit dem Angebot des Verrats militärischer Geheimnisse geschrieben, es war die Schrift des Majors Esterhazy. Viele wußten es, aber keiner wagte, den Mund aufzumachen. Um die Gerüchte zu ersticken, wurde Esterhazy pro forma ein Prozeß gemacht, er endete mit Freispruch. Ein Gericht kann nicht irren, ein Militärgericht schon einmal gar nicht. Denn: Das »Vertrauen« des Volkes in Staat und Armee war »gefährdet«. Einer, Maurice Barrès, sprach es öffentlich aus: »Was zaudern wir? Dieses elende Hindernis darf nicht die Zukunft des Vaterlandes in Frage stellen.« Das elende Hindernis hieß Wahrheit. Recht als Hure der Staatsraison. Das waren die »vaterländischen« Töne, die überall und immer zu hören sind: »Im Namen Deutschlands«, »Right or wrong, my country«, »In Vietnam wurde Amerikas Freiheit verteidigt«, »Wir taten nur unsere Pflicht«. Solche Töne klingen uns auch heute in den Ohren. Wie verlogen sie sind.

Das fing ganz anders an. Ein Schwärmer, ein Romantiker war Émile Zola, als er achtzehnjährig aus der Provinz in die Metropole kam. »Ich Schwächling habe vor, die Liebe von ihrem Erwachen bis zur Ehe zu schildern. Dreihundert Seiten fast ohne Verwicklung ausfüllen, eine Art Gedicht, wo ich alles erfinden muß, wo alles nur einem einzigen Ziele zustreben soll – der Liebe!« vertraute er seinem Schulfreund Paul Cézanne nach Aix-en-Provence an. Seine frühen Gedichte waren zeitgemäß: plüschig. Ein kleiner Hang zur Sentimentalität sollte ihm fürs Leben bleiben, auch später noch rutschte ihm manche Passage seiner Bücher in provinziellen Kitsch weg. Weiche Flanken für die Speere mißgünstiger Kritiker. Als er in einem großen Haus Verlagsangestellter wurde, durchschaute er, wie man es machen muß, dem Mittelmaß zu entkommen. Balzac, Victor Hugo, ihre Vielbändigkeit animierten ihn. »Man kann nur noch durch die Zahl der Bände, durch die Wucht der Schöpfung zum Publikum sprechen«, soll er gesagt haben, so steht's im *Journal* von Edmond de Goncourt.

Les Rougon-Macquart nannte Zola das literarische Großprojekt, sein Lebenswerk, die weit verästelte Geschichte einer Familie unter dem Zweiten Kaiserreich. Zwanzig Bände schrieb er von 1870 bis 1892 für diesen Zyklus – am Ende stand er auf dem ersten Platz unter den Schriftstellern seiner Zeit.

Zola sah sich anfangs keineswegs als politischer Empörer, eher naiv vertrat er die Ansicht, nach der Abschaffung der Monarchie könne es doch nicht einfach so weitergehen, da müsse sich doch etwas ändern. Die Gestrigen waren nach der Ausrufung der Dritten Republik am 4. September 1870, dem Tag der Schlappe von Sedan, so mächtig geblieben wie zuvor. Zola erntete ihren Haß, als er in seinen Romanen den Machtmißbrauch und die Finanzskandale von Napoleon III. und seiner Clique ans Licht holte. Da finden sich zu allen Zeiten Parteigänger der Macht, die mehr als minder drohend solche Außenseiter mit ihrem Ehrlichkeitstrieb einschüchtern wollen: »Man sollte diese alten Geschichten endlich ruhen lassen!« – und die neuen natürlich auch.

Für das Familienepos – mit insgesamt 1200 auftretenden Personen! – zimmerte er ein wissenschaftliches Gerüst. Zola hatte gläubig die neuen Erkenntnisse der Naturwissenschaften in sich eingesogen und zog sie sich zurecht. Vererbungslehre und die Theorie von den Milieueinflüssen bestimmten die Entwicklung dieser Schicksalstragödie von nahezu antikem Format. Es wurde die Sozialgeschichte dieser Zeit, gesellschaftlicher Sprengstoff stärkster Brisanz – und Zola betrat in diesem Breitwand-Panorama Neuland. Da ging einer daran, dem Volk nicht nur aufs Maul, sondern auch in die Waschküche und – jedes Detail sagt aus – ins Schnapsglas zu schauen. Die Zeit der Idealisierung war vorbei, der Elfenbeinturm der Literatur wurde gesprengt. Das Triviale geriet zum Tragenden, der Inhalt überrundete die Form. Nicht länger stand der Dichter als Katalysator zwischen seinen Figuren und seinen Lesern; unmittelbar, mit dokumentarischer Wucht schlug die Wirklichkeit zu. Der Schock löste sich nur langsam in Bewunderung der Zolaschen Kraft – oder in verbiesterten Widerstand gegen den Störer der bisherigen Ordnung.

Nicht nur höfisches Leben und bourgeoiser Wohlstand (die auch) waren das Ambiente, in dem Zola den Niedergang einer Familie zum Niedergang Frankreichs verdichtete: Arbeiterquartiere, Markthallen, Kneipen, Kohlenflöze, Klöster, Bordelle, Viehställe, aber auch Irrenhaus, Warenhaus, Börse nahm er als Schauplätze. Diese Form einer beobachtenden Literatur war neu, Stapel von Notizzetteln – aufbewahrt in der Pariser Nationalbibliothek – berichten von der peniblen Sorgfalt, mit der Zola das jeweilige Milieu durchforschte. Da gibt es eine Karikatur: Zola beugt sich neugierig zu Boden und studiert mit einem riesigen Vergrößerungsglas den Dreck an der Straßenecke. Wie er das in Literatur umsetzte, blieb umstritten. Zur Stilfrage seines gewaltigen Freskos hatte er sich notiert: »Fort mit den Schnörkeln – große, klare Linien! Aber immer Wärme und Leidenschaft.« Dicht an der Realität steuernd (manchmal zu sehr), auf das Faktische vertrauend, der direkte Griff, sein Naturalismus stieß auf Abscheu und Hohn der Gralshüter der Ästhetik. Im Urteil anderer jedoch hatte er der Kunst eine neue Dimension geöffnet, der Literatur eine besondere Qualität geschaffen.

Er bot Angriffsflächen. Denn er stützte sich beim Aufbau seines epischen Gerüsts nicht nur auf Darwins vielbefehdetes Werk *Entstehung der Arten* und auf die Arbeiten des Physiologen Claude Bernard über Experimentalmedizin, er mußte – das bedingte das Kolossalgemälde – sich in vielen Disziplinen tummeln: Staatskunst, Ökonomie, Psychologie, Justizwesen, Agrikultur, Bergbau, Militärkunde, Architektur. Er mußte die Tischordnung des Kaiserhofs kennen und wissen, wie das ist, eine Lokomotive in voller Fahrt zu versorgen.

So geriet er, Dilettant in des Wortes ursprünglichem Sinn, in das Feuer derer, die sich für Fachleute hielten. Die Reservate der Experten werden ja wie Festungen verteidigt, heute wie damals, wer es wagt, die Zäune der Gehege zu übersteigen, wird angeschossen oder gleich abgeschossen. Intoleranz schlägt in Liquidierungslust um. Der kritische Verstand eines Normalbürgers hat gegen die Scheuklappen eines Fachidioten nichts zu bestellen. Wie wollen ausgerechnet Sie über Mikroprozessoren mitreden? Wer nach dem demokratischen Selbstverständnis von Generalen fragt, hört die hohlköpfige Gegenfrage: In welcher Einheit haben Sie gedient? Wer nach sorgfältigen Studien seine Ansicht über die wirtschaftssoziale Lage *Der Klassenkampf ist nicht zu Ende* veröffentlicht, wird von einem, ach, so schmalspurigen Politiker als »Scharlatan«, als »Pinscher« abgeschmäht. Wer in der Diskussion unbequem wird, kriegt borniert-patzig ins Gesicht: Haben Sie überhaupt Abitur?

Zola hatte keins, er hatte es nicht geschafft. Was er am Leben lernte, in der Gesellschaft engagiert statt arrangiert, brachte ihn zu seinen Stoffen, die für die damalige Zeit von unerhörter Kühnheit waren. Man rief nach dem Staatsanwalt, denn die spießbürgerliche Regel lautet: Wer Obszönitäten aufdeckt, ist obszön. Wer es sieht und ausspricht: »Das Nest ist schmutzig«, ist ein Nestbeschmutzer.

Schon beim zweiten Roman des Rougon-Macquart-Zyklus *La Curée* (Die Jagdbeute) machte Émile Zola seine Erfahrungen mit dem Zensor. Der Vorabdruck in der *Cloche* mußte bei der 27. Folge abgebrochen werden. Zola: »Mein Irrtum war es zu glauben, daß man dem Zeitungsleser gewisse Wahrheiten zumuten darf. Und doch kann ich nur schwer mich an den Gedanken gewöhnen, daß just ein Staatsanwalt der Republik mir die Gefahr dieser Satire auf das Kaiserreich vorhalten sollte. In Frankreich ist man nicht imstande, ganz und mannhaft zur Freiheit zu stehen. Immer wieder will man die Moral verteidigen ... Sie fühlen sich durch einen Roman verletzt, und schon schreien sie nach dem Staatsanwalt, strecken sehnsüchtig die Hand nach ihm aus wie nach einem rettenden Gott. Keinem ist eingefallen, das Blatt ins Feuer zu werfen. Alle beginnen zu wimmern wie kleine Kinder, die sich nicht zu helfen wissen, sie rufen nach der Wache, und wenn diese da ist, sind sie beruhigt und trocknen die Tränen ... Mit kindischer Angst und dem steten Bedürfnis nach Polizei werden wir niemals zu wirklicher Freiheit kommen.«

Louis Ulbach, der Herausgeber der *Cloche,* distanzierte sich beflissen von Zolas umstrittenem Roman, wie das Herausgeber – damals wie auch fast hundert Jahre später – zu machen pflegen, wenn eine Veröffentlichung die liebwerten Inserenten oder Abonnenten zu vergrätzen droht. Wenn es ums Geld geht, hört die publizistische Freiheit nun schon ganz bestimmt auf.

Zola reagierte auf Ulbachs Feigheit: »Ich bedauere es, daß ich Sie in diese Schwierigkeit gebracht habe; ich bin sehr einverstanden mit Ihrer Absicht, meine Artikel einer Zensur zu unterbreiten. So werde ich wenigstens nicht mehr eine Gefahr für die Menschheit bedeuten.« Der verletzte Verletzer – ein Bild, das wir uns auch heute vorstellen können.

In schneller Folge, Jahr für Jahr, erschienen die Bände der *Rougon-Macquart,* mal stark, mal schwächer in Anspruch und Aussage. Zolas Wahrhaftigkeit wurde radikal. In *L'assommoir* (Die Schnapsbude) malte er Existenznot und Alkoholtrost des Pariser Proletariats in grellen Farben aus, mit der Geschichte der Wäscherin Gervaise und ihres trunksüchtigen Mannes Coupeau wurde erstmals in der Literatur ein ehrliches anklagendes Bild vom Elend der Arbeiterklasse entworfen, ohne etwa in der Zukunft eine Hoffnung für die Ausgebeuteten zu sehen. Zola wurde »äußerster Übertreibung« und eines »gemeinen Stils« beschuldigt. »Sittenlosigkeit« und »Verleumdung der Proletarier« sorgten für Skandal, und Skandal sorgte für Auflage. Die lasterreiche mouche d'or *Nana* entblößte freizügig die Verlogenheit der Pariser Gesellschaft, und die Tintenzieher entrüsteten sich über den »republikanischen Sade«. Er quittierte den unpassenden Vergleich unberührt: »Wenn man Schlamm aufrührt, bekommt man Spritzer ab.«

Die Angriffe auf Zola wurden feindselig, als er es wagte, sich in seinem Panorama des französischen Volkes den Bauernstand vorzunehmen, obwohl es damals noch nicht so einen drahtziehenden Bauernpräsidenten in der Lobby der Macht gab. *La terre* (Mutter Erde) erzählt das dumpfe Leben auf dem Lande, mit Habgier als treibendem Element. Zola war nach seinen mehrmonatigen Beobachtungen der bäuerlichen Sitten überzeugt, »hier direkt nach der Natur gearbeitet und ein lebendiges, wahres Werk geschaffen zu haben«.

Doch mit einem »Manifest der Fünf« machten sich junge Schriftsteller im *Figaro* zum Wortführer eines »gesunden Volksempfindens« und forderten, Zola aus der Literatur zu streichen und in eine Heilanstalt zu sperren: »Mit der ganzen Hingabe einer arbeitsfrohen Jugend, aus der ganzen Ergriffenheit unseres ästhetischen Empfindens heraus müssen wir uns gegen diese schamlose Literatur auflehnen, müssen im Namen alles dessen, was gesund und stark, im Namen unserer Liebe und unserer unbedingten Achtung für die Kunst protestieren ... Zola war in seiner Jugend sehr arm und schüchtern. Da es ihm in jener Zeit, in der Bedürfnis und Verlangen nach der Frau am stärksten sich fühlbar macht, an weiblicher Berührung fehlte, ist in ihm eine schiefe Vorstellung von der Frau entstanden und haftengeblieben. Die Störungen seines körperlichen und seelischen Gleichgewichts, die von seinem Nierenleiden herbeigeführt wurden, ließen ihn die Wichtigkeit gewisser Funktionen überschätzen. Zu diesen krankhaften Einflüssen kamen jene psychopathischen Dispositionen, die als Ersatz der Liebesfunktionen so häufig bei frauenfeindlich Veranlagten oder bei ganz jungen Menschen beobachtet werden.«

Schon damals trat man unter die Gürtellinie. Zola tat das Beste, was er in dieser Situation tun konnte: er ignorierte das Pamphlet. Früher, als die Mächtigen noch die Allmacht hatten, wäre so einer, der den satten »Gemeinschaftsfrieden« stört, für geisteskrank erklärt und »zum Schutze der Menschheit« eingesperrt worden. (In der Sowjetunion ist das noch heute Brauch.)

»Ich bin hinabgestiegen in die Hölle der Arbeit. Nichts habe ich verschleiert, nicht die Ausartungen, die das Milieu mit sich bringt, auch nicht jene Schamlosigkeiten, die im Gefolge von Elend und der Anhäufung von Menschenleibern unvermeidlich auftreten. Ganz wollte ich das Bild geben mit allen seinen Scheußlichkeiten, um das Gefühl für das schreckliche Dasein dieser Ausgestoßenen aufzupeitschen.«

Mit diesen pathetischen Worten leitete Émile Zola 1885 den Abdruck seines Romans *Germinal* in einer Zeitung des nordfranzösischen Industriegebiets ein.

Germinal ist zweifellos sein Meisterwerk. Das Epos vom Kampf der Bergarbeiter gegen die Ausbeutung entwarf ein neues Menschenbild, dieser in der Substanz sozialistische Roman war seiner Zeit weit voraus und weist in der Revolte der Kumpel von Montsou prophetisch auf den Beginn einer Weltrevolution. Bakunin und Marx schauen einträchtig Zola über die Schulter. Die Stärke des Romans liegt in der psychologisch konsequenten Charakterisierung unvergeßlicher Figuren, so der großen Mutter Maheu, die den Tod aller ihrer Angehörigen verkraften muß, des entwurzelten Étienne, Sohn der Wäscherin Gervaise, der dem Massaker des Militärs entgeht, des Anarchisten Souvarine, der mit der Grubenkatastrophe ein Fanal geben will. Mit protokollarischer Sachlichkeit zeichnet Zola die Fronten, ohne schablonenhaftes Schwarz-Weiß, keine Verdammung der ausbeutenden Unternehmer, keine Idealisierung der streikenden Arbeiter – und gerade darum: Die Wucht dieses Werks ist nur mit Eisensteins Film »Panzerkreuzer Potemkin« zu vergleichen.

Wie immer hatte Zola lange Zeit als Reporter gearbeitet, ehe er sich ans Schreiben wagte. Wallraffisch als Sekretär des sozialistischen Kammerabgeordneten Giard getarnt, war er während des großen Streiks in die Gruben von Anzin gekommen und untertage in die Flöze eingefahren, hatte von den Problemen des »schwarzen Heeres« erfahren, die Kotten der Hauer besucht, mit den Streikführern diskutiert und den Gewerkschaftsverhandlungen zugehört. Monatelang beobachtete er den Daseinskampf im Bergbaugebiet, über tausend Seiten Notizen waren das Ergebnis seiner Vorarbeit.

»Der Naturalismus äußert sich nicht. Er untersucht, er beschreibt, er sagt: So ist es! Die Folgerung überläßt er dem Publikum.« Zola sah sich als Chronist, nicht als Agitator.

Upton Sinclair, Bruder im Geiste, schrieb: »Zola ist besessen vom Elend der modernen Welt, und indem er Tatsachenmaterial anhäuft, will er den Leser in seiner gründlichen und unbarmherzigen Art überwältigen. Einigen wenigen solcher Tatsachen könnte man vielleicht ausweichen, doch ihrer Gesamtheit kann man nicht entrinnen; man muß zugeben: das ist die Wahrheit ... Mehr als jeder andere Künstler des neunzehnten Jahrhunderts hat er der proletarischen Bewegung seine Stimme geliehen, der Massenaktion der Industriearbeiter und Bauern, denen die Zukunft gehört.«

Die dramatische Intensität des Buches störte das Gewissen Frankreichs und darüber hinaus der Welt auf, Zolas Beitrag zur sozialen Revolution ist nicht zu messen. Zola wurde begeistert gefeiert, mit *Germinal* war den Ausgenutzten ein Dichter erstanden, der für ihr Schicksal focht. Er hatte das Volk zum Freund gewonnen.

Das Talent, sich Feinde zu machen, hatte er schon immer gehabt. Der weitreichende Einfluß der nationalistisch-klerikalen Reaktion verhinderte Zolas vollen Triumph: Niemals wurde der wichtigste, vielleicht sogar größte Dichter seiner Zeit unter die »Unsterblichen« der Académie Française gewählt. Er bekam nicht die Weihen der höheren Kultur – Stendhal, Balzac, Flaubert übrigens auch nicht. Zola, eitel und verletzlich, sehnte sich nach Bestätigung, auch durch die von ihm bekämpfte Bourgeoisie, er fühlte sich als »Paria«.

Seine Gegner sahen keine Möglichkeit mehr, ihn zu stürzen, er war zu berühmt. Oder doch? Jahrelang hatten sie das bewährte Planspiel der Machtinhaber gespielt: Wie erledigt man einen mißliebigen Mann? Die simplen Rezepte schienen nicht anwendbar. Eine Ermordung hätte ihn zur legendären Figur gemacht. Auch war er nicht korrupt, Aussicht auf Macht, auf eine einflußreiche Position schien ihn nicht zu reizen. Er war nicht vorbestraft, er war kein Linksradikaler, er war nicht schwul, er führte kein ausschweifendes Leben, sein Stil war offensichtlich bürgerlich. (Er hatte – doch das wußte kaum einer – neben seiner Frau Alexandrine eine zweite Frau, Jeanne, und mit ihr zwei Kinder, Denise und Jaques.) Aber er war, vom Vater her, eigentlich Ausländer, Italiener, Venezianer, obwohl in Paris geboren, und wurde erst mit 22 Jahren Franzose. War da im fremdenfeindlichen Frankreich Stoff zu holen? War er noch zu vernichten?

Vom »Fall Dreyfus« hörte Zola erst spät.

Émile Zola war berühmt, so berühmt wie kein anderer Schriftsteller seiner Epoche. Auch die ihn bekämpften, wußten um seine Größe. Bewußt warf er seine Autorität aufs Feld, als er seine Thesen zum Fall Dreyfus, der längst ein »Fall Frankreich« geworden war, lutherisch hinausschleuderte: »Ich klage an!« Sein Pathos war die Stimme der Stunde. Wer verstopfte Ohren erreichen will, muß laut sein. Einen Tag und zwei Nächte schrieb Zola an seinem »offenen Brief«, der die ganze Titelseite und noch zwei Spalten der Tageszeitung *L'Aurore* füllte. Er ging den Präsidenten der Republik direkt an: »Welch ein Schmutzfleck auf Ihrem Namen, diese greuliche Dreyfus-Sache! Ein Militärgericht hat sich eben erdreistet, auf Befehl einen Esterhazy freizusprechen – das ist die letzte Ohrfeige, die aller Wahrheit und Gerechtigkeit verabreicht wird. Frankreich trägt diese Besudelung auf seiner Wange, und die Geschichte wird schreiben, daß ein solches soziales Verbrechen zu Ihrer Amtszeit begangen werden konnte. Da Sie es gewagt haben, wage ich es auch. Die Wahrheit, ich werde sie sagen, denn ich habe versprochen, sie zu sagen, wenn die Justiz es nicht ganz und vollkommen tun wird. Meine Pflicht ist zu reden; ich will nicht mitschuldig sein ...«

Erbittert hatte Zola feststellen müssen, wie nur einige wenige das Justizverbrechen an Dreyfus – vorsichtig! – zu kritisieren wagten. Die Mehrheit der Wissenden blieb stumm, aus Feigheit, aus Bequemlichkeit. Zola nahm es mit der mächtigsten Macht im Staate auf, dem französischen Generalstab, und nannte ihn »die Verbrecherrotte der wahren Schuldigen«. Mit empörtem Herzen und kalt in seiner Erbitterung stellte er Namen für Namen der Offiziere an den Pranger, rollte den ganzen Fall auf, deckte minutiös die Verschwörung auf, das Wissen um die Unschuld des Dreyfus und das »teuflische« Vertuschen der Wahrheit. Sein »J'Accuse!« mündete in der Anklage des Kriegsgerichts, das Recht vergewaltigt zu haben.

Zola riskierte viel, und er wußte es. Darum lieferte er gleich den Hinweis auf die Artikel 30 und 31 des Pressegesetzes vom 29. Juli 1881 mit, nach denen er wegen Diffamierung angeklagt werden könnte. »Darauf warte ich!« sind die letzten Worte seines Briefes.

Die Dritte Republik wagte es, den Schandtaten eine weitere folgen zu lassen. Zola kam vor Gericht, doch nur wegen Verleumdung der Justiz, mit diesem Trick wollten die Mächtigen alles, was Dreyfus betraf, draußen lassen. Der Prozeß dauerte vierzehn Tage und brachte Frankreich an den Rand des Bürgerkriegs. Die Spaltung ging durchs Land, durch die Familien. Ein brüllender, fanatisierter Pöbel belagerte den Justizpalast und forderte den Kopf Zolas, des »Vaterlandsverräters«. Mit Mühe konnten Polizisten »das Gewissen Frankreichs« davor retten, gelyncht zu werden. Der Ausbruch des Hasses, von der klerikalen und antisemitischen Presse kräftig geschürt, führte zu Pogromen gegen Juden und jüdische Geschäfte in Paris, Bordeaux, Lyon, Nantes, besonders schlimm in Algier. Die Polizei griff nicht ein, sie blieb »neutral«. (Wenn man so etwas schreibt, liefert man immer Material für das »eigene Haus«, für die, die unsere Untaten von gestern reinwaschen wollen.)

Émile Zola wurde zur Höchststrafe verurteilt: ein Jahr Gefängnis und dreitausend Francs Buße. Er hatte Gefängnis einkalkuliert. Er war kein Märtyrer, auch wenn er sich selbst auf die Schlachtbank legte. Zola im Gefängnis – das würde ein Signal sein. Betroffen in seinen Gefühlen zeigte er sich doch. Seinen Kindern Denise und Jaques schenkte er je eine goldene Uhr mit dem Datum des 23. Februar 1898 und dem Spruch: »Rein und groß wird, wer für Wahrheit und Recht leidet!«

Ein Formfehler des Gerichts führte zum zweiten Zola-Prozeß. Das Geschick der Verteidiger brachte immer mehr Dreyfus-Material auf den Tisch, wer hören wollte, erfuhr genug. Doch das änderte nichts an der Verdammung Zolas. Von der Tribüne schrie ihn der Deputierte Déroulède an: »Raus aus Frankreich! Nach Venedig!« Da war es: den Gegner zum vaterlandslosen Gesellen machen, die wirksame, die brutale Form der öffentlichen Vernichtung. Karl Kraus gegen Imre Bekessy: »Hinaus aus Österreich mit dem Schuft!« Henri Nannen gegen Hans Habe, Bekessys Sohn: »Hinaus aus Deutschland mit dem Schuft!« Deutsches Gemüt gegen kritischen Geist: »Gehen Sie doch nach drüben!«

Auf den Rat der Anwälte ging Zola außer Landes, ein Jahr lebte er als »Pascal« oder »Beauchamp« in England im Exil. So konnte das Urteil nicht zugestellt werden, die Affäre Dreyfus blieb heiß. Der Plan ging auf – was Dreyfus betraf: Die Revision wurde zugelassen, Dreyfus kehrte von der Teufelsinsel zurück. *La vérité en marche.* Auch die Linken, der republikanische Block, waren auf dem Vormarsch gegen die Reaktion. Von einer Verurteilung Zolas war keine Rede mehr, als er heimkam, aber sein Ruhm bröckelte weg. Die Gegner hatten seine »Flucht« mit Häme begleitet, die Bürger werteten es als »Drücken vor der Verantwortung«. Emigranten haben bei den Dagebliebenen nie etwas zu bestellen.

1899 wurde das Urteil gegen Dreyfus in zehnjährige Haft mit gleichzeitiger Begnadigung umgewandelt. Erst 1906 wurde Hauptmann Alfred Dreyfus voll rehabilitiert und in »alle Ehren« wieder eingesetzt. Da war Émile Zola, einer der Großen der Grande Nation, schon vier Jahre tot, und es war acht Jahre her, daß er mit seinem »J'Accuse ...!« das größte Beispiel für die Verantwortung des Intellektuellen gab.

Lion Feuchtwanger wußte wohl, warum er das Titelblatt der *L'Aurore* in seine Bibliothek aufnahm, obwohl es doch wahrhaftig keine Rarität ist: Am 13. Januar 1898 wurde die Zeitung innerhalb weniger Stunden 300 000mal verkauft.

Fragt man nach der politischen Wirkung des Schriftstellers – in keinem anderen Fall ist sie so ablesbar wie bei Émile Zola in der »Affäre Dreyfus«, wenn es auch deprimierend ist zu erfahren, durch welche

Schluchten der Weg zur Wahrheit führte. Auch sein Beitrag zum sozialen Aufstieg der Arbeiterklasse ist unleugbar – aber wie entscheidend war der Beitrag? Diese Frage wird unlösbar bleiben, selbst wenn die Rezeptionsforschung sich hier ein weites Feld erschließen würde. Welche politische Wirkung hatten Milton, Byron, Voltaire, und hatten sie die tatsächlich mit ihrem schriftstellerischen Werk und nicht erst dann, wenn sie sich direkt politisch einsetzten?

Wer ist so kühn, den ständigen politischen Mahnern in unserer Vergangenheit – Ossietzky, Heinrich Mann, Feuchtwanger, Tucholsky, Käthe Kollwitz, George Grosz, John Heartfield – tatsächlich Wirkung zu bescheinigen? Muß man nicht eher von der Ohnmacht der Intellektuellen in der Vor-Nazi-Zeit sprechen? Hat Heinrich Bölls *Die verlorene Ehre der Katharina Blum* etwas gegen die angeheizte Pogromstimmung in der deutschen Öffentlichkeit nach Baader-Meinhof vermocht? (Ich meine: ja, aber wenig.) Oder finden Schriftsteller in ihrem Engagement wieder nur die Leser, die sie immer hatten – wenn sie tatsächlich einmal aus der Masse der Stummen heraustreten?

Nur-Gedrucktes bleibt heute wirkungslos? Vielleicht hat er recht. Aber das Fernsehen, dieser hypnotische große Bruder, ist fest in der Macht der Zustandserhalter. Verstörungen finden nicht statt. Tabubrecher sind hier unerwünscht, Systemkritiker haben keine Chance. Geistige Eunuchen sind die richtigen Programmacher, wenn es nach dem Willen eines glattpolierten Machtinhabers geht, der allen Ernstes formulierte: »Der Redakteur muß eine doppelte Schere im Kopf haben, links und rechts die Auswucherungen abschneiden.« Proteste gegen dieses entmannte Fernsehen mehren sich – ob sie wirken in einer Gesellschaft, die sich selbst korrumpiert hat? Korrumpiert durch Wohlstand vor allem. Wem es gut geht, der will keinesfalls gestört werden. Korrumpiert durch Abhängigkeit – man kann doch nichts aufs Spiel setzen. Da kann geschehen, was will, man bleibt teilnahmsloser Zuschauer oder guckt lieber überhaupt gleich weg. Anteilnehmen, Stellung beziehen – nein, danke.

Das regte schon Thomas Mann auf: »Es handelt sich doch nicht um Politik, sondern um den einfachen Menschenverstand und darum, ob jemand imstande ist, sich über und gegen irgend etwas in der Welt zu empören.« Vielleicht irren wir uns, die wir vom Menschen verlangen, er müsse Flagge zeigen, seine Meinung offen vertreten. Liegt es in der Natur des Menschen, sich immer den Bedingungen seiner Umwelt anzupassen? Oh, Darwin! In irgendeiner Entwicklungsstufe zwischen Primaten und Homo sapiens erectus kam das Säugetier Mensch zum aufrechten Gang. Aber das war wohl nur äußerlich.

Es erscheint nur folgerichtig, wenn die wenigen, die denken und auch noch sagen und schreiben, was sie denken, als Störer, Eiferer, Trouble-maker, Radikale und – natürlich – Nestbeschmutzer abgelehnt, eingeschüchtert, nach Möglichkeit sogar juristisch verfolgt werden. In Wirklichkeit ist es genau umgekehrt: In einer Gesellschaft, in der das Menschsein wegrationalisiert wird, sind sie die Relikte, die diese Spezies in ihrer eigentlichen Art, ihrer eigentlichen Bestimmung bewahren. Sie sind die Normalen. Émile Zola war ein ganz normaler Mann, der tat, was ein Mensch zu tun hat: Mensch zu sein.

Soviel zu Rolf Hochhuth.

Der Stellvertreter

Vorbemerkung

Rolf Hochhuth und politische Wirkung – das scheinen fast Synonyme, und dies sogleich seit jenem 20. Februar 1963, an dem der einunddreißigjährige, bis dahin gänzlich unbekannte Autor mit seinem dramatischen Erstling einen der größten Publizitätserfolge des Jahrhunderts errang: *Der Stellvertreter,* bei der Uraufführung im Berliner Theater am Kurfürstendamm, von wenigen Protesten abgesehen, mit betroffenem Beifall aufgenommen, entfesselte in Presse, Rundfunk und Fernsehen eine wochen-, ja monatelange erbitterte Meinungsschlacht, die von Anfang an unvermeidlich über den Zuständigkeitsbereich von Feuilletonchefs und Kulturredaktionen hinausdrängte. Auch daraus erklärte sich die Heftigkeit der Auseinandersetzungen: daß hier überhaupt Theater, Literatur gewagt hatten, so frontal und handfest politisch zu werden. Man war auf dergleichen nicht gefaßt gewesen im flauen Klima der späten »Wirtschaftswunder«-Jahre. Noch über die damals meistprovozierenden Autoren des sogenannten »absurden Theaters« hatte man nur tiefgründige Diskussionen zu führen (oder als Normal-Kulturkonsument verständnislos den Kopf zu schütteln) brauchen – ernsthaft beunruhigt mußte man sich nicht fühlen. Der große Brecht wurde entweder noch als zweiter Horst Wessel diffamiert oder schon zum neuesten Klassiker entschärft. Im übrigen beherrschte erlesen »Poetisches«, »zeitlos« Märchen- und Parabelhaftes die Szene. Diese Situation entsprach genau dem verordneten Bewußtseinsstand im Ausgang der bundesdeutschen Nachkriegsepoche, der »Ära Adenauer«. Der behagliche Genuß wiedererlangter wirtschaftlicher Prosperität sollte vergessen machen, daß keinerlei durchgreifende politische und kulturelle Erneuerung stattgefunden hatte. Die Stimmung von »Zeitlosigkeit«, die Kunst, Literatur verbreiten halfen, war die der Geschichtslosigkeit, der Reduktion auf ein punktuelles Jetzt, dessen selbstgefällige Feier (»Wir sind wieder wer«)

lästiges Fragen nach dem Gestern gar nicht erst aufkommen ließ. Der Unwille, von der immer noch so genannten »jüngsten Vergangenheit« zu sprechen (sie lag zwei Jahrzehnte zurück), war allgemein. Wurde sie dennoch erwähnt, so fast ausschließlich im Tonfall wohlfeiler moralischer Entrüstung oder billiger Dämonisierung, also ohne jeden klärend-aufklärenden Effekt. Die wenigen Ausnahmen – beschränkt im wesentlichen auf Spezialistenkreise – bestätigten die Regel.

Erst als anfangs der sechziger Jahre die Generation derjenigen zu Wort kam, die unter Hitler nur mehr »Pimpfe« und »Jungmädel« gewesen sein konnten, setzte in Literatur und Publizistik auf breiter Front die Nachforschung ein – von schwächlichen Rücksichten frei, getrieben von einem rigorosen Wahrheitsdrang, der Reaktion auf die Unreinlichkeiten der Verschleierer und Verschweiger war. Dabei ergab sich – Schlüsselerlebnis dieser Generation – als nicht eben die Achtung vor den Älteren beflügelnde Einsicht, wie sehr Schuld, Mitschuld von »damals« eine uneingestandene, gleichmütig, feige oder auch frech verleugnete geliebten war. Zwangsläufig wurde so die historische Recherche zur aktuell provokanten Befragung, zur »Anfrage« (dies der bezeichnende Titel eines der frühesten Bücher der neuen Generation[1]), gerichtet an alle, die sich da in ungebrochener Selbstsicherheit als Autoritäten und Stützen der Gesellschaft empfahlen, ohne auch nur durch ein einziges kritisch erhellendes Wort über ihre Rolle in schimpflicher Vergangenheit legitimiert dazu zu sein.

Rolf Hochhuth war nicht der erste, der in diesem Sinne »anfragend«, anklagend ins sorglich gehütete Schweigen einbrach – doch war er der mit der größten, zeichensetzenden Wirkung: Sein *Stellvertreter* beendete auch auf den Bühnen ein für allemal augenfällig die Ära der Verdrängung. Wie kaum einer vor ihm – und wenige nach ihm – »nannte« dieser Autor »die Dinge schonungslos beim Namen«. So sagte es Piscator[2], der das Stück für das Theater entdeckte, und hätte genauer noch sagen können: »die Personen« und »Institutionen«, jene, um deren reales Verhalten im nationalsozialistischen Unrechtsstaat hinter allen Beschönigungen es jeweils ging. Eben die mutige Direktheit so genauer Kennzeichnungen begründete nicht zuletzt die Durchschlagskraft von Hochhuths Werk und unterschied es wesentlich von gleichgerichteten Versuchen zuvor: Noch Lenzens *Zeit der Schuldlosen* (1961) oder Frischs *Andorra* (1960) waren in der Sphäre parabelhafter Allgemeinheit verblieben, die nichts und niemanden eindeutig »beim Namen nannte«. Kein hiesiger Bühnenautor hatte vor Hochhuth – bewußt auf alle Abstraktionen der Avantgarde verzichtend – so minuziös und beklemmend treu die gleichermaßen höllische wie spießig-banale Wirklichkeit des deutschen Faschismus gezeigt. Derart unbestechliche Realistik war, mindestens zum damaligen Zeitpunkt – 1963 –, an sich bereits augenöffnendes Politikum genug – dies in die »Masse« der Bevölkerung hinein, die »keine noch so gründliche Studie des ›Instituts für Zeitgeschichte‹« (Golo Mann) je erreichte und erreichen wird. Zumal das den Juden zugefügte Schicksal wurde hier – wie Karl Jaspers fast gleichlautend formulierte – mehr als durch »alle Dokumenten- und Abbildungswerke« »eingeprägt« und überhaupt erst, wäre zu ergänzen, einer nach Hunderttausenden zählenden Zuschauer- und Leserschaft als leibhaft, in brutaler Tatsächlichkeit von konkreten Einzelmenschen erlittenes vergegenwärtigt. (Daß ein ähnlich »veranschaulichender« aufrüttelnder Effekt 1979 mit *Holocaust* von neuem nötig wurde, stellt der Nachhaltigkeit bundesdeutscher »Aufarbeitung« von NS-Vergangenheit sicher kein sehr günstiges Zeugnis aus.)

Brachte Hochhuth lange Verschwiegenes und Verleugnetes mit lästiger Eindeutigkeit »zur Sprache«, so nicht nur mit dem Blick auf die allgemeine Verdrängung: Die schaudernde Erweckung des einstigen Furchtbaren zu erneuter (Bühnen-)Gegenwart hatte auch bei ihm die »Anfrage« an die Zeugen, die Zeitgenossen zur Folge: Wie hatten sie sich verhalten angesichts dieser Schrecken, und wie waren sie – so oder so – damit »fertig« geworden? Hochhuth riskierte als erster und einziger, diese Frage an jene Instanz und Institution zu richten, die in der Bundesrepublik der Nachkriegsjahre, kaum angefochten, die höchste moralische Autorität beanspruchte und über die regierende Partei und ihren Kanzler beträchtlichen Einfluß auch auf die Bonner Politik besaß: die katholische Kirche. Bislang hatte unbezweifelt und jenseits aller Diskussion als historische Wahrheit gegolten, die Kirche sei von allem Anfang an in ihrer Gesamtheit kompromißlos und entschieden gegen Hitler aufgetreten. (Ja, zeitweise herrschte weithin der Eindruck, sie – und allenfalls noch Teile des Protestantismus sowie die Offiziere des 20. Juli – seien *der* Widerstand schlechthin gewesen; von dem in Wahrheit viel früheren heftigeren und opfervolleren der Linken war kaum je die Rede.) Stillschweigend fand eine Identifikation der Gesamtkirche mit der entschlossenen Opposition und dem Märtyrertum einzelner – vom Jesuitenpater Delp bis zum Münsteraner Bischof Graf Galen – statt. Die definitive Haltung der Kirchenspitze und der Mehrzahl der deutschen Bischöfe dagegen blieb unerörtert. Auch dies änderte sich zu Beginn der sechziger Jahre – der vielbeachtete Aufsatz Ernst Wolfgang Böckenfördes in der Zeitschrift *Hochland*[3] setzte innerkatholisch die Version vom generellen Widerstand außer

Kraft und deutete eine »unbewältigte Vergangenheit« auch der Kirche an. Doch erst Hochhuths *Stellvertreter* wagte es, den Heiligen Stuhl und die Person des zur fraglichen Zeit amtierenden Papstes ins kühle Licht kritisch-unnachsichtiger Betrachtung zu rücken – eines Papstes, der, vor wenigen Jahren verstorben, gerade unter Deutschen 1963 noch in hohem, ungeschmälertem Ansehen stand: Pius XII. Eben dieser – so verlautbarte Hochhuth als Ergebnis seiner Erkundungen – habe, mit den Greueln des »Dritten Reiches« konfrontiert, schmählich versagt, er habe »geschwiegen«, wo klares Reden, entschiedenes »Beim-Namen-Nennen« der nationalsozialistischen Verbrechen am Platze, vielmehr dringend geboten gewesen sei. Denn – so Hochhuths These – Zehn-, vielleicht Hunderttausende der zum Gastod bestimmten Juden wären zu retten gewesen, hätte der Papst seine Stimme, deutlich und weltweit hörbar, erhoben. Und: *durfte* er überhaupt schweigen, nach eigenem Selbstverständnis und dem seiner Kirche, Christi Stellvertreter auf Erden zu sein? Hätte er nicht reden, protestieren müssen, einfach schon als »prominentester Christ«?

Der unerbittliche Ernst dieser zentralen, kaum mehr rhetorischen Frage störte eine Öffentlichkeit auf, die sich überwiegend als entschieden christlich-»abendländisch« empfand, und die andererseits der allgemeinen Neigung, gewisse »Dinge« doch nun endlich ruhen zu lassen, keineswegs energischen Widerstand entgegengesetzt hatte. Das einstige »Schweigen« des Papstes *zu* diesen »Dingen« gewann so fast den Anschein eines Präzedenzfalles auf höchster Ebene, der sich auf niederer bei den Epigonen im nachträglichen Schweigen *von* ihnen tagtäglich wiederholte. Auch von daher läßt sich die erbitterte Heftigkeit des polemischen Pro und Contra begreifen, das nicht auf die publizistische Sphäre beschränkt blieb. Zirka 3000 Kritiken, Berichte, Briefe lagen, wie Fritz J. Raddatz bei Herausgabe seiner Dokumentation *Summa iniuria*[4] resümierte, noch kein halbes Jahr nach der Uraufführung des *Stellvertreters* vor. War diese, wie erwähnt, relativ ruhig verlaufen, gab es nun auch in den Theatern – soweit sie das Stück überhaupt spielten (in München fand sich bis heute keines dazu bereit) – erregte Proteste. Die Baseler Aufführung, die zweite nach Berlin, rief einen echten Skandal hervor: mindestens 3000 jugendliche Demonstranten nahmen an einem von der katholischen Opposition veranstalteten Schweigemarsch und Fackelzug teil. Auch der deutsche Bundestag ging zu »Aktionen« über: neunzehn Abgeordnete der CDU richteten eine Kleine Anfrage an die Regierung, ob es die »Freunde unseres Volkes nicht befremden« müsse, Papst Pius angegriffen zu sehen, der »den Juden während der Verfolgung durch das

Naziregime tatkräftig geholfen« und »dem deutschen Volk besonders nahegestanden« habe (beides wurde von Hochhuth nie bestritten). Bundesminister Schröder »bedauerte« in seiner Antwort sogleich diese Angriffe und zog sich damit liberale Schelte (u. a. von Thomas Dehler[5]) zu, die klarstellte, eine Regierung sei schwerlich befugt, »Zensuren über dramatische Versuche und über geschichtliche Wertungen zu verteilen«. Also habe sie auch nichts zu »bedauern«. In Wien dagegen mahnte Kardinal König, Hochhuth »in Ruhe anzuhören«. Auch im nicht-deutschsprachigen Ausland reagierte man insgesamt weit weniger verkrampft – New York nicht ausgenommen, wo Kardinal Spellmans Verurteilung des *Stellvertreters* die Sympathien für Hochhuth – und die Zahl der Aufführungen seines Stückes – eher steigerte. Die längste Laufzeit erreichte der *Stellvertreter* in Paris (mit 346 Vorstellungen).

Ist die sich ins Anonyme verlierende Breiten- und Dauerwirkung auf Theaterbesucher und/oder Leser der Buchausgabe kaum halbwegs verläßlich abzuschätzen, geschweige zu »dokumentieren«, so läßt sich der Effekt der publizistischen Auseinandersetzungen (der erste und grundlegende bestand bereits in deren Zustandekommen) anhand der erörterten Inhalte einigermaßen klar überschauen. Am wenigsten ergiebig scheint die Liste der von der Gegenseite an Hochhuths Adresse gerichteten undifferenzierten persönlichen Vorwürfe: etwa derart, schlicht »blinder Haß auf Pius XII. (Grenzmann[6]) habe dem Autor die Feder geführt, oder diesem fehle einfach der »Zugang zum eigentlich religiösen Erleben« (Pater Eckert[7]). Auch daß Hochhuth zu »jung« sei, um Vorgänge aus einer Zeit, als er noch ein Kind war, recht zu beurteilen, konnte im Ernst nicht als »Argument« gelten[8]. War er nicht vielmehr eben deswegen erst wirklich unbefangen, frei von Trübungen des Blicks, von Rückversicherungen? Absurd sodann für jeden, der den Text des *Stellvertreters* kennt, der Anwurf demagogischer »Exkulpierung« der Deutschen[9], der Schuldabwälzung auf den Papst – auch in New York hatte diese »Sündenbock«-Legende ihre Liebhaber; sie wird später anläßlich der *Soldaten* mit Bezug auf Churchill von neuem in Umlauf gesetzt.

Die Globalverdammung von Hochhuths Werk als »antikatholisch« wiegt zweifellos schwerer – doch ergibt sich ihre Abwehr schon aus der Logik des Stückes selbst: Pius erscheint bei Hochhuth ja gerade auch deshalb als »Versager«, weil er die Macht und die Möglichkeiten seiner Kirche nicht wahrnimmt, von der geistig-moralischen Autorität nicht zu reden, die ihm prinzipiell kraft seines Amtes zukommt (und die Hochhuth nirgends in Zweifel zieht). So gesehen, ist der *Stellver-*

treter tatsächlich Verdikt über *eine* Person – und freilich auch alle jene, die gleich ihr nicht erkannten und erkennen, welches ganz und gar nicht materielle Kapital da in historisch gewichtiger Stunde verspielt wurde. Es sollte – so meinte auch Alexander Rüstow – die Kirche eigentlich mit Genugtuung erfüllen, daß jemand, noch dazu Nichtkatholik, sie »und ihr Haupt so ernst genommen« hat [10]. Ironischerweise äußerten sich gerade Katholiken weit weniger beeindruckt von der Macht und den Möglichkeiten ihrer Kirche als Hochhuth. In sonderbarer Selbstverkleinerung meinten sie, diese würden vom Autor des *Stellvertreters* weit überschätzt. Die Debatte hierüber steht in engem Zusammenhang mit der anderen über die immer wieder kontrovers beurteilte Frage nach den Erfolgsaussichten eines päpstlichen Protestes. Die Ebene bloßer Schmähungen und Verdächtigungen ist hier längst verlassen, und eine der diffizilen Problematik angemessene Tonlage scheint gefunden. Politische Wirkung wird erkennbar in der kritisch-abwägenden Durchdringung eines komplexen historischen Sachverhalts, die – über die spezielle Bewandtnis, die es damit hat, hinaus – grundsätzliche und auch für die Zukunft gültige Klarstellungen ermöglicht:

Hätte der Protest des Papstes gegen ein unmenschliches System, das aber doch auf die Loyalität oder mindestens widerwillige Duldung von Millionen gläubiger Katholiken angewiesen war, wirklich erfolglos bleiben müssen? Hätten sich diese ingesamt dem Appell ihres geistlichen Oberhauptes zum Ungehorsam oder zur Verweigerung der Teilnahme an bestimmten verbrecherischen Handlungen verschließen können? Wären sie nicht wenigstens – dies die Meinung des evangelischen Theologen Gollwitzer – zu vermehrter Hilfeleistung für die Verfolgten bewogen worden [11]? *Ist* es denn so, daß damit, wie Carl Amery Hochhuth vorhält, der moralische »Kredit« von Papst und Kirche in der »Welt der Gleichgültigkeit« »überraschend hoch«, also wohl: zu hoch, »angesetzt« werde [12]?

Davon ganz abgesehen – der Autor des *Stellvertreters* kann auf Äußerungen des Diktators und seiner Satrapen verweisen, wonach ein Konflikt mit der Kirche während des Krieges unbedingt zu vermeiden sei. Hätte womöglich die Kündigung des Konkordats bereits ausgereicht, Hitler zu zügeln, die Vernichtung der Juden aufzuhalten? Hochhuth führt auch konkrete Fälle an, in denen schon die Intervention von Bischöfen, Nuntien (in der Slowakei, in Ungarn) genügte, die Verschleppungen zu stoppen. Die bloße Androhung eines päpstlichen Einspruchs brachte den Gestapochef von Rom, Kappler, dazu, verhaftete katholische Juden wieder freizugeben. Hätte eine ausdrückliche Verurteilung Hitlers durch den Papst »vor aller Welt« – wie Kardinal Montini, der spätere Paul VI., meinte – »zum Schaden« der Opfer ausschlagen müssen? An deren Los gab es jedoch, als die Juden bereits in Massen auch aus Rom nach Ausschwitz transportiert wurden, kaum noch etwas zu »verschlimmern«. Hitlers Reaktionen waren gewiß unberechenbar, aber mußte nicht wenigstens ein Versuch gewagt werden? Und wäre er selbst mißlungen: ist eine Argumentation vom Erfolg oder Nichterfolg her nicht eigentlich unchristlich, ja schon unmoralisch?

Hier erreicht die Kritik gerade einiger strikt und kompromißlos von der Substanz ihres Glaubens her denkender Pius-Gegner ihren schwer überbietbaren Höhepunkt. Ging es nicht vorrangig um die eigene Glaubwürdigkeit, ja mehr: darum, den Opfern, die verstummt waren, Stimme zu geben, Wahrheitszeuge zu sein gegen die Mächte des Bösen? Das mußte wohl auch gelten, wenn man mit etlichen Verteidigern des einstigen Papstes eine akute Gefährdung der Kirche, vielleicht sogar des Heiligen Vaters selbst, für den Fall des Protestes oder einer Konkordatskündigung annahm. Evangelische Geistliche wie der Berliner Propst Grüber, aber auch der Katholik Freiherr von Aretin zögerten nicht, in der »Abwägung der Güter« über das »Wohl der Kirche« ihr »apostolisches Amt« zu stellen (Aretin [13]), für bestimmte Situationen äußerster Herausforderung die Pflicht zum Martyrium zu postulieren. »Und selbst wenn ... durch den Protest des Papstes tausend Mönche verhaftet, aber zehntausend Juden gerettet worden wären, dann wäre für mich die Rechnung aufgegangen. Für mich sind Juden so wertvoll wie Mönche« (Grüber [14]). Konsequent befindet er: »Wer diplomatisch schweigt und sich schont, hat kein Recht, von der Nachfolge Jesu zu sprechen«. Und ähnlich heißt es beim Freiherrn von Aretin: Pius habe bloß als »Oberhaupt der katholischen Kirche«, nicht als »Stellvertreter Christi« entschieden« [15].

Indessen gelangten nicht nur »radikale« Theologen zu so harten Richtsprüchen über den zwölften Pius; die publizistischen Gewichte verschoben sich allgemein immer deutlicher zu seinen Ungunsten. Mehr noch: seine Figur war bis in breite Schichten der katholischen Bevölkerung hinein problematisiert worden. Eine Heiligsprechung, wie die Kirche sie offensichtlich noch kurz zuvor erwogen hatte, schien jetzt undenkbar (wahrscheinlich hat Hochhuth sie für immer verhindert). Und als der Vatikan 1966 aus seinen Geheimarchiven einschlägige Dokumente zur Veröffentlichung freigab, »entlasteten« sie Pius nur in wenigen unwesentlichen Punkten. So wird »die Geschichte« ihn denn wohl tatsächlich kennen »als den Papst, der schwieg« (Sebastian

Haffner [16]). Zwar blieben und bleiben die Motive dieses Schweigens strittig, sicher aber reichte selbst das günstigste annehmbare – diplomatische Klugheit, »Staatsraison« – nicht hin, dem Papsttum jenes hohe Maß an geistiger Würde und moralischer Überzeugungskraft zu gewinnen, das ihm zugefallen wäre, hätte sich Pius der furchtbaren geschichtlichen Stunde in mehr als nur staatsmännischem Sinne gewachsen gezeigt. Indem Hochhuth, der sein Stück zu Recht ein »christliches Trauerspiel« nannte, der Kirche diese zweifellos schmerzhafte Einsicht bereitete, eröffnete er ihr zugleich jedoch eine Chance: die der resoluten Selbstprüfung, der willig-freimütigen Anerkennung, wenn schon nicht von Schuld, so doch schuldhaften Irrens (das ja nicht nur eines ihres Oberhauptes allein war) und gerade damit der Erneuerung wahrer geistlicher Autorität, die nicht auf der bloßen Tabuierung des Unzulänglichen beruhen kann, das ihr, wie allem Menschlichen, unterläuft. Hochhuths Angriff auf einen früheren Papst und sein »Establishment« war erkennbar kontrapunktiert auch von Verehrung für den – damals – gegenwärtigen: Johannes XXIII. (der dann allzu bald starb und dem er einen bestürzten Nachruf schrieb) und vom Hoffen auf Wandlungen in der Kirche, das sich indes nur zum geringeren Teil erfüllte. Immerhin: Die Entkrampfung des Verhältnisses zu Israel, die Tilgung traditionell judenfeindlicher Formulierungen aus der Liturgie, ja die erstmalige Erörterung des unbestreitbaren historischen Antisemitismus innerhalb der Kirche (nicht nur der katholischen!) waren erfreuliche Zeichen von unmittelbar politischer Ausstrahlung. Offene Worte zum fragwürdigen Verhalten eines Papstes gegenüber der Hitlerschen »Endlösung« blieben jedoch aus, und insgesamt scheint es, als habe die Mehrzahl der Kirchenführer den Schock des *Stellvertreters* allzu vordergründig nur als unverzeihlichen Tort und Affront, der in Pius der *ecclesia* schlechthin angetan wurde, bewertet. Noch 1976 protestierte die Synode der römisch-katholischen Kirche des Kantons Basel gegen die Verleihung des Baseler Kunstpreises an Rolf Hochhuth, weil damit »alte Wunden aufgerissen« würden. Die Preisverleiher hatten indes von der »moralischen Verantwortung« nicht nur der Kirche und des Papstes, sondern »darüber hinaus … jedes Zeitgenossen, angesichts der Untaten des Nazi-Regimes« gesprochen. Schon während der *Stellvertreter*-Kontroverse von 1963 war von Helmut Gollwitzer – und nicht nur von ihm – dieser erweiternde Aspekt betont worden: »Die Frage, ob nicht mehr hätte getan werden sollen, richtet sich an uns alle«.[17] Sie richtet sich, wie mit dem Amerikaner Alfred Kazin [18] hinzuzufügen wäre, etwa auch an alle jene »Realisten« und »Realpolitiker«, die damals wie heute sich mit dem Unrecht zu

»arrangieren« trachten, sofern nur nicht ihre – meist kommerziellen – Kreise gestört werden.

Hochhuths Präferenzen in diesem seinem ersten Stück sind klar: sie gelten den Eindeutigen, Entschiedenen, die reinen Tisch machen und alles riskieren. Abneigung, Verachtung trifft die Kühlen, Indifferenten, die »sich Entziehenden«. Der Autor des *Stellvertreters* wählte das drastisch verdeutlichende Extrem eines Politikers – denn das ist der Papst natürlich auch –, der, bei aller Teilhabe am politischen Geschäft, höchste Moralität zu verkörpern hat. Diese in die Waagschale zu werfen – so Hochhuths These –, wäre zugleich auch die äußerste Entfaltung seiner weltlichen Macht gewesen; Moral wäre zu Politik geworden, mindestens in diesem einen besonderen Fall.

Merkwürdig, konstatieren zu müssen (oder zu dürfen), wie sehr die ungeheure Wirkung des Werkes, das dies so angestrengt wahrscheinlich zu machen sucht, selbst politisch als eine moralische war: Hochhuths *Stellvertreter* – das ist die Restitution der Moral als Politik.

So, wie man jetzt schon merken kann, daß von der ganzen Geschichte Hitlers und des Zweiten Weltkrieges nur zwei Wörter im Gedächtnis der Menschheit bleiben werden – Auschwitz und Hiroshima –, so fühlt man schon jetzt, daß von Pius XII. nur sein Schweigen zu diesen Taten übrigbleiben wird. Die Geschichte wird ihn kennen als den Papst, der schwieg.

Sebastian Haffner
Stern, Hamburg, 7. April 1963

Beim Ausbruch des Krieges mit Rußland trat der deutsche Botschafter Franz von Papen an ihn (den späteren Papst Johannes XXIII. und damaligen Nuntius in der Türkei) heran und ersuchte ihn, seinen Einfluß in Rom zu benutzen, um eine deutlich ausgesprochene Unterstützung Deutschlands durch den Papst (Pius XII.) zu bewirken. »Und was soll ich über die Millionen Juden sagen, die Ihre Landsleute in Polen und Deutschland ermorden?« Das war 1941, als das große Massaker gerade begonnen hatte. Zu diesem Themenkreis passen auch noch die folgenden Geschichten. Und da, soweit ich weiß, keine der vorhandenen Biographien des Papstes Johannes seine Differenzen mit Rom irgendwo erwähnt, so würde es nicht sehr überzeugend klingen, wenn man die Authentizität dieser Geschichten leugnen wollte ... In den Monaten vor seinem Tode gab man ihm Hochhuths *Stellvertreter* zu lesen und fragte ihn dann, was man dagegen tun könne. Worauf er geantwortet haben soll: »Dagegen tun? Was kann man gegen die Wahrheit tun?«

Hannah Arendt
The New York Review, 1965

DIETER HILDEBRANDT

Bruchstücke eines großen Zorns

Das Federlesen später. Zunächst einmal muß, nach diesem Mittwochabend im Theater am Kurfürstendamm, die Entdeckung eines jungen deutschen Dramatikers angezeigt werden. Eines szenischen Talents, das aus dem Zorn über ein heikles Kapitel Zeitgeschichte sich entwickelt zu haben scheint und dennoch nichts weniger ist als ein zorniger junger Mann oder ein Kolporteur unbewältigter Vergangenheit.

Rolf Hochhuth bringt in seinem ersten Stück zustande, was wir lange nicht bei einem deutschen Bühnenautor erlebt haben: Figuren mit lebendigem Profil, Szenen von scharfer und bewegender Kraft, ja von furiosem Pathos, geschmeidig-brisante, genau charakterisierende Dialoge. Und Hochhuth versteht sein Publikum zu bannen, betroffen zu machen kraft einer Leidenschaft, die alles andere denn theatralisch ist, sondern gewissenhaft, ernst, streng …

Der Stoff ist ein Wagnis, vielen wird er ein Ärgernis sein. Dieses »christliche Trauerspiel«, wie es im Programmheft ironisch heißt, behandelt die Rolle des Vatikans bei den Judenverfolgungen des Dritten Reiches, es stellt die Frage, ob Papst Pius XII. Entscheidendes getan habe, um die »Endlösung« zu verhindern. Und es verneint sie, ohne alle Umschweife. Hochhuth stellt den verstorbenen Pius nicht nur auf die Bühne, sondern auch glatterdings an den Pranger. Nicht einmal die Staatsräson läßt er ihm als Entschuldigung für seine Politik der Nichteinmischung; der Verdacht wird geäußert, daß der verstorbene Papst zu »hoch über den Geschicken der Welt, der Menschen« gestanden und aus der Abstraktion seines Amtes nicht mehr die grauenhafte Realität der Folterungen begriffen habe. Der Vorwurf, den Hochhuth erhebt, erscheint auf den ersten Blick tollkühn, verwegen, unerhört.

Die katholische Kirche in Berlin hat sich denn auch, noch vor der Aufführung, dagegen zur Wehr gesetzt. Der Katholiken-Ausschuß des Bistums Berlin verschickte eine Dokumentation, mit der die Hilfe des Papstes für die Verfolgten belegt werden soll. Nach Robert Leiber SJ wird dort zitiert: »Wo blieben die anderen Juden Roms? Sie haben sich zu Hunderten und aber Hunderten in die Häuser der religiösen Orden und Genossenschaften und anderer kirchlicher Institute geflüchtet. Pius XII. hatte wissen lassen, die kirchlichen Häuser könnten und sollten flüchtigen Juden Unterkunft gewähren …« Und es findet sich auch ein Satz aus dem Beileidsschreiben Dr. Nahum Goldmanns, Präsident des Jüdischen Weltkongresses, nach dem Tode des Papstes: »Mit besonderer Dankbarkeit erinnern wir uns all dessen, was er für die verfolgten Juden in einer der schwersten Prüfungen ihrer Geschichte getan hat.« Das ist ein gewichtiges Zeugnis, was läßt sich dagegen sagen? Hochhuth setzt einen Brief des deutschen Botschafters beim Heiligen Stuhl, des Herrn von Weizsäcker, dagegen, in dem es heißt: »Der Papst hat sich, obwohl dem Vernehmen nach von verschiedenen Seiten bestürmt, zu keiner demonstrativen Äußerung gegen den Abtransport der Juden (in Rom) hinreißen lassen … Der *Os-*

servatore Romano hat ... am 25. Oktober ein offiziöses Kommuniqué über die Liebestätigkeit des Papstes veröffentlicht, in welchem es in dem für das vatikanische Blatt bezeichnenden Stil, das heißt reichlich gewunden und unklar, heißt, der Papst lasse seine Fürsorge allen Menschen ohne Unterschied der Nationalität und Rasse angedeihen. Gegen die Veröffentlichung sind Einwendungen um so weniger zu erheben, als ihr Wortlaut von den wenigsten als spezieller Hinweis auf die Judenfrage verstanden werden wird.«

Dieses Zitat steht am Ende des Stückes, wie es, gleichzeitig mit der Berliner Aufführung, im Rowohlt Verlag erschienen ist; ein Werk, das ungekürzt wohl sieben Stunden Spieldauer hätte und nicht nur in dieser Beziehung – wir wagen einen großen Vergleich – an *Die letzten Tage der Menschheit* von Karl Kraus erinnert. Denn auch Hochhuth montiert seine Dialoge aus Sätzen, die überliefert, seine Szenen aus Vorfällen, die historisch belegt sind, seine Figuren aus Vorbildern, die ähnlich sich bewegt, verhalten haben. Nur daß bei ihm kein eigentlich satirischer Impuls vorliegt, sondern der eines Suchers nach der Wahrheit, nach dem Sinn, nach Verantwortlichen ...

Aber wir haben hier nicht das Buch zu besprechen, sondern die Uraufführung in Berlin, wir haben auch nicht über die historische Wahrheit zu entscheiden, sondern darüber, ob die Wahrheit des Stückes folgerichtig, gerecht, auch nur plausibel ist. Und wenn nun vom Theaterabend selbst die Rede ist, so muß, in dreifacher Beziehung, Erwin Piscator genannt werden, der Intendant des Hauses der Freien Volksbühne, der jetzt seinem Ziel des engagierten und epischen Theaters so eindrucksvoll nahegekommen ist wie in seiner neuen Berliner Ära bisher noch nicht. Dem Theaterleiter Piscator gebührt Dank für die Courage, diesen Autor vorgestellt zu haben, dem Regisseur für eine Aufführung, die, bei ungleicher Besetzung, Härte, Eindringlichkeit und Würde hat; allein gegen den Dramaturgen Piscator wären Bedenken geltend zu machen, aber sehen wir zu:

Das Stück beginnt mit einer Szene in der Päpstlichen Nuntiatur zu Berlin, in der die beiden Hauptgestalten vorgestellt werden: Riccardo, der junge Jesuitenpater, der frisch in die Reichshauptstadt gekommen ist, ins Berlin des Jahres 1942, und der SS-Obersturmführer Gerstein, der in die Nuntiatur eindringt, um dem Vatikan Kenntnis zu geben von dem, was er auf einer Dienstreise gesehen hat: die Ermordung Tausender von Menschen. Der Nuntius entzieht sich dem Drängen Gersteins (der protestantischen Kreisen nahesteht und eine historische Gestalt ist), aber der junge Priester ist entsetzt. Er sucht am nächsten Tag Gerstein auf, gibt ihm, ohne Vollmacht, das Versprechen, der

Vatikan werde protestieren, mit der Kündigung des Konkordats drohen. Einem Juden, dem Gerstein zur Flucht verhelfen will, gibt der Geistliche Soutane und Paß. Er empfängt dafür, nebst einem schäbigen Anzug, den Davidstern. Er hält ihn gegen die eigene Brust. Das Grundmotiv des Stückes ist angeschlagen: der Gedanke des christlichen Mitleids, in der nüchternen Form des Mitleidens. Ist Christentum anderes als Nächstenliebe? Hat Christus sich nicht geopfert für uns alle? Ist der Stellvertreter Christi, der Papst, nicht gebunden, das Martyrium aufs neue auf sich zu nehmen, wenn Menschen, Mitmenschen, verfolgt werden? Riccardo, der junge Priester, reist bald darauf, am Tag der Niederlage bei Stalingrad, nach Rom, den Vatikan zum Protest gegen die Judenverfolgungen endlich zu bewegen. Eine großartige Szene vor der Pause: wie Riccardo mit seinem Vater, einem römischen Grafen, und einem Kardinal zusammentrifft; wobei die hitzigen Auseinandersetzungen immer wieder durchbrochen werden von der Erwähnung eines Ordens, den der Graf soeben bekommen, und einer Orchidee, die der Kardinal mitgebracht hat ... Dann ein abenteuerlicher Auftritt in einem Ordenskloster; zahlreiche Juden haben hier Zuflucht gesucht, andere sind von der SS aus ihren Häusern geschleppt worden, »unter den Fensterns des Vatikans«. Riccardo und Gerstein haben einen wahnwitzigen Plan zur Ermordung des Papstes, die man dann der SS zur Last legen will.

Hier geht das Seelendrama (wenn man es so nennen will) in Indianerspiel über. Dies hätte gestrichen werden müssen zugunsten der vorhergehenden Szene, in der die Verschleppung einer jüdischen Familie aus Rom gezeigt wird. Nur aus der unmittelbaren Anschauung kann die Empörung Riccardos verständlich werden, die sich dann gegen den Heiligen Vater selbst richtet. Denn was sich in der Vatikanszene begibt, ist ungeheuerlich und kann, wenn überhaupt, nur glaubwürdig gemacht werden durch andere, schlimmere Ungeheuerlichkeiten: die Grausamkeit an unschuldigen Menschen. Diese Papstszene ist von grandioser Spannung, aber die Spannung wird überzogen. Die Autorität des Papstes, von der ja der Autor als einer großen, anerkannten Macht ausgeht, ohne die der Vorwurf des Stückes nicht möglich wäre (denn es wird ausdrücklich auf die Person, nicht nur auf die Institution gezielt), darf nicht so strapaziert werden, wie es hier geschieht. Hier gab es denn auch den einzigen Pfiff aus dem Publikum. Und Pfuirufe nach dem Satz Riccardos: »Gott soll die Kirche nicht verderben, nur weil ein Papst sich seinem Ruf entzieht.« Riccardo aber, den Judenstern am Priestergewand, geht den Opfergang nach Auschwitz, ein Stellvertreter des Stellvertreters Christi, um dort mit den Juden zu sterben. (Dem Pater Maximilian Kolbe, der so sich geopfert hat, ist das Stück gewidmet, auch dem Berliner Dompropst Bernhard Lichtenberg, der für die Juden gebetet hatte und hingerichtet wurde.) Auschwitz ist, in der Fassung Piscators, nur noch ein kurzer Epilog, die Auseinandersetzung Riccardos mit dem Lagerarzt, der die Dimension des Bösen bekommt, die Statur Satans, eines gefallenen Engels, der mit seinen Morden von Gott eine Antwort erzwingen will. Schüsse, Todesschreie, das Ende.

Piscator läßt die Spieler, »wegen der besonderen Problemstellung« nicht vor den Vorhang nach der Aufführung ... Der Hausherr hatte gebeten, von Applaus abzusehen. Am Ende kam doch Beifall auf, bewegter, hartnäckig-herzlicher Beifall, der den Autor schließlich herausforderte und, zu guter Letzt, auch Piscator.

Frankfurter Allgemeine Zeitung,
22. Februar 1963

WALTER MUSCHG

Hochhuth und Lessing

Die Gegner von Hochhuths *Stellvertreter* haben von Anfang an behauptet, sein Stück sei nicht nur sachlich unhaltbar, sondern auch künstlerisch verfehlt. Es sei das Machwerk eines Anfängers, der keine Menschen, sondern Marionetten agieren lasse und kein Drama, sondern eine banale Reportage geschrieben, eine Farce der historischen Wirklichkeit produziert habe. Auch zustimmende, ja begeisterte Kritiker werfen dem Verfasser vor, sein Papst sei zu sehr nur Zielscheibe, die Gegenfigur Riccardo ein blasses Schemen, überhaupt alles zu einfache Schwarzweißmalerei, die die Bösen zu primitiv als böse, die Guten zu eindeutig als gut zeige, statt als gemischte, interessante Charaktere.

Es ist tatsächlich nicht schwer, Schwächen dieses Erstlings zu erkennen. Sein Hauptfehler ist: Er geht zu sehr in die Breite, nicht nur im Gesamtumfang, sondern, mit Ausnahme des fünften Aktes, auch innerhalb der einzelnen Szene, des einzelnen Dialogs. Das rührt von der Gewissenhaftigkeit her, mit der Hochhuth sein »J'Accuse« dokumentarisch untermauert. Er hat seinem Drama nicht nur einen Anhang mit Quellenbelegen beigegeben, auch seine Regiebemerkungen sind mit Quellenmaterial und sogar mit Reflexionen über seine künstlerische

Methode durchsetzt. Das ist auf alle Fälle nicht naiv, sondern Ausdruck einer geistigen Leidenschaft, die ihren eigenen Maßstab verlangt. Die Einwände der meisten Kritiker entlarven weniger Hochhuth als sie selbst. Sie zeigen, wie tief verschüttet in Deutschland die Tradition der freiheitlichen, kämpferischen Dichtung ist, die von der Aufklärung über das Junge Deutschland bis zum Expressionismus führt. Die Vorwürfe, die Hochhuth gemacht werden, gelten für die Kampfdichtung aller Zeiten, sie wurden ihr schon immer gemacht und kehren mit monotoner Regelmäßigkeit wieder. Schon im Reformationstheater wurden der Papst und andere gekrönte Häupter auf die Bühne gebracht und bloßgestellt, nicht als interessante Charaktere, sondern als Verkörperungen eines Prinzips. Auch im Jesuitentheater der Gegenreformation haben die Figuren keine persönlichen, sondern typische Gesichter und sind streng in Gute und Böse geschieden. Lessing begann ein Trauerspiel *Henzi*, mit dem er in letzter Stunde die Hinrichtung eines Staatsverbrechers in Bern verhindern wollte. Als man die Verse seines *Nathan* beanstandete, sagte er, sie wären schlechter, wenn sie besser wären. Auch ihm ging es nicht nur um schöne Worte, sondern um eine Sache. Und was den belächelten Umfang des *Stellvertreters* betrifft: Der *Don Carlos* zählt 5370 Verse, das ist das Doppelte der *Braut von Messina* und mehr als der erste Teil des *Faust*. Schiller stellte von diesem Monstrum in der Folge drei Redaktionen und zwei Bühnenbearbeitungen her; die heute übliche Fassung hat immer noch einen so abnormen Umfang, daß sie nur gekürzt gespielt werden kann.

Hochhuth ist nicht Schiller und nicht Lessing, aber er geht auf ihrer Spur. Auch sachlich knüpft er an sie an, denn der *Don Carlos* wurde ursprünglich als Drama gegen die Pfaffen geplant, und das Thema von *Nathan der Weise* ist der Antisemitismus. Lessing schrieb über dies sein letztes Drama: »Noch kenne ich keinen Ort in Deutschland, wo dieses Stück schon itzt aufgeführt werden könnte. Aber Heil und Glück dem, wo es zuerst aufgeführt wird.« Er erlebte es nicht mehr, es dauerte zwanzig Jahre, bis sein Lehrstück der Toleranz auf den Bühnen Eingang fand. Nur den starken Bucherfolg erlebte er noch, und er genügte ihm, da er mit hundert Jahren Wartezeit rechnete. Und welche Feindschaft tobte wegen dieses Werkes gegen ihn! Das Christentum kommt im *Nathan* schlechter weg als bei Hochhuth, aber im Grundriß stimmen die beiden Dramen vielfach überein. Gleiche Probleme rufen über die Zeiten hinweg zwangsläufig ähnliche Figuren und Situationen. Hochhuths Papst entspricht Lessings zelotischem Patriarchen von Jerusalem (»Tut nichts! Der Jude wird verbrannt«), sein

Riccardo Fontana dem einfältigen Klosterbruder, der die Ehre der Kirche rettet, sein SS-Obersturmführer Gerstein dem draufgängerischen Tempelherrn. Die Parallele ließe sich noch weiterführen.

Sie erstreckt sich aber auch auf Hochhuths künstlerisches Verfahren. Er verzichtet auf die Errungenschaften des avantgardistischen Theaters, das den Irrsinn unserer Zeit als surrealistischen Schabernack widerspiegelt. Denn er sieht das Weltgeschehen nicht als Absurdität, sondern als Kampf zwischen Licht und Finsternis, und ergreift in diesem Kampf Partei. Wie Schiller und Büchner, wie Karl Kraus in den *Letzten Tagen der Menschheit,* stellt er ihn auf einem exakten dokumentarischen Unterbau in typischen Vertretern und Szenen dar, die auf den Höhepunkten ins Symbolische, Transzendente übergehen. Die Wirklichkeit wird durchsichtig gemacht, zu letzten Gegensätzen verabsolutiert. Die Papstszene ist ein solcher Höhepunkt. Sie ist frei erfunden, eine Konstruktion wie die Audienz beim Sultan Saladin, in der Nathan die Ringparabel erzählt, und wie die Audienz im *Don Carlos,* die auch »unmöglich« ist, da sie so nie hätte stattfinden können. Dort und hier wird mit den gleichen Mitteln des kunstvollen Szenenaufbaus, der rhetorischen Steigerung, der dialektischen Kontrastierung gearbeitet. Es ist lächerlich, hier nach mehr Psychologie und historischer Treue zu rufen. Solche Kunst hat es auf eine Wahrheit abgesehen, die kein Psychologe und kein Historiker sichtbar machen kann.

Die Wahrheit, um die es Hochhuth geht, tritt im grandiosen fünften Akt hervor, mit dem sein Stück steht und fällt. Auch diese Darstellung von Auschwitz hat man als unzulänglich, die Figur seines Doktors als unglaubwürdig bemäkelt. Man hat eingewendet, Auschwitz sei »weder künstlerisch noch menschlich, weder emotional noch intellektuell zu bewältigen«, weil es die menschliche Fassungskraft übersteige. Wer so argumentiert, gibt unfreiwillig Hochhuth recht. Die Hölle ist in der Tat nicht darstellbar, auch Dantes Inferno kommt uns heute eher harmlos vor. Das absolut Böse wird von jeder Zeit anders erlebt und muß jeder anders gezeigt werden. Wesentlich ist, ob man es sehen will oder die Augen davor verschließt. Der Schlußakt des *Stellvertreters* ist immerhin so, daß die Regisseure zögern, ihn dem Publikum zuzumuten. Auschwitz erscheint hier, wenn auch nur schattenhaft, als die Hölle, die es war, und der Doktor tritt darin als der Teufel auf, wie er heute aussieht, im Rahmen eines modernen Mysterienspiels, das zwischen Satan und Gott ausgespannt ist. Wem das zu wenig oder zu viel ist, der möge sich in Salzburg erbauen. Hochhuth hat den *Nathan* zeitgemäß umgeschrieben, indem er den Antisemitismus in die höllische Perspektive rückte, die sich Lessing noch nicht träumen ließ, die er aber für uns besitzt. So mußte sein Stück notwendig das werden, als was er es ursprünglich bezeichnete: ein unter apokalyptischem Himmel versuchtes »christliches Trauerspiel«.

Das muß man wissen, wenn man ihn kritisieren will. Hätte er beispielsweise in der Vatikanszene statt Pius XII. irgendeinen Kardinal die Kirche repräsentieren lassen, so verlöre sein Stück sofort den absoluten Aspekt und wäre eine unverbindliche geschichtsphilosophische Lektion wie die Szene mit dem Großinquisitor in der endgültigen Fassung des *Don Carlos*. Wäre seine Sprache poetischer, das Faktische weniger hart, die Phantasie gegenüber dem Grauenhaften weniger ausgeschaltet, so hätte er ein zweites *Andorra* geliefert. Er ist aber weder ein weicher Poet noch ein Gaukler des ästhetischen Experiments, sondern etwas in der deutschen Literatur Seltenes: ein Aufklärer von kühlem Kunstverstand und verhaltener geistiger Glut. Als nebelfreier Kopf berechnet er seine Effekte genau, um seinem Gedanken – der Entwürdigung des Menschen bis in die obersten Spitzen der Gesellschaft – zur stärksten Wirkung zu verhelfen. Da reißen sich unsere Dramatiker Arme und Beine aus, um die Welt auf den Kopf zu stellen und das Publikum zu schockieren. Da bedauert man es, daß Brecht Kommunist war, und stellt sich darauf ein, ihn rein künstlerisch zu genießen. Und da kommt dieser heißersehnte westliche Brecht und zeigt, was wahres Schocktheater und unausweichliche geistige Forderung ist, mit solchem Erfolg, daß die Theater ihn kaum zu spielen wagen und seinetwegen ein öffentlicher Skandal mit Protestmärschen, Verleumdungsfeldzügen, organisierter Sabotage und Regierungserklärungen entsteht. Diese Ehre ist weder den *Physikern* noch den *Nashörnern* widerfahren, sie erinnert an bessere Zeiten des deutschen Theaters, wo es noch Schauplatz geistiger Kämpfe war. Der *Stellvertreter* ist trotz seiner im Grund traditionellen Struktur ein revolutionäres Werk, weil er über die modischen artistischen Teufeleien des Antidramas hinaus wieder klarmacht, daß die Dichtung imstande ist, an die Vernunft des Menschen zu appellieren. Auf einen solchen jungen deutschen Dramatiker haben wir gewartet, und die Fehler seines ersten Wurfs sind uns lieber als die schönsten Verrücktheiten des absoluten Theaters.

Man hat auch im Fall Hochhuth wieder den Titel von Schillers Rede über die Schaubühne als eine moralische Anstalt zitiert. Den schönen Titel wohl, aber die Rede selbst? In ihr stehen die Sätze: »Wenn keine Moral mehr gelehrt wird, keine Religion mehr Glauben findet, wenn kein Gesetz mehr vorhanden ist, wird uns Medea noch anschauern, wenn sie die Treppen des Palastes herunterwankt und der Kindermord jetzt geschehen ist ... Eine merkwürdige Klasse von Menschen hat Ursache, dankbarer als alle übrigen gegen die Bühne zu sein. Hier nun hören die Großen der Welt, was sie nie oder selten hören – Wahrheit; was sie nie oder selten sehen, sehen sie hier – den Menschen.«

Programmheft der Städtischen Bühnen, Frankfurt/Main,
Februar 1964

Zwei Katholiken

Die deutschen Katholiken können nur traurig und beschämt davon Kenntnis nehmen, daß im freien Westberlin ein Theaterstück *Der Stellvertreter* aufgeführt wird, in dem das Andenken Papst Pius XII., dessen wir in größter Liebe und Verehrung gedenken, auf das häßlichste verunglimpft wird. Unter dem Vorwand historischer Untersuchung darüber, ob der päpstliche Stuhl während des Krieges noch mehr gegen die deutschen Greueltaten am europäischen Judentum hätte unternehmen können, ohne erst recht die radikalsten Maßnahmen auszulösen, wird mit allen Mitteln der Bühnentechnik die Person und der Charakter dieses Papstes verzerrt und verleumdet, bis aus schwarz weiß wird! So soll einer der edelsten Männer, den unsere Generation hervorgebracht hat, zum Schuldigen gestempelt werden für das, was Deutsche getan – und woran wir – leider mit Recht – immer wieder erinnert werden. Das ist keine Bewältigung der politischen Vergangenheit! Man wird dem Autor oder dem Intendanten nicht unterstellen wollen, sie hätten es darauf angelegt, einen Sündenbock zu erfinden, um damit die zu entschuldigen, die wirklich schuldig waren. Auch die literarischen Qualitäten von Hochhuths Stück mögen dahingestellt bleiben. Wenn aber wir als Deutsche uns so ein Theater gefallen lassen, ohne es erbittert abzulehnen, machen wir uns wieder einmal anstößig vor aller Welt. Gerade in Westberlin sollte man das begreifen! Pontresina, den 2. 3. 1963

Karl Fürst zu Löwenstein
(Präsident des Zentralkomitees der deutschen Katholiken)

Die von Rolf Hochhuth behandelten Probleme rund um Pius XII. wurden mir selbst erstmalig nach 1945 in Rom, von katholischen Priestern, in einer Optik dargestellt, die nahe an die des deutschen Autors herankommt. Der allgemeine Tenor dieser Aussagen und Darstellungen war: »Unter Pius XII. wäre das nicht möglich gewesen …« In den letzten zehn Jahren haben amerikanische Protestanten, europäische Juden, französische Katholiken sich mir gegenüber mehrfach im selben Sinne geäußert …

Ein Wort noch als Katholik: Unheimlich berühren mich seit vielen Jahren die in tausend und abertausend heiligen Meßfeiern von Millionen Gläubigen mitgebeteten Sündenbekenntnisse: Confiteor deo omnipotenti … Gedankenlos, geistlos, mechanisch wird da ein Sündenbekenntnis ritualisiert … Das große Potential der inneren Kräfte wird erst entbunden, frei gemacht werden können, wenn das tägliche Sündenbekenntnis im besten Sinn des Wortes politisiert, aktualisiert, konkretisiert wird: Da wird es dann gegebenenfalls lauten: »Ich bekenne Gott dem allmächtigen Vater … daß ich gesündigt habe … durch meine Schuld, durch meine sehr große Mitschuld an der Verfolgung der Juden …«

Zu einer solchen Aktualisierung des »Confiteor« stellt Rolf Hochhuths Drama *Der Stellvertreter* eine deutliche Einladung dar.

Friedrich Heer
Revue, München, 17. März 1963

KARDINAL MONTINI (PAUL VI.)

Brief an die englische Wochenschrift »The Tablet«

Herr Direktor!

Ich habe den Artikel »Pius XII. and the jews« in der Ausgabe vom 11. Mai 1963 gelesen, und ich freue mich, daß dieser Beitrag nicht nur Papst Pius XII. ehrwürdigen Angedenkens und den Heiligen Stuhl verteidigt, sondern daß er auch die geschichtlichen Tatsachen richtig darlegt, daß er logisch und taktvoll ist.

Ich habe nicht die Absicht, in die Diskussion um die Frage einzugreifen, die das von Rolf Hochhuth geschriebene und von Erwin Piscator inszenierte Drama *Der Stellvertreter* aufgeworfen hat, ob es nämlich Pflicht Papst Pius XII. gewesen wäre, mit lautstarken und aufsehenerregenden Protesten die Judenmorde während des letzten Krieges zu verurteilen. Dazu wäre vieles zu sagen, auch nach dem klaren und überzeugenden Artikel im *Osservatore Romano* vom 5. April

1963. Denn die These des Dramas, die Herr George Steiner in *The Sunday Times* vom 5. Mai 1963 so herausstellt: »We are accomplices to that which leaves us indifferent«, ist auf Person und Werk eines Papstes wie Pius XII. keineswegs anwendbar. Ich weiß nicht, wie man eine solche Anklage gegen einen Papst aufrechterhalten und, noch weniger, wie man sie zum Gegenstand eines Bühnenstückes machen kann; eine Anklage gegen einen Papst, der von sich mit lauter Stimme und mit ruhigem Gewissen sagen konnte: »Wir haben keine Anstrengung unterlassen und keine Mühe gescheut, um die Bevölkerung vor den Schrecken der Deportation oder der Aussiedlung zu bewahren, und als die grausame Wirklichkeit unsere berechtigten Erwartungen enttäuschte, setzten wir alles daran, wenigstens die Härte in der Durchführung zu mildern.«

Die Geschichte, nicht die künstliche Manipulation der Tatsachen und ihre voreingenommene Interpretation – wie das im *Stellvertreter* der Fall ist – erhebt Anspruch auf die Wahrheit über das Verhalten Pius XII. während des Zweiten Weltkrieges gegenüber den Verbrechern des Naziregimes. Und die Geschichte wird beweisen, wie wachsam, wie unermüdlich, selbstlos und mutig er war, im tatsächlichen Bild des Geschehens und der Situation in jenen Jahren.

Ich halte es für meine Pflicht, zu einer klaren und ehrenvollen Beurteilung der geschichtlichen Wirklichkeit beizutragen, die durch die konstruierte Pseudo-Wirklichkeit im Drama so sehr entstellt wird. Die Gestalt Pius' XII., wie sie (nach Rezensionen in der Presse) im *Stellvertreter* auf der Bühne erscheint, spiegelt nicht getreu seine wahre moralische Haltung wider, sondern verfälscht sie. Ich kann das sagen; denn ich hatte das große Glück, ihm während seines Pontifikates Tag für Tag nahe zu sein und zu dienen, angefangen von 1937, als er noch Staatssekretär war, bis 1954, also während der ganzen Zeit des Zweiten Weltkrieges.

Es ist richtig, mein Aufgabengebiet beim Papst betraf nicht direkt die politischen Angelegenheiten (oder die außerordentlichen, wie man im römischen Kurialstil sagt), doch die Güte Papst Pius' XII. und die Natur meines Dienstes als Substitut im Staatssekretariat gaben mir Gelegenheit, das Denken, ja die Seele dieses großen Papstes kennenzulernen. Die Gestalt Pius' XII., wie sie Hochhuth darstellt, ist falsch. Es ist zum Beispiel keineswegs wahr, daß der Papst ängstlich war; er war es nicht aufgrund seines angeborenen Temperamentes und auch nicht, weil er sich bewußt war, daß ihm eine Gewalt und Sendung anvertraut war. Ich könnte in diesem Zusammenhang sehr viele Einzelheiten aufführen, die beweisen würden, daß Pius XII. unter seiner feinfühligen und großmütigen äußeren Haltung und einem immer gewählten und gemäßigten Sprachgebrauch edle und männliche Züge verbarg, besser gesagt, offenbarte, und daß er fähig war, Stellungen einzunehmen, die große Stärke und den Mut zum Risiko erforderten. Es ist nicht wahr, daß er unempfindlich und isoliert gewesen sein soll. Im Gegenteil, er war sehr feinfühlend und empfindsam. Er liebte die Einsamkeit; denn seine Geistesfülle und seine außergewöhnliche Denk- und Arbeitsfähigkeit suchten gerade unnötige Zerstreuung und überflüssige Entspannung zu vermeiden; doch er stand dem Leben nicht fremd gegenüber, er war nicht indifferent gegenüber den Menschen in seiner Umgebung und den Tagesereignissen. Im Gegenteil, er wollte immer über alles informiert werden und selbst bis zum inneren Mit-Leiden an der Passion der Geschichte teilhaben, in die er sich gestellt sah. Gerade dazu hat Exzellenz Osborne – seinerzeit Minister Großbritanniens beim Heiligen Stuhl, der durch die deutsche Besetzung Roms gezwungen war, in unmittelbarer Nähe der Vatikanstadt zu leben, in der *Times* vom 20. Mai ein großartiges Zeugnis abgelegt: »Pius XII. was the most warmely humane, kindly, generous, sympathetic (and, incidentalls, saintly) character that it has been my privilege to meet in the course of a long life.« Ebenso entspricht es nicht der Wahrheit, Pius XII. habe sich vom opportunistischen Kalkül der Politik leiten lassen. Gleichfalls wäre es Verleumdung, ihm und seinem Pontifikat irgendwelche Beweggründe zu unterschieben, die auf wirtschaftlichen Nutzen zielten!

Warum es schließlich Pius XII. nicht auf einen offenen Konflikt mit Hitler ankommen ließ, um so Millionen Juden vor dem nazistischen Blutbad zu retten – das ist für denjenigen nicht schwer verständlich, der nicht den Fehler Hochhuths begeht und die Möglichkeiten einer wirksamen und verantwortungsvollen Aktion in jener schrecklichen Zeit des Krieges und der nazistischen Gewaltherrschaft mit dem Maßstab beurteilt, was man unter normalen Umständen hätte tun können, das heißt, in der willkürlichen und hypothetischen Situation, die der Phantasie eines jungen Komödiegraphen entsprungen ist. Eine Verurteilung und ein Protest vor aller Welt, den nicht ausgesprochen zu haben man dem Papst vorwirft, wäre nicht nur unnütz, sondern sogar schädlich gewesen; das ist alles. Die These des *Stellvertreters* offenbart ein ungenügendes Einfühlungsvermögen in die psychologische, politische und geschichtliche Wirklichkeit und sucht die Wirklichkeit mit künstlichem Flitterwerk zu umgeben.

Gesetzt den Fall, Pius XII. hätte das getan, was ihm Hochhuth vorwirft, nicht getan zu haben, dann hätte das zu derartigen Repressalien und Zerstörungen geführt, daß der gleiche Hochhuth mit größerer geschichtlicher, politischer und moralischer Einschätzung nach Kriegsende ein anderes Drama hätte schreiben können, viel realistischer und viel interessanter als jenes, das er so mutig, aber so unglücklich in Szene gesetzt hat, nämlich das Drama des *Stellvertreters*, dem wegen politischem Exhibitionismus oder psychologischer Unachtsamkeit die Schuld zufallen würde, in der schon so sehr gequälten Welt eine noch viel weitere Zerstörung ausgelöst zu haben, weniger zum eigenen Schaden als zum Schaden unzähliger unschuldiger Opfer.

Dramaturgen, die nicht genügend geschichtliches Urteilsvermögen haben und – was Gott verhüten möge – denen es an menschlichem Ehrgefühl fehlt, sollten nicht mit diesen Argumenten und mit geschichtlichen Persönlichkeiten spielen, die wir kennen, andernfalls wird im vorliegenden Fall das wahre Drama ein anderes sein: das Drama dessen nämlich, der versucht, die gräßlichen Verbrechen des deutschen Nazismus auf einen Papst abzuwälzen, der sich wie nur wenige seiner eigenen Pflichten und der historischen Wirklichkeit bewußt war und zudem ein unparteiischer, aber doch sehr treuer Freund des deutschen Volkes. Pius XII. gebührt desungeachtet das Verdienst, ein »Stellvertreter« Christi gewesen zu sein, der versucht hat, mutig und ganz seine Sendung zu erfüllen, so gut er konnte; darf man jedoch mit gleichem Recht eine derartige theatralische Ungerechtigkeit ein Werk der Kultur und der Kunst nennen?

Mit aufrichtiger Hochachtung
Ihr sehr ergebener
G. B. Card. Montini, Erzbischof von Mailand
September 1963

ROLF HOCHHUTH

Antwort an Papst Paul VI.

Ich hatte gehofft, Seine Heiligkeit der gegenwärtige Papst werde sich aus der Debatte um den *Stellvertreter* heraushalten und es mir ersparen, auf die Haltung zu sprechen zu kommen, die er selbst als Unterstaatssekretär Montini 1943 während des Abtransportes der Juden aus Rom eingenommen hat. Daß er sich heute ritterlich vor seinen damaligen Herrn, Pius XII., stellt, ist selbstverständlich. Die schweren Vorwürfe aber, die er gegen mich richtet, nötigen mich nunmehr, aus dem Anhang meines Dramas die Aussage zu zitieren, die der Delegationssekretär Gerhard Gumpert von der Wirtschaftsabteilung der deutschen Botschaft am Quirinal im Nürnberger Wilhelmstraßen-Prozeß gemacht hat. Gumpert sagte: »Weizsäcker kam nochmals auf diesen Vorgang zu sprechen und äußerte wörtlich: das war wieder einmal eine Schweinerei. Auf die Berichte hin habe man in Berlin doch kalte Füße bekommen und die Abtransporte sofort wieder eingestellt. Er fügte noch hinzu: ›Ich kann Ihnen sagen, daß ich damals noch sehr vertraulich mit Montini gesprochen und ihn unterrichtet habe, daß eine Äußerung des Papstes nur bewirken würde, daß die Abtransporte erst recht durchgeführt werden. Ich kenne doch die Reaktion dieser Leute bei uns. Montini hat das übrigens eingesehen.‹«

Soweit Gumperts Aussage in Nürnberg.

Darf ich kommentieren: Weizsäckers engster Mitarbeiter von Kessel bemüht sich, den Vatikan aus der Reserve herauszudrängen. Als wenigstens der deutsche Bischof Hudal darauf eingeht, macht Weizsäcker dieses Anliegen vorübergehend auch zu dem seinen. Er droht Berlin mit einer Stellungnahme des Papstes, in der er also doch offenbar ein Abschreckungsmittel sieht. Gleichzeitig aber sagt er dem intimsten Mitarbeiter des Papstes, dem Unterstaatssekretär Montini, eine Äußerung des Heiligen Vaters werde nur bewirken, daß die Abtransporte erst recht durchgeführt würden. Und Montini, beziehungsweise der Papst, lassen sich dies nur zu gern gesagt sein, obwohl sie wissen, obwohl jedes Kind in Rom weiß, daß die ersten Juden bereits in die Waggons verladen und Weizsäckers Worte also, gelinde gesagt, gegenstandslos sind. Als endlich am nächsten Wochenende der *Osservatore Romano* den in meiner Papstszene wörtlich und ungekürzt zitierten Aufruf bringt und mit Pathos meldet, daß die universale und väterliche Hilfstätigkeit des Papstes keinerlei Grenzen kennt, sind die ersten 615 Römer am Vortage bereits in Auschwitz angekommen, 468 von ihnen schon im Krematorium ...

Wenn der jetzige Papst heute erklärt, eine Haltung der Verdammung und des Protestes wäre »nicht nur unnütz, sondern schädlich gewesen, *das ist alles*«, so zeigt dies nur, daß er seine Ansicht, die er 1943 in Übereinstimmung mit Hitlers Interessenvertreter festlegte, nicht revidiert hat. Beweiskraft hat diese Behauptung darum nicht. Sie wird sehr fragwürdig angesichts der von Weizsäckers Mitarbeiter Ludwig Wenner bestätigten Tatsache, daß sich der deutsche Gestapo-Chef in Rom, Kappler, damals sogar beeilte, aus dem bereits abgefahrenen Deportationszug zwei Juden wieder freizugeben, nur weil Pius XII. *inoffiziell* darum ersucht hatte. Wäre da ein *offizieller* Protest vor aller Welt oder wenigstens seine Androhung oder auch nur eine geheime Intervention des Papstes bei seinem Konkordatspartner Hitler so völlig wirkungslos geblieben? Wenigstens auf einen *Versuch* hätte man es doch wohl ankommen lassen dürfen. Pius XII. schrieb ja auch ein ganzes Buch voller Briefe an Präsident Roosevelt und protestierte mit Erfolg gegen die Bombardierung Roms.

Womöglich könnte es aber Seine Heiligkeit Papst Paul heute sogar rechtfertigen, daß sein damaliger Vorgesetzter, der Kardinalstaatssekretär Maglione, wenige Tage nach dem Abtransport der römischen Juden auf Bitten des Botschafters von Weizsäcker der Besatzungsmacht »*an erster Stelle*« im *Osservatore Romano* bescheinigte, die deutschen Truppen hätten sich in Rom gegenüber dem Vatikan und der Kurie vorbildlich verhalten. Dieses Führungszeugnis der Kurie für die Nazis war die denkbar schrecklichste Antwort auf die alliierten Pressemeldungen über die Vorgänge in Rom, die der Vatikan der Weltöffentlichkeit erteilen konnte. »Die Propaganda unserer Gegner«, schreibt Weizsäcker, »suchte die deutschen Soldaten als Schänder Roms und Gefangenenwärter des Papstes hinzustellen.« Mit der öffentlichen Richtigstellung dieses Sachverhaltes durch den Kardinalstaatssekretär, die zu diesem Zeitpunkt unschätzbar für die Mörder war, die zwar nicht Rom schändeten, sondern nur die Juden Roms, zahlte wieder einmal die Christenheit, diesmal ihre oberste Instanz, dem jüdischen Volk den Judaskuß heim, unmittelbar nachdem in den Nachbarstraßen von San Pietro die meist recht armen Judenfamilien – die reichen fanden leichter ein Versteck – zusammengetrieben und in Termini Richtung Auschwitz einwaggoniert worden waren.

Sommer 1964

GOLO MANN

Die eigentliche Leistung

Erinnere ich mich recht, so hieß es in der Begründung des Urteils, welches den Eichmann-Prozeß abschloß: die menschlichen Dimensionen des Verbrechens, die Leiden der Opfer darzustellen, seien die Verfasser nicht in der Lage gewesen, das sei, allenfalls, die Aufgabe großer Dichter. Ich will nicht bestimmen, ob Rolf Hochhuth ein großer Dichter ist – die Zukunft wird es erweisen. Aber ein Dichter ist er; und für das, was er mit seinem *Stellvertreter* leistete, empfinde ich Bewun-

derung. Wirklich, ein Wunder ist es, wie in der flauen Luft der Bundesrepublik, wo einer routinierten, selbstgerechten, schon wieder sehr sicheren Offizialität ein ebenso selbstgerechter, meist unschöpferischer
Radikalismus gegenübersteht, dies Werk von Ernst und Herz und
Kunst geschaffen werden konnte, von einem jungen Menschen, der
die Greuel der Hitler-Zeit nur aus den Dokumenten kannte. Hochhuths Schauspiel leistet nicht alles, was die Jerusalemer Richter von
zukünftigen Dichtern erwarten, aber sehr viel davon; es gestaltet die
menschliche Wirklichkeit des Judenmordes, der Mörder und der Opfer und der wenigen Helfer mit künstlerischen, typisierenden, ideali-
sierenden Mitteln, zu denen hier sogar das Wagnis der Vers-Sprache
gehört. Die Diskussion, welche das Stück hervorrief, ging fast ausschließlich um die Frage einer Mitschuld oder Nicht-Mitschuld des
Papstes und der katholischen Hierarchie. Die Verteidigung lief meist
hinaus auf die Mahnung, die Deutschen oder »Nazis« sollten vor ihrer
eigenen Türe kehren, und auf die Frage, was denn ein offener Protest
des Papstes hätte besser machen können. Ihr stand die andere gegenüber, ob er wohl etwas noch hätte schlechter machen können und ob
es, ganz abgesehen von der unbeweisbaren Wirkung und Nützlichkeit
eines Schrittes, der nie getan wurde, nicht auch im Angesicht solcher
Greuel eine absolute Pflicht zur Wahrheit gegeben hätte. Darüber ist
gesagt worden, was zu sagen war; mittlerweile haben neue historische
Studien und Dokumente-Sammlungen die schuldhafte Verstrickung
der Hierarchie in die Anfänge, und mehr als die Anfänge, des Dritten
Reiches erwiesen. Die Schwäche der liberalen Kritik war dabei höchstens die, daß, wer gar nicht an die heilige Sache glaubt, keinen Standpunkt hat, von dem aus er ihr ihre Unheiligkeit oder Unwirksamkeit in
höchster Not vorwerfen könnte.

Es scheint mir, daß in diesem Streit Hochhuths Leistung nicht zu ihrem Recht kam. Sie liegt nicht, nicht vor allem, in seinem Porträt des
Papstes, der Würdenträger und Finanzverwalter, mag es nun treffend
oder verzeichnet sein – und ganz verzeichnet ist es meiner Meinung
nach keineswegs. Hochhuth ist zu guter Psychologe, zu sorgsamer Historiker und zu viel von einem Dichter, als daß er nicht auch hier auf
eine gerechte Nuancierung bedacht gewesen wäre. Hätte er aber den
Vatikan ganz weggelassen, hätte er sein Stück um eine andere moralische Zentralfrage aufgebaut, so hätte es nichts von seinem Wert
verloren. Die Spannung zwischen der Hierarchie und den Idea-
listen, die mehr von ihr verlangen, als sie geben will, ist im Grunde doch
nur die dramatische, in einem rechten Drama notwendige, aber er-
setzbare Gelegenheit zu etwas anderem: der Gestaltung dieser furcht-

baren Geschichte, die vor Hochhuth noch kein Historiker, kein Romancier hat gestalten können. Die Macht des Wortes, die diesem Gegenstand gegenüber bisher immer versagen mußte, hier versagt sie nicht. Wie lebenswahr sind die Verbrecher, die deutschen und ihre nichtdeutschen Helfershelfer gezeichnet, von den Elenden an der Spitze – die eben, mit einer Ausnahme, keine »Ungeheuer« sind – bis herab zu dem gemeinen, pfiffigen, so unendlich gewöhnlichen Feldwebel, der die römischen Juden einsammelt. Wie wird am Schicksal der einen Familie Luccani greifbar, was noch keine Statistik, keine zusammenfassende Darstellung, selbst kein dokumentarischer Film hat greifbar werden lassen! Wie viel einfühlsame Menschenkenntnis, Phantasie und Mitleid, Kummer, tiefer Ekel und Zorn werden hier unter den Bann der Kunst gezwungen! Das ist die eigentlichste Leistung. Sie erklärt, warum das deutsche Publikum sich von dem Drama hat ansprechen lassen wie noch von keinem Prozeß in Nürnberg und Jerusalem, keiner noch so gründlichen Studie des »Institutes für Zeitgeschichte«. Für sie müssen wir dem Dichter dankbar sein.

Basler Nachrichten,
17. September 1963

Aus Briefen an den Rowohlt Verlag

Um in der Geschichte auf dem rechten Weg zu verbleiben, müssen wir uns der großen Verirrung von damals bewußt werden und bewußt bleiben, um uns nicht weiter in Humanitätslosigkeit hinzuschleppen. Es hat also eine Bedeutung, daß das Drama *Der Stellvertreter* erschien. Es ist nicht nur die Verurteilung einer geschichtlichen Persönlichkeit, die die große Verantwortung des Verschweigens auf sich lud, sondern es ist auch eine ernste Mahnung an unsere Kultur, der Duldung der Humanitätslosigkeit, mit der wir es nicht ernst nehmen, entsagen zu wollen. Das Denken unserer Zeit befindet sich noch in Humanitätslosigkeit. Die Weltgeschichte unserer Zeit ist noch durch und durch humanitätslos, und wir nehmen dies als selbstverständlich hin. Hochhuths Drama ist nicht nur eine geschichtliche Verurteilung, sondern auch ein Wachruf in unserer Zeit, die in naiver Humanitätslosigkeit dahinlebt.

Albert Schweitzer

Ich habe gerade den Hochhuth gelesen. Eine einsame Stimme in der Wüste des Verschweigens; ans Licht der Öffentlichkeit darf nur, was für sie freigegeben ist.

Die Wirkung auf mich war nicht: anti-päpstlich, anti-katholisch, anti-klerikal. Vielmehr *contre la trahison des clercs,* gegen die Kleriker in allen Bezirken des hochlöblichen Geistes . . .

Es war ein Genie-Blitz, den Pontifex maximus als Repräsentanten zu nehmen. Denn er macht den Anspruch, den die Elite anonym macht, schon in seinem Titel. Seine Heiligkeit hat heilig zu sein! Der »Stellvertreter« des Märtyrers darf dem Martyrium nicht aus dem Wege gehen.

Ludwig Marcuse

Wie man auch über seine These denken mag, das Stück bleibt gut – und die Christenheit, will sie überleben, braucht Eiferer dieses Schlags, auch wenn sie übers Ziel schießen – hat sie immer gebraucht und wird sie immer brauchen. Jedenfalls: ein Dramatiker ist geboren.

Carl Zuckmayer

Geschichte sollte man von jetzt an füglich Hochhuth überlassen. Meine Einwände sind nicht wichtig, wichtig ist Hochhuth, ihm und Ihnen muß man gratulieren. Endlich wieder ein Autor, der bester Rowohlt ist, ein legitimer Sproß der längst fälligen Sartre-Brecht-Ehe.

Martin Walser

KARL JASPERS

Nicht schweigen!

Vor aller Kritik möchte ich sagen, wie sehr wir Ihrem Werke, Herr Hochhuth, zu Dank verpflichtet sind. Sie haben die Massen der Bevölkerung zur Besinnung aufgerufen. Mehr als alle Dokumentenbücher und Abbildungswerke vermochten Sie einzuprägen, was den Juden durch Entwurzelung, durch Demütigung, durch Qual und schließlich durch den Massenmord angetan worden ist. Für die Höhepunkte Ihres Werkes halte ich daher die Szenen, die durch das Leiden der Juden uns erschüttern, unmittelbar oder im Spiegel des Entsetzens derer, die sie hören. Vielleicht hätte der Titel Ihres Werkes lauten können: »Der Judenmord« oder »Die Verlassenheit der Juden«. Vermutlich wäre der gewaltige Erfolg nicht eingetreten. Die Juden interessieren nicht so sehr. Aber ein Angriff auf den Papst hat Zugkraft. Das ist von Ihnen nicht gemeint und nicht beabsichtigt. Angesichts des Judenmordes ist durch Sie von neuem die Frage gestellt: Wie war das möglich? Erstens ist es eine Frage an die deutschen Mörder und ihre Werkzeuge. Diese werden von Ihnen unvergeßlich geschildert, aber nur dargestellt; sie werden als solche für Sie nicht zum Problem. – Zweitens richtet sich die Frage an die Dabeistehenden, an uns alle, die geschwiegen haben. In dem Anhang Ihres Werkes weisen Sie darauf hin: Die Regierungen der Alliierten haben keine Vergeltungsaktion vollzogen, haben nicht, obgleich sie dazu aufgefordert waren, die Vernichtungsstätten mit Bomben belegt. Sie haben keinen der Ungeheuerlichkeit der Sache entsprechenden öffentlichen Protest in ständiger Wiederholung abgegeben, sondern nur durch den Rundfunk Berichte verbreiten lassen. Sie haben nicht die Welt in Unruhe gesetzt durch die Deutung dieses neuen Faktums, das nicht nur für die Menschlichkeit schrecklich, sondern ein Menetekel für die Zukunft der Menschheit ist. Warum nicht? Ich finde nur eine Antwort: Weil sie sich scheuten, daß dieser Krieg an irgendeiner Stelle auch nur dem Anschein nach ein Krieg für die Juden werden könnte. Da halte ich es nicht für gerecht, daß Sie, Herr Hochhuth, gerade den Papst als Repräsentaten des Schweigens anklagen. Würde Ihre Empörung nicht tiefer und wahrer zum Ausdruck kommen, wenn die ganze große allgemeine Front des Schweigens im Mittelpunkt stände? Wenn die entsetzliche Verlassenheit der Juden gezeigt worden wäre? Von der Schwierigkeit der Auswanderung aus Deutschland an – über die Konferenz von Evian, die die Auswanderung erleichtern sollte, aber nur noch mehr erschwerte – bis zur Verweigerung der Einwanderung nach Palästina durch die Engländer und vieles andere. Wenn weiter in geschichtlichem Rückblick auf die Jahrtausende die Frage nach den Gründen erweckt worden wäre bis zu dem Wort, das der Autor des Johannes-Evangeliums, Kapitel 8, Christus zu den Juden sagen läßt: Euer Vater ist der Teufel. Nur ein gläubiger Katholik, so scheint mir, hätte das Recht, von dem Papst, der für ihn der Stellvertreter Christi ist, mehr als von anderen Menschen zu verlangen. Wir in diesem Sinne Ungläubigen haben nicht das Recht; Kirche und Papst sind für uns menschliche Institutionen. Sie haben sich nicht schlechter und nicht besser verhalten als alle anderen politischen Instanzen. Der katholische Glaube selber aber, wie er uns in einzelnen frommen Katholiken begegnet, verdient wohl mehr Respekt, als Sie ihm haben zuteil werden lassen. Haben Sie Ihr Werk mit Recht dem Andenken an Katholiken gewidmet – an Prälat Lichtenberg und Pater Kolbe? Der eine hat, wie berichtet wird, einen Gruß des Papstes nur als Stärkung in seinem Martyrium erfahren. Keiner von beiden hat, wenn wir recht unterrichtet sind, je einen Anspruch an den Papst erhoben. Sie haben Riccardo konstruiert, dessen Glauben ich nicht spüre. Er will zuletzt den Doktor erschießen. – Drittens wird die Frage: »Wie war das möglich?« zur Frage an Gott. Sie steht in der Überschrift zum 5. Akt. Ihrer Antworten sind mehrere. Der Monolog des Alten, am Beginn des 5. Aktes, ist ergreifend wahr. Er könnte an Hiob erinnern. Aber der Alte ist ein Mensch unserer Zeit. Er kann vor diesem entsetzlichen Gott nicht mehr beten. Er kann nicht mehr, wie Hiob, hadern. Er kann nur noch flehen. Der Doktor, meisterhaft konstruiert als der absolute Nihilist, der durch sein böses Tun Gott zwingen will zu antworten oder, beim Ausbleiben der Antwort, sich durch sein böses Tun beweisen will, daß kein Gott ist. – Sie lassen diese Figur, der alles gleichgültig ist, ihre nichtige Unabhängigkeit genießen, im Spiel ihrer erbarmungslosen Rollen, alles verachtend. Zum Abschluß: Ich sehe Ihre wahrhaftige Empörung, sehe Ihr Erspüren der vielen Dimensionen der ungeheuren Frage. Wer kann dieser Frage genugtun! Ich sehe bei Ihnen eine mutige, aber auch rücksichtslose – wenn Sie mir erlauben – Naivität, die unvermeidlich zur Kehrseite noch vorläufige Befangenheiten und einige Entgleisungen hat. Ihr Werk im ganzen zeigt, daß Sie sich ständig belehren. Sie beanspruchen nicht, eine endgültige Position durch dick und dünn zu verteidigen. Angesichts einer der größten Fragen unserer Zeit haben Sie wie ein Donner in Unruhe versetzt, aber nicht die Antwort gegeben. Sie haben einen geistigen Akt bewunderungswürdig vollzogen – den geistigen Akt, der erzeugen soll, um zu reiner Wahrheit zu gelangen.

Mir scheinen drei Punkte wichtig, wenn ich an die Zukunft denke angesichts der Sache, die Herr Hochhuth vertritt. Er hat aufs sicherste geleistet, daß das Leid der Juden sich der Bevölkerung anders einprägt als bisher und daß dieses Wissen um das Judenschicksal sich ausbreitet, ernst genommen wird, daß eine Stimmung »von den Juden nicht zuviel reden, eigentlich sind sie ja gar nicht so interessant, das kleine Völkchen«, daß diese Stimmung unmöglicher wird auf den Wegen, die Herr Hochhuth beschritten hat. Das zweite ist: In dem Drama Hochhuths finde ich eine große Offenheit, nämlich ich spüre nicht einen festgelegten Glauben, ich spüre nicht eine Position, die er unter allen Umständen verteidigen und behaupten will, sondern ich sehe bei ihm in der Mitte die Frage nach Gott, und diese Frage nach Gott wird durch ihn nicht beantwortet. Daß diese Frage so radikal gestellt wird, indirekt angesichts dieser ungeheuren Dinge, scheint mir eine Hoffnung zu sein, daß von hier aus es weitergeht, daß die Frage ernst genommen wird; und damit komme ich zum dritten und der Hauptsache. Die Forderung Hochhuths ist: nicht schweigen. Das Problem gibt es aber nicht nur im totalitären Staat, das gibt es in jedem Staat. Ich würde meinen, der Anspruch Hochhuths – nicht schweigen – gilt so intensiv für uns heute, daß ich fast sagen möchte, es wird ja viel zu viel geschwiegen. Nicht aus Angst vor dem Tode, sondern aus Angst vor Nachteilen, vor Unbequemlichkeiten. Es gibt so viele Tabus. Und weiter: Mit diesem Schweigen hängt es zusammen, daß wir den Horizont auf die Erde richten müssen und nicht in den beschränkten Kreis der Mächte, die sich hier vereinigen. Wenn wir daran denken, dann sage ich: Das Judenmorden war ein Anfang. Die große Chance ist, daß das Ereignis sich in größtem Stil wiederholt, aber dann mit Hunderten von Millionen, ausgerottet durch Atombomben. Ich habe noch andere Perspektiven, bei denen man sagen würde: Es ist philosophische Phantasie. Ich glaube, es ist nicht so, sondern ich spüre als Grundstimmung der Verfassung unseres Zeitalters und der abendländischen Welt: Es wird geschwiegen, verschleiert, und man sieht nicht, wohin wir gehen. Und Hochhuth verlangt von uns: offen sein, Fragen ganz ernst nehmen, und zwar angesichts Gottes, der Transzendenz.

Radio Basel,
10. November 1963

CARL AMERY

Unsere eigene Schuld

Es ist leicht, im Kulturteich der Gegenwart Fische zu fangen. Ein verhältnismäßig unbekannter Schriftsteller (glühende Zangen werden mir den Namen nicht entreißen, denn es ist mein eigener) schrieb vor geraumer Zeit einen verhältnismäßig unbekannten kleinen Roman, in dem er eine unsympathische Figur eine bestimmte rheinische Wochenzeitung lesen ließ. Das Blatt ließ sich dazu ködern, noch während der Frankfurter Buchmesse einen zweispaltigen Verriß dieses armen Erstlings zu bringen – und ein gewisser kritischer Erfolg war damit gemacht.

Großes Ehrenwort: dieser Effekt war nicht beabsichtigt, er war nicht einmal vermutet. Aber immerhin hat genannter Schriftsteller durch Erfahrung gelernt, und als Hochhuth seinen viel massiveren Köder in den Kulturteich senkte, da war diesem Beobachter klar, daß sich die großen Walfische aus der Tiefe erheben würden. Ich gönne Hochhuth das Geschäft; ich glaube ihm ohne weiteres, daß es ebensowenig beabsichtigt war wie im eingangs erwähnten Fall. Aber aufs Ganze gesehen muß man die Promptheit und die Blindheit bedauern, mit der die großen Fische auf gewisse Stimulantia reagieren. Es ist der wahren und wahrhaftigen Diskussion gar nicht dienlich.

So wird auch Hochhuth nie mehr wirklich erfahren können, ob sein Stück antikatholisch ist. Zu viele Prominente haben es ihm aus zu vielen falschen Gründen bereits lauthals bestätigt.

Persönlich würde ich sagen, daß ich es nicht antikatholisch finde. Was mich stört, ist der Verzicht auf Wirklichkeit, den Hochhuth stellenweise geübt hat. So widmet er sein Stück jenem Pater Maximilian Kolbe, der nach mehrmonatigem Aufenthalt in Auschwitz freiwillig mit einem Familienvater tauschte, der zum Hungertod verurteilt wurde, und so zugrunde ging – Trost seinen Nächsten bis zuletzt. Im Vergleich mit dieser wirklichen Gestalt mutet der Ausflug Riccardo Fontanas zu den Öfen eher wie der Frontbesuch eines Prominenten von dunnemals an. »Seine königliche Hoheit begab sich höchstpersönlich in allerhöchste Lebensgefahr, indem sie sich dreieinhalb Granateinschlägen aussetzte.« Ferner stört mich – ganz allgemein – die Angst, daß jede theatralische Formung jener Greuel hinter unserer historischen Erfahrung zurückbleiben muß und daß es auch Hochhuth nicht gelungen ist, aus dieser Not eine dichterische Tugend zu machen.

Aber wie gesagt: darüber zu reden, ist bereits weitgehend unmöglich geworden. Der Leviathan ist aus der Tiefe gestiegen, nämlich die kompakte Masse des organisierten deutschen Katholizismus . . . und zwar auf den vorauszusagenden Köder zu: auf die Gestalt und die Rolle Pius' XII.

In dieser Art von Polemik aber stimmt es selten, und so stimmt es auch hier nicht. Gerade was man dem Autor vorwirft – sein jugendliches Alter – erklärt weitgehend, was da an der Polemik nicht stimmt. Der 32jährige Hochhuth behandelt ein – für ihn – historisches Thema. Wir sind nicht befugt, ihm im Falle Pius' XII. eine Schutzfrist aufzuerlegen, die kein ernstzunehmender katholischer Publizist – sagen wir – im Fall Julius II. geltend machen würde. Im Grunde tut er, was auf andere Weise Reinhold Schneider getan hat. Er beschäftigt sich mit dem Dilemma zwischen Macht und Gnade. Schneider hat als Beispiele unter anderem die Päpste Innozenz III. und Cölestin V. gewählt; Hochhuth wählt den – für ihn – historischen Papst Pius XII. Er stützt sich dabei auf eine Dokumentation, die man nun vollständig oder unvollständig nennen will, die es ihm aber erlaubt, seinen Fall so darzustellen, wie er es für richtig und dringlich hält.

Daß er den Papst, den er behandelt, nicht besonders mag, darf man unterstellen. (Hier wäre ein weiterer literarischer Vorwurf fällig: Was Hochhuth im dokumentarischen Teil gesteht, sollte er im Stück auch verwirklichen.) Wiederum ist es kein Glaubenssatz, auch kein Satz *proxima fidei,* daß man einen Papst sympathisch finden muß – zumal dann, wenn man ihm einen so schweren Vorwurf machen zu müssen glaubt wie Hochhuth.

Nein, was den allgemeinen Aufschrei gegen den *Stellvertreter* sozusagen reflexhaft bedingt, ist ein Krankheitszustand . . .: die unbewältigte Vergangenheit des deutschen Katholizismus. Ich sage bewußt des *deutschen* Katholizismus; denn falls man Hochhuth recht gibt, hängt die eigentliche Zentralursache der Schwäche Pius' XII. eng mit der Schwäche des deutschen Katholizismus zusammen. Es ist kein Geheimnis, daß der verstorbene Papst Deutschland geliebt, schon als Nuntius lieben gelernt hat. Was Hochhuth insinuiert, ist eben ein politischer Versuch des Papstes, dieses Deutschland für das europäische System zu retten, ist eben seine politische Unfähigkeit, die Ohnmacht des Christentums in diesem seinem geliebten Deutschland zur Kenntnis zu nehmen.

Hier muß der Kommentator allerdings wieder einen Schritt über das Stück und seine These hinausgehen. Ich halte es, im Gegensatz zu Hochhuth, für ausgeschlossen, daß ein Protest des Papstes, wie er ihn nachträglich von seinem Pius XII. fordert, am *unmittelbaren* Geschehen viel geändert hätte. Ich halte es aber – im Gegensatz zu den meisten kirchlichen Stimmen – für ziemlich unwichtig, ob der Papst mit diesem Protest etwas bewirkt hätte oder nicht, er hätte so oder so erfolgen sollen. Auch das Konkordat hätte gekündigt werden sollen – spätestens 1936; trotz der offensichtlichen politischen Bedeutungslosigkeit eines solchen Schrittes und trotz der schweren äußeren Nachteile, die zunächst für den deutschen Katholizismus eingetreten wären. Rom hat sich 1933 wie 1943 an seine gute Kenntnis dessen gehalten, was ich das durchschnittliche katholische Milieu Deutschlands nenne; und es hat seine Politik diesem Milieu zuliebe geformt. Das halte ich für falsch.

Aber es wäre der Dramaturgie Hochhuths nur bekommen (im christlichen Sinne), wenn er sich zur äußersten Grenzsituation bekannt hätte: zu der Situation der totalen Ohnmacht nämlich, in der sich damals das deutsche Christentum befand – und trotzdem verpflichtet gewesen wäre, zum letzten vergasten Juden von Auschwitz zu stehen.

Was die Aufschreie gegen Hochhuth bedingt, ist das alte Syndrom des deutschen Nachkriegskatholizismus: die Sucht, alles haben zu wollen. Man will die Geschwister Scholl und die Veteranenvereine, man will das Konkordat und die Glorie der Verfolgung, man will die besten Päpste der Kirchengeschichte, aber gleichzeitig Päpste, die dafür sorgen, daß man in Ruhe gelassen wird. Daraus folgt zwingend, daß der Kurs natürlich nicht von den Geschwistern Scholl, sondern vom Veteranenverein bestimmt wird.

Das wurde er auch schon 1933, und das wurde er 1943. Und selbst wenn Pius XII. der beste Papst der Kirchengeschichte gewesen wäre (auch seine Freunde geben zu, daß er es wohl nicht war), wäre er für den deutschen Katholizismus sofort gleichgültig geworden, wenn er darauf bestanden hätte, seine Stimme für die Verfolgten zu erheben. Der deutsche Katholizismus steht nicht an, eben dies als Argument gegen Hochhuth anzuführen: daß der Papst genau gewußt habe, Hitler werde noch mehr »Rasereien« begehen, wenn von Rom öffentlich protestiert würde.

Darf man diese Apologeten schonend fragen, mit wessen Hilfe Hitler seine »Rasereien« begehen konnte? Vielleicht haben diese Apologeten recht in der Annahme, daß ein Protest des Papstes kein einziges Maschinengewehr von den Tausenden lahmgelegt hätte, die das System von Auschwitz schützten; aber hinter dreißig Prozent dieser Maschinengewehre lagen katholische Soldaten, und die deutsche katholische Nachkriegsapologetik hat sich nicht gescheut, diesen Soldaten »unschuldige Vaterlandsliebe« zu attestieren. Diese unschuldige Vaterlandsliebe war durch die Hirtenbriefe katholischer Bischöfe verstärkt und belobigt; aber auch das ist noch nicht entscheidend.

Entscheidend ist vielmehr, daß es seit Jahrzehnten keine andere Politik des deutschen Katholizismus gibt als die, seine staatserhaltende Funktion zu beweisen. Dafür wollte er nichts anderes als – seine »Rechte«. Ein blutiger Witz der Geschichte hat es gefügt, daß er eigentlich nur einmal sein Ziel erreichte: Anno 1933.

Wer kann behaupten, daß wir diesen Zustand überwunden haben? Und so ist denn auch – nicht für den »Außenseiter« Hochhuth, wohl aber für den deutschen Katholizismus als Ganzes – jene Zeit, ihre Probleme und Gestalten, handfesteste Gegenwartspolitik. Solange noch eine katholische Fahne über dem Veteranenverein von Rott am Inn oder Rüdesheim flattert, solange es gilt, die Errungenschaften von

1933 zu verteidigen – solange wird sie es bleiben. Denn solange unsere Schuld im Grunde die gleiche ist wie die von gestern und vorgestern, solange wird es niemandem erlaubt werden – mag er Hochhuth oder Böll oder anderswie heißen –, sich zu ihr zu bekennen.

Und etwas anderes als dies sehe ich nicht in Hochhuths Papst: Etwas anderes nämlich als die Verkörperung unserer eigenen Schuld. Es ist dabei fast belanglos, ob eine solche Verkörperung dem jungen Hochhuth zusteht oder nicht.

Die Zeit, Hamburg
15. März 1963

Die »Kleine Anfrage« im Bundestag

Diskret und auf Umwegen, wie es bester diplomatischer Tradition entspricht, haben der Heilige Stuhl und sein Apostolischer Nuntius in Bonn versucht, Regierung und Justiz der Bundesrepublik Deutschland gegen den Dramatiker Rolf Hochhuth zu mobilisieren, durch dessen Stück *Der Stellvertreter* Papst Pius XII. »in schlimmer Weise herabgesetzt worden ist« (Kardinal Frings).

Die vatikanischen Bemühungen sollten nicht publik werden. Widrige Umstände fügten es, daß die Öffentlichkeit davon erfuhr.

Zunächst hatte der diplomatische Vertreter des Vatikanstaates in Bonn, Nuntius Bafile, nach Mitteln und Wegen gesucht, die deutsche Justiz für Hochhuth zu interessieren. Zwei Bestimmungen des Strafgesetzbuches boten sich an.

Paragraph 166, nach dem mit Gefängnis bis zu drei Jahren bestraft wird, wer Einrichtungen einer christlichen Kirche »beschimpft«, und Paragraph 189, der jeden mit Gefängnis bis zu zwei Jahren oder Geldstrafe bedroht, der »das Andenken eines Verstorbenen verunglimpft«.

Die juristischen Recherchen des Nuntius konzentrierten sich schließlich auf die Möglichkeiten, die der Paragraph 189 bietet. Allerdings: Nach diesem Paragraphen wird die Strafverfolgung nur »auf Antrag der Eltern, der Kinder, des Ehegatten oder der Geschwister des Verstorbenen« eingeleitet.

Da in Italien noch eine Schwester Eugenio Pacellis lebt, beauftragte Bafile den Justitiar des Erzbistums Köln, Amtsgerichtsrat Dr. Karl Panzer, die Frage zu prüfen, ob ein Strafantrag, den die Schwester des verstorbenen Pius nach Paragraph 189 stelle, Erfolg haben könne.

Der Amtsgerichtsrat Panzer prüfte die Sache eingehend und kam zu dem Entschluß, daß von einem Strafantrag abzuraten sei, obgleich Hochhuth den Tatbestand des Paragraphen 189 an sich erfüllt habe. Örtlich zuständig sei entweder die Strafverfolgungsbehörde in Hamburg, dem Gerichtsstand des Verlages Rowohlt, bei dem Hochhuths Werk erschienen ist, oder in Berlin, wo das Stück aufgeführt wurde, und die Gerichte dieser beiden Stadtstaaten neigten in ihrer Rechtsprechung dazu..., bei Angriffen auf die Kirche nicht allzu streng zu sein, sondern den Kritikern ein großes Maß an Freiheit zuzubilligen.

Die Erkundigungen des Apostolischen Nuntius nach den Möglichkeiten, Hochhuth vor den irdischen Richter zu bringen, wären wohl Geheimnis geblieben, wenn der Amtsgerichtsrat Panzer nicht am 29. April in der Thomas-Morus-Akademie zu Bensberg vor katholischen Publizisten über strafrechtliche Fragen gesprochen hätte.

Dort plauderte er auch über Nuntius Bafiles Rechtsrecherchen, und einer der katholischen Jung-Publizisten war fix genug, die Neuigkeit als »letzte Meldung« in Gestalt eines hektographierten Blattes einer Reihe von Exemplaren der christdemokratischen Studentenzeitschrift *Civis* beizulegen ...

Kam der Apostolische Nuntius mit seinen juristischen Absichten gegen Hochhuth wegen des Panzer-Gutachtens nicht zum Zuge, so war ihm auf anderem Felde dafür einiger Erfolg beschieden: Die Bundesregierung hat gegen Hochhuth amtlich Stellung bezogen, wenn auch erst nach einem umständlichen Vorspiel.

Nicht nur auf direktem Wege, also über den deutschen Botschafter beim Vatikan und den Nuntius in Bonn, war dem Auswärtigen Amt das Befremden des Heiligen Stuhls darüber nahegebracht worden, daß die Bundesregierung zu dem Hochhuth-Drama schweige. Auch die Regierungen Belgiens und Italiens hatten ihr Erstaunen über das *Stellvertreter*-Schauspiel in Deutschland und das Schweigen der Bundesregierung offiziös erkennen lassen.

Außenminister Schröder sah sich veranlaßt, nach einem Wege zu suchen, um den Unmut christkatholischer Ausländer auszuräumen, ohne gleichzeitig in den Ruch zu geraten, er mische sich amtlich und mutwillig in künstlerische und zeitgeschichtliche Diskussionen von Inländern ein.

Den Ausweg bot der Paragraph 110 der Geschäftsordnung des Bundestages. Danach können Abgeordnetengruppen mit mindestens fünfzehn Köpfen »von der Bundesregierung Auskunft über bestimmt bezeichnete Tatsachen in Kleinen Anfragen verlangen«.

Kleine Anfrage

der Abgeordneten Majonica, Lemmer und Genossen

betr. **Papst Pius XII.**

Wir fragen die Bundesregierung:

Muß es die Freunde unseres Volkes nicht befremden, wenn gerade von deutscher Seite in Papst Pius XII. eine Persönlichkeit angegriffen wird, die nicht nur den Juden während der Verfolgung durch das Naziregime tatkräftig geholfen, sondern auch während der gesamten Zeit ihres Wirkens dem deutschen Volk besonders nahegestanden hat?

Bonn, den 2. Mai 1963

Majonica
Lemmer
Arndgen
Balkenhol
Bausch
van Delden
Draeger
Dr. Gradl
Dr. Hauser
Heix
Dr. Kanka
Dr. Kliesing (Honnef)
Krüger
Nieberg
Dr. Seffrin
Dr. Stecker
Dr. Freiherr von Vittinghoff-Schell
Vogt
Wagner

Druck: Buchdruckerei R. Madel, 53 Bonn, Bonner Talweg 106
Alleinvertrieb: Dr. Hans Heger, Bad Godesberg,
Postfach 821, Goethestraße 54, Telefon 6 35 51

Der Bundesminister des Auswärtigen
L 1 - 86.13

Bonn, den 3. Mai 1963

An den Herrn
Präsidenten des Deutschen Bundestages

Betr.: **Papst Pius XII.**

Bezug: **Kleine Anfrage der Abgeordneten Majonica, Lemmer
und Genossen
— Drucksache IV/1216 —**

Die Kleine Anfrage beantworte ich wie folgt:

Das deutsche Volk hat durch seine berufenen Vertreter vor der
Weltöffentlichkeit zu wiederholten Malen unmißverständlich
dargetan, daß es sich des Ausmaßes der Verfolgung und Massenvernichtung von Juden im Dritten Reich, für die Deutsche
verantwortlich waren, voll bewußt ist. Es hat durch innerdeut-
sche Gesetze und durch den Abschluß völkerrechtlicher Verträge einen Teil dessen wiedergutzumachen gesucht, was überhaupt auf diese Weise wiedergutgemacht werden kann.

Die Bundesregierung bedauert zutiefst, daß in diesem Zusammenhang Angriffe gegen Papst Pius XII. gerichtet worden sind.
Der verstorbene Papst hat bei verschiedenen Gelegenheiten
seine Stimme gegen die Rassenverfolgung im Dritten Reich erhoben und so viele Juden wie möglich dem Zugriff ihrer Ver-
folger entzogen.

Die Bundesregierung ist sich nach wie vor mit Dankbarkeit der
Tatsache bewußt, daß nach dem Zusammenbruch des nationalsozialistischen Regimes Papst Pius XII. einer der ersten war,
der sich tatkräftig für eine Aussöhnung zwischen Deutschland
und den anderen Völkern eingesetzt hat. Dies macht eine Herabsetzung seines Andenkens gerade von deutscher Seite besonders unverständlich und bedauerlich.

Schröder

Druck: Buchdruckerei Peter Meier, 5201 Buisdorf/Siegburg
Alleinvertrieb: Dr. Hans Heger, 582 Bad Godesberg.
Postfach 821, Goethestraße 54, Tel. 6 35 51

Es traf sich, daß der Leiter des außenpolitischen Arbeitskreises der CDU/CSU-Fraktion, Ernst Majonica, zusammen mit 13 anderen Katholiken seiner Fraktion und fünf CDU-Protestanten am 2. Mai eine Kleine Anfrage einbrachte ...

Während die Reaktionen der Regierung auf Kleine Anfragen normalerweise tagelang auf sich warten lassen, dauerte es diesmal keine 24 Stunden, bis der Minister – »Betr. Papst Pius XII.« – seine Entgegnung beim Bundestagspräsidenten ablieferte: ... Bundesregierung bedauert zutiefst ... eine Herabsetzung seines Andenkens gerade von deutscher Seite besonders unverständlich und bedauerlich ...

Ehe das Dokument noch vervielfältigt und an die Abgeordneten verteilt worden war, belieferte die Katholische Nachrichtenagentur (KNA) ihre Abonnenten schon mit dem Text. Aus dem Auswärtigen Amt war ein zweites Exemplar der Schröder-Antwort an KNA gelangt.

Der Spiegel, Hamburg,
20/1963

In der Form spiegelt sich der Geist, ja sie ist sein Ausdruck. Die schlechte Sache braucht und findet den krummen Weg. Folgendes geschah ihn diesen Tagen: Am letzten Wochenende veröffentlichte die katholische Nachrichtenagentur eine Antwort des Bundesministers des Auswärtigen auf eine Kleine Anfrage mehrerer CDU-Abgeordneter ...

Das Frage- und Antwortspiel macht es zur Pflicht, auf die im *Stellvertreter* gestellte Frage zu antworten.

Ich will es mit dem Erlebnis eines Jugend- und Gesinnungsfreundes, des vor kurzem in Bad Tölz verstorbenen Oberveterinärrats Dr. Alfons Hildenbrand, tun. Er lag im Jahr 1942 mit seiner Veterinär-Kompanie, gleichzeitig als Ortskommandant, in einem Städtchen in der Nähe von Minsk, dessen Einwohner zum großen Teil jüdische Handwerker waren. Zwischen ihnen und den Soldaten der Kompanie, Bauern und Handwerkern aus Altbayern, entwickelte sich eine gute Zusammenarbeit. In sie brach ein Liquidationskommando der SS ein. Hildenbrand setzte sich mit aller Kraft zur Wehr und drang bis zum Divisionskommandeur vor. Der zuckte mit der Achsel; er habe keine Befehlsgewalt über die SS.

Hildenbrand sah nur noch eine Möglichkeit, das Fürchterliche zu verhindern: Der Papst mit seiner hohen Autorität müsse seine Stimme erheben, und die Welt müsse sie hören. Er erwirkte Urlaub und unterrichtete den Erzbischof von München-Freising, Kardinal Dr. Michael Faulhaber; er war tief betroffen – aber: am Ende zuckte er mit der Achsel; die Kirche sei ohnmächtig ...

Das ist das schwer zu Tragende: Die da mordeten und die es hinnahmen, sie waren Christen, waren auf das Gebot der Nächstenliebe verpflichtet. Niemals ist Christus mehr verleugnet worden.

Beleidigung – Verunglimpfung des Andenkens eines Verstorbenen? Es geht um anderes: Jeder von uns hat Anlaß zu bekennen: *mea culpa;* für den, der höchste Verantwortung trug, gilt: *mea maxima culpa.*

Thomas Dehler
Abendzeitung, München, 10. Mai 1963

HANNAH ARENDT

Schuld durch Schweigen?

Rolf Hochhuths Schauspiel *Der Stellvertreter* ist das »umstrittenste literarische Werk der Gegenwart« genannt worden, und wenn man an die Diskussionen denkt, die es in Europa hervorgerufen hat und nun auch in diesem Lande heraufbeschwört, dann scheint dieser Superlativ der Wirklichkeit im großen und ganzen nicht zu widersprechen.

Das Stück handelt davon, daß Papst Pius XII. versäumte, während des Zweiten Weltkrieges eine öffentliche Erklärung gegen die Massenvernichtung der Juden abzugeben, und befaßt sich in diesem Zusammenhang mit der Politik des Vatikans dem Dritten Reich gegenüber. Die Tatsachen selbst stehen nicht zur Debatte: niemand bestreitet, daß der Papst über alle angemessenen Informationen verfügte und daß er selbst dann seine Stimme nicht zum Protest erhob, als die Juden, auch die katholischen Juden, während der Besetzung Roms durch die Deutschen unmittelbar unter den Fenstern des Vatikans zusammengetrieben wurden, um ... zu einem Bestimmungsort gebracht zu werden, von dem damals in der hohen Geistlichkeit jeder wußte ...

Es gibt nur verhältnismäßig wenige unglückliche Versuche der Kirche, diesen schweren Vorwürfen dadurch zu begegnen, daß man entweder dem Stück Behauptungen unterstellte, die es gar nicht enthält – nirgends behauptet Hochhuth, der Papst sei verantwortlich für Auschwitz oder der »Hauptschuldige« jener Jahre –, oder auf die Hilfe hinwies, die den Juden in einigen Ländern, besonders in Frankreich und Italien, von kirchlichen Stellen zuteil wurde, was ja niemals bestritten worden ist. Nicht bekannt ist, in welchem Ausmaß der Papst diese Hilfsmaßnahmen veranlaßt oder sogar unterstützt hat, da der Vatikan seine Archive zur Zeitgeschichte nicht zugänglich macht. Man darf aber annehmen, daß zumeist das Gute wie das Böse, das geschah, auf örtliche Stellen zurückzuführen ist und oft, wie ich meine, auf ganz persönliche Initiative. Wer würde wohl Rom dafür zu tadeln wagen, daß bei der Deportation katholischer Juden aus Holland »ein Dutzend Mitglieder verschiedener Orden tatsächlich von holländischen kirchlichen Institutionen ausgeliefert wurden« oder dafür, daß Hochhuths Frage: »Wie konnte die Gestapo in Erfahrung bringen, daß jene Nonne (Edith Stein, eine deutsche Konvertitin und bekannte Philosophin) jüdischer Abstammung war«, bisher nicht beantwortet worden ist? Aber ebensowenig kann die Kirche als Institution jene paar großen Demonstrationen christlicher Barmherzigkeit, wie etwa die Versorgung Tausender Juden in Südfrankreich mit gefälschten Papieren, die ihnen die Auswanderung erleichtern sollten, oder den Versuch des Dompropstes Bernhard Lichtenberg von St. Hedwig in Berlin, mit den Juden nach dem Osten zu gehen, oder das Martyrium eines polnischen Priesters, des Paters Maximilian Kolbe in Auschwitz, um nur einige berühmte Beispiele zu nennen, einfach auf ihr Konto buchen.

Was die Kirche als Institution und der Papst als ihr Oberhaupt wirklich für sich geltend machen können, sind gewiß nicht die vagen Proteste gegen Rassenwahn und Neu-Heidentum von 1933–1945, in denen das Wort »Jude« nicht einmal vorkam, sondern allein die systematische Informationsarbeit der päpstlichen Nuntien in dem von den Nationalsozialisten besetzten Europa, die wenigstens die Regierungschefs der katholischen Länder – Frankreich, Ungarn, die Slowakei und Rumänien – über die wahre, verbrecherische Bedeutung des Wortes »Umsiedlung« aufzuklären suchte. Das war deswegen wichtig, weil die sittliche und geistige Autorität des Papstes für die Wahrheit dessen bürgte, was sonst nur zu leicht als Feindpropaganda hätte abgetan werden können, besonders in jenen Ländern, die diese Gelegenheit einer »Lösung der Judenfrage« begrüßt hätten, wenn auch eben nicht um den Preis eines Massenmordes. Die Verwendung ausschließlich diplomatischer Wege durch den Vatikan bedeutete indessen auch, daß der Papst es nicht für richtig hielt, das Volk aufzuklären, zum Beispiel die ungarische Polizei, lauter gute Katholiken, die damals eifrig Juden für das Eichmann-Kommando in Budapest zusammentrieben, und daß er infolgedessen auch die Bischöfe entmutigte, soweit es dessen bedurft hätte, ihrem Kirchenvolk die Wahrheit zu sagen. Was damals zuerst den Opfern und den Überlebenden, inzwischen aber der ganzen

Welt als schmähliches Versagen erscheint, ist die erschreckende Gleichmütigkeit, das starre Festhalten an politischen Verhaltensregeln, die angesichts des Zusammenbruchs aller sittlichen und geistigen Ordnungen Europas längst nicht mehr gültig sein konnten. Wenn Hochhuth am Ende des vierten Aktes den Papst wörtlich zitiert, indem er dabei lediglich das Wort »Polen« durch »Juden« ersetzt:

»Wie die Blumen in der Erde unter der Schneedecke des Winters auf den warmen Hauch des Frühlings warten müssen, so müssen die Juden warten, im Gebet und im Vertrauen, daß die Stunde des himmlischen Trostes kommen wird« – dann ist dies in der Tat nicht nur ein Musterbeispiel für »Pacellis blumige Redeweise«, sondern noch mehr ein Zeichen für den allgemeinen, unheilvollen Verlust jeden Gefühls für Realitäten.

Nun hat der Vatikan während der Kriegsjahre, als der Papst in Europa allein frei war vom Verdacht der Propaganda, doch etwas mehr als nichts getan, und es wäre sogar »genug« gewesen, wenn jenes peinliche Faktum nicht bestünde, daß der Mann auf dem Stuhle Petri eben kein gewöhnlicher Souverän ist, sondern als »Stellvertreter Christi« gilt. Beurteilt man den Papst nur als weltliches Staatsoberhaupt, so tat er nichts anderes als die meisten seinesgleichen, wenn schon nicht alle, unter solchen Umständen getan haben. Für die Kirche als Institution unter anderen ist ihre Neigung, »sich mit jeglichem Regime zu arrangieren, das seine Bereitwilligkeit betont, Eigentum und Vorrecht der Kirche zu respektieren« (was das NS-Regime, nicht aber Sowjet-Rußland ja zu tun vorgab), verständlicherweise fast zum Glaubenssatz der politischen Philosophie des Katholizismus geworden. Aber die geringe weltliche Macht des Papstes – die Herrschaft über weniger als tausend Einwohner der Vatikanstadt – verbindet sich mit der »geistlichen Souveränität des Heiligen Stuhles«, die eine Sache für sich ist und in der Welt eine außerordentlich große, wenngleich unwägbare geistige Autorität darstellt. Das hier bestehende Problem ist auf die kürzeste Formel gebracht mit der Frage Stalins: »Wie viele Divisionen hat der Papst?« und der Antwort Churchills darauf: »Einige Legionen, die nicht immer bei einer Parade zu sehen sind.« Die Anklage gegen Rom wirft dem Papst vor, daß er diese Legionen – rund 400 Millionen Menschen in der ganzen Welt – nicht mobilisiert hat ...

Selbst wenn der Papst in Hitlers Kriegführung das klassische Beispiel für ungerechten Krieg gesehen hätte – was er aber offensichtlich nicht tat, da er nach den Worten eines seiner Sekretäre, des Paters Robert Leiber, »stets den russischen Bolschewismus für gefährlicher hielt als den deutschen Nationalsozialismus« –, wäre es wohl sicherlich nicht zu einer Intervention seinerseits gekommen. Das Entscheidende ist vielmehr, daß der Papst, obwohl er überzeugt war, »daß das Schicksal Europas von einem deutschen Sieg an der Ostfront abhing«, und sehr prominente Persönlichkeiten der deutschen und italienischen Hierarchie ihn zu überreden suchten, »einen heiligen Krieg oder Kreuzzug« (den Krieg gegen Rußland) zu erklären, nach außen ein »bedeutsames Schweigen« bewahrte. Dieses Schweigen ist um so bedeutsamer, als der Papst zweimal seine Neutralität brach – das erste Mal, als Rußland Finnland angriff, und kurz danach, als Deutschland die Neutralität Hollands, Belgiens und Luxemburgs verletzte.

Wie immer man auch versuchen mag, diese offensichtlichen Widersprüche miteinander in Einklang zu bringen, so kann doch kaum ein Zweifel darüber bestehen, daß ein Grund, warum der Vatikan gegen die Massenmorde im Osten nicht protestierte (wobei schließlich nicht nur Juden, sondern auch Polen und polnische Priester umkamen), die irrtümliche Ansicht war, diese Aktionen seien Teil und Last des Krieges. Die Tatsache, daß auch beim Nürnberger Prozeß diese Abscheulichkeiten, die mit militärischen Operationen nichts zu tun hatten, als »Kriegsverbrechen« bezeichnet wurden, zeigt, wie plausibel diese Meinung während des Krieges gewesen sein muß. Ungeachtet einer umfangreichen Literatur über das verbrecherische Wesen des Totalitarismus, hat die Welt anscheinend nahezu zwei Jahrzehnte gebraucht, um zu erkennen, was wirklich in jenen Jahren geschehen ist und wie verhängnisvoll fast alle Männer in hohen öffentlichen Ämtern die Situation verkannten, selbst wenn ihnen alles Tatsachenmaterial bekannt war.

Aber selbst wenn wir das alles in Rechnung stellen, dürfen wir die Sache damit nicht auf sich beruhen lassen. Hochhuths Schauspiel befaßt sich mit der Haltung Roms während jener Massenmorde, die sicherlich das dramatischste Kapitel im Ablauf des ganzen Stückes sind, es handelt nur am Rande auch von den Beziehungen zwischen dem deutschen Katholizismus und dem Dritten Reich in den vorausgegangenen Jahren sowie von der Rolle, die der Vatikan unter Pacellis Vorgänger, Papst Pius XI., gespielt hat. Bis zu einem gewissen Grad ist die Frage einer »offiziellen Stellungnahme der Christenheit« in Deutschland bereits früher geklärt worden, besonders auf katholischer Seite. Namhafte katholische Gelehrte – Gordon Zahn, Professor an der Loyola-Universität, Friedrich Heer, der hervorragende österreichische Historiker, sodann in Deutschland die Gruppe der Schriftsteller und Publizisten um die *Frankfurter Hefte* und, für die ersten Jahre der Hitlerherrschaft, der verstorbene Waldemar Gurian, Professor an der Notre-Dame-Universität – haben hier bemerkenswert gründliche Arbeit geleistet, wobei sie sich durchaus bewußt waren, daß der deutsche Protestantismus kaum besser wegkommen würde, ja vielleicht sogar schlechter, wenn seine Haltung im gleichen bewundernswerten Geist der Wahrhaftigkeit geprüft würde. Selbst die üblichen Versuche, wenigstens jene reinzuwaschen, die im einen oder anderen Fall den Mut hatten, Hitler in einer bestimmten Sache Widerstand entgegenzusetzen; so zum Beispiel Kardinal Faulhabers berühmte Ansprache über die Gültigkeit des Alten Testamentes aus dem Jahre 1933, Bischof Galens sehr wirksame Kanzelrede gegen das Euthanasie-Programm und Erzbischof Gröbers stillerer Widerstand gegen das Nazi-Regime – auch sie blieben fragwürdig, zumal die Genannten nicht mehr am Leben sind. Laut Friedrich Heer, den Hochhuth zitiert, war die Situation nach dem Krieg so, daß nur ein großangelegtes Tarnmanöver den Ruf der christlichen Kirche retten oder vielmehr versuchen konnte, ihn wiederherzustellen.

Es ist offenkundig, daß Katholiken, die Hitler Widerstand entgegenzusetzen versuchten, »weder im Gefängnis noch auf dem Schafott mit der Sympathie ihrer kirchlichen Oberen rechnen konnten« (Heer). Zahn berichtet die unglaubliche Geschichte von zwei Männern, denen, weil sie ihres christlichen Bekenntnisses wegen den Kriegsdienst verweigert hatten, die Sakramente von den Gefängniskaplänen bis zur Hinrichtung vorenthalten wurden. (Sie wurden des Ungehorsams gegenüber ihren Seelsorgern beschuldigt, vermutlich mit dem Verdacht, das Martyrium gesucht und die Sünde, vollkommen sein zu wollen, begangen zu haben.)

All das beweist nicht mehr und nicht weniger, als daß Katholiken sich in ihrer Haltung keineswegs von der übrigen Bevölkerung unterschieden, was sich schon gleich zu Beginn des neuen Regimes zeigte. Die deutschen Bischöfe hatten im Jahre 1930 Rassenwahn, Neu-Heidentum und die ganze übrige Nazi-Ideologie verdammt. (Eine Diözese ging sogar noch weiter und verbot »Katholiken, Parteimitglieder zu werden, bei Strafe des Ausschlusses von den Sakramenten«.) Im März 1933 jedoch nahm die Kirche unverzüglich alle Verbote und Warnungen zurück; es war der Augenblick, als alle öffentlichen Organisationen (mit Ausnahme natürlich der kommunistischen Partei und ihrer Zweigorganisationen) »gleichgeschaltet« wurden ... Alles, was von den früheren Verdammungsurteilen übrigblieb, war eine von nicht allzu prominenter Seite ausgesprochene Warnung vor einem bestimmten Vorurteil in Fragen der Rasse und des Blutes (in Kursivschrift gedruckt in einem der Hirtenbriefe, die auf der Fuldaer Bischofskonferenz von allen Bischöfen unterzeichnet wurden). Als kurz darauf die Kirchen ersucht wurden, bei der Feststellung aller Personen jüdischer Abstammung Hilfe zu leisten, fand sich die Kirche zur Zusammenarbeit bereit und so auch weiterhin bis zum bitteren Ende.

Die deutschen Oberhirten folgten also ihrer Herde, statt sie zu führen – und wenn es wahr ist, daß die Haltung der französischen, belgischen und holländischen Bischöfe in den Kriegsjahren in deutlichem Gegensatz zu der ihrer deutschen Brüder stand, dann ist man versucht, daraus zu schließen, daß dies zum Teil wenigstens der anderen Haltung der französischen, belgischen und holländischen Bevölkerung zuzuschreiben ist.

Was jedoch für die Kirchenoberen in den einzelnen Ländern richtig sein mag, stimmt ganz gewiß nicht für Rom. Der Heilige Stuhl verfolgte dem Dritten Reich gegenüber eine eigene Politik, und das Übel ist, daß diese Politik bis zum Ausbruch des Krieges noch um einiges freundlicher war als die des deutschen Episkopats. So hat, als die deutschen Bischöfe – vor der Machtergreifung durch die Nazis – 1930 die Nationalsozialistische Partei verdammten, der *Osservatore Romano* darauf hingewiesen, »die Verurteilung des religiösen und kulturellen Programms der Partei müsse nicht eine Ablehnung der politischen Zusammenarbeit zur Folge haben«, während andererseits weder der Protest der holländischen Bischöfe gegen die Deportation der Juden noch Galens Verurteilung der Euthanasie jemals von Rom unterstützt wurden. Der Vatikan schloß im Sommer 1933, wie man sich erinnern wird, mit dem Hitler-Regime ein Konkordat, und Pius XI., der Hitler vorher sogar als »den ersten Staatsmann« gepriesen hatte, »der sich mit ihm in offener Ablehnung des Bolschewismus zusammentat«, wurde auf diese Weise – nach den Worten deutscher Bischöfe – auch »das erste Staatsoberhaupt des Auslandes, das diesem vertrauensvoll die Hand reichte«. Das Konkordat wurde niemals aufgehoben, weder von Pius XI. noch von seinem Nachfolger, nicht einmal in den Jahren, als Rom von den Alliierten besetzt war und die Niederlage des Dritten Reiches offensichtlich nur noch eine Frage von Monaten war …

Tatsächlich wurde nur einmal mit Schärfe gegen das Nazi-Regime protestiert, als es gegen die Abmachungen des Konkordats zu verstoßen begann, noch ehe die Tinte auf dem Vertrag getrocknet war: in der Enzyklika Pius XI. »Mit brennender Sorge« aus dem Jahre 1937. Darin wird das moderne »Heidentum« verurteilt und davor gewarnt, Rassentheorien oder nationalen Werten absoluten Vorrang einzuräumen, aber die Worte »Jude« oder »Antisemitismus« kommen in ihr nicht vor; außerdem befaßt sie sich hauptsächlich mit der antikatholischen und vor allem antiklerikalen Verleumdungskampagne der Nazi-Partei. Die Kirche hat weder die Rassenlehre allgemein noch den Antisemitismus im besonderen jemals ganz verdammt. Wir kennen die ungewöhnlich bewegende Geschichte der deutsch-jüdischen Nonne Edith Stein, die bereits erwähnt wurde; Edith Stein forderte, als sie 1938 noch unbehelligt in ihrem deutschen Kloster lebte, Pius XI. in einem Brief auf, eine Enzyklika über die Judenfrage zu veröffentlichen. Daß sie damit keinen Erfolg hatte, überrascht nicht, ist es aber auch ebenso selbstverständlich, daß sie nie eine Antwort erhielt? Die politische Dokumentation der Diplomatie des Vatikans zwischen 1933 bis 1945 liegt also ziemlich klar vor Augen, nur ihre Motive können noch diskutiert werden. Das Günstigste, was sich hierzu sagen läßt, wäre, daß jene Diplomatie durch eine übertriebene Angst vor den kommunistischen Parteien und vor Sowjet-Rußland hervorgerufen wurde, das ohne Hitlers Hilfe damals kaum imstande oder auch nur willens gewesen wäre, halb Europa zu besetzen. Diese falsche Beurteilung der Lage ist verständlich, und sie war weit verbreitet. Dasselbe gilt für die Unfähigkeit der Kirche, das total Böse an Hitler-Deutschland richtig zu beurteilen. Das Schlimmste aber, was sich sagen läßt – und man hat es häufig gesagt –, ist, daß der katholische »mittelalterliche Antisemitismus« für das Schweigen des Papstes zu der Hinmetzelung der Juden verantwortlich zu machen sei. Hochhuth erwähnt das beiläufig, ist jedoch klug genug, in seinem Stück sonst nicht darauf zurückzukommen, weil er sich »nur an nachweisbare Tatsachen halten wollte«. Selbst wenn aber bewiesen werden könnte, daß der Vatikan bis zu einem gewissen Grad den Antisemitismus unter den Gläubigen guthieß – und dieser Antisemitismus war, wo er bestand, durchaus zeitgemäß, wenn auch nicht der rassistische, er sah in den modernen assimilierten Juden ein »Element der Zersetzung« der westlichen Kultur –, so würde das den Kern der Sache nicht treffen. Einem Antisemitismus der Katholiken waren nämlich in zweifacher Hinsicht Grenzen gesetzt, die er nicht überschreiten konnte, ohne sich in Widerspruch zum katholischen Dogma und zur Wirksamkeit der Sakramente zu setzen: er konnte der Vergasung der Juden ebensowenig zustimmen wie der der Geisteskranken, und er konnte seine antijüdischen Gefühle nicht auf die getauften Juden übertragen. Dies waren Angelegenheiten, die nicht der Entscheidung der nationalen Kirchenleitungen überlassen werden konnten, sie waren, recht verstanden, Fragen von höchstem kirchlichem Rang, die in den Bereich der geistlichen und gesetzgebenden Autorität des Oberhauptes der Kirche gehörten. Am Anfang wurden sie auch so verstanden. Als die Absichten der Nazi-Regierung bekannt wurden, Rassengesetze herauszugeben, die Mischehen verbieten würden, warnte die Kirche die deutschen Behörden, daß sie dem nicht zustimmen könne, und versuchte ihnen klarzumachen, daß derartige Gesetze den Abmachungen des Konkordats zuwiderlaufen würden. Das war jedoch leider schwer zu beweisen. Das Konkordat legte fest, daß »die katholische Kirche das Recht habe, ihre eigenen Angelegenheiten innerhalb der Grenzen allgemein bindender Gesetze selbst zu entscheiden«, was natürlich bedeutete, daß eine Ziviltrauung dem Empfang des Ehesakraments in der Kirche voraufgehen müßte. Die Nürnberger Gesetze brachten die deutsche Geistlichkeit in die unmögliche Situation, Personen katholischen Glaubens, die nach dem Kirchenrecht Anspruch darauf hatten, die Sakramente vorzuenthalten. Es war eine Frage der Jurisdiktion des Vatikans – und als die Kirche beschloß, sich solchen Gesetzen des Staates anzupassen, durch die geleugnet wurde, daß ein getaufter Jude ein Christ sei und zur Kirche gehöre wie jeder andere, mit gleichen Rechten und Pflichten, war damit etwas Schwerwiegendes geschehen. Es kam von da ab zur Absonderung der Katholiken jüdischer Abstammung innerhalb der deutschen Kirche. Als 1941 die Deportationen der Juden aus Deutschland begannen, konnten die Bischöfe von Köln und Paderborn tatsächlich empfehlen, »daß nicht-arische oder halbarische Priester und Nonnen freiwillig die Deportierten nach dem Osten begleiten«, das heißt jene Mitglieder der Kirche, die ohnedies von der Deportation betroffen waren. Mir will scheinen, daß, wenn es irgendwelche Menschen in den Jahren der »Endlösung« gab, die noch mehr von aller Welt verlassen waren als die jüdischen Todesreisenden, so müssen es die katholischen »Nicht-Arier« gewesen sein, die den jüdischen Glauben aufgegeben hatten und von den höchsten Würdenträgern der Kirche nun als eine besondere Gruppe ausgesondert wurden. Wir wissen nicht, was sie auf dem Weg zu den Gaskammern dachten – gibt es keine Überlebenden unter ihnen? –, aber es ist schwer, Hochhuths Bemerkung zu widerlegen, daß sie von allen verlassen waren, aufgegeben selbst vom »Stellvertreter Christi«. So geschehen in Europa in den Jahren von 1941 bis 1944.

In der Tat ist es »so geschehen«, und gegen diese »historische Wahrheit … in ihrer ganzen Schrecklichkeit« (Rabbi von Dänemark) helfen alle Proteste nichts, daß Zurückhaltung die beste Politik gewesen sei, weil sie das kleinere Übel war, oder daß die Enthüllung der Wahrheit jetzt im »psychologisch falschen Augenblick« komme. Gewiß kann niemand sagen, was geschehen wäre, wenn der Papst öffentlich protestiert hätte; wenn Hochhuth behauptet, »daß ein Protest des

Papstes Hitler sicherlich in seinem Vorhaben aufgehalten hätte. Er hätte zweifellos die Juden weiter unterdrückt als Arbeitssklaven für seine Industrie – aber ob er sie getötet hätte? Das ist sehr fraglich« – so ist diese Meinung plausibel, aber nicht zu beweisen. (Katholische Organisationen haben sich demgegenüber auf den Fall berufen, wo der Protest eines holländischen Bischofs die Dinge nur noch schlimmer gemacht hatte, weil die Nazis als Vergeltung nun auch getaufte Juden abholten, die bis dahin verschont worden waren. Dieses Gegenargument ist jedoch wertlos, weil wegen der mangelnden Unterstützung dieser Aktion von seiten Roms die Nazis mit dem holländischen Episkopat so verfahren konnten wie mit irgendeiner anderen Widerstandsgruppe.)

Was nicht geleugnet werden kann, ist, daß viele Menschen in sowie außerhalb der Kirche zwischen 1933 und 1945 irgendeine unzweideutige Geste der Verurteilung von Rom erwartet haben, in der festen Überzeugung, daß diese auf eine nicht absehbare Weise die ganze Sachlage geändert haben würde. Präsident Roosevelt teilte diese Überzeugung: er ließ 1943 Pius XII. durch seinen Sonderbotschafter Myron C. Taylor bitten, die Katholiken wenigstens zum Widerstand gegen die Abscheulichkeiten im Osten aufzurufen, wenn schon natürlich nicht zum Widerstand gegen Hitlers Krieg selbst. Ganz abgesehen von allen unmittelbar praktischen Erwägungen, hat niemand in Rom erfaßt, was so viele innerhalb und außerhalb der Kirche zu jener Zeit erkannten, nämlich daß ein Protest gegen Hitler »die Kirche zu einem Rang erhoben hätte, wie sie ihn seit dem Mittelalter nicht mehr innehatte.«

New York Herald Tribune,
23. Februar 1964

Der »Stellvertreter« im Ausland

Basel

Ein halbes Jahr hat es gedauert, bis nach der Berliner Uraufführung die nächste deutschsprachige Bühne Hochhuths *Stellvertreter* herausbrachte. Und daß gerade Basel die zweite Station war . . ., das scheint mir nicht eines tieferen Sinnes zu entbehren – auch ohne jene Begleitumstände, welche diese Basler Premiere in den Rang eines echten Theaterskandals erhoben, eines guten Theaterskandals, so schön, wie wir ihn im Bannkreis deutscher Zunge schon lange nicht mehr gehabt haben . . .

Von den Zentren der deutschen Schweiz empfindet allenfalls Zürich literarisch in jener Sprache, deren Erfindung man seit Luther datiert und welche dort unter dem Namen» Schriftdeutsch« bekannt ist . . . Bern hingegen empfindet in Stunden gehobener Muse französisch, während Basel jederzeit und immerdar baseldeutsch denkt, also etwa in der Sprache Johann Peter Hebels.

Aber wofern es nicht ums geschriebene, sondern ums gesprochene Wort geht, führt kein Weg von Hebel zu Hochhuth, auch nicht durch ein Nadelöhr. Natürlich findet Hebels Sprache heute keinen Verleger, aber sie lebt im Stegreif relativ unangefochten, zumal die Basler polyglott und geschmackvoll genug sind, Filme in der Ursprache und deutsche Filme am liebsten gar nicht zu genießen. Und deshalb ist das Basler Sprechtheater so etwas wie ein »schwäbischer« Pfahl im Fleisch der Polis, stets zwischen Scylla und Charybdis, zwischen Verachtung und Empörung seines Publikums vegetierend, in Vergessenheit oder Auseinandersetzung, *tertium non datur.* Schramm, der mutige derzeitige Leiter dieses Hauses, wählte mit Hochhuth die Auseinandersetzung, und er bekamn sie – was sowohl für ihn spricht wie für die Basler.

Wer aber waren die Empörten? Natürlich zuerst die Katholiken, aber wenn man dies feststellt, so hat man zu bedenken, daß der Bischof von Basel zu Solothurn residiert – weil ihn nämlich die Basler zu Zeiten der Reformation vor die Tür gesetzt und bis auf den heutigen Tag nicht wieder in die Stadt gelassen haben . . . Nein, von den zwei Parteien, in welche Basel in diesen Tagen gespalten ist, trägt die eine den Katholizismus zwar als Panier vor sich her, aber es gibt keinen Großinquisitor.

Es ist viel eher der Protest einer Stadt, die den Humanismus miterfunden hat und daher sich von Hochhuth plagiiert fühlt: Das Große Basler Welttheater ist die alljährliche »Fasnacht«, welche ja nichts mit »Fasching« oder »Carneval« zu tun hat, sondern ein überaus ernstes, nach strengen Regeln geübtes Stegreif-Turnier auf Hieb und Stich ist, betrieben von zwei- bis dreitausend aktiven Hochhüthen, welche Jahr um Jahr Gott und die Welt, sich selber inbegriffen, in ein unerbittliches Gericht nehmen: Dagegen sind Mainzer Büttenreden eine dünnblütige, betuliche Effekthascherei. Und diese Leute fragen sich: Was soll uns dieser Deutsche?

Das stand natürlich nicht auf den Transparenten der Schweigemarschierer. Da waren die dünnen, »offiziellen« Ladenhüter-Parolen: *Hochhuth will die Deutschen exkulpieren* – als ob nicht die Argumentation, Hitler sei ein Wahnsinniger gewesen, den man bei seinem Geschäft nicht habe stören dürfen, wollte man nicht alles verschlimmern, und als ob nicht diese »Pro-Pio«-Rede die Deutschen viel gründlicher exkulpierte. *Spielt Schweizer Dramatiker* – als ob nicht Max Frisch dasselbe meinte wie Hochhuth. *Hochhuth war damals ein Kind* – als ob nicht gerade dies die einzige Legitimation wäre für einen Deutschen, gerade jene Pilatusfrage zu stellen, hier und heute. Jede einzelne Parole auf dieser Seite so verfehlt wie jenes Argument der andern: *Basel kein Vietnam.*

So verfehlt, so wenig zündend alle Parolen, daß die offiziellen Parteiungen der Straße schon im Zerfallen waren, kaum daß noch drinnen die Vorstellung recht begonnen hatte, aber ungeachtet dessen kein Ende des Auflaufs, der den gesamten Verkehr der Innenstadt für Stunden zum Erliegen brachte, etlichen Hundertschaften »währschaftester« Polizisten zum Trotz, und einen Zustand zwischen athenischer Agora und *Hyde-Park-Corner* etablierte, hier und da durchsetzt von Haufen feuchtfröhlicher Radaubrüder, Gummiprügel beziehend . . .

Bei Ende der Vorstellung fuhren noch immer keine Trambahnen. Es hatte geregnet, und die Diskutanten waren in die Cafés entwichen. Was jetzt noch die Straßen füllte, waren weder Katholiken noch Protestanten. Ich habe in einem längeren Leben in der Schweiz kaum je zerlumpte, abgerissene Menschen gesehen, und schon gar nicht in Massen, aber hier waren sie. Zunächst dachte ich, die Requisitenkammer des Theaters sei geplündert worden, aber dagegen sprachen wieder die vielen dicken blauen Ordnungshüter mit ihren ganz unbeschädigten Sprechfunkgeräten. Nein, es war eine regelrechte Sehnsucht nach etwas, das seit Jahrhunderten nicht mehr dagewesen war, was die Stromer und wüsten Matrosen, die Sträflinge und Heimatlosen hier versammelte: *Du Rififi chez les Bâlois.*

Peter Hemmerich
Die Zeit, Hamburg, 4. Oktober 1963

Paris

»Ich sah noch«, erinnerte sich eine Augenzeugin später wie im Trauma, »daß der Mann im Regenmantel über mir auf der Logenbrüstung stand. Gleich darauf verspürte ich einen Schlag am Kopf, meine Brille zersplitterte, und er saß auf meinem Schoß.«

Doch da hatte er gar nicht sitzen wollen. Mit dem Schrei »Vive le pape« eilte er ohne Verzug weiter auf die Bühne, die inzwischen schon von vier weiteren Jungmännern mit wehenden Schals gestürmt worden war, und auf den Bühnenpapst zu, der zitternd und stammelnd, die Hände über der weißen Robe verkrampft, vor den Aufrührern zurückwich. Dann verdeckte der Eiserne Vorhang die Szene, und zum siebenten Male wurde es im Saal wieder hell.

Ort der Handlung: das gewöhnlich spärlich besuchte Pariser Klein-»Théâtre de l'Athénée« in einer gewöhnlich stillen Sackgasse im Operndistrikt. Zeit der Handlung: Abendstunde im Advent 1963.

Es ist der bestgelungene Skandal, den Rolf Hochhuths *Stellvertreter* – französisch: *Le Vicaire* – seit seiner Basler Premiere gemacht hat.

Dabei war noch die französische Erstaufführung am vorletzten Montag – die erste in einem durchaus katholischen Land – recht glimpflich abgelaufen. Maigrets Berufskollegen vom Quai des Orfèvres, die sich, auch von Krimi-Abstinenzlern auf den ersten Blick erkennbar, als biedere Zivilisten unters Publikum gemischt hatten, machten lediglich elf lauthalsige Rufer dingfest und geleiteten sie noch vor dem starken Schlußapplaus ins Freie.

Der *Figaro* nach diesem ersten Theaterabend: »Wenn es ein Zeichen für die Gesundheit des modernen Theaters ist, solche Leidenschaften zu entfesseln . . . dann ist Hochhuths Stück gesundes Theater.«

Aber das Stück des deutschen Dramatikers »Hochhutz« – so *Paris-presse* – bewies dann doch weit mehr als bloße Gesundheit. Es provozierte im Abend für Abend ausverkauften Athene-Tempel gallischen Elan vital. Das Wutgeschrei (»Unverschämtheit«, »gemeine Lüge«, »dreckiges Schwein«) schwoll an, der Flugblatt-Regen (»Pariser, laßt die Hauptstadt der Intelligenz nicht durch ein so ungeheuerliches Schauspiel entehren!«) wurde zur Traufe, Stinkbomben fielen, Tomaten flogen, faule Eier klatschten, im Vestibül trampelten und johlten Demonstranten. Sie trampelten im Parkett und johlten auf der Bühne, und es nützte auch nichts, daß der Theaterpapst mit segnender Geste an die Rampe trat und sein Publikum beschwor: »Ich bitte Sie, ich übe doch hier nur mein Handwerk aus.«

Denn gerade das wollten die katholischen Protestanten nicht ausgeübt sehen. Sie wußten sich eins mit dem Erzbischof von Paris, Kardinal Feltin, der, während *Le Vicaire* immer wieder und allen Verbal- und Brachial-Protesten zum Trotz über die Bühne ging, in einem Kommuniqué Pius XII. als einen »Verteidiger der Menschlichkeit, des Friedens und der Gerechtigkeit« würdigte und befand, »daß jeder anständige Mensch die Leichtfertigkeit gewisser Entstellungen nur mißbilligen« könne.

Besonders heftig mißbilligten die jungen Leute einer »Liga für das Ansehen der Gläubigen und für Gedankenfreiheit«, heftiger noch die von einem Komitee »Pro Pio« – das auch schon in Basel aktiv geworden war –, obwohl der Pio, zu dessen Ehre der Verein ursprünglich gegründet wurde, gar nicht der zwölfte Papst dieses Namens, sondern ein stigmatisierter Kapuzinerpater aus Apulien ist, der vor Jahren Wunderheilungen vollbracht haben soll.

Inzwischen walten nun schon dreißig Polizisten im Parkett ihres Amtes, allerdings mit Unmut: Sie sind verbittert, weil die Schauspieler arbeitslose Kollegen als zusätzliche Leibgarde engagiert haben.

Auch diese Schutztruppe jedoch ist für den »Stellvertreter«-Darsteller Alain Mottet noch unzureichend. »Ich bin jederzeit bereit aufzuhören«, beteuerte er. »Ich will nicht mehr diese haßverzerrten Gesichter vor mir sehen.«

Während *Le Monde* und *Le Figaro* Hochhuth und seinen *Vicaire* gegen die Pro-Pioisten mit hohem Lob verteidigten, wunderte sich der Kritiker des *France-soir:* »Ich verstehe nie, wie der *Stellvertreter* derartige Leidenschaften entfesseln kann ... Sein Text ist entsetzlich schwerfällig, glanzlos und zu lang. Die Übersetzung ist von seltener Plattheit. Die Inszenierung übertrifft kaum die Armseligkeit des Ganzen.«

Der Spiegel, Hamburg,
52/1963

Rom

Vicolo del Belsiana ist ein kurzes, enges, holperiges Sackgäßchen nahe der Spanischen Treppe, in einem charaktervollen römischen Altstadtteil, in dem sie den Bel Paese und die Mortadella neben gediegenen Antiquitäten feilbieten. Dort, unter einer niedrigen schwarzen Eisengittertür, wollte an einem Sonnabend im Februar der private Klub »Letture Nuove« in einem hurtig ausgebauten Studio-Theater mit nur zweiundachtzig Holzbank-Plätzen eine öffentliche Generalprobe abhalten. Der Mörtelhaufen vom erst beendeten Umbau lag noch neben der Gittertür, als die siebenundvierzig geladenen illustren Gäste, darunter Alberto Moravia, Mary McCarthy, prominente Kritiker der italienischen und ausländischen Presse gegen 22 Uhr eintrafen. Sie fanden den Vicolo verstopft mit Karabinieri und politischer Polizei, die jedermann den Zutritt verwehrten. Von drinnen riefen die bereits kostümierten Schauspieler nach »Li-ber-tà«. Draußen intonierten entrüstete verhinderte Zuschauer den Widerstandssong »Bella Ciao«.

Nicht auf dem Podium, sondern auf dem Kopfsteinpflaster begann ein »Staats«-Theater, das in den folgenden Tagen zu einem wilden Rauschen im gesamten italienischen Blätterwald, dann zu einem Gepolter im römischen Stadtrat, schließlich im Senat anschwoll, so daß sie in den Kaffeehäusern an der Via Veneto einen Augenblick lang vermuteten, in Montecitorio könnte darob die wacklige Regierung zu Fall kommen.

Der Dramatiker Rolf Hochhuth hatte diese Art von Premiere auf den Brettern, die die politische Welt bedeuten, befürchten lassen. Die Aufführung seines *Stellvertreters* – hier *Vicario* betitelt – wurde von der römischen Quästur unter Berufung auf Artikel 1 des Konkordats verboten. Der Artikel besagt: »In Anbetracht des heiligen Charakters der Ewigen Stadt ... hat die italienische Regierung in ganz Rom alles zu verhindern, was diesem (heiligen) Charakter widersprechen könnte.«

Praktisch heißt das: Die Vatikanstadt (mit 0,4 qkm und 1000 Einwohnern) kann verlangen, daß im weitflächigen Rom (mit 2,1 Millionen Einwohnern) nichts geschieht, was die Katholizität beleidigt. Weder Dolce vita noch Striptease-Lokale, weder Brigitte-Bardot-Plakate noch Anita-Ekberg-Exhibitionen hatten bisher den Klerus aus den Vatikanmauern herauszulocken vermocht – gegen Hochhuths Kolportage-Stück über Pius XII. fuhr der Vatikan indessen das schwerste Geschütz auf, pochte auf das Konkordat, und die italienische Regierung erfüllte buchstabengetreu das Abkommen von 1929, entsandte die Karabinieri. Und es hat seine Ironie, daß der Chef einer Centro-Sinistra-Regierung der erste der insgesamt zweiundzwanzig italienischen Ministerpräsidenten der nachfaschistischen Ära ist, der das Konkordat aktiv erfüllt, und dies in einem Augenblick, in dem Italien den ersten laizistischen Präsidenten seiner Geschichte und im Parlament eine laizistische Mehrheit hat.

Das »Staats-Theater hatte sich nahezu zwangsläufig ergeben, obschon der Hochhuth-Produzent, Gian Maria Volonté, ein junger Schauspieler, mit einiger Umsicht zu Werke gegangen war. Er hatte die Rechte vor einem Jahr erworben, als das Hochhuth-Stück von Feltrinelli herausgebracht worden war. Er plante eine Aufführung erst, nachdem das Stück in einem Zirkel öffentlich verlesen und diskutiert worden war. Um das Konkordat zu umgehen, beabsichtigte er zunächst, die Aufführung in eine Vorstadt zu verlegen.

In Albano hatte er von einem kommunistischen Kinobesitzer eine Aufführungszusage erhalten, der dann jedoch sein Wort zurück-

nahm, nachdem er von Frau, Mutter und anderen Familiendamen be-
kniet worden war. Und der römische *Espresso* veröffentlichte das
Ondit, daß sämtliche römischen Theaterbesitzer in der Quästur vor einer Aufführung verwarnt worden seien. Danach erst, als sämtliche
Theatertüren ihm verschlossen waren, mietete Volonté den Raum im
Vicolo für drei Monate, baute die ehemalige Druckerei aus, gründete
den Privatklub, registrierte ihn ordnungsgemäß, verteilte Mitglieds-
karten für dreitausend Lire, ließ das Stück als unprovokatives Debat-
tier-Drama inszenieren und verschickte schließlich die Einladungen.

Als die Polizei die Aufführung verhindert hatte, trotzten die Schauspieler bei Kaffee und Whisky achtundvierzig Stunden lang in dem
Studio-Theater, und am Montagabend dann, als nach einem Gespräch
des Innenministers Taviani mit Ministerpräsident Moro öffentlich das
Verbot mit dem Konkordat begründet wurde, entwischten die Schauspieler in die nahe Via del Babuino, wo in der Buchhandlung Feltrinelli das Hochhuth-Stück vor einhundertfünfzig in Stundenfrist zu-
sammentelefonierten Gästen zum ersten und letzten Mal in der Città
sacra gespielt wurde. Diese Links-Creme der römischen Kultur, Jour-
nalistik und Politik war durch eine Seitenarkade über den Hof in ein
weißgetünchtes Hinterzimmer der Buchhandlung gekommen – »in
eine Atmosphäre der Verschwörung und der Katakomben«, während
Feltrinelli im Schaufenster das »Buch des Tages« plakatierte und
sämtliche Zeitungsausschnitte zur Affäre zur Schau stellte.

Hochhuth war zum Katalysator geworden, und mittlerweile balgten
sich die Leitartikler. Die fettesten und markantesten Schlagzeilen-
lettern ließen die Kommunisten setzen. »Ohne Maske«, kommentierte *Unità* auf der ersten Seite und druckte nahezu kolonnenweise die
Namen von Kulturträgern, Gruppen und Vereinen, die im antiken
Wortmobiliar der Linientreuen mit Protesttelegrammen und Sympa-
thieerklärungen für die Freiheit stritten. »Wir denken auch an den
Genossen Nenni«, leitartikelte *Unità*, »der nach New York fliegt, um
über ›pacem in terris‹ von Johannes XXIII. zu diskutieren und so einer
Debatte in Rom mit der Regierung über Pius XII., gesehen von Hochhuth, ausweicht.« Indes, just Nennis sozialistischer *Avanti* erinnerte
die Kommunisten daran, daß ihre Stimmen 1947 den Ausschlag gegeben hatten, als die Aufnahme des Konkordats in den Artikel 7 der italienischen Verfassung zur Abstimmung stand. Die Kommunisten hatten dafür gestimmt, da sie damals auf einen Dialog mit den Katholiken
hofften, auf eine Bewegung der politischen Kirche mit der anderen
Chiesa. Die Sozialisten und tonangebende Liberale wie Benedetto
Croce hingegen hatten gegen den Artikel gestimmt.

Während Gazetten und Politiker an diesem Knochen sich die Zähne »wetzten« – an dem Verhältnis von Staat und Kirche, das in Italien, wo man nur »katholisch verdaut«, nicht mehr –, erhielt der Hochhuth-Produzent Volonté Angebote aus anderen italienischen Städten. Er wird seine *Stellvertreter*-Tournee wahrscheinlich in Turin beginnen. Und eine private Vereinigung mit etwa zweihundert über ganz Italien verteilten Zirkeln wird das Stück in der kommenden Woche aufführen und diskutieren. Der Vatikan hatte zwar dem *Vicario* die Città sacra verschlossen, aber indirekt ihm damit den ganzen Stiefel geöffnet.

Alfred Schüler
Sonntagsblatt, Hamburg, 7. März 1965

New York

Die junge schwarze Garderobiere in dem Jazzkeller von Greenwich Village bekreuzigte sich, und der Kellner im armenischen Restaurant rief aus, man solle sich vor Kardinal Spellman hüten, als jemand ihnen sagte, der Autor des *Deputy* sei hier zu Gast. In den knapp zwei Wochen, die Rolf Hochhuth in New York zu Gast war, ist der junge Autor des *Stellvertreter* zu einem der meistbesprochenen und meistgefragten Deutschen geworden, die hier je zu Besuch gekommen sind. Kaum ein Tag verging ohne Diskussionen oder Interviews, und die *New York Times* bemerkt mit Recht, daß im Laufe dieser vierzehn Tage »vermutlich jeder Amerikaner, der eine Zeitung oder Zeitschrift liest und Radio oder Fernsehen anstellt«, weiß, wovon *Der Stellvertreter* handelt. So sehr in der Tat, daß jedermann, vom Parlamentarier bis zum Kardinal, sich ein Urteil über das Stück erlauben kann, ohne es nach eigenem Eingeständnis gesehen oder gelesen zu haben, weil so viel darüber geschrieben und gesprochen worden sei. Die öffentliche Erklärung von Kardinal Spellman gegen den *Stellvertreter* ist bezeichnend für die lebhafte Anteilnahme, die Hochhuths Stück in Amerika gefunden hat. Sie ist für jedermann überraschend gekommen, einschließlich der Erzdiözese New York. Schon vor der Aufführung, als die Diskussion begann, war es die erklärte Politik der Kirchenleitung gewesen, striktes Stillschweigen zu bewahren und sich jeder Stellungnahme zu enthalten. Als indessen deutlich wurde, daß *The Deputy* nicht im stillen Winkel der Theaterspalten, sondern an prominenter Stelle aller großen Blätter besprochen wurde, als sich die bedeutendsten kritischen Geister des Landes, von Hannah Arendt bis zu Alfred Kazin, auf ungewöhnlich breitem Raum mit der gleichzeitig erschienen Buchausgabe auseinandersetzten und Hochhuths Thesen stützten, als sich die Funkanstalten um den jungen Autor drängten und als schließlich selbst der greise Kardinal Cushing in Boston in einem Interview erklärte, jede intelligente Person könne gewiß ohne Schaden das Stück ansehen, und er selber hoffe, dazu Gelegenheit zu haben.

Angesichts so unerwarteten Wohlwollens für den *Stellvertreter* entschloß sich Kardinal Spellman offensichtlich, den Sog zu steuern und aus der Reserve herauszutreten. Er verurteilte das Stück als böse Ehrabschneidung eines aufrechten Mannes, indem es »Papst Pius XII. die Schuld an den Nazi-Verbrechen zuschiebe«. Der Kardinal gab zu, das Stück weder gesehen noch gelesen zu haben, und Hochhuth, anderntags nach seiner Reaktion befragt, erklärte nobel, er antworte grundsätzlich niemandem, der sein Stück nicht kenne.

Die Stellungnahme des Kardinals hat die Sympathien für Hochhuth eher gefördert als gemindert. Jedermann, der Hochhuth auf dem gefährlichen Pflaster der Pressekonferenzen und öffentlichen Diskussionen hier hat operieren sehen, bekundet, daß der junge deutsche Autor seine Zuhörer beeindruckt habe. Hochhuths bohrender Ernst, seine Redlichkeit und sein eher scheues Betragen haben ihm geholfen, noch die hämischsten Fangfragen, an denen kein Mangel war, mit entwaffnendem Freimut zu beantworten.

Das gleiche ist von seinem Stück zu sagen. *The Deputy* ist hier ein kritischer Erfolg, nicht so sehr in seiner dramaturgischen Gestalt, deren Fehler gerügt werden, als wegen der politisch-moralischen Probleme, die das Stück anrührt. Das Theater wird hierzulande unter »Entertainment« (Unterhaltung) eingeordnet, und nur ganz selten wird die Bühne zur moralischen Anstalt. Hochhuths Stück beweise, schreibt die *New York Times* in einer Nachbetrachtung zur Aufführung, »was der geistlose Drang nach schaler Unterhaltung im Theater uns fast vergessen läßt: Daß die Bühne eine großartige Plattform für donnernde Anklagen, Erklärungen und Versicherungen sein kann.«

Es ist das erste Mal nach dem Kriege, daß hier ein Theaterstück den Anstoß gibt zur Erforschung des eigenen Gewissens, zur schuldbewußten Frage nach dem, was man an Hilfeleistungen für die Opfer Hitlers versäumt haben könnte. Bei den besonneneren Zuschauern, Kritikern und Diskussionsteilnehmern wird Pius XII. als das Symbol verstanden, als das Hochhuth ihn gemeint hat, und das Thema des Stückes als die Mitschuld durch Schweigen, wie ein Rabbiner es vor zwölfhundert Studenten der Columbia-Universität formulierte.

Der Literaturkritiker und -historiker Alfred Kazin hat das in einer umfassenden Auseinandersetzung in der *New York Review of Books* am genauesten ausgedrückt. Wogegen das Stück nach seiner Meinung zielt, ist die »Realpolitik«, die bei den westlichen Gegnern Hitlers allerorts im Schwange war und Schweigen anriet. Auf der Suche nach demjenigen westlichen Repräsentanten, dessen »Realpolitik« während des Krieges das moralische Versagen Europas am eindringlichsten verkörperte, habe Hochhuth den Stellvertreter Gottes auf Erden erfunden, Papst Pius XII. Sein Versagen indessen will Kazin – ganz in Hochhuths Sinne – auf alle westlichen Regierungen bezogen wissen; »es ist fraglich«, schreibt Kazin, »ob ganze Gemeinden, Städte, Provinzen vom Erdboden verschwunden wären, wenn die amerikanische Regierung, die britische Regierung, der Vatikan die Vernichtung so vieler Zivilisten, die weder Amerikaner noch Briten, noch Katholiken gewesen waren, nicht mit Gleichmut mit angesehen hätten.« Am Ende seiner ausführlichen Besprechung zieht der Kritiker Kazin den Hut vor dem Autor Hochhuth, »der die Reise in die Hölle (der jüngsten deutschen Vergangenheit) nicht gescheut hat auf seiner Suche nach Selbstverständnis im Lichte der neueren deutschen Geschichte«.

Sabina Lietzmann
Frankfurter Allgemeine Zeitung, 16. März 1964

Dreizehn Jahre danach

AR, Basel
Die Synode der römisch-katholischen Kirche Basel hat gegen die Verleihung des Kunstpreises der Stadt Basel an den deutschen Schriftsteller Rolf Hochhuth protestiert. Sie sieht in der Auszeichnung eine offizielle Anerkennung der geschichtlichen Beurteilung der menschlichen Verurteilung von Papst Pius XII. in dem Bühnenwerk *Der Stellvertreter.*

Die Welt, Hamburg,
27. Dezember 1976

... Es ist dem Kirchenrat unverständlich, daß mit der Preisverleihung ohne ersichtlichen Grund alte Wunden aufgerissen wurden, die man in der Zwischenzeit für ausgeheilt gehalten hat. Jedenfalls kann darin kein Beitrag an die in der Laudatio besonders erwähnte Humanität gesehen werden, was sehr zu bedauern ist ...

Aus dem Protestschreiben des Kirchenrates,
14. Dezember 1976

... Hier nun bin ich von der bestimmten Erwartung ausgegangen, daß genau in den seit der Veröffentlichung des *Stellvertreters* verflossenen rund 15 Jahren sich ganz grundlegende Änderungen auch in der katholischen Kirche eingestellt haben, Änderungen, die zu einer Öffnung geführt haben. Ich war der Meinung, daß die katholische Kirche selber Dinge in Frage zu stellen bereit ist, die bis zur Stellung des Papstes hinaufreichen. Ich glaubte annehmen zu dürfen, daß Kritik an der Kirche und an einer Person, die sie repräsentiert, heute endlich nicht mehr verboten ist ...

Aus dem Antwortschreiben des Regierungsrates
des Kantons Basel-Stadt,
24. Januar 1977

Der Klassenkampf
ist nicht zu Ende

Vorbemerkung

Hochhuths Kunst, das Schweigen der Welt zu brechen« (Michael Guttenbrunner[1]) bewährte sich zwei Jahre nach dem *Stellvertreter* aufs neue, mit wiederum explosiver Wirkung. Niemand, der publizistisch auf sich hielt, zog damals öffentlich in Zweifel, was als empirische, wenngleich kaum je im Detail überprüfte Wahrheit galt – daß es »wirkliche« Armut und »echten« sozialen Konfliktstoff in der Bundesrepublik, dem nahezu kompletten Wohlstandsstaat, nicht mehr gebe. Waren die Autoströme, die sich sonntags in die Landschaft ergossen, die unzähligen Neubausiedlungen, der »Antennenwald« auf den Dächern nicht das optisch überwältigende Argument? Aller engagierten Sozialkritik von einst schien demnach der Boden entzogen, das entsprechende agitatorische Vokabular zielte offenbar längst an der Realität vorbei – war es nicht zu Recht aus der politischen Auseinandersetzung verbannt? Nun jedoch kam Hochhuth und wies nach: es gab noch Armut, es gab sogar Obdachlose im Wirtschaftswunderland, und davon prozentual mehr als selbst 1932, in einem Jahr hoher Arbeitslosigkeit. Es gab aber darüber hinaus – und das betraf auch den vergleichsweise saturierten Durchschnittsbürger – ein drastisches Ungleichgewicht in der Besitzverteilung, das alles Reden vom gleichberechtigten »Sozialpartner« Lügen strafte und die sogenannte »Vermögensbildung« der kleinen Leute (DM 312,– steuerfrei pro Jahr!) zur Farce werden ließ. Es gab wieder eine unkontrollierte Zusammenballung wirtschaftlicher Macht, die nicht nur dem freien Wettbewerb, sondern der Freiheit und der Demokratie überhaupt gefährlich werden konnte. Und es gab soziale Mißstände, die nicht in das harmonisierende Bild universeller Prosperität paßten: die alarmierende Zunahme der Berufserkrankungen und Arbeitsunfälle, die Rekordhöhe der Müttersterblichkeit, die Benachteiligung von Arbeiter- und Bauernkindern im Bildungsgang, den Skandal der niedrigen Renten von

Kriegerwitwen gegenüber üppigsten Pensionen von NS-Verbrechern. Hochhuth sah in allem das Ergebnis einer Politik, die die Bereicherung einiger weniger (»höchstens 2500«) auf Kosten der vielen begünstige – einer Politik, wie sie Ludwig Erhard betrieb, derzeit regierender Kanzler und »Vater des Wirtschaftswunders«. Einer Politik, darf man hinzufügen, der bislang neben ihrer ökonomischen Effektivität immer wieder auch die Tauglichkeit, sozialen Ausgleich herbeizuführen, bescheinigt worden war.

Hier also desillusionierte Hochhuth erheblich, und die Provokation, die sein Befund darstellte, wurde weiter verstärkt durch den Rückgriff auf das Kernstück jenes agitatorischen Vokabulars, das doch so passé schien, nun aber eine ungeahnte Reizwirkung entfaltete. »Der Klassenkampf ist nicht zu Ende«, hatte Hochhuth seinen heute schon legendären Aufsatz (er sprach von einer »Studie«) in der *Spiegel*-Nummer 22 vom 26. Mai 1965 überschrieben, mit dem abermals ein weithin scheu respektiertes Tabu gebrochen wurde. Er selbst verglich später rückschauend den Effekt dieses Wortes mit dem eines »Streichholzes am Benzintank«[2]. Stärke und Ausmaß der Explosion, der Mangel an Gelassenheit der Reagierenden mußten alle überraschen, die in der Tat an eine bereits erfolgte Lösung des sozialen Problems geglaubt hatten. Von einem »Amok-Appell«, einem »Haßausbruch« war da die Rede, von einem aufwiegelnden »Sozial-Pamphlet«, von »demagogischer Verfälschung« und »Diffamierung« – doch fehlten Widerlegungen in der Sache, der Hauptsache.

Beunruhigung wurde spürbar, denkbare Wirkungen im bevorstehenden Bundestagswahlkampf betreffend – und tatsächlich hatte Hochhuth seine »Studie« ja als engagierten Beitrag zu diesem geschrieben; sie erschien, wenige Wochen nach dem *Spiegel*-Vorabdruck, um einige Passagen gekürzt, in Hans Werner Richters rororo-Bändchen *Plädoyer für eine neue Regierung*. Die SPD, die die »neue Regierung« bilden sollte (es kam dann doch noch nicht dazu), zeigte sich freilich alles andere als beglückt über Hochhuths ungenierte Indienstnahme bürgerschreckender Reizvokabeln, schon gar nicht über die durchaus ernstgemeinte Anregung, den IG-Metall-Vorsitzenden Otto Brenner – den Hochhuth kannte und hochschätzte – in einem künftigen sozialdemokratischen Kabinett zum Arbeitsminister zu machen. Auch der *Spiegel* ging auf Distanz: In Nr. 26, vier Wochen später, druckte er ausschließlich Stellungnahmen der Gegenseite zum Hochhuth-Aufsatz ab. Titel, dem *Handelsblatt* entnommen: »Der Mann mit dem Dolch im Gewande.« Auch eine »Hausmitteilung« und später, im September, ein Gespräch, das Rudolf Augstein und Conrad

Ahlers mit Ludwig Erhard führten, ließen erkennen, wie wenig der *Spiegel* sich mit Hochhuths Beitrag zu identifizieren wünschte.

Solidarisierung dagegen, jedenfalls unter Schriftstellern und Intellektuellen – die einzige nennenswerte, die Hochhuth zuteil wurde –, löste Erhards zu trauriger Berühmtheit gelangte »Pinscher«-Rede aus. Vor dem Wirtschaftstag der CDU/CSU in Düsseldorf am 9. Juli 1965 hatte der Kanzler Hochhuth als »ganz kleinen Pinscher« abtaxiert, zu dem er geworden sei, da er »von Dingen« sprach, »von denen er von Tuten und Blasen keine Ahnung« habe. Bot die spezifische Prägnanz der Aussagen Erhards im übrigen eher Anlaß zur Heiterkeit, so rief der »Pinscher« den zornigen Protest auch aller jener hervor, die mit den Tendenzen von Hochhuths Streitschrift nicht übereinstimmten. Die zwei Tage später folgende Invektive von dem »gewissen Intellektualismus, der in Idiotie« umschlage (im Kölner Gürzenich vor den Sozialausschüssen der Christlich-Demokratischen Arbeitnehmerschaft), sowie Auslassungen über »Entartungserscheinungen« in der zeitgenössischen Kunst verschärften den Konflikt. Sie bewogen Ernst Bloch zu der lakonischen Feststellung, des Kanzlers Sprache habe sich nun »bis zur Kenntlichkeit verändert«[3]. Die unverhüllt autoritäre, rüde abqualifizierende Tonart, mit der da kritische und oppositionelle Geister »zur Ordnung gerufen« werden sollten, desavouierte aufs wirkungsvollste Erhards Attitüde des »liberal«-jovialen »Volkskanzlers«. Dennoch bleibt festzuhalten, daß es vorrangig die Formen der Erhardschen Reaktion waren, die Hochhuth spürbare Unterstützung auch der »progressiven« Publizistik einbrachten. Die inhaltliche Substanz der Auseinandersetzungen geriet darüber nahezu völlig aus dem Blick. »Die Diskussion, die Hochhuth inszeniert hatte, mit einem Mut, der an Starrsinn grenzt, mit einer geistigen Unabhängigkeit, die in der Bundesrepublik schon eigenbrötlerisch wirkt, war tot. Schriftsteller mokierten sich über Formulierungen« (U. M. Meinhof). Ob es sich dabei allerdings, wie Ulrike Meinhof annahm, um ein bewußtes Ablenkungsmanöver Erhards handelte, scheint doch mehr als fraglich – zu deprimierend war die Selbstentblößung des Kanzlers ausgefallen, die ja auch durchaus unerwünschte Schlüsse auf den »Geist« zuließ, der sich so ernüchternd intolerant manifestierte. (Erhards »Pinscher« nimmt sich mittlerweile freilich geradezu harmlos aus gegen das verbale Aufgebot von »Ratten« und »Schmeißfliegen«, mit denen der »Linksintellektuellen«-Haß im Wahljahr 1980 von bayerischen »Freiheits«kämpfern stimuliert wird.)

Überdies, wäre in der Tat Ablenkung beabsichtigt gewesen, so hätte sie ihren Zweck, wie die weitere Entwicklung zeigte, gründlich verfehlt: Was 1965 zunächst noch als »shocking« galt, war es schon bald nicht mehr. Die Fakten, die Hochhuth anführte (er hatte sie ursprünglich für ein Drama »Der Arbeitgeber« gesammelt), waren ohnehin kaum bestreitbar und wurden in der Folge, spätestens in den Jahren der APO und der anschließenden Reformbemühungen, Gegenstand unablässiger Diskussion. Sodann avancierte (oder verkam), wie Hochhuth 1971 retrospektiv anmerkt, die Forderung, »endlich auch Volk am ›Volks‹-Vermögen zu beteiligen«, »binnen *einer* Bonner Legislaturperiode«, bis hinein in die CSU, »zum Gemeinplatz« unter den Wahlversprechungen[4] (wo sie dann allerdings verblieb und von wo sie inzwischen, seit dem Ende der Regierung Brandt, wieder gänzlich verschwunden ist). Das Reizwort »Klassenkampf« aber geriet vor allem bei der studentischen Linken in derart inflationären Gebrauch, daß es schon wieder harmlos anmutete. Hochhuth modifizierte den Titel der 1971 erschienenen Sammlung seiner politischen Studien und Polemiken, vielleicht in Reaktion darauf, zu »Klassen*krieg*«.

Sowohl in der Rückschau wie im kontrastierenden Vergleich mit den ihn links »überholenden« Neomarxisten des radikalsozialistischen APO-Flügels wurde nun erkennbar, wie gemäßigt »reformistisch« Hochhuth 1965 letztlich argumentiert hatte. Zwar hieß es dort – was sich äußerst marxistisch anhörte –, wer »den Klassenkampf für beendet« erkläre, könne ebensogut »feststellen«, die Geschichte selbst sei beendet (die Geschichte »als eine Geschichte von Klassenkämpfen«). Doch zog er damals an keiner Stelle die Konsequenz einer notwendigen Verschärfung dieses Kampfes bis hin zur Revolution (im Gegenteil: sie sollte – durch Reform – verhindert werden!). Sein Konzept war auch nicht das der totalen Sozialisierung mit dem Ziel der Schaffung kollektiven »Volkseigentums«, das in der Praxis nur die Enteignung aller bedeute (seine Kritik am Kommunismus ist unmißverständlich). Vielmehr wird gerade umgekehrt (was seinerzeit als erster Dolf Sternberger gebührend hervorhob[5]) die breitestmögliche Streuung von Eigentum angestrebt, wozu freilich die Begrenzung der großen Vermögen und eine allgemeine Gewinnbeteiligung gehöre. Hochhuth zitiert Nietzsche, der sowohl die »Zuviel- wie die Nichtbesitzer« »gemeingefährliche Wesen« genannt hatte. Also: *Ent*proletarisierung der wenig oder nichts Besitzenden, nicht Proletarisierung der Eigentümer. Denn nur Besitz, Eigentum verbürgt nach Hochhuth Freiheit. »Bejaht die kapitalistische Welt die Freiheit jedes einzelnen – und eine andere gibt es nicht –, so muß sie ihn teilhaben lassen an ihrem Kapital ... Jede Alternative zu diesem Axiom ist Phrase und Betrug ... Wie unsere Welt eingerichtet ist, kann Freiheit für den einzelnen sich jetzt nur im Geld realisieren, nur im Eigentum.« Mag man das Volkskapitalismus« nennen oder die soziale Korrektur des ungehemmten Wirtschaftsliberalismus – Tatsache ist, daß diejenigen irrten, die Hochhuth damals verdächtigten, er propagiere »anarchistische Aktionen gegen die demokratisch-parlamentarische Verfassung unseres Landes« (*Handelsblatt*[6]). Ganz im Gegenteil und im Sinne Otto Brenners sollten Mitbestimmung in den Betrieben und gerechte Beteiligung an dem von allen erarbeiteten Gewinn das individuelle Engagement für die freiheitlich-soziale Demokratie ermutigen und stärken. Zweifel an der Möglichkeit, auf parlamentarischem Wege dahin zu gelangen, kamen Hochhuth – wie so vielen seiner Schriftstellerkollegen – erst in den bewegten, radikal-rebellischen Jahren nach 1968.

Neuerdings ist es ja Mode, daß die Dichter unter die Sozialpolitiker und die Sozialkritiker gegangen sind. Wenn sie das tun, das ist natürlich ihr gutes demokratisches Recht, dann müssen sie sich aber auch gefallen lassen, so angesprochen zu werden, wie sie es verdienen, nämlich als Banausen und Nichtskönner, die über Dinge urteilen, von denen sie einfach nichts verstehen. Ich habe keine Lust, mich mit Herrn Hochhuth zu unterhalten über Wirtschafts- und Sozialpolitik, um das einmal ganz deutlich zu sagen und das Kind beim Namen zu nennen. Ich würde mir auch nicht anmaßen, Herrn Professor Heisenberg gute Lehren über Kernphysik zu erteilen. Ich meine, das ist alles dummes Zeug. Die sprechen von Dingen, von denen sie von Tuten und Blasen keine Ahnung haben. Sie begeben sich auf die Ebene, auf die parterreste Ebene eines kleinen Parteifunktionärs und wollen doch mit dem hohen Grad eines Dichters ernst genommen werden. Nein, so haben wir nicht gewettet. Da hört der Dichter auf, da fängt der ganz kleine Pinscher an.

Bundeskanzler Ludwig Erhard
vor dem Wirtschaftstag der CDU/CSU
in Düsseldorf am 9. Juli 1965

Vielleicht ist der Pinscher nicht der Hundetyp, der Ihnen, Herr Bundeskanzler, zusagt; aber es liegt auf der Hand, daß es keinem unserer Schützlinge je eingefallen wäre oder einfiele, eine ehrwürdige Gestalt der Kirchengeschichte zu verleumden oder gar die Stellung des Arbeitnehmers in unserem Staat negativ zu beurteilen. Eine solche Gemüts- und Geisteshaltung ist dem deutschen Pinscher vollkommen fremd ... Er hat die deformierte Gesellschaft bejaht, er bejaht voll die formierte Gesellschaft und wird noch die chloroformierte Gesellschaft bejahen.

Carl Amery,
Vorwärts, 21. Juli 1965

Die Sprache des Bundeskanzlers hat sich bis zur Kenntlichkeit verändert. Diese Töne passen besser in die *Nationalzeitung.*

Ernst Bloch,
Frankfurter Rundschau, 14. Juli 1965

JOACHIM KAISER

Unser Kunst-Kanzler

Unser Bundeskanzler Erhard hat sich bisher selten über die Dinge und Erscheinungen geäußert, die in seiner Sprache höchstwahrscheinlich »kulturelle Anliegen« heißen würden. Dies sei ihm dankbar zugestanden. Obwohl der Privatmann Ludwig Erhard – was wahrlich seine Privatsache ist – nicht nur das Skatspiel, sondern auch die Musen zu lieben scheint, erwidern die unbestechlichen und schwer regierbaren Damen seine Liebe nur zögernd. Wer sich die Mühe macht, der Sprache nachzusinnen, die der Erhardschen Rhetorik ihr Gesicht gibt, der wird pausenlosem »Ringen« und »Gestalten« begegnen, beispielsweise der Überzeugung, »daß mir die Gabe« – so Erhard über sich selber – »verliehen ist, das Schicksal eines Volkes doch gnädig zu gestalten«. Da kann man nur neiderfüllt hinüberschauen zu der Sorte von Politikern, die zwar auch nicht gerade Lyrik von sich geben, deren Worten aber doch Kraft, Gespanntheit, Entscheidungsfähigkeit und Deutlichkeit innewohnen. Man braucht gar nicht an die allergrößten Sprachgewaltigen zu denken, an Bismarck oder Churchill – auch ein Kennedy, ein Stresemann und ein Heuss, den die Intellektuellen dieses Landes verehrten, obschon er wahrlich kein »Linker« gewesen ist, vermochten männlich und differenziert zu sagen, was sie dachten.

Je näher aber nun die Wahlen rücken, desto häufiger beschäftigt sich Erhard seltsamerweise mit Leuten, die er als »Dichter« apostrophiert, desto verwirrter und verärgerter zeigt er sich darüber, daß diese Dichterlinge, die »von Tuten und Blasen keine Ahnung haben«, nicht gehörig Order parieren. Gerade jene Autoren, die – wie er wissen müßte – seit einigen Jahren überall im befreundeten und im weniger befreundeten Ausland die Überzeugung durchsetzen halfen, daß die Bundesdeutschen nicht nur Volkswagen und Touristen zu exportieren haben, sondern auch Werke für den literarischen Markt – gerade diejenigen also, auf die der Bundeskanzler ein wenig stolz sein müßte, scheinen ihm »oppositionell« gestimmt und sind es vielleicht wirklich. Ob Grass, Hochhuth, Kipphardt, Walser oder Böll, deren Dramen und Bücher über die Grenzen unseres Landes hinausdrangen – sie alle lieben ihn nicht so sehr, wie er geliebt sein möchte. Das mag ihn enttäuschen. Wozu aber diese Flucht in den Angriff?

Natürlich braucht dem Professor Erhard beispielsweise Rolf Hochhuths emsige Materialsammlung über die ersparnis- und machtlosen Angestellten und Arbeiter, die der *Spiegel* samt allen Einseitigkeiten vorabgedruckt hat, nicht zu gefallen. Doch der Satz, Dichter wie Hochhuth begaben sich damit auf die unterste Ebene eines Parteifunktionärs, erhöben jedoch gleichzeitig den Anspruch, »mit dem hohen Grad des Dichters ernst genommen zu werden«, dieser Satz aus dem Munde eines deutschen Bundeskanzlers – verwechselt so töricht schriftstellerisches Engagement mit dichterischer Welterfahrung, daß man zu fürchten beginnt, es gebe vielleicht doch eine zur Verantwortung verpflichtende Einheit der Person, und harmloser Politikerunfug in »kulturellen Anliegen« sei auch politisch gar nicht so harmlos.

Erhard, über Tuten und Blasen also wohlinformiert und erfüllt von jener Entscheidungsfreude, die die Nation so an ihm schätzt, nennt Hochhuth einen »Dichter« und disqualifiziert ihn als solchen. Darüber kann gelacht werden. Erhard ereifert sich im Bewußtsein sicherer Resonanz über die »unappetitlichen Entartungserscheinungen der modernen Kunst«. Darüber lacht es sich schon nicht mehr so herzlich, denn die ahnungslose Totschlagsformel von der »Entartung« beschwört ungute Assoziationen. Doch offenbar darf man das in Deutschland. Offenbar darf ein Bundeskanzler, der eben noch treuherzig nach öffentlicher Kritik verlangte, weil ohne Opposition die Zeitungen sich auf »Feuilleton und Anzeigenplantagen« reduzieren würden, von hoher Warte Werke und Schriftsteller disqualifizieren, die ihn ärgern, und selbstsicher über die »Bildungskatastrophen-Politiker« herfallen, die ihm gleichfalls lästig sind.

Wenn Worte nur nicht so verräterisch wären! »Da hört der Dichter auf, da fängt der ganz kleine Pinscher an«, donnert Erhard. *Kleiner Pinscher* – gehört diese Bezeichnung nicht ins Vokabular der Hoffärtigen, der unantastbaren Besitzer und Erbpächter wirtschaftlicher und politischer Macht? Der Mann, der so gern Volkskanzler wäre, möge sich umsehen. Die Bürger seines Landes sind angesichts der Mächte dieser Welt lauter ganz kleine Pinscher. Aber sie haben zumindest darauf ein Recht, daß Erhard seine Ansichten über sie und seine entsprechenden Weisheiten über Kunst und Künstler für sich behält, damit er nicht sich selber und die, die ihn wählen sollen, mehr kompromittiert als die von ihm so mutwillig Beschimpften.

Süddeutsche Zeitung, München,
14. Juli 1965

Der Kanzler des Volkes der Dichter und Denker zürnte: »Pinscher«, »Banausen«, »Nichtskönner«, »Scharlatane«! Gemeint waren die Dichter des Volkes der Dichter und Denker. Das ist nicht neu.

Der Kaiser – so fabulierte schon der Pennäler Kurt Tucholsky –
hatte eine Flöte. Wenn man durch die Löcher dieser Flöte schaute, so
sah man viele bunte Bilder von Thoma und Böcklin, Meunier und Zille. Kurzum, darinnen war die ganze moderne Richtung. Und was tat
der Kaiser mit der Flöte? Er pfiff darauf.

Was dem Kaiser die Flöte, ist dem Kanzler die Blechtrommel. In ihr
sieht er sie alle versammelt: den Günter Graß, den Martin Walser, den
Uwe Johnson und den Rolf Hochhuth. Kurzum, die ganze Richtung.
Und was tut der Kanzler mit der Trommel? Er drischt mal drauf.

Der Spiegel, Hamburg,
21. Juli 1965

ULRIKE MARIE MEINHOF

Hochhuth

Erhards Ausfälle gegen Hochhuth und Grass waren nicht nur das hilf-
lose Gebelfer eines ungebildeten Spießbürgers. Die maßlose Verlet-
zung allen Anstands in der Form seiner Attacken – »Pinscher«, »Banausen«, »Tuten und Blasen...«, »Idiotie« –, die vor allem die
Schriftstellerkollegen von Grass und Hochhuth in Harnisch gebracht
hat (».... da fängt der Erhard an«), mag sein persönlicher Stil sein –
Wahlkampfnervosität aber wäre ja tatsächlich verzeihlich. Auch die
häßliche Mißachtung seiner eigenen Parteimitglieder, an die Erhard ja
wohl dachte, als er Hochhuth vorwarf, sich »auf die paterreste (ein
Kanzlerwort!) Ebene eines kleinen Parteifunktionärs« begeben zu
haben, womit Hochhuth doch wohl etwas besonders Entwürdigendes
nachgesagt werden sollte, das mag die so apostrophierten Damen und
Herren von der CDU schockiert haben – hoffentlich.

Erhard hat, trotz verfehlter Form, erreicht, was ihm wünschenswert
sein mußte: Von Hochhuth abzulenken, die Sache, die den Anlaß zu
Meinungsverschiedenheiten zwischen ihm und Hochhuth gab, aus den
Spalten der Presse, aus den Hirnen verdatterter Spiegelleser wieder zu
verbannen.

Die Sache, die im Gebelfer unterging, war die bundesdeutsche Sozialpolitik, die soziale Stellung des Arbeitnehmers in der Bundesrepublik, Vermögenskonzentration im Bündnis mit politischer Machtkonzentration, Klassenkampf. Hochhuth hatte Zahlen und Thesen vorgelegt, in einem Porträt Otto Brenners für das Rowohlt-Bändchen *Plä-*

doyer für eine neue Regierung, der Aufsatz war auszugsweise im Spiegel vorabgedruckt worden. Zwei Nummern später brachte der Spiegel Leserstimmen, ausnahmslos Gegenstimmen, Arbeitgeberstimmen. Dann begab sich der Kanzler selbst auf die Barrikaden. Nicht irgendwo, nicht in einer Wahlversammlung, nicht auf einer Pressekonferenz, sondern vorm Wirtschaftstag der CDU/CSU in Düsseldorf und auf der Hauptversammlung der CDU-Sozialausschüsse in Köln. Die Unternehmerversammlung mußte beruhigt, die Arbeitnehmerversammlung immunisiert werden. Das Protokoll verzeichnet starken und großen Beifall, wo von »Nichtskönner« und »paterreste Ebene« die Rede war.

Hochhuths Kritik hatte getroffen. Des Kanzlers Entgegnung war keine Entgleisung, sie war ein Politikum, ein Gegenschlag. Daß ihm dabei nicht die geeigneten Formulierungen zu Gebote standen, haben ihm seine Adressaten nicht übelgenommen, sie spendeten Beifall. Die Diskussion, die Hochhuth inszeniert hatte, mit einem Mut, der an Starrsinn grenzt, mit einer geistigen Unabhängigkeit, die in der Bundesrepublik schon eigenbrödlerisch wirkt, war tot. Schriftsteller mokierten sich über Formulierungen.

Warum reagierte der Kanzler so gereizt? Warum darf in der Bundesrepublik nicht prinzipiell über Sozialpolitik diskutiert werden? Warum darf in einer Zeit, in der die CDU selbst das Thema Vermögensbildung in Arbeitnehmerhand zum Wahlkampfthema gemacht hat, nicht über Vermögensbildung diskutiert werden? Warum hat man Angst vor Hochhuth, Angst, daß seine Thesen eine Lawine der Sozialkritik auslösen könnten, Beunruhigung in der Arbeiterschaft?

Die Gründe liegen nicht auf der Hand. Immerhin hat der westdeutsche Arbeiter neben dem amerikanischen den höchsten Lebensstandard in der Welt, den höchsten in seiner eigenen Geschichte. Das System der Sozialversorgung ist in Europa eines der besten. Der westdeutsche Arbeiter hat also allen Grund, sich über seine Stellung in der Gesamtgesellschaft zu täuschen, sich für einen integrierten Teil der Gesellschaft zu halten. Aber er tut es nicht. Die hohen sozialen Leistungen, die in den letzten 16 Jahren erkämpft wurden, vermochten es nicht, einer Mehrheit in der deutschen Arbeiterschaft das Gefühl der sozialen Sicherheit zu vermitteln, nicht, das Vertrauen in die bestehende Gesellschaftsordnung zu festigen. Die Bonner Sozialpolitik hat ihr Ziel in dieser Hinsicht verfehlt. Den Nachweis erbrachte eine Untersuchung der »Kommission für dringliche sozialpolitische Fragen« der Deutschen Forschungsgemeinschaft, die schon im vergangenen Oktober veröffentlicht, aber kaum beachtet wurde. Die Frage war:

Hat das ganze System oder die Summe der sozialpolitischen Maßnahmen der letzten Jahre das Gefühl der sozialen Sicherheit und Geborgenheit vermittelt? Die Antwort: Nein. Über siebzig Prozent der westdeutschen Bevölkerung erklärt auf Befragen: »Wenn ich in eine schwierige Lage kommen sollte, gibt es keinen, der mir hilft.« Über siebzig Prozent der Bevölkerung schätzt seine Lage aussichtslos ein: »Tatsächlich ist es im Leben so, daß die einen oben sind und die anderen unten und auch bei den heutigen Verhältnissen nicht hochkommen, so sehr sie sich auch anstrengen.« – Diese Arbeiterschaft, die, wie Hochhuth meint, nur »schuftet und schläft«, ist also obendrein noch unzufrieden, pessimistisch, mißtrauisch. Die Unzufriedenheit ist nicht virulent, aber sie ist da. Daß sie bewußt und schließlich virulent wird, darf befürchtet werden, wenn Intellektuelle anfangen, öffentlich die Ursachen dieser Unzufriedenheit zu erörtern, Vorschläge zu machen, wo man die Ursachen der Unzufriedenheit zu suchen hätte. Mögen auch die Intellektuellen, die mit Hochhuth sympathisieren, nicht so optimistisch sein, wie Erhard ängstlich ist – die Nervosität des Kanzlers hat durchaus wissenschaftlich harte, statistisch gesicherte Gründe.

Aus dem gleichen Grund muß eine breite Diskussion der Vermögensstreuung unerwünscht sein. Man will den Aktienbesitz streuen, nicht aber die daran gebundene wirtschaftliche Macht teilen, gar aufteilen. Sozialpolitik ist nur der eine Aspekt der Vermögensstreuung, der andere steht im Vordergrund. Alphons Horten sprach ihn auf dem Wirtschaftskongreß der CDU mit entwaffnender Offenheit aus: »Der ungeheure Kapitalbedarf der Wirtschaft in den kommenden Jahren kann einfach nur befriedigt werden, wenn man die steigende Kapitalbildung bei den Unselbständigen entsprechend ausnutzt« (*Handelsblatt* 9./10. Juli 65). – Wenn die Intellektuellen anfingen, sich in dieses Geschäft einzumischen, konnten die Volksaktionäre anfangen, für ihr Geld auch Rechte zu beanspruchen. Wenngleich auch hier die Intellektuellen, die mit Hochhuth sympathisieren, nicht so optimistisch sein mögen, wie Erhard ängstlich ist.

Hochhuth hat ein Tabu gebrochen. Erhard hat – nicht einmal ohne Erfolg – schimpfend das Schweigen wieder hergestellt. Er hat geschimpft, weil er sich getroffen fühlte.

Konkret, Hamburg,
Nr. 8, 1965

ECKART HACHFELD

Kompetenz

Ludwig Erhard spielt den Richter
über Künstler, Schreiber, Dichter,
die sich an soziale Fragen
und die Wunderwirtschaft wagen.

Ignoranten und Banausen
nennt er sie, den Kopf voll Flausen
und von Tuten und von Blasen
keine Ahnung, nichts als Phrasen.

Doch auf das, was der verehrte
Kanzler über Kunst erklärte,
scheint uns dies Vokabular
wohl genauso anwendbar.

Amadeus meint, die Wut
bei Kritik ist niemals gut;
jeder Mann hat Fachgebiete
und ist anderswo 'ne Niete.

Stern, Hamburg,
25. Juli 1965

Vier Politiker im Kreuzverhör

Gibt es bei uns noch Klassenkampf, wie es ein Schriftsteller behauptet? Oder hat Bundeskanzler Erhard recht, wenn er diese Schriftsteller für politische Analphabeten hält?

Gerstenmaier: Jetzt kommt es auf die genaue Formulierung an: Ich halte die Ansicht des Schriftstellers Hochhuth, daß es in der Bundesrepublik Klassenkampf gibt, daß also die Reichen die Armen ausbeuten, für absolut falsch. Wenn Hochhuth gezwungen wäre, sich so wie ich Jahr für Jahr dem Bundesbürger zu stellen, mit Menschen aller Klassen zu reden, dann würde er diese Behauptung nicht aufstellen. Auch mir hat Hochhuth vorgeworfen, das Geld in die Luft zu knallen (für ein neues Bundestagsgebäude in Bonn), statt Elendsbaracken zu beseitigen. Trotzdem würde ich mich den Äußerungen des Kanzlers über diese Schriftsteller nicht anschließen.

Brandt: Ich halte Hochhuths Darstellung für irrig. Aber ich halte auch die Abwertung Hochhuths als »politischer Analphabet« für nicht gerechtfertigt. Schließlich bleibt doch die Tatsache bestehen, daß Wirtschaftler, Sozialdemokraten, katholisch Soziale und auch Frauen und Männer aus dem evangelischen Bereich übereinstimmend sagen: Nicht alle haben einen gerechten Anteil am Wohlstand in der Bundesrepublik. Um es noch einmal zu sagen, ich halte die Formulierung Klassenkampf für irrig. Aber Hochhuths Kritik ist ein Beitrag zum Thema arm und reich. Dieser Beitrag schadet doch nichts. Er kann ganz nützlich sein.

Mende: Beide Formulierungen sind überspitzt. Dichtende Politiker sind problematisch, und politisierende Dichter sind es auch. Von einem Klassenkampf kann keine Rede sein. Wir haben den höchsten Wohlstand. Wir haben 10 Millionen Autos. 10 Millionen deutscher Urlauber haben im letzten Jahr 4,7 Milliarden DM ins Ausland gebracht. Wir haben 18 Millionen Mark für Alkohol ausgegeben. Wenn das alles die Kapitalisten getrunken hätten, wären sie alle längst tot. Das Einkommen eines Facharbeiters ist höher als das eines Studienrates. Das eines Plattenlegers liegt ein Drittel über dem eines Regierungsrates. Wo ist da Klassenkampf?

Strauß: Jeder Schriftsteller hat das Recht, sich zu politischen Fragen zu äußern. Aber was Herr Hochhuth zu politischen Dingen sagt, bedeutet nicht mehr als die Meinung der Miß Germany über die Frage der Atomwaffen. Ich habe gelesen, daß Hochhuth in der Schweiz ein Haus baut. Wenn er aber seinen Wohnsitz nach Basel verlegt, tut er das nicht, um mehr Steuern zu zahlen, sondern um der Bundesregierung Steuern zu entziehen. Hier hört die Berechtigung auf, über politische Fragen zu sprechen. Hochhuths ganzer Artikel ist ein Plädoyer für den IG-Metall-Chef Otto Brenner, der für die radikale Umverteilung von Einkommen und Vermögen eintritt.

Bild, Hamburg,
7. September 1965

LUTZ KÖLLNER

Hochhuths Thesen und die Nationalökonomie

Knapp 120 Jahre, nachdem Karl Marx im unruhigen Exil seine bekannte Schlußformel unter das Kommunistische Manifest gesetzt hatte, ruft in diesen Wochen wiederum ein deutscher Schriftsteller zur Vereinigung der Proletarier auf. Rolf Hochhuth ist wieder im Gespräch, diesmal mit einem Beitrag, der den ebenso provozierenden wie sachlich ungerechtfertigten Titel trägt: »Der Klassenkampf ist nicht zu Ende.«

Nach dem Vater der Katholischen Kirche sind es jetzt die Väter des Wirtschaftswunders, die attackiert werden. Das ist nicht nur individualpsychologisch interessant, obgleich es den Verfasser als einen mit einer psychisch schief gespeicherten Väterwelt Unzufriedenen ausweist, der gewiß gerne an der Stelle von väterlich-autoritativen Instanzen, die seiner Meinung nach moralisch, institutionell und nun auch noch sozial- und gesellschaftspolitisch versagt haben, moderne und tagesnahe Gestalter unserer Wirtschafts- und Gesellschaftsordnung sehen möchte, wie sie sich ihm vornehmlich in den Figuren einiger maßgeblicher Gewerkschaftsfunktionäre darstellen. Von sozialem Interesse freilich sind die psychischen Tiefengründe des Autors Hochhuth für eine Beurteilung seiner massiven und feurigen Kritik an der westdeutschen Wohlstands- und Sekuritätsgesellschaft nur am Rande, wenn sie aus der Analyse der Hochhuth-Publikationen freilich auch nicht hinweggedacht werden sollten. Pressesoziologisch und natürlich fachlich ist der neueste Hochhuth-Beitrag wesentlich ergiebiger zu diskutieren.

Die Fragen, ob es noch ein Proletariat gibt und ob es noch Armut gibt im Sinne früherer Jahrzehnte, sind nun freilich nicht nur Fragen der Statistik oder einer flexiblen soziologischen Kategorienlehre. Sie sind zunächst einmal Fragen der Begriffsbildung und des Sachverstandes. Was Hochhuth in diesen Wochen einem erstaunten und wahrscheinlich auch empörten Publikum vorlegt, ist eine ebenso im Detail fast immer zutreffende wie im Ganzen unzutreffende Analyse der westdeutschen Gesellschaft mit Maßstäben einer Sozialwissenschaft, die zwar der Autor nicht beherrscht, die ihm aber bereits jedes junge Erstsemester der Nationalökonomie gewiß gerne erläutern würde.

Unnötig, die Unzulänglichkeiten einer sozialwirtschaftlichen Bestandsaufnahme aufzuzählen, die von der ersten bis zur letzten Zeile daran krankt, selbst einfache Begriffe aus der volkswirtschaftlichen

Gesamtrechnung ständig durcheinanderzuwirbeln und in einem fort Sozialwissenschaft, Sozialpolitik, Theorie und Empirie, Sozialphilosophie und harte Wahlkampfpolitik miteinander zu mischen. Methodisch betrachtet ist Hochhuths Beitrag ein Unding – und gerade daher bezieht er seine öffentliche Wirkung.

Patentrezepte sind passé

Hochhuth hofft offensichtlich auf Reaktionen aus den weiten Bereichen unseres sozialen Empfindens, in denen es noch keine versachlichten Lohngespräche, keine nach genauen statistischen Untersuchungen festgestellten Produktivitäts- und Rentenerhöhungen gibt, weshalb ihm auch die Vertreter der praktischen Lohnpolitik selbst im gelobten Lager skeptisch zu begegnen scheinen. Und in der Tat: mit einem Pamphlet, wie es Hochhuth vorlegt, würde selbst der begabteste Schriftsteller in Kreisen der Sozialpartner nur ein Lächeln hervorrufen. Denn Hochhuth appelliert nicht an den sozialen Fortschritt, der durch eine mühselige Einsicht und Kleinarbeit in vielen wirtschaftswissenschaftlichen Instituten und volkswirtschaftlichen Abteilungen in anderthalb Jahrzehnten gewonnen wurde, er appelliert an unbefriedigte Gefühlsreste. Er will nicht die Frage beantworten, die seit Jahrzehnten alle Nationalökonomen bewegt: Ist eine rationale Wirtschaftspolitik möglich? Es kommt ihm allein auf die Durchfechtung der These an, daß das Proletariat noch nicht ausgestorben sei, eine These, die einen erstaunlichen Mangel an Wirklichkeitssinn und einen noch größeren Mangel an wirtschaftshistorischem Bewußtsein beweist, wie es schon allein alte Filmstreifen aus den 20er und 30er Jahren ziemlich mühelos zu wecken vermöchten. Wir glauben nicht, daß das Engagement eines Intellektuellen in unserer Gesellschaft so aussehen sollte.

Denn ein solches Engagement beweist nicht nur mangelnde Sachkenntnis, schwaches Differenzierungsvermögen und einen gehörigen Schuß reaktionärer Sozialanalytik, es beweist auch die Richtigkeit des Satzes, daß das Ganze sich nicht aus der bloßen Summe der Teile zusammensetzt, und es beweist vor allem, daß Hochhuth einen sozialen Tatbestand in seine Diagnose kaum einzubeziehen bereit ist, obwohl er typisch ist für die Entwicklung moderner Industriewirtschaften: die Spezialisierung im Wissen deklassiert den Dilettanten in unserer Zeit viel stärker noch, als es zum Beispiel während der zwanziger Jahre geschehen konnte, als jede obskure politische Partei wirtschaftspolitische Patentrezepte auf den Tisch zu legen sich berufen glaubte und als Fluten von Pamphleten mit ebenso unsinnigen wie phantastischen

Empfehlungen etwa zur Reparationenfrage oder zur Zahlungsbilanzpolitik die Büchertische überschwemmten.

Zu den bedeutendsten Fortschritten in der praktischen Sozialgestaltung unserer Tage gehört eine überall erkennbare Versachlichung sozialer Auseinandersetzungen, ein Fortschritt, der in Mitteldeutschland bisher ebensowenig verstanden wurde, wie er natürlich auch Schattenseiten aufweist, weil eine manipulierte Sozialgesellschaft ein gewiß ebenso erregendes und häßliches Schreckgespenst ist wie eine traumatische Welt sozialpolitischer Perfektion. Wer die geistigen Grundlagen ordnungspolitischer Konzepte, wie etwa die eines Franz Oppenheimer, des Ordo-Kreises oder eines Ferdinand Lassalle, nicht kennt, die noch heute in Spuren als »blaue Luft über der Ruhr« oder als »Gemeinschaftswerk« die deutsche Gesellschaftspolitik durchziehen, sollte bei der bloßen Ausdeutung von Zahlen vorsichtig verfahren. Ein Sozialkritiker, der nicht den Maßstab der Wassersuppen von 1945 und 1946 zum Maßstab wählt, sondern der die Ungleichheiten in der Vermögensbildung und Einkommensverteilung als die einzig soziale Wirklichkeit empfindet, muß sich sagen lassen, daß seine Kritik ohne Fundament und seine Argumente nicht dem Stand neuester wirtschaftswissenschaftlicher Einsichten entsprechen. Denn schon längst gehört es zum eisernen Bestand nationalökonomischer Erkenntnisse, daß gewisse Ungleichheiten im volkswirtschaftlichen Verteilungsprozeß wachstumsstimulierend sind und daß die labile Annäherung zweier so abstrakter Größen wie soziale Stabilität und Lebensstandard eine immer wieder neue Aufgabe für alle Sozialpolitiker jenseits überkommener Klassenvorstellungen ist.

Akkumulation – Distribution

Ohne dem Götzen Lebensstandard zu huldigen (eine Götzenverehrung bleibt im Kern ohnehin immer ein individuelles Problem), erscheint der Hinweis fast überflüssig, daß die Bundesrepublik seit dem Tage der Währungsreform, die übrigens nicht von Prof. Erhard, sondern von Initiatoren wie Goldsmith und westalliierten Behörden inszeniert wurde, einen Aufstieg erlebt hat, wie er in der bisherigen deutschen und europäischen Wirtschaftsgeschichte unbekannt war. Das schnelle Wachstum freilich war nur über bestimmte Formen der begünstigten Kapitalakkumulation möglich, Selbstfinanzierung, steuer- und abschreibungsbegünstigtes Sparen und Investieren, das ebenso eine Ungleichheit der Vermögensverteilung bewirkt hat (die freilich heute geringer ist als vor 40 oder gar 60 Jahren), wie es eine schnelle Zunahme der persönlich verfügbaren Einkommen gestattete. Mit an deren Worten, die Chance, ein Proletarier überlieferter Provenienz zu sein, wäre gewiß größer, hätte man wirtschaftspolitisch nach der umfangreichsten und nachhaltigsten Zerstörung des deutschen Wirtschafts- und Industriekörpers nicht zunächst einmal die Investitionen begünstigt. Ein Volk, das ständig viel von seinem erarbeiteten Kapital aufißt, gerät leicht in Gefahr, wenig und gesellschaftlich unproduktiv zu akkumulieren. So eindeutig kreislauftheoretisch die Zusammenhänge aber auch sein mögen und wie sehr sowohl die Arbeitnehmer als auch die Arbeitgeber sich diesen Einsichten auch unterordnen: die Verwechslung von Einkommensbildung und Einkommensverwendung gehört zu den häufigsten Mißverständnissen in der öffentlichen Diskussion wirtschaftspolitischer Maßnahmen.

Alle Dispute um die Verteilungsfrage, die den Knoten der traditionellen Nationalökonomie nicht erst seit Marx bildet, übersehen, daß am Anfang der sozialwissenschaftlichen Forschung in Europa nicht die auf soziale Klassen einer bestimmten Wirtschaftsepoche gemünzten Distributionsbegriffe des »Kapitals«, sondern Adam Smith' »Theorie der moralischen Gefühle« standen. Marx' Lebenswerk, der Protest gegen eine uneinsichtig empfundene Umwelt, erhält seine faszinierende »Geschlossenheit« durch die ständige und selbstverständliche Identifizierung von Zukunftshoffnung und Proletariat, von ökonomischer Verteilungslehre nach Produktionsfaktoren und gleichzeitig einmal vorhanden gewesenen sozialen Klassen. Der Grundherr bezog die Grundrente, der Kapitalbesitzer den Zins, der Arbeiter den Lohn. Soziale und ökonomische Schichtung vom Stile Ricardos mögen in der ersten Zeit des Industrialisierungsprozesses in Europa weitgehend zusammengefallen sein, der Prozeß der wirtschaftlichen Entwicklung selbst hat diese simple Zurechnung über den Haufen geworfen.

Nicht erst seit James Burnhams Buch über »das Regime der Manager« wissen wir, daß Begriffe wie Entfremdung und Entpersönlichung, die Marx zum visionären Sozialpsychologen erhoben, quer durch alle Schichten der Wirtschaftsbevölkerung sich ziehen. Der leitende Angestellte, der Manager, der Finanzier, der Produzent, der nach Schumpeter allein wagemutige »Neuerer« und Unternehmer, der Händler wie der Kopf- und Geistesarbeiter sind im industriewirtschaftlichen Prozeß individuellen und sozialen Wandlungen und psychischen Erlebnissen unterworfen, die allein einer sozialen Klasse zuzurechnen absurd ist. In sozialpsychologischer Sicht war und ist der Kreis der Proletarier seit jeher größer gewesen, als Marx es hat sehen wollen, weil er die Gleichsetzung von Armut, Ausbeutung, sozialer Klasse und Zukunftserwartung als geschlossenes Ringsystem für seine Analyse benötigte.

Der Volkswirt hat das längst begriffen: er karikiert den leidenden, innerlich ausgehöhlten Industriemanager, wie einst reaktionäre Blätter den Proleten mit der Ballonmütze karikierten. Proletarier im Sinne einer wenn auch verzerrten, aber dennoch für eine bestimmte, zurückliegende Epoche der Wirtschafts- und Sozialgeschichte brauchbaren diagnostischen Figur sind wir fast alle, womit der Begriff sich als soziologische Kategorie selbst entwertet. Schon die Bezeichnung Stehkragen- und akademisches Proletariat, die in den 20er Jahren zur Charakterisierung sich wandelnder Gesellschaftsteile verwandt wurde, war eine recht blasse Formulierung für eine soziale Umgruppierung, die die Technik sowie ein erweiterter Erlebnis- und Erwartungshorizont breiten Volksmassen bescherten.

Heute analog von einem technischen oder ingenieurwissenschaftlichen Proletariat zu sprechen, das massenweise die großen Büros, aber auch die kleinste Hütte eines Ad-hoc-Fabrikanten bevölkert, weil die Umstände und die voraneilende Technik es verlangen, wäre völlig verfehlt. Die vielfachen beruflichen Neuformationen, einschließlich der Frauenarbeit, mit denen wir Amerika einholen, kann man nicht mehr mit Begriffen der sozialen Diagnostik von vorgestern kennzeichnen. Der mäßig bezahlte Professor der Geisteswissenschaften gehört zur marktgesteuerten Realität wie der hochbezahlte Steuerberater oder der schlecht besoldete Landschullehrer. Zunächst wirkt sich immer erst einmal die soziale Dynamik aus, was weder gut noch schlecht zu sein braucht. Erst hinterher kann und sollte die Verteilungspolitik Korrekturen schaffen. Die Ökonomie in das Prokrustesbett einer vorgefaßten sozialen Ordnung zwängen wollen, die noch dazu ihre Kategorien aus früheren Jahrzehnten oder gar Jahrhunderten entlehnt, kommt dem Versuch gleich, das Leben zugunsten einer Homunculus-Konstruktion aufzugeben.

Das bedeutet nicht, daß soziale Dynamik unbegrenzt sich ausleben sollte, ihre Zügelung und ihre gruppenbildende wirtschafts- und gesellschaftspolitische Behandlung (Mittelstand, tertiärer Sektor) gehören vielmehr seit mindestens anderthalb Jahrzehnten auch zum erklärten Ziel der westdeutschen Wirtschaftspolitik. Einzelne Maßnahmen der Wirtschaftspolitik mögen unzulänglich, unsystematisch oder bedauerlich wahlstrategisch orientiert sein. Eine differenzierte, plurale und weithin geschichtslos gewordene Gesellschaft verträgt keine betont ideologische Wirtschaftspolitik mehr, gleich, welche Regierung sie in Szene setzt. Arbeits- und Sozialwelt bedeuten a priori keinen

Widerspruch mehr, der weiterhin zu unendlichen kulturkritischen Betrachtungen anregt, wobei beider Integration weniger als Sieg über überlieferte soziale Gegensätze, denn als neuer Zustand mit neuen Problemen angesehen werden sollte. Der zu Macht und Ansehen gekommene Proletarier früherer Jahrzehnte hat seine revolutionären Parolen weniger vergessen oder gar verraten als vielmehr sich neuorientiert und neuorientieren müssen in einer Wirtschaftswelt, deren soziale Formationen sich noch niemals so schnell gewandelt haben dürften wie in den zwei Jahrzehnten seit dem Ende des letzten Weltkrieges.

Kein Grund zum Jubel

Der durchschnittliche Lebensstandard je Kopf der Bevölkerung weist als statistische Massenerscheinung in der Bundesrepublik heute eine historisch unvergleichbare Höhe aus, ohne daß man freilich deshalb in laute Jubelrufe auszubrechen brauchte. Das Proletariat, wie es bei Arbeitslosigkeit in der Figur des herumlungernden Industriearbeiters als sozialen Störenfried letztmalig während der Weltwirtschaftskrise Straße und soziale Sicherheit bedrohte, gehört, wenn auch nicht zuverlässig für immer der Geschichte, so doch nicht der Gegenwart an. Es ist müßig, darüber zu streiten, wem dies zu verdanken sei, den Arbeitgebern, den Geldgebern oder den Arbeitnehmern, und wer am Ende den sozialen Preis für diese Art von Sicherheit zu zahlen hat: solcherart Überlegungen bilden einen Rückfall in die Betrachtungsweise einer kausalen Entlohnung und Beteiligung isoliert gesehener Produktionsfaktoren an der Erstellung des Sozialproduktes, ein Problem, das bis heute nicht einmal formal gelöst ist.

Die Verbesserungswürdigkeit unserer sozialen Ordnung ist unbestreitbar, die Frage ist nur, nach welchen Leitbildern sie sich vollziehen soll. Vor der vollendeten Sekuritätsgesellschaft mit einem notwendig ungeheuren staatlichen Umverteilungsapparat wird seit Jahren eindringlich gewarnt. Die Bürokratisierung unserer Welt ist ohnehin weit genug vorgeschritten, als daß man sie noch durch eine entsprechende Distributionspolitik fördern sollte. Technik und Bürokratie haben sich als feindliche Brüder im sozialen Wachstumsprozeß erwiesen, obwohl beide dazu beitrugen, die Figur des überkommenen Proletariers verschwinden zu lassen.

Die Feststellung neuartiger Strömungen in der Gesellschaft bedeutet nicht notwendig deren endgültige und vorbehaltlose Anerkennung in irgendeinem moralischen Sinne. Sie ist auch nicht gleichzusetzen mit einer neuen, vielbelächelten Fortschrittsgläubigkeit. Aber sie ist eine Basis für Gespräche über die Gestaltung der Arbeit in unserer Gesellschaftsordnung.

Die Welt, Hamburg,
3. Juli 1965

1972: Ludwig Erhard über Hochhuth

Leo Brawand: Sie haben das Stichwort geistige Schau abgegeben. Das bringt mich zu der Frage, wie eigentlich Ihr Verhältnis zu den – in Anführungsstrichen – Intellektuellen in diesem Lande war, und ich wüßte heute gern noch, ob Sie beispielsweise die etwas kräftigen Ausdrücke Uhus und Pinscher für Leute wie Grass und Böll noch gerne in den Ohren haben.

Ludwig Erhard: Da muß ich Sie schon korrigieren. Also dieser politische Schwindel, der hier getrieben worden ist, der ist nicht scharf genug zu brandmarken. Ich habe in einer Versammlung, und zwar vor der Wahl 1965, als Herr Hochhuth, und ich nannte ihn mit Ross und Reiter, also beim Namen und nur ihn, nur ihn allein, der hat ein Pamphlet herausgebracht, das also vor Dummheit strotzte, gesellschaftspolitisch gesehen, und vor Böswilligkeit. Und da habe ich gesagt: Wenn Herr Hochhuth, ich habe immer nur den Namen Hochhuth genannt und niemand anderen, wenn Herr Hochhuth als Schriftsteller sich betätigt, dann ist der für mich völlig tabu, dann kann er schreiben, was er will. Aber wenn er sich glaubt als Herr Hochhuth zugleich als Politiker aufspielen zu wollen und ins niedrigste Parteigeschäft einsteigt, dann ist er in meinen Augen ein Pinscher. Das habe ich gesagt. Aber ich habe nur Herrn Hochhuth gemeint und es ausdrücklich noch betont. Ich meine Herrn Hochhuth aufgrund dieses und jenes Ereignisses. Und was hat die Opposition und böswillige Kräfte daraus gemacht? Ich hätte sozusagen alle Intellektuellen in Bausch und Bogen verurteilt, das wären alles Pinscher.

Leo Brawand: Mit dem Pinscher hatten Sie dann die ganze Meute am Halse, nicht?

Ludwig Erhard: Wieso denn, wie konnte ich denn die ganze Meute am Hals haben? Sind denn alle geistig tätigen Menschen, sind das flammende Anhänger, die sich völlig und vorbehaltlos mit Hochhuth identifizieren?

Aus einem Fernseh-Interview vom 6. Februar 1972
NDR, »Zeichen der Zeit«

Soldaten

Vorbemerkung

Bereits die Wahl des Stoffes sei – hatte Reich-Ranicki anläßlich des *Stellvertreters* erklärt [1] – ein Argument *für* einen Autor. Der einstige Kritiker der *Zeit* nahm Hochhuth damit gegen allzu kunstsinnige Zunftgenossen in Schutz, die sich jetzt – nachdem sie selbst achtzehn Jahre lang das hochbrisante Thema »übersehen« hatten – in naserümpfender Verlegenheit über mangelndes formales Raffinement und angebliche »bloße« Stoffwirkung mokierten. *Soldaten,* das zweite dramatische Werk dieses geringgeschätzten (und zugleich um seinen frischen Weltruhm beneideten) Jung-Kollegen, bezeugte abermals einen überraschend kühnen Zugriff und eminenten »Spürsinn für die zentralen wunden Punkte unserer Zeit« (Sebastian Haffner).

Hatte *Der Stellvertreter* nach Bestehen oder Nichtbestehen der traditionell repräsentativsten und geachtetsten moralischen Instanz des Abendlandes vor der Herausforderung durch die bare Immoralität gefragt, so ging es in *Soldaten* nun um das Problem der »Legitimation« angemessenen militärisch-politischen Reagierens auf diese Herausforderung. Wieweit waren die Macht-Mittel, mit denen Hitlers Unrechtssystem, damals das mächtigste Europas, allein überwältigt werden konnte, ihrerseits moralisch zu rechtfertigen? Hier mit einem bedingungslosen Ja zu antworten, konnte niemandem leichtfallen, der an die Schrecken der englisch-amerikanischen Massen- und Flächenbombardements, der etwa an Hamburg und Dresden dachte. Freilich hatte NS-Deutschlands Luftwaffe mit dem »Ausradieren« gegnerischer Städte begonnen (Coventry), und nur die geringeren Möglichkeiten der deutschen Rüstung verhinderten eine ähnliche Expansion des »fliegenden Terrors«. Auch mußte die bloße Nennung der Namen Auschwitz oder Buchenwald alle isolierte Anklage zum Schweigen bringen. Dennoch blieb die niederdrückende Erkenntnis, auch hier sei – von den Gegnern der Barbarei – in ungeheurem Ausmaß gegen die Gebote der Menschlichkeit verstoßen worden.

Hochhuth, tief beeindruckt von David Irvings, des Engländers, freimütigen Darstellungen der Liquidation deutscher Städte (zuletzt *Der Untergang Dresdens*[2]), erkannte hier sein »neues« Thema: die Unentschuldbarkeit gezielter Luftangriffe gegen die wehrlose Zivilbevölkerung, auch da, wo sie wie damals den Sieg über eine Clique rassenwahnbesessener millionenfacher Mörder herbeibomben sollten. Konnten diejenigen, die dergleichen ausführten, noch zu Recht »Soldaten« heißen? Wo war da eine Grenze zu ziehen zwischen »Kriegführung« und – Verbrechertum? Hochhuth prangerte an, daß bei den Nürnberger Prozessen der Luftkrieg gegen Zivilisten, auch der von deutscher Seite geführte – so etwa die brutale Vernichtung Rotterdams durch deutsche Flieger –, nie als Anklagepunkt erschien[3]. Hatte es sich da am Ende nur um »Schonung« aus eigenem schlechten Gewissen gehandelt? Indessen war unbestreitbar, daß es keine verpflichtenden internationalen Vereinbarungen gegen das Bombardieren nichtmilitärischer Ziele gab. Daran änderte sich auch nichts, als 1964 des Abschlusses der ersten Genfer Konvention zu gedenken war: ein weltweit respektiertes Luftkriegsrecht (analog zum Land- und Seekriegsrecht) kam nicht zustande. Hochhuth richtete daraufhin – zu Weihnachten des gleichen Jahres – einen dringenden Briefappell an Bundespräsident Lübke als Schirmherrn des DRK (»Vom Soldaten zum Berufsverbrecher«[4]) – er blieb unbeantwortet, wie auch später ein fast gleichlautendes Schreiben an Lübkes Nachfolger Heinemann. Des Autors »Soldaten«-Stück ist Ausdruck höchster Beunruhigung angesichts der Unfähigkeit einer wie nie zuvor vom selbstgeschaffenen Vernichtungspotential bedrohten Menschheit, ein Minimum an Schutz für die nicht unmittelbar Kriegführenden zu sichern. Der Untertitel »Nekrolog auf Genf« scheint äußersten Pessimismus, ja bereits Resignation anzudeuten: Die »alten« Konventionen, so segensreich und für ihre Zeit vorbildlich sie waren, reichen nicht mehr aus, zu neuen aber kommt es nicht – ist also »Genf«, die Idee humanitärer Begrenzung des Krieges, »tot«? Andererseits: Wäre das Stück geschrieben worden, wenn sein Autor ernstlich aller Hoffnung, damit doch noch zu wirken, abgesagt hätte?

Soldaten ist als Spiel im Spiel, Theater auf dem Theater konzipiert. Dorland, RAF-Bomberpilot im Zweiten Weltkrieg, den die Erinnerung an die Greuel (Dresden!), die er einst mitverüben half, nicht schlafen läßt, will zur Hundertjahrfeier des Roten Kreuzes in der Ruine der zerstörten Kathedrale von Coventry, zum Gedächtnis und zur Warnung für eine neue Generation, ein Jedermann-Spiel (Dorland hieß vermutlich auch der historische Verfasser des »Everyman«)

aufführen. Gezeigt wird die Generalprobe dieses »Londoner kleinen Welttheaters« – so nannte Hochhuth die drei Akte des »eingeschobenen« Kern-Stückes –, und am Ende der Rahmenhandlung steht die Nachricht von dessen Verbot »für England« – ironische und bereits Protest stimulierende Vorwegnahme des dann tatsächlich erfolgenden Einspruchs der britischen Zensur gegen das Gesamtdrama. Die – als wahrscheinlich – antizipierte Reaktion auf dieses stellt also schon dessen Bestandteil dar, so wie auch die Vorführung des Dorlandschen »Jedermann« im Reflex der Diskussion darüber – mit Dorlands Sohn – bereits politische Wirkung auf der Bühne selbst zur Folge hat. Hauptgestalt des neuen »kleinen Welttheaters« ist Winston Churchill (»PM«), der sich im April bis Juli 1943, also etwa zur Zeit des Kriegshöhe- und -wendepunktes –, mit dem Konzept konfrontiert sieht, den Sieg über Hitler durch die totale Zerbombung deutscher Wohnviertel zu sichern und zu beschleunigen. »PM«, unfähig, schon in diesem Jahr, wie von den Sowjets gewünscht, gegen die immer noch zu starken Landstreitkräfte Deutschlands eine zweite Front in Europa zu eröffnen, entschließt sich zu dessen Annahme. »Hamburg«, das »Unternehmen Gomorrha«, im Stück Ereignis geworden, war eines der grauenhaftesten Resultate dieses Entschlusses. Wie im *Stellvertreter* tritt dem offenkundigen Repräsentanten reinen politischen Kalküls der moralische »Idealist« entgegen: Bell, der Bischof von Chichester (auf den Irving aufmerksam gemacht hatte), protestiert im Namen der Menschlichkeit. Seiner Argumentation – wie der anfänglichen Hochhuths – zufolge, liegen Einäscherungen ganzer Städte auf der gleichen Ebene wie Auschwitz. Aber Churchill ist nicht Pius, wir haben den Bereich des Kriegerischen betreten, der »Soldaten«, der militärischen »Täter«, zu denen auch Churchill, als ihr Exponent, ein »Krieger« par excellence, gehört. Und: nur noch militärisch, durch »Soldaten« wird sich die Welt von Hitler befreien lassen – nur Kampf gegen ihn, wie brutal auch immer, wird – bittere Einsicht – vom Endzweck her als »moralisch« gelten können. Widerwillig, doch überzeugt stimmt der Zuschauer/Leser Churchill schließlich politisch zu, wenn dieser Bell abweist, »kann« ihn mindestens »verstehen«. (Denn die radikale Zerbombungsstrategie hatte – was freilich nicht vorherzusehen war – militärisch wie psychologisch längst nicht die erhoffte kriegsverkürzende Wirkung; Hochhuth spricht hier vom Recht des ersten auf »Irrtum« [5].)

Die erstaunliche Wendung zum Pragmatismus der Mittel (obgleich nur in Ansehung des Gegners Hitler!) – »erstaunlich« gegenüber der Dominanz absoluter moralischer Kategorien im *Stellvertreter* – resultiert aus dem sich während der Arbeit verstärkenden Bestreben, der »Jahrhundertfigur« Churchill (Hochhuth[6]) historische Gerechtigkeit widerfahren zu lassen. Sie ist aber auch sichtlich, wie Sebastian Haffner vermerkt, das Ergebnis einer zunehmenden »Überwältigung« des Autors durch die Persönlichkeit des einstigen »PM« (die anfangs, wie Papst Pius, wohl eher abgewertet, »bloßgestellt« werden sollte). Tatsächlich belegen etliche ausschließlich Churchill gewidmete Texte, in welch wachsendem Maße die epochale Gestalt des englischen Staatsmannes Hochhuth faszinierte (Churchill-Montage, *Neue Rundschau,* 1/1967; Zum Ruhme Sir Winstons, *Die Zeit,* 20. 12. 68; L'Impromptu de Madame Tussaud, Sonderdruck 1968, ein Kabinettstück geistreicher Plauderprosa; dann noch 1974 im *Spiegel,* Nr. 40: Churchill – wohin führte er? und 1978 ein ganzes Kapitel: Odysseus 1940 in *Eine Liebe in Deutschland*). Was erst vermutlich nur demonstrative »Illustration« zur moralisch-humanitären Forderung des Rahmenspiels sein sollte, wurde zur beeindruckenden Hauptsache, die (fast) alles Interesse auf sich zog: die »Tragödie Churchills« (Haffner). Anders als Pacelli nämlich – dem bloßes Versagen, Nicht-Genügen vorzuwerfen war – erscheint Hochhuth Churchill am Ende geradezu als »tragischer Held«, wenn nämlich Tragik bedeutet: »notwendige Schuld« (Haffner) auf sich zu nehmen. Unter den gegebenen Umständen *kann* er nicht anders als unmoralisch handeln, will er den Kampf auf Leben und Tod zugunsten der moralisch besseren Sache entscheiden. Indem aber Churchill sich nicht entzieht, sich nicht »drückt«, den Erfordernissen der Situation gewachsen bleibt, erweist er sich, trotz der eindeutigen Unmoral seines Handelns, paradoxerweise als »größer« denn der leidenschaftliche moralische »Absolutist« Bell – freilich nur in Hinsicht der materiellen Wirkungen in der harten Welt der Tatsachen.

Der Eindruck ist kaum abzuwehren, daß damit das ursprüngliche Ziel der *Soldaten:* Anklage zu erheben gegen die Inhumanität der vorsätzlichen Bombardierung von Wohnvierteln, ins Zwielicht geriet. Aber auch das ist nur bedingt richtig: Denn Churchill selbst hat – wie Hochhuth betont – in klarer Erkenntnis der Furchtbarkeit dessen, was auf sein Geheiß einst geschah, eben die Luftkriegskonvention angeregt, die nun Dorland – und durch ihn Hochhuth – fordert[7]. »Nicht daß er« – wie Pius – »hätte anders handeln müssen, ist die These des Stückes, sondern daß diese Art von Kriegführung ein Ende nehmen muß« (Rainer Taëni[8]). (Oder nicht vielmehr überhaupt *jede* Kriegführung, da die inzwischen entwickelten Massenvernichtungswaffen eine halbwegs »saubere« Trennung von Kämpfenden und »Nichtkämpfenden« gar nicht mehr zulassen? Aber dieser Aspekt wird in den *Soldaten,* worauf K.-H. Janßen zu Recht kritisch hinwies[9], merkwürdigerweise vernachlässigt.)

Daß der *Soldaten*-Autor Churchill als Person nicht verurteilte, geschweige ihn zu schmähen gedachte, steht also außer Frage. Wenn es dennoch immer wieder behauptet wurde, so in erster Linie mit Blick auf den »Fall Sikorski«, den Hochhuth als Parallelhandlung zu den Debatten um den Luftkrieg und die Zerstörung Hamburgs eingeführt hat. Erst während er an dem Stück schrieb, war er auf das Sikorski-Thema gestoßen: durch das Studium des Briefwechsels Churchill-Stalin und mehr noch durch die zufällige Begegnung mit einem »Zeugen« der Geschehnisse. Dieser erhob – so Hochhuth – die Vermutung zur Gewißheit: der einstige Chef der polnischen Exilregierung sei 1943, auf Churchills Veranlassung, vom britischen Geheimdienst bei einem (fingierten) Flugzeugabsturz umgebracht worden. Die tragische Notwendigkeit des Verbrechens im Sinne der »Staatsräson« habe darin bestanden, daß Sikorski das kriegsentscheidende Bündnis der Westalliierten mit der Sowjetunion zu sprengen drohte. Der General, unter dem die polnische Armee 1920 weite Teile russischen Gebietes annektiert hatte, widersetzte sich der endgültigen Rückgliederung dieser Territorien nach einem Sieg; zudem forderte er immer wieder eine »internationale Untersuchungskommission« für die von den Nazis entdeckten Offiziersgräber in Katyn. Beides war geeignet, Stalin zu einem Separatfrieden mit Deutschland, das seine sichere Niederlage im Osten vor Augen sah, zu bewegen und so Hitler für eine neue Wendung nach Westen, gegen England, frei zu machen. Sikorski, der in der Tat sogar schon Roosevelt zu einem Geheimbündnis gegen die UdSSR zu gewinnen suchte, mußte also »verschwinden«, und Churchill – schweren Herzens, denn er schätzte den Polen sehr – entschloß sich, Sikorski »verunglücken« zu lassen.

Dies jedenfalls wurde in *Soldaten* behauptet und wahrscheinlich gemacht – zu *beweisen* war es allerdings nicht. Die beeideten Aussagen jenes »Zeugen« – eines britischen Geheimdienstangehörigen – seien, so erklärte Hochhuth, ohnehin auf fünfzig Jahre im Safe einer schweizerischen Bank hinterlegt; er habe sein Ehrenwort verpfändet, den Informanten nicht preiszugeben. Davon abgesehen jedoch spreche eine Reihe gewichtiger Indizien, ermittelt vor allem von David Irving (dargelegt in seinem Buch *Accident. The Death of General Sikorski,* 1967), für die Interpretation des »Flugzeugabsturzes« als kaschierten Mordanschlags, auch existierten weitere Äußerungen, die diese bestätigten – so die eines SOE-Leutnants (er hatte Widersprüche zwischen seinen Beobachtungen und den Aussagen des angeblich allein überlebenden – nichtpolnischen! – Piloten festgestellt), des Gouverneurs von Gibraltar (er hatte Sikorski vor dem Besteigen der dann »verunglückten« Maschine gewarnt), des polnischen Missionsoffiziers und der Witwe Sikorskis. Schließlich werde bei Milovan Djilas sogar eine Bemerkung Stalins überliefert, wonach der tschechoslowakische Präsident Benesch ihm, Stalin, erklärt habe, Sikorski sei von den Engländern ermordet worden. Hochhuth weist ferner auf den sonderbaren Umstand hin, daß zuvor schon viermal, immer wenn Sikorski mit einer Sondermaschine von Downing Street (nie mit polnischen Piloten!) flog, sich »Accidents« ereignet hatten. Das eine Mal brach in der Kabine Feuer aus, ein andermal wurde ein Zeitzünder gefunden, ein drittes Mal mußte notgelandet werden; auch einen – echten – Absturz hatte es schon gegeben, noch ohne Todesfolge für die Insassen. Und warum eigentlich sei 1943 eine Obduktion der Leichen der »abgestürzten« Polen verboten worden? Warum habe man bei der seinerzeitigen »Untersuchung« nie polnische Zeugen zu dem Vorfall gehört?

Daß sich in Großbritannien schon auf die bloße Kunde solcher Verdächtigungen hin Empörung erhob, muß sehr wohl begreiflich erscheinen, glaubte man doch die freche, frevelhafte Besudelung eines Nationaldenkmals – ausgerechnet durch einen Deutschen – mit ansehen zu müssen. Hochhuths inständige Beteuerung, er sei ein »großer *Verehrer*« Churchills, des »Retters Westeuropas«[10], wurde überhört. Auch mußte die besondere Subtilität, wonach ein großer Mann nur um so größer dastehe, je mehr man ihn mit dem »Verhängnis« unausweichlicher Schuld belastet zeige, in der allgemeinen Zorneshitze unbeachtet bleiben. Es war sicher eine der bedeutendsten Leistungen des *Soldaten*-Autors, eine so ganz und gar komplexe, vollblütige Natur wie Churchill aus der Tabu-Sphäre simpler, dünner Heldenverehrung in die gemäßere differenzierterer Erkenntnis wirklicher politischer Größe versetzt zu haben – politischer Größe, die sich nicht rein und fleckenlos erhalten kann, wo es den Teufel zu bekämpfen gilt. Der Verlust eines erhabenen Idols jedoch wurde, wie schon im Falle des *Stellvertreters,* mit Schmähungen des Autors quittiert. Die wohl übelste darunter wiederum: Hochhuths, des Deutschen, »Angriff« sei ein Manöver zur eigenen nationalen Entlastung. Selbst Churchills Sohn und Biograph Randolph scheute, im Ärger über die »verdammten« Hochhuth-Irvingschen »Lügen«, nicht davor zurück, sich dergestalt zu äußern[11]. Vom Tessin her ließ sich Hans Habe in gleicher Weise vernehmen: »Hier will ein Deutscher beweisen, daß die Alliierten nicht minder mies gewesen sind als die Hitler-Deutschen«, behauptete er und: »So mußte ... zur Rechtfertigung der Deutschen, Churchill

... in Hitler verwandelt werden«. Habes guter Rat: »Look homeward, Hochhuth!«[12] Zu deutsch: Kehr vor der eigenen Tür! Das hatte dieser allerdings, wie Habe wissen mußte, ausgiebig – und nicht nur im *Stellvertreter* (es gab auch schon die *Berliner Antigone*) – getan. Schließlich durfte Hochhuth darauf verweisen, als erster Auschwitz und Eichmann auf die Bühne gebracht zu haben. Und auch die Leser oder Zuschauer des *Soldaten*-Dramas konnten »über die Alleinschuld der Nazis am Ausbruch des Zweiten Weltkrieges keine Minute im Zweifel sein«; jede der Nazi-Mordstätten sei »als die Ursache der harten alliierten Gegenmaßnahmen klar herausgestellt« worden. So antwortete Hochhuth in der *Times* auf den Offenen Brief eines »Kreises« prominenter Mitarbeiter Churchills, zumeist ehemaliger Kabinettsmitglieder, die ihm auch – gelindester der Vorwürfe und wohlvertraut aus den Debatten um den *Stellvertreter* – zu große »Jugend« und also völlige »Inkompetenz« bescheinigten[13].

Die »Entlastungs«theorie aber machte weiter die Runde und verirrte sich selbst noch bis in die *Neue Zürcher Zeitung,* wo man Hochhuth gar »in den Fußstapfen Goebbels'« sah[14]. Eher belustigend wirkte es dagegen – wenn auch bezeichnend für die ideologische Schubfachmanie nicht nur jener Jahre –, daß der Verfasser der *Soldaten* dem Schauspieler Carlos Thompson beispielsweise als »alter Bolschewist«, seiner Ehefrau Lili Palmer indes als »alter Nazi« erschien[15].

Es dauerte – Folge des Verbots durch die Zensur – über ein Jahr, ehe die *Soldaten* in England aufs Theater gelangten. Die Uraufführung am 16. Oktober 1967 an der Berliner Freien Volksbühne unter Hans Schweikarts Regie (Piscator, dessen Andenken das Stück gewidmet ist, war inzwischen gestorben) hatte keinen Erfolg. Autor und Regisseur wurden ausgepfiffen, und was das Echo bei der Kritik anging, ereignete sich erstmals, was seither die betrüblich-erheiternde Regel bei Hochhuth-Premieren blieb: Man war sich einig über den angeblich minderen Wert dieser Stücke, über dramaturgische Schwächen im Aufbau und Mängel der Sprache, hatte damit jedoch nicht den geringsten Einfluß auf die faktische Verbreitung der Werke, die fast alle »ihren Weg machten« – sehr im Gegensatz zu dem meisten, was aus Kritikermund hoch gepriesen worden war. Auch die *Soldaten* ließen sich nicht aufhalten, und gelegentlich der 50. (!) Berliner Aufführung – von insgesamt 75 – resümierten Dieter Hildebrandt und Dramaturg Stoltzenberg[16], die *Soldaten* wirkten »auf den zweiten Blick« doch bemerkenswert unverbraucht, ja bewiesen nun erst ihre eigentliche Substanz, jetzt, da die sensationshungrige Snobiety des Premierenabends nicht mehr das Klima der Reaktionen bestimme. Inzwischen lagen auch die geklärteren Stellungnahmen prominenter Publizisten und Kritiker wie Haffner, Ludwig Marcuse, Hans Mayer und des in London lebenden Martin Esslin vor – verständnisvoll-abwägende Analysen, die die günstigere Richtung der weiteren Diskussion des Stückes maßgeblich bestimmten.

Ursprünglich hatte das Stück in Berlin und London gleichzeitig gespielt werden sollen. Nach dem Bericht, den Mrs. Tynan, die Gattin des »literarischen Direktors« des National Theatre, gibt, plädierte außer Kenneth Tynan auch Laurence Olivier, trotz etlicher Bedenken, für die Annahme. Der Aufsichtsrat des Theaters, dem Lord Chandos vorsaß, der mit Churchill eng befreundet und Mitglied seines Kriegskabinetts gewesen war, lehnte jedoch ab. Die britische Presse kritisierte die Entscheidung nahezu einhellig. Als jedoch Tynan und Olivier das Stück unter ihrem Patronat außerhalb des National Theatre aufführen wollten, trat der damals noch amtierende Zensor in Aktion: Erst müsse die Zustimmung der Familienmitglieder aller behandelten historischen Personen erfolgt sein – diese war jedoch kaum zu erwarten. Die englischsprachige Erstaufführung fand schließlich am 28. Februar 1968 unter der Regie des Briten Clifford Williams im kanadischen Toronto statt. Scharen von Kritikern aus England und den USA reisten an und »entdeckten«, so Mrs. Tynan, daß »*Soldaten* weder versucht, Churchill anzuschwärzen, noch etwa sagen will, daß deutsche Kriegsverbrechen durch die Massenbombardements aufgewogen werden«. Am 1. Mai inszenierte Williams das Werk in New York. Das Jahr 1968 befreite Großbritannien von der über zweihundertjährigen Einrichtung der Zensur – eine unmittelbare Folge der Vorgänge um die *Soldaten:* Im Unterhaus hatte der Labour-Abgeordnete Professor Strauß die längst überfällige Abschaffung gefordert und eine Mehrheit für seinen Antrag gefunden. Nach der Freigabe brachte das Londoner New Theatre das Stück heraus – der lange vorher ausverkauften Premiere am 12. Dezember 1968 folgten 121 Aufführungen. Anders als »zu Hause« reagierte auch die Kritik überwiegend positiv.

Unterdessen war der öffentliche Streit über den Wahrheitsgehalt der Hochhuthschen Version vom Tode Sikorskis in der englischen Presse voll entbrannt. Der pauschale Vorwurf der »Geschichtsfälschung« kehrte immer wieder, ohne daß im einzelnen zu den von Irving-Hochhuth aufgedeckten Ungereimtheiten Stellung bezogen worden wäre. Etwa eine Woche nach der ersten Londoner *Soldaten*-Aufführung moderierte David Frost, »Englands unübertroffener TV-Inquisitor« (K.-H. Janßen[17]), im britischen Fernsehen eine Schaudiskussion, die einen Höhepunkt Hochhuth-unfreundlicher

Stimmungsmache darstellte – sie war offenkundig von Anfang bis Ende manipuliert [18]. Hochhuth, obzwar man ihn in Basel via Telefon dazugeschaltet hatte, kam kein einziges Mal zu Wort; zwei englische Wehrmachtsangehörige, die, auf Veranlassung des New Theatre eingeladen, von weither angereist waren und im Zuschauerraum saßen, wurden nicht aufgefordert, sich zu äußern. Polen waren überhaupt nicht anwesend. Als Zeugen galten Frost allein der angeblich einzige Überlebende des Flugzeug»absturzes«, der Pilot Prchal, und der auf eigene Faust »forschende« Schauspieler Thompson, der mit »belastenden« Tonbandaufnahmen Irving zu verwirren suchte. Die »Diskussion« wurde dann auch im Dritten Programm des WDR gezeigt, wobei jedoch Hochhuth und Irving anschließend eine Stunde Zeit für Entgegnungen erhielten.

Der Druck auf Hochhuth verstärkte sich ständig, seinen unbekannten Informanten zu nennen – ein Ansinnen, das der Autor mit dem Hinweis auf schuldige Loyalität gegenüber diesem, der, als Mitarbeiter des britischen Geheimdienstes, Nachteile zu befürchten haben würde, zurückwies. Im übrigen beruhe sein Stück nicht so sehr auf dessen Aussagen wie auf den Forschungen Irvings und »einigen eigenen«. »Und die genügen.« [19] Genügten mindestens als Anstoß für die Wissenschaft, ihre eigenen Ermittlungen voranzutreiben. Der ständige Ruf nach der Preisgabe des Gewährsmannes solle nur von dem bereits vorliegenden Material ablenken. Hochhuth wurde seinerseits offensiv und erhob die Forderung nach Wiederaufnahme der – nie abgeschlossenen – »Untersuchungen« über den Tod Sikorskis, die alle jene Zeugen berücksichtigen müßte, die seinerzeit nicht befragt worden waren oder denen man als Militärpersonen Schweigen abverlangt hatte.

Die Forderung fand, wie kaum anders zu erwarten, kein Gehör. Statt dessen kam es zu einer Verleumdungsklage des Piloten Prchal, von dem Hochhuth nie behauptet hatte, er trage eine Schuld an der mutmaßlichen Ermordung Sikorskis. Immerhin sah Prchal sich der Falschaussage bezichtigt, was in der Gegenüberstellung mit allen Zeugen, die im Sinne Irvings und Hochhuths aussagen könnten, hätte geklärt werden müssen. Das unterblieb, Prchal, der Kläger, trat selbst auch als Zeuge auf, und im Mai 1972 erging gegen Hochhuth das Urteil auf »Schadenersatz« in Höhe von 50 000 Pfund Sterling, zuzüglich Gerichtskosten.

War dies das einzige greifbare Resultat der langwierigen Auseinandersetzungen um den »Fall Sikorski«? Fast will es so scheinen. Doch Irvings Buch über den *Accident* wurde, anders als die englische Ausgabe der *Soldaten,* nicht indiziert. Und die zeitgeschichtliche Forschung zum Zweiten Weltkrieg nahm allgemein, nicht nur außerhalb Englands, mit freierem Blick auf ein Idol, hinter dem nun erst die wirklichen Umrisse einer »Persönlichkeit, die in diesem Jahrhundert ihresgleichen nicht gehabt hat« (Haffner), erkennbar wurden, wichtige neue Aspekte wahr und wagte sie jetzt – *nach* Hochhuth – auch auszusprechen. Der Name Sikorski aber war – ein Akt der Wiedergutmachung – ein für allemal der Vergessenheit entrissen. Über dem Streit um ihn und den großen Churchill schien allerdings die ursprüngliche Motivation des *Soldaten*-Dramas deutlich in den Hintergrund gedrängt: die Wiederholung des einstigen Massenterrors aus der Luft verhindern zu helfen. Dies um so mehr, als dem Bemühen des Autors der praktische politische Erfolg jedenfalls versagt blieb: »... beide Lager, West wie Ost«, seien sich darin einig, den seit 1957 vorliegenden Entwurf des Roten Kreuzes für ein Luftkriegsrecht »zum Schutz offener Städte« zurückzuweisen – sie müßten sonst jene Strategie aufgeben, »die heute darauf abzielt, *zuerst* und vorsätzlich per Raketen die Bevölkerungszentren des anderen Lagers wegzulöschen«. So hatte Hochhuth schon 1970 in seiner Rede vor der Paulskirche die traurige Lage gekennzeichnet[20], und 1976, in einem Gespräch mit Fritz J. Raddatz, war trotz Entspannungspolitik hier »nichts Neues« zu konstatieren[21] – dennoch bleibt die ständige Mahnung nicht sinnlos: »Mein Drama *Soldaten,* was immer man von ihm denken mag, erinnert daran, daß es dem Roten Kreuz bis heute *nicht* geglückt ist, dieses fehlende Gesetz zum Schutz von Wohnzentren vor Luftangriffen zu schaffen: Wer sonst erinnert daran?«[22]

Ich finde Hochhuths Fragestellung, seinen unerschütterlichen Glauben an das Moralische, einfach großartig. Diese Dinge zu erörtern
nach dem Gesichtspunkt, was man in der Bundesrepublik darüber
quatscht, was man dort tut oder nicht tut, ist völlig unerheblich. Das ist
ein Weltproblem, und wenn die Deutschen wieder ihre Dummheiten
daraus ziehen, dann mögen sie das tun.

Karl Jaspers

HANS MAYER

Jedermann und Churchill

Der Tatbestand

Dies also ist Rolf Hochhuths zweites Theaterstück. Es sollte ursprünglich, wie als Vorankündigung zu lesen war, *Die Soldaten* heißen, verlor
dann aber auf dem Weg zur Premiere den bestimmten Artikel. Wahrscheinlich wollte Hochhuth die wörtliche Übereinstimmung mit der
bitteren Komödie *Die Soldaten* von Michael Reinhold Lenz vermeiden. Andererseits beruft er sich in einem Interview (*Die Zeit,* 6. Oktober 1967) selbst auf den Stürmer und Dränger Lenz. Bewußt habe er
an dessen Dramentradition anknüpfen wollen und »habe die Problematik des Soldaten von heute herauszustellen versucht«.

Dieser Rekurs Hochhuths auf den Autor des *Hofmeister* und der
Soldaten ist nicht illegitim. Auch Lenz wollte stets mit seinen Komödien in die Wirklichkeit seiner Epoche hineinwirken. Das Schicksal
des Hofmeisters Läufer war gegen die privilegierte Pädagogik der
Adelshäuser gerichtet und forderte allgemeinbildende Schulen. Lenzens Komödie *Die Soldaten* wurde begleitet von einem Traktat des
Autors gegen die erzwungene Ehelosigkeit der damaligen Söldner, die
in den Garnisonsstädten nur Unheil bewirken konnte.

Auch Hochhuth, der sich in diese Tradition stellt, möchte durch sein
Schauspiel wesentliche Veränderungen im Soldatenwesen unserer
Zeit herbeiführen. In der Rahmenhandlung seines Schauspiels erörtern Vater und Sohn – ein ehemaliger englischer Bombenflieger und
sein Sohn, der heute in England als Oberleutnant der RAF zur NATO
gehört – die Widersprüche, denen ein Soldat im Zwiespalt zwischen
militärischem Befehl und menschlicher Verantwortung ausgesetzt sei:

»Sohn: Vater, es ist nicht Sache der *Soldaten,* die Kriegstechnik zu diskutieren – Dorland: Nein? – Und: ›*Soldaten!*‹ Vorsicht, Soldat ist, wer Soldaten bekämpft, Kampfflieger, die Panzer anzielen, Brücken, Industrien, Staudämme. Du bist keiner – so wenig ich über Dresden einer war. Sohn: Was bin ich sonst als Planungsassistent? Dorland: Ein Berufsverbrecher. Ein potentieller Berufsverbrecher.«

Wie Hochhuth diesen Konflikt beseitigen möchte, verrät im selben Gespräch der Vater: »Aber ihr könnt die Städte nicht schützen, nicht durch Waffen. Versucht's mit einem Luftkriegsrecht.« Der Sohn repliziert: »Bin nicht sicher, daß ein solches Verbot standhielte wie im Zweiten Weltkrieg die Absprache, an den Fronten kein Gas einzusetzen. Nicht sicher.«

Dies also die Antithetik, von welcher das Stück ausgeht. Er möchte durch sich selbst, also durch Schauspieltext und Theaterwirkung, eine Veränderung herbeiführen: ein internationales Abkommen über eine Luftkriegskonvention. Daher der Untertitel der als »Tragödie« bezeichneten dramatischen Arbeit: »Nekrolog auf Genf«. Hochhuth versteht sein Schauspiel als Nachruf auf die erste Genfer Konvention von 1864.

Die Komposition arbeitet mit einer Rahmenhandlung: Prolog und Epilog, dazwischen das eigentliche Schauspiel in drei Akten. Die Rahmenhandlung ist örtlich und zeitlich dahin situiert, daß im Jahre 1964 zur Jahrhundertfeier der Genfer Konvention ein Schauspiel, das eigentliche »Soldaten«-Stück, in der Ruine der Kathedrale Sankt Michael zu Coventry aufgeführt werden soll. Vorabend, Generalprobe des Schauspiels, das als Festspiel vermutlich von den Veranstaltern gedacht worden war, aber vom Verfasser des Stückes, einem Teilnehmer an der Bombardierung Dresdens, zu ganz anderem als zu weihevoller Erbaulichkeit bestimmt wurde. Die Generalprobe wird durchgeführt: Es handelt sich um das eigentliche Theaterstück, das mithin als Stück im Stück repräsentiert wird. Im Epilog wird kurz und gleichsam wegwerfend die Nachricht auf die Bühne gebracht, die Aufführung am nächsten Tag dürfe nicht stattfinden. Der einstige Bombenleger, Vater des heutigen Fliegersohnes, Stückverfasser, todkrank übrigens ... kommentiert gelassen: »Nur eine Nachricht – kein Ereignis: dem National Theater wurde die Aufführung verboten.«

Das Schauspiel im Spiel hat drei Schauplätze: ein englisches Kriegsschiff, das Schlafzimmer Winston Churchills, den Park von Chequers in der Grafschaft Buckingham. Chequers ist der amtliche Landsitz der englischen Premierminister. Die Handlung spielt im Frühjahr des Jahres 1943. Das sieht nach beliebter Rückblendetechnik aus, hat aber wenig damit zu tun. Es besteht nämlich kaum eine persönliche Verbindung zwischen den Gestalten des eigentlichen Schauspiels und jenen der Rahmenhandlung. Es ist keineswegs so, daß Protagonisten von damals (1943) nun einundzwanzig Jahre später, alt und weise geworden, auf das einstige Tun zurückblickten. Alle Teilnehmer der dreiaktigen Handlung bis auf einen sind tot im Jahre 1964. Nur der junge Offizier der RAF von damals ist übriggeblieben: Er schrieb für Coventry und das Jubiläum auf, was er in jener entscheidenden Phase des Zweiten Weltkriegs sah und zu verstehen glaubte.

Hochhuth geht es also nicht um eine Wandlung seiner Figuren durch Zeitablauf, Erinnerung, Gewissen und neue Erfahrung. Eine neue Generation – so die Absicht – soll erkennen, was damals vorging, um ihrerseits anders handeln zu können. Ob sie es tut oder auch nur dazu bereit wäre, läßt der Autor dahingestellt. Viel Skepsis ist spürbar. Der Sohn des Bombenfliegers von einst scheint keine der väterlichen Lehren beherzigen zu wollen. Die junge Generation wird auch bei Hochhuth, ähnlich wie in Richard Mathias Müllers deutschen Dialogen, als regressiv aus Mangel an Vorstellungskraft präsentiert. Die Rahmenhandlung hat Hochhuth als ein modernes Spiel vom Jedermann konzipiert. Die drei Akte des Schauspiels selbst versteht er als ein »Londoner Kleines Welttheater«. Zweimal ist er damit literarisch bei Hugo von Hofmannsthal zu Gast, der einen *Jedermann* schrieb und ein *Salzburger Großes Welttheater*. Aber Hochhuth geht dennoch nicht auf Hofmannsthal zurück, sondern greift, ebenso wie dieser, dramatische Formen auf, die ihm erlauben sollen, Aktualität mit tieferer Bedeutung zu verbinden.

Der Kritiker

Wie soll sich der Kritiker vor dem Buch und der Aufführung verhalten? Daß er sich nicht auf die Impressionen eines Theaterabends verlassen darf, ist evident. Dann müßte er Hochhuth in jedem Fall Unrecht tun, denn der legt in Buchform einen sehr umfangreichen Text vor, wovon nur ein Bruchteil auf die Bühne gebracht werden kann.

Außerdem arbeitet Hochhuth, wie schon beim *Stellvertreter,* nach dem Prinzip einer Vermischung der literarischen Gattungen. Sein Stück ist abermals, wie schon das Spiel um Pius XII., gleichzeitig Bühnenhandlung und authentischer epischer Kommentar des Autors in Form von Personencharakteristiken, räsonierenden Erläuterungen über die Gedanken einer Gestalt, bevor diese selbst zu Wort kommt; hinzu treten historische Hinweise, die aus dem Schauspiel und sogar dem Literaturbereich herausstreben und den Anspruch darauf machen, als zeithistorische Aussagen des Autors zu den geschichtlichen Vorgängen von 1943 interpretiert zu werden: beileibe also nicht zu den dramatisch-theatralischen Vorgängen. Dies alles muß billigerweise bei der Rezension einberechnet werden. Hochhuths Text will mehr und anderes sein als bloß ein Bühnentext. Man muß ihn nach seinen eigenen Voraussetzungen beurteilen.

Wie aber? Eines entfällt unter allen Umständen, nämlich eine Debatte mit Hochhuth darüber, ob es »stimmt«, was er als Aktion Churchills in Sachen des polnischen Ministerpräsidenten im Exil, des Generals Sikorski, auf der Bühne präsentiert. Der Literaturkritiker kann nicht rasch den Professorentalar eines ausreichend gewappneten politischen Historikers (oder gar eines Militärhistorikers) anlegen. Dies um so weniger, als Hochhuth in seinen Vorankündigungen den eigentlich dokumentarischen Nachweis schuldig bleiben will.

Welche Debatten immer Hochhuths neues Stück bei Politikern und Generalen, einstmals Beteiligten oder heutigen Unbeteiligten, auslösen wird: Die Theater- und Literaturkritik wird sich hüten müssen, hier mitzueifern. Sie hat einen literarischen Text; eine episch-dramatisch-dokumentarische Sondergattung wird präsentiert, was an sich nicht durchaus neu ist. Exzessive Verfasserexkurse innerhalb eines Schauspieltextes gibt es sowohl bei Shaw wie beispielsweise bei Dürrenmatt. Der eigentliche Schluß der *Candida* von Shaw zum Beispiel findet sich nicht in einem letzten Wort, das auf der Bühne gesprochen wird, sondern bloß im Buchtext als abschließendes Wort des Verfassers. In alledem also hat Hochhuth folgerichtig die Kompositionsprinzipien des *Stellvertreter* auch diesmal zugrunde gelegt, aber er bleibt damit im Rahmen dessen, was literarisch möglich, üblich, damit auch kritisierbar ist.

Wie aber verhält man sich, ohne den Historiker spielen zu wollen, vor Bühnenfiguren mit Namen, die aus der Zeitung bekannt sind: Premierminister Winston Churchill, General Sikorski, Viscount Cherwell oder Dr. G. K. A. Bell, Bischof von Chichester, geboren 1883, gestorben 1958?

In Hochhuths Stück handelt es sich, trotz ihrer historischen Prominenz, um Kunstfiguren eines Dramatikers. Nur ihr Treiben in dieser Funktion kann Gegenstand meiner Kritik sein. Dennoch hatte Alfred Kerr als Kritiker durchaus nicht recht, als er vor Jahrzehnten bei historisch bedeutsamen Bühnengestalten forderte, man müsse sie als Rezensent so betrachten, als handelte es sich um Herrn Müller oder Herrn Schulze. Das geht nicht. Brecht scheiterte an dieser Art der Verfremdung, als er im *Arturo Ui* versuchte, aus Hitler einen Ui zu machen, aus Goebbels einen Blumenhändler und Gangster aus der Stadt Chicago mit Namen Givola, aus dem Reichstagsbrand die Terroraktion einer amerikanischen Verbrecherbande. Moralisch mag es auch dort »schmutzige Hände« geben, wo Herr Müller dem Herrn Schulze die Kundschaft eines Gemüseladens abjagt: Trotzdem läßt sich nicht, entgegen der These Alfred Kerrs, von der Sphäre und Dimension der Entscheidungen abstrahieren, die ein Autor auf die Bühne bringt. Es wäre allzu schön, könnte man dahin entscheiden: Was immer ein Papst Pius XII., ein Professor Oppenheimer, ein Premierminister namens Winston Churchill auf der Bühne sagt und tut – es hat mit Wirklichkeit nichts zu tun, ist bloßes Treiben von Kunstfiguren. Wie es in manchen Romanen als Vorbemerkung des Autors heißt: Alle Geschehnisse sind frei erfunden, Ähnlichkeiten mit lebenden oder verstorbenen Personen sind zufällig und nicht beabsichtigt. Allein die frei erfundene Kunstfigur Winston Churchill kann es nicht geben. Literarische Gründe sprechen dagegen, nicht historische.

Der Kritiker urteilt daher nicht über die Wirklichkeit eines Vorgangs innerhalb des geschichtlichen Ablaufs, sondern über die innere Wahrscheinlichkeit der Figuren, mit denen ein Dramatiker ihn konfrontiert. Nicht der wirkliche Winston Churchill geht ihn an, sondern der dramatisch mögliche. Die Erörterung darüber sollte längst ausgestanden sein. Wer immer von nun an gegen den Dramatiker Hochhuth mit politischen Vorwürfen und wissenschaftlichen Einwänden angehen möchte: Er sollte das ästhetische Problem dazudenken, über das schon Lessing, Goethe, ungewöhnlich klar auch Hebbel im Vorwort zu *Maria Magdalena* geurteilt haben. Hebbel lobte den »nüchternen Lessingschen Ausspruch in der Dramaturgie, wonach der dramatische Dichter die Geschichte, je nach Befund der Umstände, benutzen oder unbenutzt lassen darf, ohne in dem letzten Fall einen Tadel oder in dem ersten ein spezielles Lob zu verdienen«.

Der Konflikt

Dies ist keine Brecht-Nachfolge, hat nichts mit dem sogenannten absurden Theater zu tun, versucht aber ebensowenig eine Nachfolge von Piscators Dokumentarspielen aus den zwanziger Jahren, wenngleich es, in Dankbarkeit für den ersten Regisseur des Schauspiels vom *Stellvertreter,* ausdrücklich »dem Andenken Piscators« gewidmet wurde. Hochhuths Begabung liegt vor allem darin, nach ausführlichem Studium der Zeitgeschichte, die leidenschaftlich bewegt, ebenso enthusiastisch wie zornig unternommen wird, jenen »fruchtbaren Augenblick« zu finden, von dem bereits Lessing gesprochen hat. Es war damals im *Stellvertreter* die Haltung Pacellis im Angesicht von Auschwitz. Diesmal wählt Hochhuth einen Höhe- und Wendepunkt des Zweiten Weltkriegs.

Im Frühjahr 1943 steht fest, daß die von Churchill so mühsam gefestigte Allianz mit Stalin und Roosevelt auseinanderzubrechen droht. Damit ist nicht nur der siegreiche Ausgang des Krieges gefährdet, sondern die Existenz Großbritanniens selbst, als dessen Erster Minister Churchill amtiert. Nach wie vor trägt die Sowjetunion die Hauptlast des Landkrieges gegen Hitler, die alliierten Aktionen in Nordafrika haben die deutsche Wehrmacht nicht dazu veranlaßt, starke Kräfte aus dem Osten abzuziehen; die von Stalin geforderte zweite Front kann ihm nicht bindend von Churchill zugesagt werden: aus klaren militärischen und einigermaßen zwielichtigen (von Moskau her gesehen) politischen Gründen. Damit droht, von dieser Hypothese geht Hochhuth aus, die Gefahr des Separatfriedens zwischen Hitler und Stalin, den man in London, nach den Erfahrungen mit dem deutsch-sowjetischen Pakt von 1939, als denkbar betrachten muß.

Andererseits hat England den Weltkrieg begonnen als Verteidiger der polnischen Unabhängigkeit, jedoch nicht, wie Churchill seinen polnischen Alliierten im Exil klarzumachen sucht, als Garant der polnischen Grenzen von 1939. Evidente Gegensätze zwischen der polnischen Exilregierung unter General Sikorski und Stalin. Lemberg gehört seit 1939 zum Territorium der Sowjetunion. Nun wird bekannt, daß Tausende polnischer Offiziere, die im Feldzug von 1939 nach Osten versprengt worden waren, in Massengräbern zu Katyn verscharrt wurden. Genickschuß. General Sikorski macht den gemeinsamen Alliierten Stalin verantwortlich. Roosevelt muß die Polen unterstützen mit Rücksicht auf Millionen polnischer Staatsbürger (und Wähler) in den USA. Sikorski interveniert beim Roten Kreuz in Genf und verlangt Klärung des Falles Katyn. Stalin bricht die Beziehungen zur polnischen Exilregierung ab.

Diese dramatische Konstellation liegt dem eigentlichen Schauspiel von Hochhuth zugrunde. Daß sie dramatisch fruchtbar sein kann, sollte nicht bestritten werden. Eine Zentralgewalt von Rang hat sich zu entscheiden. Was soll Churchill tun? Wünschenswert muß es ihm erscheinen, den polnischen Konflikt dadurch entschärfen zu können, daß der unnachgiebige Repräsentant dieses Landes verschwindet. Mehrere Flugzeugunfälle hat Sikorski auf seinen Reisen mit den englischen Spezialmaschinen überstanden. Bei Gibraltar kommt es zum tödlichen Unfall. Kein polnischer, sondern ein tschechischer Pilot war in London ausgesucht worden, den polnischen Ministerpräsidenten sicher an den Bestimmungsort zu bringen. Der tschechische Pilot kommt mit dem Leben davon. Sikorski ist tot. »Graf, dieser Mortimer starb euch sehr gelegen.«

Hochhuth hat den Konflikt so aufgebaut, daß nach Ende des ersten Aktes, gipfelnd in einer großen Auseinandersetzung zwischen Churchill und Sikorski, dem geistigen und wohl auch dramatischen Höhepunkt des Schauspiels, die Entscheidung gefallen ist. Ihre Realisierung wird im zweiten Akt vorbereitet, der Schluß des Stückes bringt die erwartete Vollzugsmeldung. Leider hat sich Hochhuth mit dieser eminent dramatischen Konstellation nicht begnügt. Bei der Arbeit an einem neuen Stück und auf der Suche nach fruchtbaren Augenblicken, damals ursprünglich ganz im Banne seines Kampfes um eine Luftkriegskonvention und eine dramatische Gestaltung des Falles Dresden, stieß er auf die Gestalt des Bischofs von Chichester, der ein Freund von Karl Barth in Basel war; er hatte als erster Ausländer gegen Hitlers Rassengesetze protestiert, war auch bei Hitler vorstellig geworden, als Niemöller eingekerkert wurde.

Hochhuth hatte seinen *Stellvertreter* nach der Dramaturgie von Schillers *Don Carlos* aufgebaut. Der junge Jesuitenpater Riccardo stand vor Papst Pius wie der Marquis Posa vor König Philipp. Diesmal sollte – das war offensichtlich Hochhuths Absicht – der Dr. Bell gegen Churchill auftreten als ein neuer Riccardo und Marquis Posa. Gegen den Premierminister, der als erster den Plan eines terroristischen Bombenkrieges gegen eine feindliche Zivilbevölkerung durchgeführt hatte, und dabei, wie er erkennen mußte, militärisch gescheitert war.

Dies die ursprüngliche Anlage bei Hochhuth. Sie wäre mühelos zu entdecken, auch wenn der Autor nicht selbst den Schaffensprozeß preisgegeben hätte.

Dann kam die Entdeckung des Problems Sikorski. Hochhuth baute sein Stück um. Nun also hat es zwei Konflikte: einen dramatisch echten und einen anderen, der politisch sehr bedeutsam ist, dramaturgisch aber doch nicht viel mehr hergegeben hat als idealistische Rhetorik.

Sonderbar, dem Schilleraner Hochhuth, der Brecht ablehnt, ist es ähnlich ergangen wie Schiller bei der Arbeit am *Don Carlos.* Immer mächtiger trat dem Stürmer und Dränger die Macht der Staatsräson in König Philipp vor die Seele. In ähnlicher Weise hat sich Hochhuth an die Gestalt seines Winston Churchill verloren. Beim Lesen des Schauspiels entscheidet man sich für Churchill, nicht für Dr. Bell. Zwei Konflikte haben diesmal nicht eine größere Tiefe bewirkt, sondern den Konflikt, den der amoralischen Staatsräson, entschärft.

Darum auch wirkt die Rahmenhandlung, was immer Hochhuth sagen mag, als unnötige Zutat, ganz abgesehen von den wenig geglückten Eskapaden des Dramatikers in den Bereich der polemischen Groteske. Die Verbindung von Weltanschauungs-Theater mit satirischer Überzeichnung ist Hochhuths Stärke nicht. Das zeigt sich bei den *Soldaten* ebenso, wie es sich damals beim *Stellvertreter* zeigte.

Die Sprache möchte zum Versschwung ansetzen, wird gleichzeitig aber als Mittel der Personencharakteristik eingesetzt, was meistens nicht glückt. Am überzeugendsten ist Hochhuth dort, wo er, ohne Achtung auf Sprachglanz und Sprachcharakteristik, die Exponierung geistiger Auseinandersetzungen in einem Hochstil vornimmt, der durch innere Intensität ersetzt, was an eigentlicher Sprachkraft fehlt.

Ein neuer *Don Carlos* des Zeitgeschehens sollte geschrieben werden. Dann wandelte sich das Konzept zur Wallenstein-Problematik. Winston Churchill auf dem Theater Hochhuths wirkt gelegentlich wie ein Wallenstein, der die *Schmutzigen Hände* von Sartre gelesen hat. Die Antinomie, die diesem Schauspiel zugrunde liegt, ist – eben als Antinomie – unlösbar. Man kann sie nicht dadurch verniedlichen, daß man entscheidet, Churchill habe richtig oder falsch gehandelt. Das Problem des Betrachters Hochhuth, das der totalen Verantwortung eines einzelnen Menschen, muß dem Staatsmann und Strategen Churchill von Grund auf fremd sein. In der Sphäre Churchills, das kommt sehr klar heraus, wird die Fragestellung Hochhuths gar nicht zur Kenntnis genommen werden. Das weiß Hochhuth.

Daher wendet er sich mit seinem Stück an Menschen, die nicht Winston Churchill heißen und nicht seine Funktion besitzen. Aber auch ein Buch oder Theaterstück kann zur materiellen Gewalt werden und Veränderungen bewirken: sogar bei denen, die über das Gerede von der totalen Verantwortung des Individuums nur zu lächeln pflegen. Darum ist Hochhuth nicht als Polemiker und Politiker ernst zu nehmen, sondern als Dramatiker.

Sonderbarer kann eine Kritik gar nicht enden als hier. Da soll ein Schauspiel bloß als Literatur betrachtet werden, aber wenn man es dramaturgisch analysiert, kommt der Augenblick, wo auch der Kritiker aus der Betrachtung heraustreten muß, weil ein »interesseloses Wohlgefallen« hier schändlich wäre. Er muß sich für den Dramatiker Hochhuth entscheiden und dafür, daß er sich in seiner Arbeit nicht beirren lasse.

Die Zeit, Hamburg,
13. Oktober 1967

Ein Dramatiker, der politische Bomben legt

Es kommt selten vor, daß ein Theaterstück – etwas, das schließlich die meisten Leute als kurzlebige Unterhaltung betrachten – ein mächtiges Establishment erschüttern kann. Rolf Hochhuth hat jedoch dieses seltene Kunststück gleich zweimal fertiggebracht.

1963 brachte er den Vatikan bis zu den Grundmauern zum Erbeben, als *Der Stellvertreter* aufgeführt wurde. Darin gab er zu verstehen, Papst Pius XII. habe seine Grundsätze dem Opportunismus geopfert, als er im Zweiten Weltkrieg darauf verzichtete, bei Hitler zugunsten der deutschen und europäischen Juden zu intervenieren. Und jetzt hat Hochhuth mit seinem neuen Werk *Soldaten*, in dem Churchill im Jahre 1943 als Anstifter zur Ermordung General Sikorskis, dem Chef der polnischen Exilregierung, dargestellt wird, eine Gewissenserforschung und Auseinandersetzung im britischen Establishment provoziert ...

Kurz nach seiner Rückkehr von der Berliner Premiere verbrachte ich einen Nachmittag und Abend mit Hochhuth in seinem Heim ... Hochhuth beschreibt die Entstehung des Stückes:

»Der Anlaß dazu war ein Artikel von David Irving [dem englischen Autor eines Buches über den alliierten Luftangriff, der Dresden zerstörte] über Bischof Bell von Chichester [den englischen Kleriker, der die Politik der Massenangriffe auf deutsche Städte im Oberhaus angriff]. Danach betrachtete ich Bell als eine Art protestantisches Gegenstück zum Jesuiten Riccardo. Doch abgesehen davon hatte mich das Problem des Luftkrieges schon lange beschäftigt. Ich persönlich hatte nicht viel unter Bombenangriffen zu leiden – ich lebte in Eschwege, einer kleinen Stadt in Hessen, und war zwölf Jahre alt, als Kassel, die nächstgelegene Großstadt, 1943 bombardiert wurde. Damals bekam ich eine Ahnung, weil mein fünfzehnjähriger Bruder mit seiner Jungvolk-Gruppe mitten in der Nacht hingehen mußte, um die Leichen wegzuräumen. Einer meiner Freunde brach dabei zusammen. All dies gab mir einen Eindruck vom Luftkrieg.

Vor allem aber bemerkte ich nach dem Krieg, daß der Luftkrieg in den Kriegsverbrecherprozessen nie zur Sprache kam. In keinem einzigen Nürnberger Prozeß befand sich ein Luftwaffengeneral unter den Angeklagten. Feldmarschall Kesselring wurde wegen der Einäscherung von Rotterdam keine Stunde festgehalten. Heute funktionieren die Genfer Konventionen so, daß Rotterdam nicht geschützt wird, wohl aber der Mann, der Rotterdam zerstört. Es gibt keine internatio-

nale Konvention gegen das Bombardieren nichtmilitärischer Ziele.
Das bedeutet, daß jede Stadt, zu deren Verteidigung sich irgendein
verrückter Feldwebel mit einem oder zwei Mann entschlossen hat, völlig legal zu Fetzen gebombt werden kann.

Ich glaube, daß heute Dinge wie Auschwitz oder Völkermord durch
Vergasung moralisch so absolut geächtet sind, daß niemand es je wieder wagen würde, etwas Ähnliches zu tun. Sogar Eichmann oder Höß
versuchten nicht zu rechtfertigen, was geschehen war, sondern beschränkten ihre Argumente auf den persönlichen Anteil, den sie daran
gehabt hatten. Das Bombardieren von Zivilpersonen hingegen ist
heute in keiner Weise ungesetzlich oder in Mißkredit. Man sieht das in
Vietnam, obschon ich nicht glaube, daß dort Flächenbombardierungen von der Art des Zweiten Weltkrieges vorkommen.

Das war im vorliegenden Fall mein Ausgangspunkt. Möglicherweise
wäre es besser gewesen, ich hätte mich auf dieses Thema konzentriert.
Aber ich merkte bald, daß es einer historischen Ungerechtigkeit
gleichkäme, den Bombenkrieg Churchill und den Alliierten in die
Schuhe zu schieben. Man kann die Bombenstrategie des Zweiten
Weltkrieges nur verstehen, wenn man sich fragt: Warum mußten sie es
tun? Und dann fällt einem folgendes auf: Während die Russen hun-
dertneunzig deutsche Divisionen banden, kämpften die Engländer im
Wüstenkrieg gegen nur fünfzehn Divisionen. In den Jahren 1942 und
1943 waren die Briten noch nicht in der Lage, die von Stalin geforderte
zweite Front zu eröffnen. Um zu zeigen, daß sie nicht völlig tatenlos
blieben, mußten sie sich auf Flächenbombardements verlegen.

Als ich mich in die Materie vertiefte, stieß ich auf den Briefwechsel
zwischen Churchill und Stalin und auf die ganze polnische Tragödie.
Durch reinen Zufall fand ich einen Zeugen, der mir über die Begleitumstände von Sikorskis Tod berichtete. Ich hatte bald eingesehen, daß
es äußerst schwierig ist, den Luftkrieg auf die Bühne zu bringen; er ist
zu abstrakt, wie der Unterseebootkrieg. Auf der Bühne wirken nur
Menschen. Ein Problem, das nicht auf eine persönliche Ebene zurück-
geführt werden kann, bleibt ein intellektuelles Zusammensetzspiel.
Die polnische Tragödie aber *konnte* man verkörpern in der pittores-
ken und ritterlichen Figur Sikorskis, des letzten Kavalleriegenerals der
Geschichte. Auf diese Weise wurde Sikorskis Tod ein Hauptmotiv
meines Stückes.«

Hochhuth war sich der großen Schwierigkeiten wohl bewußt, einen
Kriegsherrn wie Churchill und die Männer seiner Umgebung auf die
Bühne zu stellen, während die Erinnerung an sie noch frisch im Ge-
dächtnis jener haftet, die ihn noch erlebt oder im Kino und am Fern-

sehschirm gesehen hatten. Um das annehmbar zu machen, gab er dem Stück einen Rahmen. Prolog und Epilog der *Soldaten* spielen 1964 in Coventry, zum hundertjährigen Jubiläum der Ersten Genfer Konvention, die Hochhuth verbessert sehen möchte, indem der Luftkrieg gegen die Zivilbevölkerung geächtet wird.

Ein Bomberpilot des Zweiten Weltkriegs namens Dorland (nach dem Autor der mittelalterlichen Moralität *Everyman*) ist der Verfasser eines Stückes, das er in den Ruinen der Kathedrale von Coventry inszeniert. Dorland, der über Dresden mit dem Fallschirm abspringen mußte, wurde so tief erschüttert durch die Leiden, die er dort sah, daß er der Hauptverfechter einer Reform der Genfer Konvention geworden ist. Dergestalt wird die Tragödie um Churchill ein Spiel im Spiel und, wie Hochhuth hofft, glaubwürdiger für das Publikum, da die Darsteller ja wiederum nur Schauspieler verkörpern, die in einer Art Wohltätigkeitsveranstaltung auftreten.

… Das zentrale Thema dieses Spiels im Spiel ist die Tragödie eines Staatsmanns im Krieg, der seine persönliche Moral gegen die politische Moral abwägen muß. Churchill weiß, daß er nicht nur für sein eigenes Land kämpft, sondern für die Zukunft der Zivilisation schlechthin. Er befürchtet, die Russen könnten mit den Nazis einen Separatfrieden schließen, wenn sie den Eindruck bekämen, die Westmächte schonten sich auf ihre Kosten oder verschwörten sich gar gegen sie. Und so läßt sich Churchill – außerstande, schon eine zweite Front zu eröffnen – durch Lord Cherwell, den Hochhuth als so etwas wie seinen bösen Geist zeichnet, von der Zweckdienlichkeit der Terror-Großangriffe überzeugen.

Doch darüber hinaus sieht Churchill sein Land und die Zivilisation durch den Konflikt zwischen der polnischen Exilregierung und den Russen bedroht. Nach Hochhuth hatten die Briten den Krieg erklärt, um Polen gegen die deutsche Aggression zu schützen. Doch 1943 war es klargeworden, daß im Falle eines alliierten Sieges die wirkliche Gefahr für Polen von den Russen ausgehen würde. Diese waren entschlossen, sich die großen Gebiete, die sie im Anschluß an den Ersten Weltkrieg an den neugegründeten polnischen Staat verloren hatten, wieder anzueignen. Die Polen, an ihrer Spitze der hochangesehene Ministerpräsident General Sikorski, waren sich dieser Gefahr nur zu sehr bewußt. Die Engländer aber waren bestrebt, die Beziehungen zwischen der Sowjetregierung und den Exilpolen nicht zu belasten, und rieten daher den Polen zu Konzessionen, die bis zur Abtretung von Territorien an Rußland gingen.

Dann aber, im Frühling 1943, entstand ein neuer Konflikt zwischen

Polen und Russen. Die Deutschen verkündeten der Welt, sie hätten bei Katyn in Westrußland ein Massengrab mit den Leichen von etwa viertausend polnischen Offizieren entdeckt. Die deutsche Propagandamaschine behauptete, die betreffenden Offiziere seien nach der sowjetischen Besetzung Ostpolens im Jahre 1939 in russische Kriegsgefangenschaft geraten und 1941, als der deutsche Vormarsch zu ihrer Befreiung zu führen drohte, ermordet worden. Die Russen antworteten, diese Offiziere müßten von den vorrückenden Deutschen umgebracht worden sein. Sikorski verlangte energisch eine neutrale Untersuchung durch das Rote Kreuz. Die Russen reagierten mit dem Abbruch der Beziehungen zur polnischen Exilregierung und mit der Gründung eines eigenen, kommunistisch gelenkten Nationalkomitees. Nach Hochhuth war Churchill so sehr daran gelegen, diese katastrophale Entwicklung zu verhindern, daß er sich schließlich herbeiließ, den Tod Sikorskis zu bewerkstelligen.

Hochhuth unterstreicht, daß er dessen sicher ist. Sein Zeuge hat ihm Beweismaterial vorgelegt, das jetzt in den Kellergewölben einer Schweizer Bank unter Verschluß liegt. Doch er fügt hinzu: »Bis zu dem Tag, da ich davon hörte, hatte ich keine Ahnung von der ganzen Sache. Da ich einmal davon wußte, begann ich, nach weiteren Unterlagen zu suchen, und ich entdeckte eine solche Menge von Indizienbeweisen, daß es überaus glaubhaft wurde. Dies führte mich dazu, mich an jenen Engländer zu wenden, den wir Deutsche als den hervorragendsten Forscher für diese Fragen der jüngsten Vergangenheit betrachten: David Irving. Ich bat ihn, die Angelegenheit zu untersuchen.« Ich wies darauf hin, daß Irvings kürzlich erschienenes Buch *Accident* kein endgültiges Urteil fällt. Hochhuth entgegnete, der englische Verlag habe ein Schlußkapitel weggelassen. Die vollständige Ausgabe des Buches, nicht in Großbritannien verlegt, werde die Sabotage-These unterstützen.

Hochhuth hat ausführlich über das Indizienmaterial geschrieben; den größten Teil davon hat er ins Stück selbst aufgenommen – einer der Gründe, warum es viel zu lang wurde, um ohne enorme Kürzungen gespielt zu werden. Ich fragte ihn, ob er wirklich der Ansicht sei, das Material zum Stück müsse *wahr* sein. Es gibt schließlich historische Dramen mit dem Rang von Klassikern, in denen viele der Episoden bekanntermaßen frei erfunden sind.

Doch davon will Hochhuth nichts wissen. »Ich glaube nicht, daß der Autor geschichtlicher Dramen das Recht hat, entscheidende Vorfälle zu erfinden. Ich bin sogar der Meinung, daß er sich auf diese Weise künstlerisch ruiniert. Schiller zum Beispiel hat in seiner *Jungfrau von*

Orleans Johanna einen Heldentod auf dem Schlachtfeld sterben lassen, statt ihren wirklichen Tod auf dem Scheiterhaufen zu zeigen. Shaw hielt sich an die Tatsachen, und ich finde das Ende seiner Johanna ungleich bewegender. In der Tat gibt es heute viele Dramatiker, die willkürlich jeden ihnen passenden Vorfall erfinden, wenn er amüsanter zu wirken verspricht als die Wahrheit. Das Gegenteil von Kunst ist, denke ich, nicht Natur und nicht Phantasie, sondern Willkür. Man sollte sich dabei an zwei Sätze von Thomas Mann erinnern. Der eine lautet: ›Man soll sich nichts aussuchen, sondern soll aus den Dingen etwas machen.‹ Und der andere statuiert: ›Alles nur Stoffliche ist langweilig ohne ideelle Transparenz.‹«

Bedeutet das, fragte ich Hochhuth, daß er an das »Tatsachen-Drama«, ans dokumentarische Theater glaubt? Er antwortete: »Nein. Ich bin völlig unabsichtlich ein Repräsentant des dokumentarischen Theaters geworden. Ich wurde dessen erst gewahr, als Piscator in einer Programm-Notiz den Ausdruck ›dokumentarisches Theater‹ brauchte. Reine Dokumentation kann nie mehr sein als ein Bündel von Akten. Etwas muß stets hinzukommen, damit ein Stück daraus wird.

Jene drei Akte in *Soldaten* zum Beispiel, die sich mit Churchill befassen, sind reine Erfindung, was den Schauplatz der Szenen anbetrifft. Sikorski reiste im Frühling 1943 nicht mit Churchill auf einem Schlachtschiff nach Scapa Flow. Zwar machte er einmal eine Seereise mit ihm, doch das war viel früher. Und die Begegnung Churchills mit Bischof Bell im Garten von Chequers ist auch erfunden, wenigstens für jenes spezifische Datum. Jeder Dramatiker, der je historische Stücke schrieb, mußte Quellen studieren. Doch dann mußte er aus den Dokumenten etwas machen. Daher ist das Schlagwort ›dokumentarisches Theater‹ ohne Inhalt.

Ich möchte Sie nochmals an jenes Zitat von Thomas Mann erinnern: Ich glaube, wenn man ein historisches Drama schreiben will, so muß man dafür – ich weiß, es sind große Worte – eine metaphysische Relevanz finden. Wenn Sie den dritten Akt meines Stückes lesen, werden Sie darin etwas wie einen im weitesten Sinne des Wortes religiösen Gesichtspunkt bemerken. Ich selbst bin nie über das Alte Testament hinausgekommen, alle Lehren, die ich aus der Geschichte abzog, stehen schon im Prediger Salomo – der Mensch wie Gras, das die Sense vernichtet. Das ist es, was mich interessiert: Warum es Kriege gibt, warum die Menschen ins Verderben rennen. Ich bin nicht so sehr an Dokumenten interessiert; die Dokumente sind lediglich das Rohmaterial, die Backsteine, mit denen man ein Stück baut. Man sammelt die Steine, doch nur, um damit das Gebäude zu errichten.«

Mit einem Stück wie *Soldaten,* fragte ich, habe er aber doch eine konkrete Absicht, ein praktisches Ziel im Auge: eine Neugestaltung des internationalen Rechts betreffend den Bombenkrieg. Betrachtete er also, wie Schiller, das Theater als moralische Anstalt?

»Ja«, sagte Hochhuth, »man muß danach streben, eine reale Besserung unserer Welt zu erreichen. Ich muß aber gestehen, daß ich tief pessimistisch bin betreffend der Möglichkeit solcher Verbesserungen. Das heißt aber nicht, daß man es nicht versuchen sollte.«

Was war dann seine persönliche, ideologische Position?

»Ich bin ein Humanist. Mit anderen Worten: Ich glaube immer noch daran, daß das Individuum autonom ist und daß der einzelne einen gewissen Einfluß auf die Welt ausüben kann. Ich wiederhole: Mein Glaube an die Kräfte des einzelnen ist gering. Daraus ergibt sich aber keineswegs, daß man nicht – wie ich hoffe, ohne irgendwie zum Heuchler zu werden – Stücke schreiben soll über Menschen, die das Gegenteil beweisen. Ich bin nicht der Meinung jener Dramatiker wie zum Beispiel Dürrenmatt, die das Ende der Tragödie verkünden mit dem Hinweis, die Tage des Individuums seien gezählt, niemand könne noch irgend etwas tun, niemand sei mehr verantwortlich. Diese Leute vergessen eines: Die Zahl jener, die wirklich etwas erreichten, ist zu allen Zeiten stets sehr, sehr klein gewesen.«

Soweit die Motive hinter den beiden Dramen, die so viel Aufregung verursacht haben. Hochhuths Zielsetzung ist nicht primär politisch. Er ist vielleicht der herkömmlichste, der traditionsbewußteste moderne Dramatiker, weit weniger revolutionär als Brecht, weit weniger kühn als Ionesco oder Beckett. Seine Vorbilder sind Schiller und Shaw. Sein Ziel ist es, die *Conditio humana* auf der Basis von nachprüfbarer menschlicher Realität zu erforschen und zum tragischen Kern der menschlichen Situation vorzustoßen.

Das Paradoxe an der Sache mit den *Soldaten* ist, daß Hochhuth selbst Churchill bewundert als den Retter der Zivilisation, daß er die Episode von Sikorskis »Ermordung« aufgriff, um Churchill als wahrhaft tragische Figur gestalten zu können. In einer wahren Tragödie haben, so Hegel, beide Parteien recht. Churchill hatte recht, als er die Interessen der Menschheit über diejenigen einer donquichottischen Nation stellte, sagt Hochhuth. Die Polen aber, unter der Führung von Sikorski, hatten genauso recht, als sie beharrlich Gerechtigkeit für sich verlangten. Der Krieg verlangte Flächenbombardierungen, und so mag Churchill recht gehabt haben, als er sie sanktionierte; doch die Frauen und Kinder, die in Hamburg verbrannten, hatten ebenso ein Recht zu leben.

Mit seinem Versuch, zwei Tragödien über Menschen des 20. Jahrhunderts zu schreiben, hat Hochhuth eine Reihe gewaltiger Wespennester aufgescheucht. In beiden Fällen sorgten die wilden Gerüchte und Diskussionen, die den Aufführungen vorangingen, für eine Publizität, um die ihn Leute vom Werbefach gewiß beneideten. Ja, die Auseinandersetzungen machten es völlig gleichgültig – vom kommerziellen Standpunkt aus –, ob die Dramen gut oder schlecht waren. Im Zeitpunkt der Premiere waren es allein aufgrund ihrer Aktualität sichere Erfolge.

Ich fragte Hochhuth, ob eine Absicht hinter diesen Dingen steckte. Seine Antwort: »Die Überraschung war stets auf meiner Seite. Beide Themen – die polnische Tragödie und die Frage, warum der Höchste aller Christen nie offen gegen Auschwitz Stellung bezogen hatte –, diese beiden Themen waren so naheliegend, daß es nur purer Zufall gewesen sein kann, wenn gerade ich darauf stieß.«

Ich zweifle nicht daran, daß Hochhuths Überraschung ganz und gar ehrlich ist ... Im Nachkriegsdeutschland aufgewachsen, wird er von tiefer moralischer Entrüstung verzehrt, nicht nur über die Verbrechen Hitlers (er betont, es sei unmöglich, eine Tragödie über Hitler zu schreiben, da er ein Psychopath gewesen sei: ein klinischer Fall oder einer der Kriminalstatistik, nicht ein tragischer Held), sondern ebensosehr über das Leid, das der Krieg auf allen Seiten verursachte.

Er wies die in England und auch anderswo zu hörende Behauptung zurück, wonach *Der Stellvertreter* und *Soldaten* zum Ziel hätten, die Deutschen von der Schuld ihrer Kriegsverbrechen freizusprechen, indem die Verantwortung auf die katholische Kirche oder auf Churchill abgeschoben wird. »Ich war der erste Dramatiker«, sagte Hochhuth, »der eine Szene mit Adolf Eichmann schrieb zu einer Zeit, als die Israeli ihn noch nicht einmal gekidnappt hatten. Ich war der erste, der Auschwitz auf die Bühne brachte. Das sollte deutlich machen, daß ich nicht versucht habe, die deutsche Schuld zu bagatellisieren. Im übrigen erreichte *Der Stellvertreter* in ganz Westdeutschland halb so viele Aufführungen wie allein in Paris, wo er dreihundertsechsundvierzigmal gespielt wurde, auch weniger als in New York. In den letzten zwei Jahren wurde das Stück in Deutschland nicht gespielt, hingegen in Warschau, in Prag, in Jugoslawien. Das scheint mir nicht darauf hinzuweisen, daß die Deutschen das Stück als Apologie für sich betrachten.«

Die Behauptung im neuen Stück *Soldaten*, wonach Churchill die Ermordung eines Mannes geplant hat, der sein Freund und Verbündeter war, ist außerordentlich schwerwiegend. Nach der Lektüre des Stückes und von Hochhuths Artikeln über die Indizien bin ich persönlich nach wie vor nicht überzeugt, daß die Sache bewiesen ist. Andererseits entspricht der tragische Konflikt, den Hochhuth dramatisieren wollte, der Realität. Es hat wohl kaum einen großen Staatsmann gegeben, der nie einen solchen Entschluß fassen mußte. Man denke an John F. Kennedy und die Schweinebucht oder an den Entschluß Churchills und Roosevelts, dem jugoslawischen General Michailowitsch die alliierte Unterstützung zu entziehen und sie auf seinen Rivalen Tito zu übertragen. Alle, die damit zu tun hatten, wußten, daß dies schlußendlich zur Hinrichtung Michailowitschs führen würde. Auch hier jedoch mußten die Führer der Alliierten im Interesse des Sieges einen Verbündeten opfern.

Hochhuth selbst ist überzeugt, daß ein Fehler in einem so wesentlichen geschichtlichen Detail, wie es die Wahrheit über Sikorskis Flugzeugunfall darstellt, nicht nur einen Mißerfolg seiner eigenen historischen Forschungen bedeuten würde, sondern auch ein künstlerisches Versagen. Ich bin da nicht so sicher. Da die Dokumente, die, wie er glaubt, seine These entweder beweisen oder widerlegen könnten, für fünfzig Jahre unter Verschluß bleiben, müßte also konsequenterweise die ästhetisch-kritische Beurteilung der *Soldaten* so lange aussetzen. Dies ist aber offensichtlich absurd. Die Frage ist nicht, ob die Tatsachen so, wie im Stück dargestellt, richtig sind, sondern ob sie im Stück restlos überzeugen. Hätte Hochhuth seinen tragischen Konflikt auf ein Ereignis konzentriert, das allgemein bekannt ist – zum Beispiel die Michailowitsch-Tragödie –, so wäre es viel leichter gewesen, diese grundsätzliche Forderung zu erfüllen. Doch so, wie die Dinge liegen, ist *Soldaten* überladen wegen Hochhuths extremem Bedürfnis nach Dokumentation und belastet durch den Umstand, daß diese Dokumentation nie restlos stichhaltig sein kann.

Hochhuths Leistung ist nichtsdestoweniger bereits sehr beachtlich. Er hat bisher nur zwei Stücke geschrieben, hat aber eine größere unmittelbare und sichtbare Wirkung gehabt als irgendein anderer zeitgenössischer Dramatiker.

Dies allein muß als ein Segen für die Institution und Kunstform Theater betrachtet werden. Es zeigt nämlich, daß das Theater auch (oder gerade) im Zeitalter der Massenmedien der Ort bleibt, wo ernste Probleme an die Öffentlichkeit gebracht und gesellschaftlich-politische Fragen zur Diskussion gestellt werden. Darüber hinaus hat Hochhuth in einer Zeit des Experimentiertheaters mit seiner Vielzahl von faszinierenden, doch abwegigen Versuchen daran erinnert, daß in der traditionellen Hauptstütze des Theaters, der großangelegten historischen Tragödie in Versen, im wesentlichen dem Muster von Shakespeare, Strindberg, Shaw entsprechend, immer noch viel Leben steckt. Vor Hochhuths Erscheinen war es schwierig, sich vorzustellen, daß Stücke von so altehrwürdiger Abkunft zu Straßenschlägereien führen würden. Es ist eine bemerkenswerte und wertvolle Leistung, gezeigt zu haben, daß das noch möglich ist. Eine Institution, die solche Empörung hervorruft, kann nicht vollends tot sein.

Es bleibt die Frage: Wie gut sind Hochhuths Werke als Theaterstükke? Sie ist nicht leicht zu beantworten. Liest man die sehr langen Dramen in ungekürzter Form, sind sie überaus eindrucksvoll. Beide sind jedoch viel zu lang für die Bühne; auf spielbare Länge reduziert, werden sie notwendig zu Fragmenten. Da jeder Regisseur anders streicht, geht aus jeder Inszenierung ein neues Stück hervor. Das mag gewisse Vorteile haben – es hat aber auch schwere Nachteile.

Hochhuth kann aber unbestreitbar Charaktere schaffen, ja er bringt sogar das sehr heikle Kunststück fertig, »große Männer« wie Pius XII. oder Churchill völlig glaubhaft auf die Bühne zu stellen. Sein Idealismus, seine wilde Empörung über die Übel unserer Zeit leuchten in Hochhuths Dialogen auf und verleihen ihnen echte Glut und poetische Kraft. Er ist alles andere als ein Dokumentationsdramatiker; er ist ein sehr imponierender historischer Dramatiker im herkömmlichen Sinne.

Das heißt, er war es bis jetzt. Ich fragte ihn, ob er an einer neuen politischen Sprengbombe arbeite. »Nein«, sagte er, »ich bin der jüngsten Geschichte müde. Ich schreibe jetzt eine Gesellschaftskomödie über das Problem der modernen Slums.«

Er öffnete einen großen Schrank, der bis zum Rand mit Papieren vollgestopft war, mit Zeitungsausschnitten und anderen Dokumenten – (Spreng-)Stoff für Dutzende von höchst explosiven Stücken.

The New York Times Magazine,
19. November 1967

LUDWIG MARCUSE

Hochhuth und seine Verächter

Der Leichenschmaus ist vorüber. Er war ungewöhnlich frugal, verhinderte aber nicht, daß der Tote immer noch lebt.

So ist nach den vielen Nekrologen eine Ermunterung vor dem zweiten Versuch fällig. Diese hundertzweiundneunzig Buchseiten haben ihre Meriten. Hochhuth war originell, als er eine kriegsfeindliche Tragödie (sagen wir vorsichtig) konzipierte. Er war mutig, als er im Fernseh-»Report« sagte: Er sei kein Pazifist; natürlich nicht, da er in der Tragödie den Anti-Hitler-Krieg und die Mittel dazu rechtfertigte. Leider wollte er zu Beginn noch nicht, was er später schuf.

Die Aufführung, das Buch und der fehlende dritte Mann

Hans Schweikart hatte nobel und mit Recht schon vor der Aufführung erklärt: Er allein sei verantwortlich für die Übersetzung von Hochhuths Buch ins Szenische. Und dann gibt es noch zwei Gründe, nicht mit Fingern auf den Regisseur zu zeigen. Er hatte keinen »Churchill«, der für Hochhuths Figur tun konnte, was Laughton und seine Nach-Spieler für Brechts *Galilei* geleistet hatten. Vor allem aber war der Schuldige ein Mann, der nicht existierte – in dieser Abwesenheit lag die Schuld: ein Dramaturg. Nie wurde er dringender gebraucht als für dieses sehr lesenswerte Ungetüm von Buch.

Es ist in ihm alles mögliche: interessante Mitteilungen über Churchill und seine Anti-Hitler-Zeit (nebst Quellenangaben); Kommentare des Autors zum Thema; ein Plädoyer für die Ergänzung der Genfer Konvention durch ein Luftkrieg-Gesetz – und zugleich ein resignierender Verzicht darauf; eine Überfülle von Dialogen, die sowohl Hochhuths Message tragen sollen als auch die Tragödie Churchill, die wert ist, aus dem Konvolut präzis herauspräpariert zu werden.

Shaw hat zu manchem seiner Stücke ein langes, unvergeßliches Vorwort geschrieben (zum Beispiel für den *Kaiser von Amerika*), das Treffendste (soviel ich weiß), was über Demokratie gesagt worden ist. Hochhuth hat sein Vorwort innerhalb des Stücks mit Regiebemerkungen gemischt, rätselhaft. Der künftige Dramaturg, der mit der lohnenden Aufgabe betraut werden wird, erst einmal das Mixtum zu entmischen, zurechtzurücken, zu eliminieren, dem Dramatiker Anregungen zu geben, wird aus den Zwischenworten ein Vorwort herstellen. Er wird dann eine radikale, aber simple Operation vorzunehmen haben: Hochhuths Botschaft, auf die der Botschafter selbst nicht mehr aus ist, herauszuschneiden, weil sie innerhalb des Dramas ein Abortus geworden ist, und die lebensfähige, potentiell jeden von uns angehende Tragödie vom Gestrüpp zu befreien. Damit fällt der Rahmen weg, den der Regisseur leider nur zerbrochen hatte. Noch leichter ist die bedeutungslose winzige Liebesgeschichte zu entfernen.

Danach erst könnte der Zuschauer von der Frage bedroht werden: Was hättest du an Churchills Stelle getan, wenn die Frage lautet: entweder die Opferung des Polen oder der Sieg Hitlers. Ich weiß, daß der

Zeitgeist gegen solch eine Identifizierung des Zuschauers mit der Kunst-Figur ist; aber die Kritik am Zeitgeist scheint mir wichtiger als seine Kritik.

Die Tragödie zeigt: daß es keinen sauberen Krieg gibt – wenn auch der unsaubere besonders hassenswert ist. In dieser Tragödie sind wir widerwillig auf seiten Churchills, wenn er dem bischöflichen Phraseur, der diesen Krieg will – aber nach allen Regeln der Kriegsgesetze (ein hölzernes Eisen) –, zuruft: »Ich verabscheue Sie.« Nur muß Hochhuth, der erst allmählich in die Deutung Churchills als tragische Figur hineingetrieben wurde, diesen Abscheu sehr deutlich machen. Er ist weder Hitler noch Gandhi: Das muß jeder im Theater erfahren. Eine solche dramaturgische Umarbeitung hätte eine Chance.

Auf dem Weg zu einer lieben kleinen Treibjagd?

Das war mein Eindruck, den ich an jenem Montag und den folgenden Tagen hatte. In der Pressekonferenz stieß ein erregt Pressender vor und schoß auf Hochhuth nieder wie ein Geier auf sein Opfer. Er verkündete: Hochhuth habe aus Churchill einen Verbrecher gemacht, und ließ den Angeklagten nicht zu Wort kommen. Diese Behauptung war präzis das Gegenteil von dem, was Hochhuth sagte. Es gab eine Eskalation der Ablehnung. Hatte ein Kritiker in der Vornotiz dem Werk noch die Chance einer besseren Darbietung gegeben, so deckte er vierundzwanzig Stunden später seine (ausgezeichnet differenzierte) Kritik dennoch mit einer undifferenzierten Überschrift zu.

Noch nie habe ich erlebt (nach vielen Premieren in vielen Jahrzehnten): daß ein Wildfremder, wild und fremd, mich anging (als wäre ich der Autor persönlich): »Wie sich der kleine Moritz ...« Ich war tief erschrocken von dem Haß und konnte mich nur zu einer gestammelten Antwort aufraffen: »Ich rate Ihnen, studieren Sie den kleinen Moritz!«

Die drei Hauptpunkte der Anklage (von den vielen Motiven nicht zu reden):

1. Wie kann ein Deutscher es wagen, Churchill zu richten. Hochhuth richtet ihn nicht, sondern verteidigt ihn. Und, abgesehen davon: Die Wahrheit ist weder deutschfreundlich noch -feindlich. Es ist ein Unterschied, sich um sie zu bemühen und sich mausig zu machen.

2. Wie kann man heute behaupten, was erst nach fünfzig Jahren bewiesen werden kann. Es war nicht sehr geschickt, von einem Safe zu sprechen, der, wenn fast alle, die heute das Stück sehen, nicht mehr am Leben sind, das Beweismaterial liefern wird. Zumal die Indizien genügen (die vier Abstürze mit Maschinen des Foreign Office, der tsche-

choslowakische Pilot), um die tragische Situation zu konstruieren – um den Zuschauer in die beunruhigende Lage zu bringen: Was hättest du getan? Die Identifikation mit einer Kunst-Figur entspricht nicht dem, was die regierende Ästhetik erlaubt. Aber nur so reagiert hier der Zuschauer politisch.

3. Und, schließlich, dies Verdikt im fröhlich-schnöden Chor: Papierdeutsch! Man schrieb »Hochhuth kommt vor dem Fall« und ähnlich ... was ist denn das für ein Deutsch? Hochhuth schreibt kein (verfremdetes) Büttenpapier- und kein Statistik-Deutsch. Hier findet man das Mitteilungs-Deutsch seines *Stellvertreters* wieder. Eine Reihe guter Formulierungen, die bisweilen in Klammern stehen (bedeutet: können ausgelassen werden), sollten eine Reihe schlimmer Sätze ersetzen.

Aber ist es nicht schnöde, Hochhuth vorzuwerfen, daß er nicht die Sprache des vielleicht bedeutendsten Zeitstücks der deutschen Literatur, *Dantons Tod,* spricht? (Das Werk wurde in einer mitreißenden Inszenierung gegeben ... vielleicht mehr geeignet für den *Wallenstein* als für das fragilere Stück vom nihilistischen Revolutionär.) Hat man den Maßstab Büchner auch an die anderen Zeitstückeschreiber dieser Jahre gelegt? Mir scheint dies ein weiterer Ausdruck der Gehässigkeit gewesen zu sein.

Ein sehr gescheiter Kritiker höhnte: Der nächste Hochhuth wird vielleicht Roosevelt und Pearl Harbor zum Thema haben. Ich habe viel darüber gelesen und versucht, in Pearl Harbor mehr zu erfahren. Das wäre in der Tat ein Vorwurf für Hochhuth – dieselbe politische Tragödie. In ihr hat er, wenn ich recht sehe, eine neue, eine noch nicht abgebrauchte Artikulation der Kriegsfeindschaft gefunden. Zunächst aber: noch einmal *Soldaten*, nach den Erfahrungen, die mit der ersten Darbietung gemacht worden sind. Das Resultat ist, wie er selbst öffentlich zu verstehen gab, ungewiß.

Theater heute, Seelze,
November 1967

SEBASTIAN HAFFNER

Lord Moran und »Soldaten«

Churchill hat gelegentlich gesagt, das neunzehnte Jahrhundert sei das Jahrhundert der kleinen Probleme und der großen Männer gewesen, das zwanzigste sei das Jahrhundert der großen Probleme und der kleinen Männer. Ganz stimmt das nicht. Das zwanzigste Jahrhundert hat Giganten hervorgebracht; Churchill ist selber einer von ihnen. Aber halb stimmt es wirklich: Vor den Problemen unseres Jahrhunderts nehmen sich selbst seine Giganten zwergenhaft aus. Ganz gewiß gilt das für die westliche Welt; alle ihre großen Männer, seit 1914, sind am Ende gescheitert; auch der große Churchill. Er wußte es auch selbst. Sein Alterswerk, die *Geschichte der englisch sprechenden Völker*, ließ er vor seiner eigenen Zeit enden. Sein Leibarzt hatte 1956 ein Gespräch mit ihm darüber, über das er berichtet:

»Moran: Wollen Sie bis zur Gegenwart gehen?

Winston: Nein, nein. Ich höre mit der Regierungszeit Victorias auf. Ich könnte über das Trauerspiel des zwanzigsten Jahrhunderts nicht schreiben. (Traurig:) Wir sind durch alle Prüfungen gegangen. Aber es hat uns nichts genützt.«

Das ist, in einer im übrigen ungewöhnlich guten Übersetzung, nicht ganz richtig übersetzt. Was Churchill wirklich gesagt hat, ist: »Wir haben alle Prüfungen *bestanden,* aber es hat uns nichts genützt.« Und das ist die Wahrheit, eine paradoxe Wahrheit, über die man gar nicht genug nachdenken kann.

England hat zwei Weltkriege gewonnen, aber es hat ihm nichts genützt. Der zweite Sieg war Churchills Sieg, und er hat ihn einer schon fast kompletten Niederlage abgezwungen, hat aus einem schon fast verlorenen Krieg den größten Sieg aller Zeiten gemacht – aber es hat ihm nichts genützt. Ihm selbst nicht und seinem Land nicht. Churchill wurde im Augenblick des Sieges gestürzt. England hat sich von diesem Sieg nie erholt.

Was war falsch? Wer darauf die Antwort wüßte, besäße wahrscheinlich einen Geheimschlüssel zum Verständnis unserer Zeit.

Hüten wir uns vor übereilten Antworten, besonders vor der Antwort der Nazis, daß der ganze Zweite Weltkrieg vom westlichen Standpunkt ein Fehler gewesen sei, daß man Hitler ruhig hätte mit Rußland allein lassen sollen, ihn ruhig hätte Rußland erobern lassen sollen, daß man »das falsche Schwein geschlachtet« habe. Auch dieser Ausspruch wird bekanntlich Churchill zugeschrieben, aber er ist apokryph, Churchill hat das nie gesagt. Was er gesagt hat, ist, daß der Zweite Weltkrieg ein überflüssiger Krieg gewesen sei; damit meinte er, man hätte Hitler durch Festigkeit und Widerstand in den Jahren 1933 bis 1936 ohne Krieg loswerden können. Aber loswerden mußte man Hitler unbedingt, sonst hätte er die ganze Welt so nachhaltig auf den Hund gebracht, wie er Deutschland auf den Hund gebracht hat;

und 1939 konnte man Hitler eben nur noch durch Krieg loswerden. Der Zweite Weltkrieg war, als er dann wirklich kam, kein überflüssiger Krieg mehr, er war vielleicht der notwendigste Krieg, den es je gegeben hat.

Und doch war er eine Tragödie, ein irgendwie furchtbar verfehlter und verpfuschter Krieg, über den man sich unmöglich begeistern kann, schauerlich in seinem Verlauf, tief unbefriedigend in seinen Folgen, in denen wir ja alle immer noch drinstecken. Irgend etwas stimmte nicht mit diesem Krieg, das spürt heute so ziemlich jeder, und der Nachruhm seiner großen Figuren ist denn auch unheimlich schnell verblichen. Churchills Kriegsruhm zum Beispiel, an dem Ruhm großer Krieger der Vergangenheit gemessen, müßte ja eigentlich strahlen wie die Sonne: Kein Fridericus und kein Napoleon hat je einen so totalen (und so notwendigen) Sieg erkämpft wie Churchill – und aus so hoffnungsloser Position heraus. Aber merkwürdig, Churchills Kriegsruhm strahlt nicht – schon heute nicht mehr. Von seinem großen Sieg will man schon gar nichts mehr hören, auch in England nicht, er schafft eine gewisse Verlegenheit. Woran liegt das? Noch einmal: Was war falsch?

Man muß es Rolf Hochhuth lassen: Er hat sich in seinem neuen Stück näher an die Antwort – oder die Antworten – herangetastet als bisher irgendein anderer. An Sprachgewalt und Erfindungskraft mögen ihm einige seiner Zeitgenossen überlegen sein, an moralischem und intellektuellem Ernst und an Spürsinn für die zentralen wunden Punkte unserer Zeit übertrifft er sie alle. In seinem ersten Stück hat er als einziger genau den Grund bloßgelegt, warum Auschwitz das Todesurteil über unsere Zivilisation gesprochen hat: nämlich nicht wegen des Verbrechens selbst, so ungeheuerlich es war – Verbrechen und Verbrecher, auch ungeheuerliche, hat es immer und überall gegeben –, sondern wegen des Schweigens des Papstes, also der totalen Unfähigkeit der höchsten moralischen Instanz unserer Welt, Verbrechen noch beim Namen zu nennen; wobei der Papst natürlich nur stellvertretend für alle unsere moralischen Autoritäten steht – aber welche gibt es denn sonst noch? Nicht, daß Auschwitz geschehen konnte: daß unsere Zivilisation es nicht hat ausscheiden, ausspeien können, daß sie für diesen unerläßlichen Ausscheidungsakt kein Organ mehr hatte oder daß ihr sittliches Organ versagte: Das bricht den Stab über sie. Das hat Hochhuth in seinem ersten Stück sichtbar gemacht, und es war eine große Tat. Es hätte eine rettende Tat sein können, wenn man ihr nicht auch jetzt noch mit Ausreden ausgewichen wäre.

Hochhuths zweites Stück spürt der Frage nach, warum der Zweite

Weltkrieg trotz seiner Notwendigkeit eine Tragödie war – eine Tragödie auch für die Sieger, auch für den Sieger Churchill. Er setzt den Hebel an zwei Punkten an: am Bombenkrieg und an der englisch-polnischen Verstrickung.

Der Zweite Weltkrieg war notwendig, aber anachronistisch; und er hatte mit der falschen Besetzung begonnen: Dies sind die beiden Punkte, die Hochhuth herausarbeitet.

Krieg ist nicht mehr und war schon 1939 nicht mehr, was er einmal war. »Der alte Gott der Schlachten ist nicht mehr.« Was Stefan George schon im Ersten Weltkrieg ausgesprochen hatte, wußte im Zweiten jeder von vornherein, auch Churchill: Niemand hat mit mehr Abscheu über die kalte technische Massenschlächterei des modernen Krieges gesprochen. Dabei war er ein geborener Krieger, also im Grunde schon selber ein Verspäteter, ein Anachronismus. Seine Kriegernatur, sein Talent für den Krieg, seine Passion für den Krieg: das alles war gar nicht zu verbergen; es lag immer offen zutage; und gerade das hatte vor 1940 seine politische Laufbahn ruiniert. England wollte keinen Krieger mehr, es hatte ein deutliches (und gesundes) Gefühl für das Anachronistische des Krieges – und des Kriegers Churchill. In gewissem Sinne war es ein phantastischer Glücksfall für ihn, daß der noch größere Anachronismus Hitler schließlich einen Krieg erzwang und damit Churchill nach einem fast schon gescheiterten politischen Leben, mit 65 Jahren, doch noch seine Chance gab. Ohne Hitler kein Churchill, ohne Drachen kein Bedarf an Drachentötern!

Aber daran, daß der Krieg ein Anachronismus geworden war, daß er mit Notwendigkeit verwahrlosen und entarten mußte, daß die Kriegstechnik die Kriegskunst getötet hatte, daß aus dem ehrlichen Kriegshandwerk vergangener Epochen etwas ganz anderes, Namenloses geworden war – daran änderte das alles gar nichts. Aus dieser Verstrickung fand auch Churchill nicht heraus – obwohl er sie kannte und haßte. Der letzte Ritter, der er eigentlich war, wurde einer der ersten Städteverbrenner. Daß er an Hiroshima nicht mehr direkt mitschuldig wurde, ist der reine Zufall.

Das ist das eine. Das andere ist die tragisch verfehlte Anlage des Zweiten Weltkrieges. Hitler mußte weg – dabei bleibt es, und deshalb war der Krieg (sogar der zum mechanisierten Massenmord entartete Krieg) notwendig. Aber wer war berufen, ihn zu führen? Doch wohl eigentlich nur die, die ihn auch gewinnen konnten – und schließlich auch gewonnen haben: Rußland und Amerika. Aber die wollten ja nicht. Statt dessen unternahmen zwei Länder den Krieg gegen Hitler, die ihn unmöglich gewinnen konnten: Polen und England. Man kann sagen, daß ihnen das zum ewigen Ruhm gereicht. Man kann es auch hochherzige Narrheit nennen. Sicher ist, daß es zu einer Tragödie in der Tragödie führte – einer der herzzerreißendsten Tragödien, die sich je zwischen zwei Völkern abgespielt haben.

Polen, das sich Hitler in den Weg warf, fiel bekanntlich in den ersten Kriegswochen und ging dann durch ein fünfjähriges Martyrium. England, das Polen zum Kriegsanlaß nahm, rettete sich mit knapper Not – und schmiedete dann, nicht ohne Hitlers Mitwirkung, die Koalition der Giganten, die den Krieg gewann. Aber in diese Koalition paßte Polen nicht mehr hinein: Der Verbündete der ersten Stunde – und aller folgenden Stunden: keine englische Schlacht des Zweiten Weltkrieges, in der Polen nicht mitgekämpft hätten! – mußte ihr geopfert werden. Mußte! Denn Treue zu Polen hätte von einem bestimmten Punkt an die Koalition der Großen Drei gesprengt, und ohne dessen Koalition war der Krieg nicht zu gewinnen. Trotzdem bleibt die Geschichte, die sich zwischen England und Polen im Zweiten Weltkrieg abgespielt hat, eine Geschichte von seltener Schäbigkeit.

Ob Churchill im Verlauf dieser schrecklichen Geschichte den Chef der polnischen Exilregierung in London, Sikorski, wirklich hat ermorden lassen – was Hochhuth glaubt und glaubhaft macht, aber nicht beweisen kann –, scheint fast nebensächlich, obwohl sich natürlich die Debatte daran festhaken wird. Was Churchill Polen angetan hat, steht historisch fest. Es ist nicht weniger schrecklich, als es der Mord an Sikorski gewesen wäre; und wenn es durch Notwendigkeit entschuldigt ist, dann wäre es die Ermordung Sikorskis auch. Wer im Krieg den Zweck will – unbedingt will –, der muß die notwendigen Mittel wollen. Nur die *notwendigen* Mittel, gewiß. Aber die Aufopferung Polens, die ein gräßlicher Verrat war, war notwendig; war sogar nachweislich notwendiger für den Sieg, als es der Bombenterror war – der sich ja bei nachträglicher Analyse als ziemlich unwirksam herausgestellt hat. Was man freilich, ehe es sich dann nachträglich herausstellte, nicht wissen konnte. Notwendige Schuld: Das ist der ewige Stoff der Tragödie.

Hochhuth hat die Tragödie Churchills geschrieben, und sein Churchill ist (sehr im Gegensatz zu seinem Pacelli) ein wirklich tragischer Held. Es ist bemerkenswert, wie dieser große Mann seine Kritiker immer wieder überwältigt hat und immer noch überwältigt. Hochhuth ist nur das letzte Beispiel dafür. Sicher ist Hochhuth an den Churchill-Stoff ursprünglich in polemischer Absicht herangegangen wie an den Pacelli-Stoff: in der Absicht, »to debunk Churchill«, also ihn bloßzustellen, zu überführen, fertigzumachen; und dann ist er von

Churchill überwältigt worden. Churchills Gegenspieler haben bei Hochhuth all die guten Argumente, all die Argumente des Autors; aber Churchill steht am Schluß als Sieger da, als Sieger über sie alle und auch über den Autor selbst: schuldbeladen, blutbefleckt, aber siegreich, ein Riese unter Zwergen, gewaltig, sogar liebenswert – was er alles auch wirklich war. Gerechtfertigt durch die tragische Höhe seiner Situation, die er, wie de Gaulle bezeugt hat, »prall ausfüllte«, und überwältigend durch seine Persönlichkeit – eine Persönlichkeit, die in diesem Jahrhundert ihresgleichen nicht gehabt hat und vielleicht in vielen Jahrhunderten nicht. Irgendeine von Hochhuths Figuren sagt in seinem Stück (aus dem Gedächtnis zitiert): »Was wird von England bleiben? Shakespeare und Churchill – nichts sonst.« Das ist die reine Wahrheit.

Churchills Platz in der Geschichte wird immer umstritten sein; was feststeht, ist sein Platz in der Sage. Inzwischen ist sein Leben eine Schatzkammer für Biographen. Freilich: Diese Schatzkammer ist zugleich eine Löwengrube. Noch der Geist des toten Löwen, der darin umgeht, kann Eindringlingen gefährlich werden. »Mein Vater ist ein furchtbarer Gesprächspartner«, hat Mary Churchill gelegentlich gesagt; und jede Biographie ist ja eine Art Gespräch des Autors mit seinem Helden. Es ist kein ungefährliches Geschäft für einen Autor, sich mit Churchill einzulassen.

Sein Leibarzt zum Beispiel, Lord Moran, dem wir ein faszinierendes Intimporträt des alternden Churchill verdanken, ist ein in seinem Fach bedeutender, auch als Charakter durchaus überdurchschnittlicher Mann; und trotzdem kommt er in der selbstveranstalteten Konfrontation mit seinem Patienten nicht gut weg. Die ganze Zeit hat er, als Arzt, die Überlegenheitsposition und, als Autor, das letzte Wort. Aber am Ende wirkt er merkwürdig degradiert – fast hätte ich geschrieben, zum Kammerdiener degradiert. »Vor seinem Kammerdiener ist niemand ein Held.« Vor seinem Arzt noch weniger. Nur Churchill, merkwürdigerweise, bleibt es; selbst der alternde, alte, kranke, langsam verfallende, langsam verlöschende Churchill, von dem Lord Morans Buch fast ausschließlich – und gegen Ende allzu ausführlich – handelt. Gewiß, der alte Mann war schließlich eine Ruine, taub, quengelig, schwermütig, hypochondrisch, sich selbst und seiner Umgebung eine Last. Und doch, was für ein Mann selbst dann noch! Es ist fast unbegreiflich, aber jeder Leser kann sich selbst überzeugen: Hier wird Churchill nicht geschont, er wird ohne Beschönigung, ohne Heldenverehrung, ja ohne Respekt vorgeführt, er wird im übertragenen und auch im buchstäblichen Sinne entkleidet – »auf Händen und Knien bot er mit seinem dicken weißen Hinterteil einen wunderlichen An-blick« –, und doch steht er am Schluß überlebensgroß da, und wer ein bißchen entkleidet wirkt, ist der Doktor und Verfasser. Dankbar sein muß man ihm trotzdem. Es gibt wenig Bücher, die dem Leser soviel Intimität mit der Größe gestatten.

Ich sagte vorhin, daß Churchills Siegerruhm schnell verblichen ist. Das ist so. Aber merkwürdigerweise kann es seiner Persönlichkeits-wirkung überhaupt nichts anhaben. Die wächst immer noch. Die Person hat sozusagen die historische Figur, ins Mythische zu wachsen. Man kann Churchill endlos kritisieren und wird trotzdem immer wie-der bezaubert und überwältigt durch ein seltsames Gefühl von Dank-barkeit.

Dankbarkeit

»... daß es Gottes Volle
die kalte Erde immer noch gebiert
Und daß es rollt bei ihrer Namen Tone
In unsren Adern wie ein edler Wein
Und Tage noch verheißt, wo wir erwachen
Wie neu ...«

Merkwürdig, daß einem bei Churchill immer George-Verse einfal-len. Nur in diesem Orgelton läßt sich eigentlich angemessen von ihm reden.

Konkret, Hamburg,
Oktober 1967

Der Streit um die englische Aufführung

London, 6. November (dpa)
Londoner Bühnen wollen *Soldaten* nicht aufführen: Die für die näch-sten Wochen erwartete britische Erstaufführung von Rolf Hochhuths *Soldaten* ist ungewiß geworden, nachdem mehrere Theaterbesitzer in London es abgelehnt haben, das Stück in ihrem Haus zu spielen. Einer der führenden Londoner Theater-Impresarios, Bernard Delfont, auf dessen Bühne das Stück herauskommen sollte, nachdem schon eine Reihe anderer Theaterbesitzer abgelehnt hatten, erklärt jetzt, daß er »aus gefühlsmäßigen unkünstlerischen Gründen das Stück nicht mag«.

Nachdem die Bühnenzensur in England abgeschafft worden ist, bleibt es den Theaterbesitzern und -direktoren überlassen, nur die

Stücke zu spielen, die ihnen genehm sind. In Hochhuths Stück wird Sir Winston Churchill in einer Art dargestellt, die in England sicherlich zu einer scharfen Kontroverse führen würde.

Die Welt, Hamburg,
7. November 1968

Es war zweifellos ein Glücksfall für »Theatre Toronto«, daß es in seiner ersten Spielzeit die englischsprachige Premiere von Rolf Hochhuths umstrittenem Stück *Soldaten* präsentieren konnte. Bekanntlich war dieses Stück, das Winston Churchill zum Helden hat, vom Aufsichtsrat des »British National Theatre« abgelehnt worden, und zwar trotz der energischen Proteste von Sir Laurence Olivier, dem Direktor, und Kenneth Tynan, dem literarischen Berater der Truppe ...

Überraschend war, was für ein Churchill hier zum Vorschein kam – weit davon entfernt, ihn schlecht zu machen, scheint Hochhuth ihn zu vergöttern. Der Alte stapft und schlenkert durch das Stück wie ein großer tragischer Held. *Soldaten* ist ein faires Stück, Churchills Porträt ist unverfälscht und unvergeßlich.

Clive Barnes
New York Times, 3. März 1968

Hochhuths Triumph besteht darin, daß sein Churchill – und das muß so sein – zugleich der geschichtliche Churchill und ein essentieller Churchill ist; er ist die Inkarnation Churchills nicht nur im rein faktischen Sinn, sondern ebenso in dem, was die Fakten implizieren, in ihrem moralischen Widerhall. Hochhuth beschuldigt also Churchill nicht des Mordes an Sikorski; er sagt, es sei denkbar, daß Churchill unter dem grausamen Zwang der Macht, aus faktischen Gründen oder solchen des Schicksals oder der Logik die Tat begangen haben könnte.

Sollten die Historiker je zweifelsfrei nachweisen, daß Churchill nichts mit Sikorskis Tod zu tun hatte, so würde dies die Bedeutung von Hochhuths Stück nicht im geringsten beeinträchtigen, genausowenig, wie die kürzliche »Rehabilitation« Richards III. der Tragödie Shakespeares etwas anhaben kann.

Hochhuth ist nicht ein Moralist, dem es einfach darum geht, die Schuld im richtigen Verhältnis auf die verstreuten Dossiers der jüngsten Geschichte zu verteilen. Der Antrieb, der ihn zur Kunst führt, ist das Gewissen – das ist es, was seinem Werk einen klassischen Charakter gibt und ihn zum ersten dramatischen Dichter macht, der die überwältigend vielfältigen und apokalyptischen Geschehnisse unserer Zeit in den Griff bekommen hat.

Jack Kroll
Newsweek, New York, 11. März 1968

KATHLEEN TYNAN

Sabotage in höheren Sphären

Seit Rolf Hochhuth 1964 mit der Arbeit an den *Soldaten* begann, geriet der sanftmütige Dramatiker in einen Wirbel hinein. Bei der Berliner Welturaufführung im letzten Oktober wurde der Autor ausgepfiffen; nach der englischsprachigen Premiere in Toronto aber, im vergangenen Februar, wurde das Stück als »das packendste und wichtigste Theaterereignis des Jahres« bezeichnet. In England, wo es einen Entrüstungssturm auslöste, wurde die Aufführung des Stückes am »National Theatre« hintertrieben, und der Lord Chamberlain, der offizielle Zensor, hat das Verbot auf ganz Großbritannien ausgedehnt...

Hochhuth hatte für *Soldaten* gleichzeitig mit der Berliner Premiere eine Londoner Aufführung angestrebt, noch bevor das Stück in Westdeutschland herauskäme. Dies gelang ihm nicht; als Augen- und Ohrenzeugin beim Verbot dieses Stücks, als Gattin seines lautstärksten Verfechters, lege ich den folgenden Bericht über die Angelegenheit vor:

Im Juli 1966 besuchte der Agent des Autors zusammen mit seinem Übersetzer, Robert David MacDonald, den literarischen Direktor des Londoner »National Theatre«, Kenneth Tynan. Sie informierten ihn über das Stück, über die Sikorski-Anschuldigung und verpflichteten ihn zum Schweigen. Das Thema weckte sein Interesse, und er ersuchte um ein Optionsrecht. Damals existierte nicht viel mehr als eine Zusammenfassung des Inhalts. Erst ab Oktober gelangte ein Akt nach dem andern auf das Pult des literarischen Direktors. Es war von Anfang an klar, welches die beiden größten Hindernisse sein würden, nämlich

a) Viscount Chandos, Vorsitzender des Aufsichtsrates, Freund Churchills, ehemals Mitglied seines Kriegskabinetts, und

b) die Tatsache, daß das Stück (ganz abgesehen davon, daß es englische Sabotage unterstellt) »politisch« war.

Im Laufe der kurzen Geschichte des »National Theatre« hatte der von der Regierung eingesetzte Aufsichtsrat schon früher Laurence Oliviers Direktorium in seiner Stückwahl eingeengt. Man hatte sogar einen deutschen Klassiker des 19. Jahrhunderts, Wedekinds *Frühlings Erwachen* verboten, weil man ihn zu »sexy« fand. Und Politik war eher noch beunruhigender als Sex...

Im Herbst 1966 begann der literarische Direktor, den ich von nun an KT nennen will, die meinungsbildenden Persönlichkeiten zu bearbeiten. Was er von dem Stück gelesen hatte, fand er großartig. Bis Weihnachten war der vollständige Text des inneren Dramas eingetroffen. Als Olivier endlich Zeit fand, es zu lesen, sah er sich zu dem Schluß gezwungen, daß etwas so Bedeutendes aufgeführt werden müsse. Vom Prolog war er zwar nicht gerade begeistert, und er hatte viel ernstere Zweifel als sein literarischer Direktor in bezug auf die Schicklichkeit, Churchill in einen Mord zu verwickeln. KT argumentierte, sich auf Schiller und Shakespeare berufend, es sei stets das Vorrecht des Dramatikers gewesen, die Geschichte zu interpretieren; er sei nicht zur historischen Zuverlässigkeit verpflichtet. Um Olivier zu beruhigen, erklärte sich Hochhuth bereit, die Argumente für Churchills Unschuld deutlicher zur Geltung zu bringen.

Bevor der Aufsichtsrat des Theaters am 9. Januar 1967 zusammentrat, um das Schicksal des Stückes zu entscheiden, schrieb KT ein Memorandum an Olivier. Er wies darauf hin, das Publikum sei auch für bestes Theater in ganz Europa im Schwinden begriffen, während »wir nichts tun, um die Leute daran zu erinnern, daß das Theater eine eigenständige Kraft im Zentrum des nationalen Lebens ist. Barrault hat sich den Respekt des gaullistischen Frankreich erworben mit der Aufführung von *Les Paravents*, worin die französische Armee wegen ihrer Verbrechen in Algerien geschmäht wird; das Königliche Theater in Stockholm spielte vor vollen Häusern *O What a Lovely Peace*, eine bittere Verurteilung Schwedens wegen seiner Neutralität im Zweiten Weltkrieg«.

Währenddessen blieb aber auch Lord Chandos nicht müßig. Chandos, ein kluger und liebenswürdiger Mann mit einer langen und glanzvollen Karriere als Soldat und Staatsmann, war ein enger persönlicher Freund Churchills gewesen und »Minister of Production« im Kriegskabinett. Er war verständlicherweise nicht gewillt, dem Stück seinen Segen zu geben. Er sagte, sogar wenn man die ganze Sikorski-Anschuldigung aus dem Text entfernte, würde er immer noch von einer Aufführung abraten und notfalls zurücktreten. Er fragte KT: »Warum bringen Sie nicht ein anständiges Stück über den ungarischen Aufstand?«

In der Sitzung vom 9. Januar bezeichnete Lord Chandos das Stück als »groteske und schwere Verleumdung« und fügte hinzu, die Bühne sollte nicht in die Sphäre des Historikers und Forschers eindringen. Wenn es wirklich Churchills Politik gewesen wäre, so machte er geltend, schwierige Verbündete umzubringen, so sei es ein Wunder, daß General de Gaulle noch am Leben sei. (Ironischerweise enthüllte vier Monate danach der frühere britische Verbindungsoffizier de Gaulles in einer Londoner Zeitung, daß wirklich jemand versucht hatte, den General zu beseitigen. Sein Flugzeug sei auf einem Flugplatz bei London im Jahre 1943 sabotiert worden.)

Ungefähr zur gleichen Zeit schrieb Hochhuth: »Ich habe dem Premier jedes erdenkliche Argument in den Mund gelegt, das zeigen kann, daß er in jenem entscheidenden Augenblick der Weltgeschichte gar nicht anders handeln konnte. Was wäre denn geschehen – um nur einen Fall zu nehmen –, wenn die Polen in ihrem Russenhaß wirklich den Pakt zwischen Kreml und Downing Street aufgespalten hätten und es so zum Separatfrieden zwischen Stalin und Hitler gekommen wäre? Das wäre das Ende der Zivilisation gewesen.«

Sir Laurence ersuchte den Aufsichtsrat, die Entscheidung zu verschieben, bis Prolog und Epilog vollständig vorlägen; dem wurde zugestimmt.

Diese Gnadenfrist benützte Olivier, um etwas mehr über die Sikorski-Episode in Erfahrung zu bringen. Bis zu jenem Zeitpunkt blieben die Aussagen über den Absturz verworren. Zur Zeit des Unglücks hatte es Berichte gegeben, wonach Verrat im Spiel war. Eine flüchtige und ungenügende RAF-Untersuchung hatte damals die Ursache des Absturzes nicht feststellen können, die Möglichkeit der Sabotage aber ganz einfach und munter ausgeschlossen. Der einzige Überlebende, der tschechische Pilot Prchal, behauptete bei der Untersuchung, die Hebel des Höhensteuers hätten geklemmt.

Sowohl Hochhuth als auch Irving besuchten 1966 Sikorskis Witwe, die erklärte, sie vermute Sabotage. Der Gouverneur von Gibraltar, General Mason-Macfarlane, habe ihr gesagt, er hätte einen Wink erhalten und daraufhin ihren Mann davor gewarnt, das Flugzeug zu besteigen.

Unter den Papieren des Gouverneurs aber fand Irving die erste Information, die ihn davon überzeugte, daß etwas an der Sabotage-Theorie sein könnte. Mason-Macfarlane hatte über das Unglück geschrieben: »Es gab einen auffallenden Umstand. Der Pilot hatte, wie fast alle Piloten, seine Eigenheiten, und er trug nie und unter keinen Umständen eine Schwimmweste, weder bei der Landung noch beim

Start . . . Er behauptete steif und fest, er sei nicht von dieser Gewohnheit abgewichen und er habe keine Schwimmweste getragen, als er zum Startlauf ansetzte. Es ist aber eine Tatsache, daß er nicht nur eine Schwimmweste trug, als man ihn aus dem Wasser fischte, sondern alle Bänder und Knöpfe waren vorschriftsmäßig angebracht und befestigt.« Im April stellte es sich heraus, daß der Pilot noch am Leben war und sich an der St.-José-Universität in Kalifornien befand. Darüber hinaus stellte Irving fest, daß Sikorski schon in zwei früheren Fällen beinahe ein Opfer von Flugzeugsabotage geworden war: in Montreal im Dezember 1942, in Prestwick im März desselben Jahres.

In den letzten Monaten hat Irving weiteres Beweismaterial gesammelt – vor allem bezüglich der Flughöhe vor dem Absturz in Gibraltar –, welches die offiziellen Untersuchungsergebnisse unterhöhlt. Er sicherte sich die beeidete Aussage eines tschechischen Navigators, wonach ihm Prchal gesagt habe, er hätte für die Untersuchungskommission eine falsche Version erfunden, um einen Schmuggel-Transport zu decken. Eine mögliche Folgerung (die der Pilot entschieden bestreitet) wäre, daß der »Liberator« mit Schmuggelware vollgestopft war und deshalb nicht Höhe gewinnen konnte. Irving glaubt, es sei sogar möglich, daß die Überbelastung, sofern sie vorlag, auf einen Überschuß an Treibstoff zurückzuführen war, der von Saboteuren an Bord verstaut wurde.

Hochhuth, der laufend neues Material verarbeitete, schrieb immer noch an dem Stück; er nahm Vorschläge für die Verbesserung des dramatischen Ablaufs entgegen und korrigierte faktische Einzelheiten im Lichte der neuen Informationen über das Unglück in Gibraltar. Am 22. März lag das Stück dann in fünf Bänden vor, mit Prolog und Epilog in seiner endgültigen Fassung.

Am 21. April traf Hochhuth als Gast der Oliviers in Brighton ein. Als dann auch KT an einem stürmischen Sonntagmorgen ankam, hatte der sehr schüchterne, sehr ernste und durch und durch aufrichtige Deutsche die Oliviers für sich gewonnen. Er erzählte, er sei immer der Komiker seiner Klasse gewesen und könne nicht verstehen, wie er dazu gekommen sei, nur Tragödien zu schreiben. Bis spät in die Nacht hinein wurden Einzelheiten von Sikorskis Unfall überprüft und besprochen.

Am nächsten Morgen im Zug, äußerlich nicht zu unterscheiden von seinen Mitpassagieren, nüchtern gekleideten Bankiers auf dem Weg in die City, suchte Olivier diese Stellen aus der *Poetik* des Aristoteles aus:

»Es ist nicht Aufgabe des Dichters, zu beschreiben, was geschehen ist, sondern, was geschehen könnte, d. h. was möglich ist im Sinne der Wahrscheinlichkeit und der Notwendigkeit.«

Und:

»Was die Frage anbetrifft, ob etwas, was in einer Dichtung gesagt oder getan wird, moralisch ist oder nicht … so ist zu berücksichtigen, ob (der Held) die Tat begeht, um ein höheres Gut zu erringen oder ein größeres Übel zu verhindern.«

Während der Sitzung, die an jenem Nachmittag begann, las Olivier einmal die Zitate von Aristoteles vor. Für den Vorsitzenden hatten sie aber kein Gewicht. Im Laufe eines langen Nachmittages entschied der achtköpfige Aufsichtsrat (Durchschnittsalter sechzig) einstimmig, daß das Stück nicht gespielt werde. Der Vorsitzende fügte hinzu, es bleibe nur noch übrig, eine Erklärung für die Presse aufzusetzen. Einige der Figuren, so hieß es darin, »besonders Sir Winston Churchill und Lord Cherwell werden grob verleumdet, und deshalb war der Rat einhellig der Auffassung, daß sich das Stück für eine Aufführung im ›National Theatre‹ nicht eignet«. An dieser Stelle sagte Olivier, er möchte einen Kommentar beifügen. Chandos: »Ich glaube nicht, daß dies nötig ist.« Olivier: »Ich möchte erklären, daß ich unglücklich bin über den Entscheid.« Hier unterbrach ihn ein anderes Ratsmitglied in herablassender Weise: »Ach, laßt ihn doch unglücklich sein, wenn ihm daran liegt.«

Auf solche Art wurde es Olivier gestattet, dem Bulletin seine abweichende Meinung beizufügen.

Noch am selben Abend schlug die Presse Alarm. Lord Chandos sah sich etwas später zu folgendem Kommentar veranlaßt: »Es gibt Ermessensfragen, in denen die künstlerische Direktion nicht voll kompetent ist.« Während Olivier den Entscheid beklagte und sich zurückzog, um seine Niederlage zu verdauen, sagte KT, seiner Meinung nach sei der Beschluß »ein katastrophaler Rückschlag für das englische Theater«, und Peter Hall unterstützte ihn, indem er von einem »schwarzen und trostlosen Tag für das englische Theater« sprach.

Noch in der gleichen Nacht beschlossen Olivier und KT, das Stück müsse unter ihrem Patronat außerhalb des »National Theatre« über die Bühne gehen.

Die Reaktion der Presse in den darauffolgenden Wochen richtete sich fast einhellig gegen den Aufsichtsrat und dessen Beschluß. Es herrschte Übereinstimmung darüber, daß man Olivier, nachdem man ihn zum Direktor ernannt hatte, auch vertrauen und ihn in Ruhe lassen sollte. Nicht einmal die *Times* lieh Lord Chandos ihre Unterstützung. Er fand jedoch einen einzigen Anhänger im Theaterkritiker der *Sun-*

day Times, Harold Hobson, der sogar einige von Chandos' eigenen Argumenten für das Verbot entlieh. Niemand wies jedoch darauf hin, daß der Sohn von Lord Chandos mit Hobsons Tochter verheiratet ist.

Der nächste Markstein im Kampf für die *Soldaten* war der Lord Chamberlain, Lord Cobbold. Am 14. August erklärte er, bevor das Stück ins Programm aufgenommen werde, wolle er die schriftliche Zustimmung der Familienmitglieder aller historischen Personen einholen, das heißt der noch vorhandenen Angehörigen von Sir Winston Churchill, Lord Cherwell, Bischof Bell und Lord Alanbrooke. Das bedeutete, daß das Stück einer großen Gruppe neuer potentieller Zensoren vorgelegt würde.

Am 10. Oktober erlebte das Stück seine Weltpremiere in Berlin. Der Kritiker des *Observer* schrieb: »Es bleibt nun dem Lord Chamberlain überlassen, ob er die letzten Monate seines Amtes dazu verwenden will, London zum Gespött der Welt zu machen, indem er die Präsentierung eines Stückes verhindert, das offensichtlich dazu berufen ist, in jeder anderen zivilisierten Kapitale gesehen und diskutiert zu werden.«

KT jedoch, der immer noch auf eine Londoner Aufführung hoffte, sah sich nach Schauspielern um. Richard Burton zeigte sich sehr interessiert, und man besprach Termine: Er hätte das Stück gern zusammen mit KT inszeniert. Elizabeth Taylor war weniger überzeugt. Ihr Pate Victor Cazalet, Sikorskis politischer Verbindungsoffizier, war bei dem berüchtigten Abflug von Gibraltar ebenfalls ums Leben gekommen. Sie erklärte ihrem Gatten, er werde die Rolle nur »über ihre Leiche« annehmen. Einige Wochen später telegrafierte Burton, er finde das Stück immer noch erstaunlich, er könne sich aber nicht vorstellen, wie »der Alte« zu spielen wäre.

In dieser Zeit besuchte KT den Lord Chamberlain. Das Treffen mit Lord Cobbold (einem ehemaligen Gouverneur der Bank von England) war eisig und außerordentlich unergiebig. Auf die Frage, ob selbst im Falle der Aufführung in einem »Club Theatre« mit einem Prozeß gerechnet werden müßte, verweigerte Cobbold eine Antwort.

Im Herbst stieg ein neuer Konkurrent ins Rennen, der angesehene englische Regisseur Clifford Williams. Während er im »National Theatre« eine mit ausschließlich männlichen Darstellern besetzte Version von *Wie es Euch gefällt* inszenierte, führte er einen Partisanenkrieg gegen Olivier und KT. Würden sie ihm gestatten, *Soldaten* in Toronto herauszubringen? Die Antwort war negativ. Doch Ende November letzten Jahres, als alle Hoffnungen auf eine englischsprachige

Erstaufführung in London geschwunden waren, erreichte Williams sein Ziel.

Am 28. Februar 1968 wurde das Stück im »Royal Alexandra Theatre« in Toronto präsentiert, und die Kritiker entdeckten, daß *Soldaten* weder versucht, Churchill anzuschwärzen, noch etwa sagen will, daß deutsche Kriegsverbrechen durch die Massenbombardements aufgewogen werden. Ein Rezensent schrieb: »Hochhuth erklärte Churchill schuldig der Größe.« Inzwischen war beim »National Theatre« in London ein neues Stück eingetroffen. Es behandelte die jüngste Geschichte, es drehte sich um einen Flugzeugabsturz wegen Sabotage. Es ging darin um private und öffentliche Moral. Nur spielte es im Kongo, nicht in Gibraltar, und sein Autor war nicht Rolf Hochhuth. Die Direktoren hatten das Gefühl, irgendwo hätten sie das alles schon einmal gehört.

New York Magazine,
Mai 1968

Anklage gegen Hochhuth

dpa

Tschechischer Pilot will Hochhuth verklagen. Eduard Prchal, der tschechische Pilot des Flugzeugs, in dem der polnische Premierminister General Sikorski im Jahre 1943 verunglückte, will eine Verleumdungsklage gegen Rolf Hochhuth, den Autor der *Soldaten* einreichen. Hochhuth hatte kürzlich in einem Zeitungsartikel seine Behauptung nochmals bekräftigt, daß Sikorski einem Mordanschlag des Premiers Winston Churchill zum Opfer gefallen sei.

Hauptmann Prchal klagt auf Schadenersatz und will eine Verfügung durchsetzen, um die Veröffentlichung des Hochhuth-Stücks und seine Vorführung in Großbritannien unmöglich zu machen.

Süddeutsche Zeitung, München,
10. Januar 1969

In Abwesenheit ist Rolf Hochhuth gestern von einem Londoner Gericht zu einem Entgelt für Rufschädigung in Höhe von 50 000 Pfund verurteilt worden. Das entspricht in uns geläufiger Währung der Kleinigkeit von 500 000 Schweizerfranken.

Wahrlich, schreiben ist teuer, auf dem Glatteis der Zeitgeschichte kann sich schnell den Hals brechen, wer rasch ausschreitet. Das Gericht muß sich nun freilich überlegen, wie der Preis des Rufmords einzutreiben sei. Denn Schweizer Gerichtsbarkeit würde nur schützen, was sie selber als schutzwürdig anerkannt hat. Der Weg bis dahin aber, der wäre lang und teuer.

Ist denn an der Schutzwürdigkeit dieses Urteils überhaupt zu zweifeln? Hochhuth hatte in seinem Stück *Soldaten* die These aufgestellt, daß politisches Kalkül den Chef der polnischen Exilregierung in London, General Sikorski, zum Opfer eines durch den Geheimdienst ausgeführten Mordanschlags machte. Sikorski starb bei einem Flugzeugabsturz bei Gibraltar, mit ihm starben seine Tochter, starben Angehörige seines Stabes, verschwunden blieben zwei Angehörige des englischen Geheimdienstes, gerettet wurde einzig der Pilot, Fliegerhauptmann Prchal, ein Tscheche, in englischen Diensten.

Selbst ein nüchterner Beobachter, der den Grundsatz objektiver Betrachtung nicht a priori preisgibt, kommt um das Eingeständnis nicht herum, hier vor einer langen Kette von Merkwürdigkeiten zu stehen, die mit beiläufigen Erklärungen nicht zu brechen ist. Hochhuths These – tragische Situationen sind heute so möglich wie in der Antike – am Beispiel Churchills, der keine Wahl hatte: Stalin war von der politischen Dummheit und der soldatischen Aufrichtigkeit Sikorskis aufs äußerste irritiert. Churchill erging es nicht anders. Er riskierte die Auflösung der Rußlandfront und den Untergang Englands. Churchill mußte eine schreckliche Wahl treffen, die mit bürgerlichem Ethos nicht zu rechtfertigen ist ...

Nach dem Erscheinen des Stücks meldeten sich Zeugen. Küstenwachen hatten gesehen, wie Menschen über die Tragflächen des noch schwimmenden Flugzeugs liefen, wie ein Boot sie aufnahm. Von diesen Dingen, davon, daß eine amtliche Untersuchung trotz heftigen Drängens der polnischen Regierungsdelegation in London nie sachgemäß geführt wurde, davon war bei diesem Prozeß nicht die Rede.

Es wäre auch sinnlos gewesen. Die englische Regierung hat bis heute die noch lebenden Zeugen, Angehörige des englischen Geheimdienstes, nicht von ihrer Geheimhaltungspflicht entbunden. Solche Zeugen sind keine Zeugen. Prchal wurde von Mitgliedern der Familie Churchill nach London geholt, auf Partys wurde Geld gesammelt, sogar Schweizer sollten mitfinanzieren, um einen Mann als Kläger hinzustellen, der von Anfang an ein Strohmann war.

Wie ist ein Prozeß zu beurteilen, der historische Figuren einer entscheidenden Epoche der Weltgeschichte aus dem Bereich zeitgeschichtlicher Kritik herauszieht und sie ausgerechnet einer bürgerlichen Rechtsprechung unterstellt, die in jenen Jahren außer Kraft stand, stehen mußte, weil die Umstände Entscheidungen forderten, die mit menschlichem Maß nicht zu messen sind?

Das Gericht habe den Namen Churchill und auch seinen eigenen vom Verdacht gereinigt, frohlockte Prchal nach der Urteilsverkündung. Irrtum: Jener Name war nicht zu reinigen, er steht über dem wie immer gearteten Urteil eines königlichen Gerichts. Prchal aber ist nichts anderes als ein Staubkörnchen, das eine Sekunde im Licht der Geschichte aufflimmert.

Reinhardt Stumm
Basler Nachrichten, 4. Mai 1972

Guerillas

Vorbemerkung

Die stürmische politische Entwicklung der späten sechziger Jahre mußte einen so überaus zeitsensiblen Autor wie Hochhuth lebhaft und produktiv herausfordern – sein drittes Stück, *Guerillas,* reagierte unmittelbar auf sie. Eine Welle heftiger Rebellionen, die damals, ausgehend von den USA, von Mexiko bis Tokio, von Amsterdam bis Berlin und Prag, nahezu die gesamte Welt erschütterte, hatte Hoffnungen auf einen revolutionären Wandel wachgerufen, der jetzt zunehmend als einzige Möglichkeit realer Veränderung begriffen wurde. Zu dieser geistigen Radikalisierung mußte es kommen, seit die Unfähigkeit der herrschenden »Systeme«, sich von innen her selbst zu reformieren, festzustehen schien: In der Bundesrepublik war die Bildung der Großen Koalition 1966 und die Eliminierung jeder echten parlamentarischen Opposition als eindeutiger Beweis dafür gewertet worden. Im Weltmaßstab hatte sich die eine »Führungsmacht« durch den Einmarsch in die CSSR, die andere durch ihre neokolonialen Interventionen in Lateinamerika und Südostasien kompromittiert. Der Vietnamkrieg, mit ständig wachsender brutaler Härte geführt, ließ auch enthusiastische Bewunderer an Amerika irre werden; mysteriöse Morde auf höchster Ebene wie die an den Brüdern Kennedy und dem Bürgerrechtler Martin Luther King waren schwerlich geeignet, den Glauben an seine demokratische Moral zu stärken, ebensowenig wie die wachsende Gewaltanwendung gegen mißliebige Minoritäten und studentischen Protest. Das legte nahe, Erneuerung, Besserung nur mehr vom entschiedenen Umsturz bestehender unerträglicher Verhältnisse zu erhoffen.

Auch Hochhuth entzog sich in diesen Jahren den Tendenzen zu solcher Radikalisierung nicht: von »Revolution« zu reden, erschien auch ihm nicht länger als Zeichen eines überflüssigen oder verderblichen Extremismus. Ja, aus der Erkenntnis der Notwendigkeit einer Befreiung des unterdrückten Lateinamerika solidarisierte er sich, gleich der studentischen Linken, mit den dortigen Guerillabewegungen, meinte gar eine »Epoche des Che Guevara« anbrechen zu sehen[1]. Von den protestierenden Studenten trennte ihn aber der Mangel an Illusionen über den möglichen Erfolg ihrer Aktivitäten: vor allem der unzähligen Straßendemonstrationen, deren Wirkungslosigkeit spätestens ab 1970 auch in der Bundesrepublik offensichtlich wurde. Bestimmende »Grunderfahrung« war für ihn nach eigener Aussage die Teilnahme an einer Anti-Vietnam-Kundgebung am 1. Mai 1968 in New York. Hier erkannte er die »totale politische Ohnmacht der Demonstranten«[2], nicht zuletzt hinsichtlich einer »Mobilisierung« der Bevölkerung – die »Straße« hat in den Augen des Bürgers seit je von vornherein unrecht, sie ist ihm das Chaos, die Anarchie schlechthin. Hochhuths in den *Guerillas* exemplifizierte Folgerung: Nur von »innen« her, durch Infiltration in den herrschenden Machtapparat lassen sich effektiv politische Umwälzungen vollziehen. Allein wer an die Hebel, die Schaltstellen eines »Systems« gelangt, kann dieses »revolutionieren«. Das scheint sich von Rudi Dutschkes »Marsch durch die Institutionen« nur durch die größere subversive Heimlichkeit zu unterscheiden, bezeichnet aber doch in der Tat, von mehr Skepsis geprägt, einen ganz anderen, weit weniger langen Weg. Der »Revolutionär« muß möglichst bereits der Führungsschicht angehören, er muß den »Hebeln«, den »Schaltstellen« von Anfang an mindestens nahe sein – und in den kapitalistischen Ländern heißt dies: er muß selbst »Kapitalist« sein. Zudem: »Das soziale Gewissen ist an keine Klasse gebunden und keiner Klasse verschlossen« (Hochhuth[3]).

Entsprechend ist Hochhuths Held Nicolson, Haupt der Konspiration innerhalb von Regierung, Pentagon und CIA, Senator und Millionär. Mit Dutzenden von Mitverschwörern, verteilt über alle Machtzentren, arbeitet er unermüdlich und ständig aufs äußerste gefährdet dem Staatsstreich entgegen, der die »Revolution von oben«, die »am wenigsten blutige«, einleiten soll. Hochhuth weist in Zwischenbemerkungen und in einem längeren Aufsatz (in *Krieg und Klassenkrieg* abgedruckt) auf das »Handbuch« vom »Coup d'état« des rumänisch-britischen Politologen Edward Luttwak hin, dem er sein Umsturz-Modell verdanke. Nach Luttwak gelangen im Jahrzehnt vor Erscheinen seines Buches (1969) in 46 Ländern 73 Staatsstreiche; wenn auch die meisten davon »rechten« Diktaturen zum Siege verhalfen, so sei doch die »Technik« an sich politisch neutral, also auch für die »Linke« einsetzbar. (Tatsächlich liefen nach diesem Rezept geglückte Militärputsche von »links« in Peru, Bolivien, Libyen und Portugal ab.)

Ist Nicolson ein »Linker«? Dies zweifellos, wenn auch kein radikaler Sozialist, geschweige Marxist. Sein ideologisches Programm klingt wie die konsequente Fortführung von Vorstellungen, wie Hochhuth sie in der »Klassenkampf«-Studie entwickelte, freilich verschärft und überdimensioniert in der Transposition auf die amerikanischen Verhältnisse nach dem Tode Robert Kennedys, der beginnenden Nixon-Ära. Entmachtung der »Oligarchie« ist das Ziel, Beseitigung der kaum mehr verhüllten Alleinherrschaft »jener hundertzwanzig Familien, denen mehr als 85 Prozent des ›Volks‹-Vermögens gehören« (Hochhuth[4]). »Für zweihundert Millionen! Gegen zweihundert Millionäre!« Dies gerade um der Herstellung authentischer Demokratie willen: »Der Staatsstreich soll die Verfassung verwirklichen.«[5] Beteiligung aller am Besitz, die Freiheit von Not und Abhängigkeit ermöglichen erst die Wahrnehmung der dort garantierten Persönlichkeitsrechte. Nicolson repräsentiert den »guten Geist Amerikas«, den Jeffersons, Lincolns und Roosevelts – er ist der Gegentyp zum »häßlichen Amerikaner« vom Schlage der Nixons. So können die *Guerillas* kaum zum Nachweis angeblicher pauschaler »Amerikafeindlichkeit« ihres Autors taugen. Hochhuth wählte die USA, wie er erklärte, als exemplarischen Schauplatz ohnedies nur, weil sich dort allgemeine Entwicklungen am drastischsten und dramatischsten vollzogen haben und weil es sich um die eine der großen Mächte handelte, von denen das Schicksal der Welt entschieden wird.

Erstmals hatte ein Stück Hochhuths pro-, nicht retrospektiven Charakter: Nicht die »*Rekonstruktion* vergangener, sondern die *Projektion* möglicher Ereignisse der Zukunft« (Rainer Taëni[6]) wird erstrebt. Anders als im *Stellvertreter* und in *Soldaten* interessiert nicht, was *war,* sondern »was *werden könnte«.* Die zukunftsgerichtete Spekulation bezog sich ebensowohl auf den erwünschten Gesellschaftszustand selbst wie auf die Mittel, ihn herbeizuführen, eben das spezifische Modell des Umsturzes als Ergebnis von Unterwanderung und *coup d'état.* Löste sie sich zu weit ab von den Realitäten der Machtsphäre, wie es Teile der Kritik ihr vorwarfen? Dies gewiß weit weniger als bei fast allen, die damals – vom achtundsechziger »Zeitgeist« euphorisiert – sich schwelgerischen Revolutionsphantasien hingaben. Immerhin, ein »Hauch von Utopie« war dieses eine Mal auch dem sonst eher skeptischen Geschichtspessimisten Hochhuth nachzusagen. (Trotz Nicolsons Tod bleibt die Hoffnung auf baldiges Gelingen der »Operation Morgengrauen«.) Andere sprachen demgegenüber von des Autors politischem »Konservatismus«, der nun erwiesen sei (K. H. Janßen), und natürlich läßt sich der Rückzug auf moralisch verpflichtende Ideen – wie hier die der amerikanischen Verfassung –, der Wille, ihre (Neu-)Übersetzung in Praxis zu erzwingen, *auch* als »konservativ« (im Sinne der Treue zu diesen Ideen) interpretieren. Dann freilich war schon im *Stellvertreter* Riccardos rebellisch-rigoroser »Idealismus«, der das Handeln der Kirche an ihrem absoluten geistigen Anspruch maß, war auch Gersteins Subversion »konservativ«.

An solchem Hin und Wider der Begriffe zeigte sich immer von neuem, wie wenig Hochhuth die Erwartungen eindeutig und genau bestimmbarer »Lager« erfüllen konnte. War die »Protestjugend« mit ihm in der Ablehnung der herrschenden Verhältnisse einig, erkannte sie ihn als Rebell und »Revolutionär« an, so mißbilligte sie weithin seine prinzipiell demokratische Haltung (»Revolution« um der Demokratie willen!), die auch ihr zu »konservativ« erschien. Die gemäßigt »Progressiven«, »Reformisten« und Sozialliberalen aber verübelten dem Autor der *Guerillas,* daß er hier nun in der Tat dem gewaltsamen Umsturz das Wort redete. Die mißverständliche Bezeichnung »Guerillas« für die Nicolsonschen Partisanen im »Establishment« trug nicht eben zur Klärung bei. (Daß zusätzlich auch noch die reale lateinamerikanische Land- und Stadtguerilla in das Stück hineingearbeitet werden mußte, leuchtet dramaturgisch ohnedies nicht ein.) So war Hilde Spiel jedenfalls nicht zu widersprechen, wenn sie feststellte, Hochhuth sei in der Situation des Jahres 1970 zwischen sämtliche erreichbaren Stühle geraten[7].

Die politische Wirkung des Guerilla-Dramas wurde schon durch diesen Umstand stark eingeschränkt. Freilich konnte man die von ihm »angeheizte« Polemik der einzelnen »Fraktionen« gegen Hochhuth und gegeneinander selbst bereits als Wirkung sehen. Gewiß war auch die von *Guerillas* ausgehende Bestärkung eines »Klimas«, das allgemein und von vornherein der Erwägung resoluter utopischer Entwürfe zur Gesellschaftsveränderung günstig war, ein politisch wichtiger Effekt zu nennen. Was indes ausbleiben mußte, waren die heftigen Reaktionen von Enthüllungen oder Umwertungen in konkreten historischen Fällen direkt oder mittelbar Betroffener, wie sie das gewaltige publizistische Echo des *Stellvertreters* und der *Soldaten* so zentral bestimmt hatten. Das rein hypothetische, modellhaft in etwaige Zukunft projizierte Guerilla-Geschehen war provokant in einem sehr viel allgemeineren Sinne – als Denkmöglichkeit, die jedoch zurückverwies auf ihren Ansatz in der kritischen Analyse des Gegenwärtigen. Mindestens mit seiner ständigen Voraussetzung aber, dem faktenbezogenen negativen Urteil über einen bestimmten gesellschaftlichen Zustand, wurde das neue Werk, wie die »Klassenkampf«-Studie fünf Jahre zuvor, doch wieder zum handfesten Ärgernis – gemindert nur durch die Tatsache, daß dergleichen Befunde inzwischen keine literarisch-politischen Pionierleistungen mehr darstellten. Hinzu kam, daß New York so viel weiter entfernt lag als Bonn und daß zudem »Unbehagen an Amerika« als Gesprächsthema allenthalben »in« war. Immerhin mahnte Olaf von Wrangel (CDU), »die Führungsmacht der NATO in guten wie in schlechten Zeiten zu unterstützen«[8], und im *Merkur* zog George Günther Eckstein mit seriösem Eifer Hochhuths angemessene Kennerschaft amerikanischer Verhältnisse in Zweifel.

Die bundesdeutschen Bühnen verharrten den *Guerillas* gegenüber – aus welchen Gründen auch immer – in spürbar zögernder Reserve. Der Stuttgarter Uraufführung durch Peter Palitzsch am 15. Mai 1970 folgten nur wenige Inszenierungen von vergleichbarem Rang; Buckwitz spielte das Stück in Zürich, Gustav Manker in Wien in einer gemeinsam mit dem Autor erarbeiteten Fassung. Die Kritik reagierte überall »mit üblicher Schärfe« (Hilde Spiel[9]), das Publikum betreten oder beeindruckt, je nach politischem »Standort« – beides am meisten in Berlin, wo Utzerath an der einstigen Spielstätte Piscators nach Meinung der FAZ »plumpes Agitationstheater« bot[10]. Unmittelbare politische Wirkung besonderer Art stellte sich in Stuttgart ein: Die anwesenden Journalisten spendeten Szenenbeifall, als die Bühnen-Guerilleros, wenn auch für Amerika, die »Einführung [!] der Pressefreiheit« forderten.

Hochhuths Kritik an den Vereinigten Staaten ist zuweilen hart; er registriert jedes Versagen in unserer jüngeren Vergangenheit. Jedoch mit seiner Aufrichtigkeit und Redlichkeit, seiner Kenntnis der Geschichte und Gesellschaft der Vereinigten Staaten kann Hochhuth neben vielen unserer eigenen besten Kritiker bestehen. Sein Stück verdient es, daß jeder denkende Amerikaner sich ernsthaft und objektiv mit ihm auseinandersetzt.

After Dark, New York,
August 1971

KARL-HEINZ JANSSEN

In der Politik ein Konservativer

Am Tage vor der Stuttgarter Premiere von Rolf Hochhuths neuem Theaterstück sagte der christlich-demokratische Bundestagsabgeordnete Olaf von Wrangel – und er meinte, was er sagte –, wir seien es der Führungsmacht der NATO schuldig, sie in guten und schlechten Zeiten zu unterstützen. Und nun kommt einer aus Basel daher und schreibt ein einziges Pamphlet gegen Amerika. Doch wer die Weltmacht katholische Kirche und das Gewissen der britischen Nation in die Schranken gefordert hat, was sollte der sich scheuen, auch die Führungsmacht der sogenannten freien Welt an seinen strengen Moralbegriffen zu messen.

Viel Mut gehörte ohnehin nicht dazu. Ein großer Teil unserer Jugend und die überwiegende Mehrheit der öffentlichen Meinung teilt, wo nicht die Kritik, so doch das Unbehagen an Amerika. Noch ehe sich im Württembergischen Staatstheater der Vorhang hob, hatten die Nachrichtenagenturen gemeldet, daß an diesem gewöhnlichen Freitag die Polizei des Staates Mississippi ein Wohnheim für Studentinnen beschossen und dabei zwei junge Menschen gemordet habe. Auch könne nunmehr kein Zweifel mehr sein, daß die Polizei des Staates Georgia in der Stadt Augusta sechs Neger durch Schrotschüsse in den Rücken getötet habe. Die Meldung von der Ermordung der beiden Studenten freilich wurde anderntags den Lesern der *Welt* und der FAZ erst auf der fünften oder sechsten Seite mitgeteilt. So mag denn für manchen Bundesbürger durchaus neu, ja sogar schockierend sein, was ihm Hochhuth über das häßliche Amerika zu berichten weiß. Die eher gelassene Reaktion des Premierenpublikums kann da kein Maßstab sein, saßen doch mehrere Hundert Journalisten im Parkett (Beifall auf offener Szene, als die Bühnen-Guerilleros die »Einführung [!] der Pressefreiheit« verlangten).

Es hieße Hochhuth verkennen, wollte man ihm unterstellen, er sei opportunistisch auf einer Woge des Anti-Amerikanismus mitgeritten. Noch im Herbst 1967 hatte er angekündigt, er wolle als nächstes sich an einer Komödie versuchen, weil er es satt habe, sich an heiklen historischen Themen die Finger zu beschmutzen.

Doch die Zeiten waren nicht danach: Die weltumspannenden Vietnam-Demonstrationen – Hochhuth war am ersten Mai 1968 in New York dabei –, die Osterunruhen in den Universitätsstädten, der Pariser Maiaufstand, der Notstandsmarsch auf Bonn –, solche Signale einer wachsenden, berechtigten Unzufriedenheit mit den verkrusteten politischen und gesellschaftlichen Verhältnissen durfte ein politisch so engagierter Dramatiker, ein Mann mit so ausgeprägtem Gerechtigkeitssinn wie Hochhuth nicht übersehen.

Aber wo andere, des vergeblichen Demonstrierens müde, verzweifelt ihre Zuflucht im selbstmörderischen Aktionismus suchten oder sich widerwillig in ein verachtetes System integrieren ließen, hörte Hochhuth nicht auf zu fragen, wie man doch noch zum Ziele gelangen könne, möglichst ohne Blutvergießen und mit einiger Aussicht auf Erfolg.

Als er die Staatsstreichfibel des rumänisch-britischen Politologen Edward Luttwak gelesen hatte, glaubte er das Erfolgsrezept zu besitzen.

In den *Guerillas* zitiert er daraus wörtlich. »Unser Ziel: Wir wollen die Macht *innerhalb* des herrschenden Systems und werden nur an der Macht bleiben, wenn wir einen neuen Status quo schaffen mit Unterstützung gerade jener Kräfte, die eine Revolution vernichten würde. Da aber doch wir diese grundlegende soziale Umwälzung *wünschen,* so können wir sie erst verwirklichen, wenn wir selbst an der Regierung sind. Das ist eine wirksamere (und weniger schmerzhafte) Methode als der Weg einer klassischen Revolution . . .«

Fürwahr ein großes Thema: Wie kann man die Weltmacht Amerika (und analog Großbritannien, Frankreich, Italien, die Bundesrepublik) revolutionieren? Nicht durch einen Frontalangriff auf der Straße – das wäre ein sinnloses Unterfangen gegen Polizei, Nationalgarde und Militär –, wohl aber durch allmähliche Infiltration des Staatsapparates durch Unterwanderung der Institutionen und des Establishments.

Die Technik der Verschwörung, des Staatsstreichs läßt sich erlernen, sie ist ideologiefrei und kann von links wie von rechts praktiziert werden. Senator Fulbright zum Beispiel hält den Zeitpunkt nicht mehr für fern, wo die Militärs in Amerika imstande wären, durch einen faschistischen Putsch die ganze Macht an sich zu reißen.

Doch Hochhuth, der vieles manchen nahebringen möchte, begnügt sich nicht damit. Während seiner Vorstudien stieß er auf einen *Spiegel*-Artikel über die Folterung und Ermordung einer ehemaligen »Miß Guatemala«, die wegen Zusammenarbeit mit den Guerilleros von einer rechtsgerichteten Verschwörergruppe entführt worden war. Also fanden nun auch die »Tupamaros«, die Stadtguerilleros, Eingang in sein Schauspiel, wo sie eigentlich nichts verloren haben. Denn die Techniker des Staatsstreichs bedürfen ihrer nicht unbedingt. Und wie Hochhuths Held, der Senator Nicolson, daran zerbricht, daß er zu viel auf seine Schultern lädt – er will gleichzeitig Guevaras Feldzug in Bolivien fördern und den Putsch in den Vereinigten Staaten inszenieren –, könnten die Zuschauer das Ziel aus den Augen verlieren, das Hochhuth sich und ihnen setzt, weil sie durch Ausflüge in südamerikanische Haziendas und Kathedralen vom Wesentlichen abgelenkt werden.

Zum erstenmal will Hochhuth in einem Drama ein historisches Geschehnis nicht nachspielen, sondern vorwegnehmen. Da er aber sein Stück in der Zeit und vor dem Hintergrund des amerikanischen Wahlkampfes von 1968 ansiedelt – hie Robert Kennedy, hie Richard Nixon –, und da er zudem noch Guevara und Guatemala einbezieht, kann sich der Zuschauer nur schwerlich dem Eindruck entziehen, hier werde neueste amerikanische Geschichte an Hand der Machenschaften der CIA reproduziert. Was haften bleibt, sind dann (dramaturgisch gemeinte) Unterstellungen, etwa jene, daß die Polizei den ersten Kennedy umgebracht habe, daß ein CIA-Oberst dem zweiten Kennedy nach dem Leben trachtete, weil ansonsten Nixon nicht für Ruhe und Ordnung hätte sorgen können, und schließlich gar jene infam dargebotene Mitteilung, Nixon sei einen Tag vor dem Anschlag auf John Kennedy in Dallas gewesen.

Hochhuth sollte seinen Kritikern nicht so ungeschützt in die Messer laufen, aber schon diesen Tadel zu formulieren ist unnütze Anstrengung, unser Dramatiker würde ihn gar nicht verstehen.

Wo immer er Unrat wittert, wird er hochgradig empfindlich und mißtrauisch. Jeder Beleg, den er emsig sammelt, bestärkt ihn in seinem Vorurteil, und was immer auch nur annähernd als Mosaiksteinchen in das Schreckensbild sich einfügt, muß unbesehen herhalten. Wer wollte leugnen, daß in dieser grandiosen Einseitigkeit viel Wahrheit steckt? Hochhuth hält es da mit dem von ihm verehrten Philosophen Jaspers, der ähnlich herrisch und unbekümmert mit den Fakten verfuhr.

Doch ihm geht es nur scheinbar um Nixon und die CIA. Anprangern will er das System der kapitalistischen Unfreiheit. Peter Palitzsch hat in seiner wohltuend straffen Inszenierung Hochhuths Kernthese leitmotivisch von der ersten bis zur letzten Szene durchgezogen: »Für zweihundert Millionen! Gegen zweihundert Millionäre!« – so daß auch der letzte im Publikum das schreiende Unrecht der Vermögensverteilung (nicht nur in Amerika) begreifen muß.

Und die Streichung der Vorbühnenstücke verzieh man ihm gern, hatte er doch schon den Monolog Nicolsons im zweiten Akt – eine großartig formulierte Anklage gegen Amerika – um so wirksamer herausgestellt: »Wer Staat sagt, der meint nur die Clique / die hundert Familien / denen die restlichen gehören / Wo ein Meineid so leicht zu kaufen ist / wie ein Colt und ein Richter / wem soll da die Warnung noch nützen / daß dies so ist?«

Doch dieses Sündenregister wird sogleich relativiert durch den Einwand des Majors Adams von den *Green Berets* (»der amerikanischen SS«): »Du sprichst zu hart über dein Volk . . . Ein Volk, das die Faschisten im Pazifik besiegte / und den Russen ermöglichte, Hitler zu vernichten / in dem liegt Hoffnung.«

Ich fürchte, mit solchen Einschränkungen bringt sich der Autor um ein gut Teil seiner Wirkung, zumindest bei den »Neuen Linken«. Nein, er hat keinen Kotau vor den Radikalen gemacht, er ist Hochhuth geblieben, der zu ehrlich ist, um die Ambivalenz menschlichen Handelns zu verschweigen, zu sittenstreng, um gegen inhumane Handlungen oder Unterlassungen allerorten Nachsicht zu üben. Seine Utopie des linken Staatsstreichs (mit der höllischen Vision einer »Polaris«-Raketendrohung gegen das Weiße Haus, das Pentagon und General Motors) gerät ihm merkwürdig gequält.

Gleich dreimal konfrontiert er seinen Helden, einen Friedrich Engels auf Yankee-Art, mit dem Prinzip der Gewaltlosigkeit, verkörpert durch dessen Frau Maria (»Trenne dich von denen, die Gewalt brauchen«), dessen Freund Adams (»Kauf dir die Macht, schenk deinem Volk die soziale Revolution«) und den alten, leidgeprüften Juden Wiener: »Tu was mit deinem Geld, David / legal sollst du's einsetzen!«

Ob mit oder ohne Gewalt – zu welchem Heile? Was Hochhuths Verschwörer als Heilsbotschaft verkünden, ist unausgegoren, widerspruchsvoll. Als sei es damit schon getan, auch den Amerikanern eine

Arbeitnehmerpartei zu bescheren, die Supermillionäre wie Faruk ins sündig-süße Exil zu verbannen, das Modell Schweizer Referenden in den Mittleren Westen zu importieren, die Theater zu verstaatlichen und Volksaktien auszustreuen. Was am Ende dabei herausspränge, wäre doch nur wieder ein »quasisozialistisches Land«, vor dem es einem Major Adams so graust, daß er lieber im bolivianischen Urwald sein Leben aushaucht. Auch Marxisten werden sich ob solchen Programms mit Grausen abwenden.

Hochhuth verhehlt nicht seine Abneigung gegen Verstaatlichungsdoktrinen. Marxismus setzt er partout mit Einparteienherrschaft gleich (als hätte es nie einen Prager Frühling gegeben). Sicher, auch Hochhuth hält sich für einen »Linken«, so wie sein Professor Wiener, aus dem wohl mehr als aus allen anderen Personen des Stücks der Dichter spricht – doch »links« ist ihm nur ein Synonym für soziales Gewissen.

Wer es noch nicht wußte, erfährt es aus diesem pseudo-revolutionären Stück: Rolf Hochhuth ist ein Konservativer. Mit den Worten Wieners: »Demnach ist der Konservative humaner / weil er sich dank seiner Einsicht / ins ewig Gleichbleibende der Menschennatur / damit begnügt, die Institutionen zu verbessern.« Und besser könnten es die Apostel der sozialen Marktwirtschaft, könnten es die Erhard und Schmücker auch nicht gesagt haben: »Konservativ sein, heute, heißt: / der Enteignung aller / die Beteiligung aller am Volksvermögen / entgegenzusetzen.«

Nein, kein Theaterintendant in Städten mit christlich-bürgerlichen Ratsmehrheiten muß fürchten, man könnte ihm wegen der Aufführung dieses Trauerspiels die Subventionen sperren. Wie grundgesetzkonform Hochhuths *Guerillas* sind, hat er selber vor einigen Wochen in einem Interview durchblicken lassen: Ziel des Staatsstreichs in den USA solle der »soziale Rechtsstaat« sein.

Seine Utopie des linken Staatsstreichs in Amerika scheiterte, so findet Hochhuth, derzeit nur »an einem überwindbaren Mangel an Einsicht bei Zeitgenossen«. Doch müssen die Einsichten der Revolutionäre Amerikas nicht notwendig den seinen gleichen. Seine Analyse ist vortrefflich und vermag auch hierzulande aufklärerisch zu wirken; die Synthese läßt zu wünschen übrig. Also ist es doch wohl ein Stück, von einem Deutschen für Deutsche geschrieben. Amerikas Linke kann ohne Hochhuth auskommen: »You don't need a weatherman to know which way the wind blows« (Bob Dylan).

Die Zeit, Hamburg,
22. Mai 1970

HELLMUTH KARASEK

In der Dramaturgie ein Klassizist

Gäbe es, parallel zum Pyrrhussieg, die Pyrrhusniederlage – Rolf Hochhuth wäre auf dem Felde der Dramatik ihr erfolgreichster Praktikant. Wo andere sich zu Tode siegen, von den Kritikern schulterklopfend beglückwünscht, wenn ihre Stücke von der ersten Bühne schnurstracks in das noble Dämmer einer Universitätsbibliothek abwandern, löst Hochhuth jedesmal ein »So-kann-man-doch-kein-Drama-schreiben«-Geschrei unter der Fachwelt aus, wird dann von zahllosen Bühnen des In- und Auslands nachgespielt und bringt Kirchenmänner und Historiker dazu, daß sie über seine Stücke raufen wie über lebendigste Realität.

So könnte es auch diesmal, mit Hochhuths drittem Stück, den *Guerillas,* gehen. Die sogenannten Fachleute (von denen der Rezensent keine Ausnahme bildet) hatten anschließend, bei dem Empfang, den die Württembergischen Staatstheater zu Ehren ihres Bühnenstaatsstreichs gaben, jenen geschmerzt-hochfahrenden Zug um die Mundwinkel, wenn sie über das Stück sich in Andeutungen ergingen, der annoncieren sollte, was Rolf Hochhuth uns diesmal wieder angerichtet hat.

Er hat, schlicht gesagt, eine »Tragödie« geschrieben, Stück einer Dramengattung also, von der die meisten seiner Kollegen annehmen, die gäbe es bestenfalls im Museum zu besichtigen, dicht neben der Laokoon-Gruppe, in der Nähe des olympischen Diskuswerfers. Und tatsächlich: Wollte man einem wißbegierigen Schüler an einem heutigen Beispiel klarmachen, nach welch strengen inneren Gesetzen eine »Tragödie« gebaut werden muß – einst: Hochhuths *Guerillas* böten ein makelloses, wenn auch überbordend langes Beispiel dafür. Fünf Akte hat eine Tragödie, einen Helden, der tragisch scheitert, dessen Scheitern aber die Welt nicht unverändert zurückläßt. Woran scheitert er: an der Hybris, die es seinem Gegenspieler leicht macht, ihn zu vernichten.

Von der Theorie in die Praxis: Hochhuths Held, der amerikanische Multimillionär und Senator David L. Nicolson, eine Mischung aus einem idealen Kennedy und einem idealen Rockefeller, plant den Staatsstreich in den USA. Es ist sehr ernsthaft gemeint, wenn hier gesagt wird, daß diese Ausgangssituation ebensoviel mit der Situation des *Don Carlos* zu tun hat, nämlich dramaturgisch, wie auch mit Hochhuths politischer Überzeugung, daß sich Revolten heute, da der

Geheimdienst allmächtig und die Wallstreet-Herren schier unüberwindlich geworden sind, nur noch von oben vollziehen lassen, also mit Hilfe eines Mannes, der mit an der Spitze des Establishments steht. Da Hochhuth die Vereinigten Staaten hilflos-allmächtig verfilzt sieht, in ihren Kolonialunternehmungen in Indochina und in Lateinamerika, sieht er Rettung gegen die brutale, nur mühsam demokratisch getarnte Willkür in einem Muster, das er den Plänen des 20. Juli nachempfunden hat.

Der tragische Konflikt des Senators: er muß das Risiko blutiger Gewalt eingehen. Seine Hybris: obwohl sein Hauptziel der Staatsstreich in den USA selbst ist, verwickelt er seine südamerikanische Frau in seine politischen Aktionen, benutzt sie als Kurier für Südamerika, wo sie vom CIA geschnappt und viehisch ermordet wird und damit auch den Vorwand liefert, mit dem ihn die CIA durch einen als Selbstmord kaschierten Mord aus der Welt schafft.

Daß Hochhuth seine Weltbedeutung in die fünf Akte einer Tragödie für einbringbar hält, hängt mit seiner Geschichtsüberzeugung zusammen, die von Männern ausgeht, die Geschichte machen. Adornos Auseinandersetzung mit Hochhuth, anläßlich des *Stellvertreters* geführt, könnte hier wieder entfacht werden. Doch glaube ich, daß man bei Hochhuth auf den Effekt sehen sollte, aller kritischen Theorie zum Trotz. Mag sein, daß Hochhuths moralisches Entsetzen die Kirche, um sie zu schmähen, idealisieren und personalisieren mußte – kein anderes Stück hat so viel reformatorischen Eifer in der Kirche selbst in Gang gesetzt wie der *Stellvertreter*. Mag sein, daß der Tresor-Krieg um Churchills Mitschuld am Tode des polnischen Exilpremiers leicht Don Quichoteske Züge hat – das Stück der »Soldaten«, das in den Höhepunkt der Vietnam-Bombardierungen fiel, hat nicht nur die englische Öffentlichkeit nachhaltig daran erinnert, daß die Genfer Konventionen im totalen Luftkrieg nur noch eine ohnmächtige Farce sind.

So wird man auch leicht darüber lächeln können, daß viele der Guerillapläne auf der Bühne wie ein Räuber-und-Gendarm-Spiel wirken (was übrigens die Briefintrige der Eboli im *Carlos* auch tut) oder daß Hochhuths Personen sich über simple Tatsachen informieren müssen, damit wir sie auch nur erfahren (was übrigens selbst den rührend-schönen Marquis-Posa-Auftritt vor Philipp kennzeichnet) – es ist nicht zu übersehen, daß Hochhuth wie ein überfeines moralisches Hygrometer auf die Korruptionsfeuchtigkeit der Welt reagiert. Als das Stück in Stuttgart uraufgeführt wurde, waren wir durch Graf Spretis Erschießung auf die wahren Zustände in Guatemala wieder hingewiesen worden – Zustände, die in Hochhuths Stück mit der Wahrheit flammender Entrüstung gezeichnet werden. Und während Hochhuth auf der Bühne auch Nixon vor ein Tribunal zerrte, hatte Servan-Schreiber nach einem Griechenland-Besuch konstatiert, daß der amerikanische Präsident ein ohnmächtiges Werkzeug der CIA sein müsse, fanden an den amerikanischen Colleges Kopfjagden der National-garde auf Studenten statt, hatte der amerikanische Professor J. B. Neilands (nachzulesen im neuen Heft des österreichischen *Forum*), der es als Vorsitzender des Wissenschaftlichen Komitees für chemische und biologische Kriegführung ja wissen muß, festgestellt, daß chemische Waffen (genauer: Gase) in Berkeley gegen Studenten eingesetzt würden, und zwar mit dem gleichen Hubschraubertyp (U 19), »der auch in Vietnam für chemische Kriegführung verwendet wird«.

Nein, allein mit dramaturgischem Feinsinn, der sich – ungewollt – auch zur Entschärfung der von Hochhuth vorgebrachten politischen Entsetzensschreie eignet, ist diesem Bühnenpamphlet nicht beizukommen ...

Bei der Lektüre einer (gestrichenen) Vorszene in einem amerikanischen Zuchthaus erschien mir ein Gefangenenausbruch besonders dilettantisch-groschenheftartig beschrieben – bis ich in der Regieanweisung auf die Stelle kam, daß es sich keineswegs um »dichterische Freiheit« gehandelt habe, sondern daß die Szene genau das ausführte, was die Anwälte dem Mörder Martin Luther Kings als Rat erteilt hatten.

Die Zeit, Hamburg,
22. Mai 1970

Es ist leicht zu beweisen, daß Rolf Hochhuths Stücke alles andere als regelrecht sind, alles andere als ursprünglich dichterisch ... und doch darf man vielleicht voraussagen, daß Hochhuth seinen Platz in der Literaturgeschichte unserer Zeit behalten wird, den Platz eines Einzelgängers ... Über zweihundert Seiten umfaßt der Text dieses Entwurfs eines Aufstands von oben herab, der nach Hochhuth die einzige Möglichkeit sei, grundstürzende Umwälzungen mit einem Mindestmaß von Blutvergießen zu bewirken. Wenn Platon das politische Ideal in der Herrschaft der »Besten« sah, so sieht Hochhuth die einzig vertretbare Revolution in einer Unterwanderung der anfechtbaren Verhältnisse von oben herab.

Elisabeth Brock-Sulzer,
Die Tat, Zürich, 18. Januar 1971

GEORGE GÜNTHER ECKSTEIN

Eine amerikanische Stimme

Rolf Hochhuth muß allmählich gewohnt sein, daß seine Stücke heftig umstritten sind – sei es ihrer Struktur, sei es ihres politischen Inhalts wegen. Daß er sich hochstehende Zehen aussucht, um kräftig draufzutreten, bringt ihm Angriffe ein, die nicht selten tangential vorgehen und am Rande kritisieren, was sie nicht im Kern treffen können. Aber mit seinem neuesten Stück *Guerillas* hat er sich auch grundlegenden politischen Einwänden ausgesetzt.

Ich kenne *Guerillas* nur in der Rowohltschen Buchausgabe, kann und will mich deshalb nicht in die Debatte über die Darstellungen des Stückes einmischen. Dagegen fühle ich mich gerade wegen der Besonderheiten der – wie bei Shaw durch Kommentare, Quellenhinweise und zusätzliche Charakterisierungen ergänzten – Hochhuthschen Buchausgaben befugt, den politischen Inhalt in Frage zu ziehen. Denn dieser steht und fällt mit der Frage, wie weit Hochhuth die amerikanische Gesellschaft und die amerikanische Politik richtig beurteilt. Dabei kommt mir vielleicht zustatten, daß ich nicht nur die amerikanischen Verhältnisse an Ort und Stelle studiere, sondern auch eine Vorstellung von dem *background* habe, der Hochhuths Denken geformt hat.

Um den Schluß vorwegzunehmen: insoweit *Guerillas* ein politisches Stück sein will – und nicht bloß ein melodramatisches Verschwörungstheater –, trifft es mit Wucht daneben. Gewiß, Hochhuth betont mit Recht: »Politisches Theater kann nicht die Aufgabe haben, die Wirklichkeit zu *reproduzieren,* sondern hat ihr entgegenzutreten durch *Projektion* einer neuen ... So benutzt dieses Drama das gegenwärtige und vorübergehende New Yorker Establishment als Gehäuse; ein Gehäuse, das auf Abbruch übernommen wurde, um ihm revolutionären Geist einzublasen und seine Fassaden durchsichtig zu machen. Dabei wurde die Realität auf ihren Symbolwert entschlackt ... Dieses Stilprinzip schützt (freilich) weder ein Bild noch den Text davor, vergleichend neben eine Wirklichkeit genannte Chimäre gesetzt zu werden; als sei, was als Realität – zum Beispiel von New York – angeboten wird, erstens für jeden Betrachter ein Gleiches; oder als sei gar diese Realität so vorbildlich, um auch für ein anderes – zum Beispiel für ein Drama – anstatt nur für sich selber den Maßstab abzugeben! Wenn aber eine Theaterszene ›stimmt‹ – dann stimmt sie auf der Bühne.«

Das wäre akzeptabel, wenn es sich nicht um ein bewußt politisches

Theater handelte, das Stück also eine zumindest denkbare Projektion existierender Kräfte sein wollte. Die Wirklichkeit wäre für jeden Betrachter eine andere? Aber hat nicht die politische Realität die Gabe, sich früher oder später gegen Wahnvorstellungen durchzusetzen; sehr bald bei den Schwachen – wie das zur Zeit die amerikanischen Extremisten zu erkennen beginnen –, aber schließlich auch bei den scheinbar Allmächtigen, die lange Zeit Wirklichkeit in Unwirklichkeit und ihre Wahnvorstellungen in blutige Wirklichkeit verwandeln konnten – wie das in unserer Zeit Hitler und Stalin erfahren mußten.

»Wer zusieht, sieht mehr, als wer mitspielt.« Die Distanz befähige zu besserem Urteil? Aber sie verleitet auch zu Fehlinterpretationen und erschwert deren Korrektur durch direkte Erfahrung. Vor allem zwingt sie dazu, sich auf Interpretationen anderer zu verlassen, und beschwört damit die Gefahr herauf, daß man sich aus der Menge der Interpreten denjenigen aussucht, die einem in die vorgefaßte Meinung oder in das dramatische Skript passen. Hochhuth hat zweifellos die neuere amerikanische Geschichte studiert; nur verwertet er Ereignisse und Figuren in höchst fragwürdiger Interpretation, weil seine Quellen sich mehr durch Einseitigkeit als durch Akkuratesse auszeichnen. Ein gediegener und origineller Sozialwissenschaftler wie John K. Galbraith wird sich schwerlich wohl fühlen in der Gesellschaft von Pamphletisten wie Ferdinand Lundberg und L. L. Matthias, die sich die komplexe Wirklichkeit »USA« in einen allzu engen Blickwinkel zwängen.

Zu diesem Zerrbild Amerikas tritt bei Hochhuth obendrein die (bei einem Dramatiker verständliche) Neigung zur Kolportage, zu dem, was man in Amerika die »konspiratorische Geschichtsauffassung« nennt. Freilich: Verschwörungen und Spionageaffären eignen sich besser fürs Theater als die Alltagspolitik oder die langsamen Veränderungen von Machtverhältnissen und Institutionen. Diese romantische Neigung zur Hintertreppe der Geschichte äußerte sich bereits im *Stellvertreter* und in den *Soldaten,* wo Hochhuth sich deutlich von der doppelgängerischen Gestalt Kurt Gersteins und dem Zwielicht der Polenpolitik angezogen fühlte. In *Guerillas* kann sich diese Neigung ungehindert austoben. Dabei ergibt sich das Paradox, daß Hochhuth ganz wider Willen der politischen Wahrheit dort am nächsten kommt, wo er die von ihm erdachte Verschwörung in die Aura der Fahrlässigkeit und des Unterganges hüllt. Das verleiht ihr etwas wie einen heimlichen Wunsch zum Mißerfolg, wie man ihn einst bei den Verschwörern gegen Hitler beobachten konnte – und heute bei den *Black Panthers,* wo von der Gefahr des »revolutionären Selbstmordes« gesprochen wird. Diese mit Unkenntnis mancher amerikanischer Bedingungen gepaarten Grundmängel – verzerrte Vorstellung von Amerika als Ganzem und Freude des Dramatikers am Verschwörertum – führen Hochhuth zu einer Reihe von drastischen Fehlschlüssen und Fehlleistungen, welche die politische Grundlage des Stückes erschüttern. Um nur ein paar eklatante Beispiele hervorzuheben:

1. Die Fragwürdigkeit der zentralen Figur des Senators Nicolson. In der amerikanischen Politik ist es heute in Gesetz wie in Praxis unmöglich, daß ein Senator gleichzeitig Funktionen in der Exekutive (CIA; Komitee zur Guerillabekämpfung) ausüben und Direktor eines kriegsindustriellen Unternehmens sein könnte. Möglich durchaus, daß ein Senator zum Leiter einer geheimen Guerilla-Organisation würde; allenfalls wäre auch eine Personalunion Senator-Militär-Industriekapitän als Symbol für den militärisch-industriell-politischen Komplex zu akzeptieren – aber dann ist es ein Unding, dieses Symbol gleichzeitig noch zum Guerillaführer zu machen.

2. Die Idee, Amerika sei »das einzige zivilisierte Land, in dem niemals bei einer Wahl eine Arbeiterpartei auch nur hätte kandidieren dürfen«, und die sich daraus ergebende Forderung Nr. 1 des politischen Programms der Verschwörer, nämlich die Gründung einer Arbeiterpartei. Als ob ein Staatsstreich vollbringen könnte, was nicht etwa durch Gesetz, sondern vom sozialen Klima des Landes ausgeschlossen wird – eine *erfolgreiche* Arbeiterpartei.

3. Die primitive Vorstellung von »Wall Street« als dem allmächtigen Drahtzieher hinter allem: Außenpolitik, Militär, CIA, Presse, politische Parteien; und – damit verbunden – die letzte Forderung des Aktionsprogramms: Exilierung des »führenden Mannes und ältesten Sohnes (oder Erben) jener zweihundert Familien, denen neunzig Prozent von Grund und Produktionsmitteln gehören«.

4. Die groteske Einschätzung Roosevelts und Harry Hopkins als »getarnte Revolutionäre«, des korrupten autokratischen James Hoffa als sozialistischen Märtyrer und seiner Transportgewerkschaft als die »einzige sozialistische Gewerkschaft« Amerikas – derselben Transportarbeiter, die in ihrer Mehrheit Nixons Politik unterstützen und ihrer reaktionären Einstellung durch die Fähnchen an ihren Lkws Ausdruck geben.

5. Der mystische Glaube an die Allgegenwart und Allgewalt der CIA/FBI (früher waren es die Freimaurer oder die Weisen von Zion oder der Ölkönig Deterding). Überall sieht oder vermutet Hochhuth sie beteiligt: nicht nur – berechtigt – in Guatemala, sondern auch bei der Ermordung Kennedys, Oswalds, Martin Luther Kings sowie bei den prominenten Selbstmorden der fünfziger Jahre.

6. Die unausgesprochene Gleichsetzung des heutigen Amerika mit Hitlerdeutschland. Sie läßt Hochhuth jeden Gedanken an die Möglichkeit politischer Reform verwerfen und die Lösung einzig im Staatsstreich sehen, wobei ihm ganz offenbar die Verschwörung des 20. Juli Modell stand: hochstehende Mitglieder der »Elite« arbeiten zusammen mit Vertretern der »Arbeiterklasse«, die ausschließlich durch »Afro-Amerikaner« repräsentiert wird. Aber auch die von Hochhuth anscheinend geplante nachträgliche Einführung eines »echten« Arbeiterführers – Walter Reuther vielleicht: Man könnte seinen tödlichen Absturz im Privatflugzeug auch gleich noch der FBI ankreiden? – würde nichts Entscheidendes an der falschen Gleichung »USA = Drittes Reich« ändern.

7. Wie die Männer des 20. Juli im totalitären Staat während des Krieges, so wollen diese amerikanischen Verschwörer – von den melodramatischen Details sei geschwiegen – die Regierungshierarchie selbst für die Ausführung ihrer Befehle ausnützen. Hochhuth vergißt dabei u. a. die Kleinigkeit, daß in den Vereinigten Staaten, außer in der Hauptstadt Washington, weder Polizei noch Nationalgarde der direkten Befehlshoheit der Bumdesregierung unterstehen.

Die Liste der Fehler, die das Stück für den Kenner amerikanischer Verhältnisse einfach unglaubhaft machen, ließe sich beliebig vermehren. Was bleibt, ist eine Verschwörerstory mit einigen äußerlichen Anknüpfungspunkten an tatsächliche Umstände und Zustände. Gerade dadurch ist sie freilich geeignet, dem Europäer ein Zerrbild von Amerika zu vermitteln. Daß Hochhuths Vorstellungen – einschließlich des Postulats, Großstadtguerillas zu bilden – von einem Teil der radikalen amerikanischen Jugend, besonders der Negerjugend, geteilt wird, ist kein Beweis für ihre Richtigkeit.

Liegt nicht, so fragt man sich am Schluß, in der kritischen Beschäftigung Hochhuths – und wie vieler anderer europäischer Intellektueller – mit Amerika auch so etwas wie ein umgekehrtes Kompliment: nämlich bei aller Anbetung des fernen Castro und des noch ferneren Mao, die uneingestandene Erkenntnis, daß in Amerika noch immer Aussicht auf Wandel besteht, das Zentrum für neue Ideen dort zu suchen ist? Natürlich wird der Kritiker von Hochhuths Gesamtbild nicht leugnen, daß er im einzelnen an viele wunde Punkte rührt. Es gibt eine Zusammenballung von Macht in ungenügend kontrollierten Händen. Die Möglichkeiten der Kontrolle und Korrektur sind heute allzusehr abhängig von einigen mutigen Senatoren, von den Medien mit ihrer immer gefährdeten, immer begrenzten Unabhängigkeit, und von einer Justiz, die nicht immun ist gegen den jeweiligen politischen Wind.

Auch ist verständlich, wenn die allzu häufigen politischen Morde und Selbstmorde der neueren Zeit bei manchen den Verdacht aufkommen lassen, es könnte mehr dahinterstecken als in den fünfziger Jahren die Verzweiflung über rücksichtslose Verfolgung durch einen McCarthy, oder als die Phantasie von Verrückten, gespeist von den Stimmen des Hasses und unterstützt durch den leichten Zugang zu tödlichen Waffen. (Außer im Fall Martin Luther Kings entbehrt dieser Verdacht einer ernsthaften Begründung.)

Aber es bleibt die zentrale Frage, deren falsche Beantwortung Hochhuths Stück seiner politischen Grundlage beraubt: Hat Amerika wirklich alle Möglichkeiten für Reformen à la New Deal erschöpft? Hat es einen Punkt der Erstarrung erreicht, wo es keine Alternative mehr gibt für die verzweifelten Kombinationen von Staatsstreichen und Guerillakämpfen? Es ist kaum mehr als zwei Jahre her, als diese Nation einen ursprünglich mit großer Mehrheit gewählten Präsidenten durch ihre Opposition zu einem sinnlosen Krieg zum »Rücktritt« zwang – in normalen politischen Bahnen. Glaubt man im Ernst, daß dieses Land in so kurzer Zeit alle Mittel verspielt haben könnte, um sich veränderten Bedingungen anzupassen? Im undramatischen Tauziehen einer unvollkommenen Demokratie, ohne romantische Verschwörung und elitären Staatsstreich?

Merkur, Stuttgart,
Oktober 1970

RAINER TAËNI

Eine Erwiderung auf Ecksteins Polemik

Rolf Hochhuths *Guerillas* ist ein politisches Stück im wahrsten Sinn des Wortes, aber als solches nicht unbedingt ein Stück über die gegenwärtigen politischen Verhältnisse in den USA. Leider verführt die Gewohnheit des Autors, nicht nur im Stück selbst, sondern auch in Vorwort und Szenenanweisungen politische Ansichten darzulegen, Quellen zu zitieren und Interpretationen zu liefern, sehr leicht dazu, den Rahmen und geschichtlichen Hintergrund des Stückes für seinen Inhalt anzusehen – ungeachtet dessen, was er selber über seine Konzeption politischen Theaters schreibt (und was von einem Kritiker wie Eckstein sogar zitiert, wenn auch wohl kaum richtig verstanden wird).

Eckstein liest falsch, wenn er sagt, das Stück wolle »eine zumindest denkbare Projektion existierender Kräfte sein«. Hochhuth nämlich spricht in seinem Vorwort ausdrücklich von der »Projektion einer neuen« – also eben *nicht* der existierenden Wirklichkeit. Darin liegt für mein Empfinden ein entscheidender Unterschied. Des Autors Bestreben, »das gegenwärtige und vorübergehende New Yorker Establishment als Gehäuse ... auf Abbruch« zu übernehmen, und zwar unter Entschlackung der »Realität auf ihren Symbolwert« – dies kann doch wohl nichts anderes bedeuten, als daß der zeitgeschichtliche Hintergrund im Stück eben nicht seiner eigenen Darstellung, sondern lediglich als Ausgangspunkt für bestimmte – möglicherweise utopische – Spekulationen dienen soll. Weshalb sollte man dem Autor dann in bezug auf seine Gestaltung nicht die gleiche »dichterische« Freiheit zugestehen, wie sie andere Schriftsteller, von Shakespeare bis Brecht, schon immer beansprucht haben? Nicht *Guerillas* als politisches Stück trifft »mit Wucht daneben«, sondern Ecksteins Kritik, wenn sie seinen politischen Inhalt mit bestimmten Aussagen seines Autors gleichsetzt.

Eckstein zählt Beispiele für »Fehlschlüsse und Fehlleistungen« Hochhuths auf, die vereinzelt dafür zeugen, wie flüchtig er *Guerillas* gelesen hat. Wenn er etwa unter Punkt 2 schreibt: »Als ob ein Staatsstreich vollbringen könnte, was nicht etwa durch Gesetz, sondern vom sozialen Klima des Landes ausgeschlossen wird – eine *erfolgreiche* Arbeiterpartei« – und unter 4 nochmals betont, daß die amerikanischen Transportarbeiter »in ihrer Mehrheit Nixons Politik unterstützen und ihrer reaktionären Einstellung durch die Fähnchen an ihren Lkws Ausdruck geben«; so liefert er damit nämlich keineswegs Beweise für Hochhuths mangelnde Faktenkenntnis oder -interpretation. Im Stück antwortet Nicolson auf die Frage: »Wie weit kriegst du die Arbeiter?« sehr eindeutig:

> *Vor* dem Coup d'état nur die Arbeitslosen ...
> Arbeiter gehen wie alle anderen
> zu ihren Befreiern erst über,
> wenn der Sieg garantiert ist.
> Die Offiziere, die Hitler ermorden wollten,
> wurden von ihren Mannschaften und Chauffeuren
> entwaffnet oder verraten ...
> Der Kleinbürger stirbt lieber *für* die *Ungerechtigkeit,*
> als sich durch *Unordnung* zu befreien.«

Dies zeigt, daß Hochhuth sich der von Eckstein erwähnten Situation vollauf bewußt ist – nur zieht er nicht den gleichen Schluß, daß es eine Partei, die vor allem die Interessen der Arbeiter wahrnimmt, nie geben könne. Und ist dies denn wirklich der einzig mögliche Schluß?

Im übrigen aber würden Ecksteins Beispiele von »Fehlleistungen« des Autors auch dann keineswegs »die politische Grundlage des Stückes erschüttern«, wenn sie sämtlich zutreffend und unanzweifelbar wären. Hochhuth hat schließlich kein Buch zur Zeitgeschichte geschrieben, sondern ein Theaterstück. Es liegt in der Natur des Theaters, die Wirklichkeit (und warum nicht auch die politische Wirklichkeit?) übersteigert bzw. mit Übertreibung darzustellen. Das Stück als einen konkreten Aufruf zur Revolution in den Vereinigten Staaten zu betrachten, wäre ohnehin grotesk. Sehr ernst zu nehmen ist es jedoch als ein Versuch, zu zeigen, welche Problematik sich für einen Revolutionär ergibt, der die gesellschaftlichen Zustände im Zentrum heutiger Macht verändern will; und es scheint mir nicht falsch, wenn ein Autor, der sich im Goetheschen Sinne als »Katalysator« versteht, sich dafür ein Amerika aussucht, das bei aller möglicher Einseitigkeit der Interpretationen doch erkennbar mit den Problemen jener unsere Wirklichkeit beherrschenden Großmacht ausgestattet ist. Daß überdies Hochhuths Vorstellungen, wie Eckstein zugibt, »von einem Teil der radikalen amerikanischen Jugend ... geteilt« werden, ist vielleicht wirklich kein Beweis für ihre Richtigkeit, wohl aber für ihre Relevanz – und auf die vor allem kommt es im Theater doch an.

Geradezu unerträglich gönnerhaft wird Ecksteins Ton, wo er konstatiert, »daß Hochhuth ganz wider Willen der politischen Wahrheit dort am nächsten kommt, wo er die von ihm erdachte Verschwörung in die Aura der Fahrlässigkeit und des Unterganges hüllt«. Diese Kritik übersieht völlig, daß das Stück schließlich ausdrücklich als »Tragödie« konzipiert und auch so bezeichnet ist. Daß aber die Tragödie seit klassischen Zeiten einen »Helden« aufweist, der nicht nur an den Umständen, sondern weitgehend an der eigenen Unzulänglichkeit scheitert, ist altbekannt. Hochhuth betont, daß die Verschwörung nicht gelingen kann, weil sein Held Nicolson einen entscheidenden Fehler macht. Dreimal wird er gewarnt, seine Kräfte nicht durch zusätzliche revolutionäre Tätigkeit in Südamerika zu verzetteln. Aber er kann es nicht lassen. Denn er ist von einem entscheidenden Charakterfehler besessen, den tragische Helden seit jeher aufgewiesen haben und den vielleicht sein Autor so gut versteht und darzustellen vermag, weil er selber nicht völlig frei davon ist: dem Hang zur Maßlosigkeit. Nicolson betreibt die Revolution im Norden, aber er betreibt sie zugleich, nicht zuletzt mit Hilfe seiner Frau Maria, auch im Süden. In der Darstellung Hochhuths führt dies direkt zum persönlichen Untergang beider.

Durch diese Thematik, die Schilderung zweier verschiedener Revolutionen, ist allerdings auch die Geschlossenheit des Stückes gefährdet. In zwei wichtigen Szenen, die in Bolivien spielen, tritt Che Guevara persönlich auf (in der Verkleidung eines Major Adams), und Hochhuth verhehlt nicht, daß ihm seine heimliche Liebe gilt: die Szenen sind atmosphärisch und, wenn man so will, im Gespräch zwischen Nicolson und Adams auch poetisch wohl die eindrucksvollsten des Stückes. Aber dieser Nachteil einer gewissen strukturellen Zersplitterung erweist sich bei genauerer Betrachtung als dramaturgische Notwendigkeit. Denn Hochhuth versucht in der Tat, zweierlei zu vereinen, was als schlechthin unvereinbar gilt: das Tragödienelement und das Element Brechtschen Theaters, das seinem Stück nicht weniger wichtig ist. Daß er sich bewußt der Tragödienform bedient, darf diesem Autor nicht als unzeitgemäßer Ausrutscher angerechnet werden, da es tatsächlich mit seinem (vielleicht unzeitgemäßen) *Denken* im Einklang steht: Hochhuth glaubt auch in unserer technisierten Zeit noch an die Verantwortlichkeit des einzelnen (die eine gewisse Freiheit voraussetzt) – ein Glaube, der dem traditionellen Drama zugrunde lag, dessen Helden seit jeher hochgestellte Persönlichkeiten, also freie und verantwortliche einzelne, gewesen sind. Nach dem gleichen Prinzip sind auch die eigentlichen »Helden« Hochhuthscher Stücke stets weit über dem »Durchschnittsbürger« stehende Persönlichkeiten, wie Papst Pius, Churchill oder in diesem letzten Stück ein amerikanischer Senator. Und ist es nicht tatsächlich so, daß allein unter solchen Menschen noch (oder vielleicht auch schon immer) eine gewisse individuelle Freiheit und daher Verantwortlichkeit des Handelns gegeben ist? Rückt nicht daher auch Brecht, wo er primär solche Gestalten und ihre Konflikte behandelt (wie etwa im *Galilei*) durchaus in die Nähe der Tragödie?

Hochhuth will jedoch keineswegs nur das Publikum emotional den Untergang seines Helden nachempfinden lassen; vielmehr sucht er auf typisch Brechtsche Weise auch diese Emotionen dem Ziel unterzuordnen, die Notwendigkeit einer Veränderung der Gesellschaft sichtbar zu machen. Im Grunde ist daher auch dieses Stück, trotz der Tragödie seines Helden, ein *episches* Drama: gerade der ständig in Kommentaren und politischen Mutmaßungen erneuerte Bezug auf die unmittelbare geschichtliche Situation des Zuschauers wirkt verfremdend – und dies um so mehr, je weniger wir im einzelnen mit Hochhuths Meinungen zur Zeitgeschichte übereinstimmen mögen. Erkennbar und daher zur Diskussion herausfordernd bleibt stets die Projektion, der Entwurf einer möglichen Zukunft *am Beispiel* dessen, was vielleicht nicht genauso, aber doch *so ähnlich* möglich wäre.

Die Zweiteilung des Stückes aber liefert dem Autor nicht nur die

Begründung für die »Schuld« seines Helden, sondern sie dient auch dazu, trotz des persönlichen Untergangs von Nicolson objektiv die Hoffnung auf das Gelingen der Revolution im Norden aufrechtzuerhalten. In Nicolsons Untergang, der durch seine konspirative Tätigkeit im Süden verursacht wird, besteht seine private Tragödie, die mit der seiner Frau verknüpft ist. Aber seine Revolutionspläne im Norden sind am Schluß nicht verraten; im Gegenteil wählt er den Tod nicht zuletzt deshalb, um ihr Geheimbleiben zu sichern. Auch dies also ist ein Bestandteil seiner Tragödie: daß er um der Bewahrung der Revolution willen sterben *muß*. Und sein Nachfolger, Mason, schweigt zu seinem Tod aus dem gleichen Grunde.

Durch diesen Schluß jedoch bleibt dem Publikum mit Bezug auf das Stück am Ende die Frage: »Wann also geht die Revolution nun los?«, die sich im Brechtschen Sinne bei einigem Nachdenken auf die eigene Wirklichkeit übertragen läßt. Und zwar auch dann, wenn man Hochhuth nicht in allen Einzelheiten seiner Interpretation recht gibt. Daß etliches an unserer bzw. der amerikanischen Gesellschaftsordnung veränderungsbedürftig ist, gibt sogar Eckstein zu. Wie nahezu unmöglich gerade die wichtigsten solcher Veränderungen innerhalb des bestehenden Systems zu erreichen sind, wissen die meisten von uns auch ohne Hochhuth. Wie schwierig sie aber auch auf revolutionärem Wege zu bewerkstelligen wären, daß die einzige Chance dafür in einer Unterwanderung des Systems bestünde und daß dennoch Blutvergießen dabei unvermeidlich wäre – all das stellt Hochhuth mit seinem Stück dar. Damit liefert er, außer einem der interessantesten Stücke der letzten Spielzeit, auch einen wichtigen Beitrag zur Diskussion der sehr aktuellen Frage, was eine Revolution heute in unserer Gesellschaft (durchaus nicht nur der Vereinigten Staaten) bedeuten *könnte* und *sollte*.

Optimisten wie Eckstein mögen allerdings auf ihrer Überzeugung beharren, daß eine positive, befriedigende Veränderung dieser Gesellschaft auch ohne Revolution möglich ist. Aber selbst von einer solchen Möglichkeit wird die Gesellschaft gewiß dann weit eher Gebrauch machen, wenn Gedanken, wie dieser Autor sie in seinem Stück darstellt, schnellste und weiteste Verbreitung finden.

Bisher unveröffentlicht

Die Hebamme

Vorbemerkung

Schon in der »Klassenkampf«-Studie hatte Hochhuth 1965 auf die beschämende Tatsache hingewiesen, daß es im Wohlstandsstaat Bundesrepublik immer noch Elendsquartiere gab. Wie ein *Stern*-Report von Peter Grubbe am 21. Februar 1971 (nach zwei NDR-Sendungen im August zuvor) deutlich machte, hatte sich daran in der Zwischenzeit kaum etwas geändert – ja, die Bedingungen des Lebens, vielmehr Vegetierens in diesen Slums sprachen allem Hohn, was sonst hierzulande als Minimalstandard galt. Grubbes Bericht, der das am Beispiel einer Kieler Baracken»siedlung« belegte, alarmierte Hochhuth aufs neue und veranlaßte ihn, sich wenig später (am 6. März 1971) mit einem Petitionsbrief an den damaligen Kanzler, Willy Brandt, zu wenden[1], in dem nachdrücklich auf den Mißstand (»800 000 Obdachlose in der Bundesrepublik«) aufmerksam gemacht und ein Bundesgesetz zu seiner Beseitigung angeregt wurde. Die Obdachlosen-Gettos müßten aufgelöst und alle Bewohner der »Schlichthäuser« (so das Behördendeutsch) in die übrige Bevölkerung integriert werden – dies durch Verteilung über *alle* Stadtteile und durch Verpflichtung jedes Hausbesitzers bzw. »Besitzers mehrerer Eigentumswohnungen«, mindestens *eine* Slum-Familie aufzunehmen. Den Fehlbetrag zwischen rechtens zu fordernder Miete und dem, was die derart Eingewiesenen faktisch zahlen könnten, sollte der Staat begleichen. Der Bundeskanzler dankte in seinem Antwortschreiben vom 19. April für die »wertvollen Anregungen« Hochhuths, die er an die zuständigen Minister seiner Regierung weitergeleitet habe. Indessen seien deren Wirkungsmöglichkeiten durch die beschränkte Bundeskompetenz leider enge Grenzen gezogen.

Die heftigste Konfrontation fand denn auch auf kommunaler Ebene statt: Hochhuth hatte von Grubbe übernommen, im Kieler Obdachlosenlager gebe es für 193 »Insassen« keine WCs und eine einzige Wasserzapfstelle, und die Stadt Kiel habe in zwölf Jahren nur knapp vier Millionen Mark für sie übrig gehabt. Das sei böswillige Fehlinformation, hieß es nun aber, vielmehr hätten 198 Slum-Bewohner »sechs Zapfstellen«, und zu 3,8 Millionen Mark allein für Investitionen kämen noch »viele Millionen« für sonstige Leistungen: Personalkosten usw. Nicht *Stern* und nicht NDR jedoch waren Beklagte, als Wolfgang Hochheim, Rechtsanwalt und CDU-Fraktionsvorsitzender im Kieler Rathaus, »juristische Schritte« einleitete. Strafanzeige stellte er allein gegen Hochhuth – da dessen Brief nicht nur den Tatbestand der »Verleumdung, üblen Nachrede und Beleidigung« erfülle, sondern auch eine förmliche »Aufforderung zur Mordhetze« enthalte. Wirklich waren dem ergrimmten Polemiker an einer Stelle schwer zu rechtfertigende Formulierungen unterlaufen (»Es ist eine Demütigung für das ganze Menschengeschlecht, daß die Kinder, die in diesen Löchern ihre wertvollsten Jahre verdämmern, nicht wenigstens mehr den Willen aufbringen, wenn sie zwanzig Jahre alt sind, jene Kommunalpolitiker zu ermorden, die sie einst dorthin verbannt haben«). Als positives Resultat der leidigen Affäre bleibt immerhin festzuhalten, daß die Kieler »Schlichthäuser« – auch wohl dank des hilfreichen Umstandes, daß die Stadt an der Förde 1972 Olympiastadt und also extrem skandalscheu war – bald darauf verschwanden (womit das Problem »bundesweit« jedoch keineswegs als gelöst betrachtet werden konnte).

Man übertreibt nicht, wenn man den Hochhuth-Brief von 1971 für die *praktisch* folgenreichste der schriftstellerischen Aktivitäten des Autors zum betrüblichen Thema erklärt. Dessen eigentlich literarische Umsetzung in der *Hebamme,* dem vierten Bühnenwerk Hochhuths, hatte demgegenüber in der Sache allenfalls mittelbare, bestätigende und bestärkende Wirkungen. Anders als in den Fällen *Stellvertreter* und *Soldaten* war hier der große publizistische Effekt voraufgegangen. Das Stück, am 4. Mai 1972 an fünf deutschen Theatern – und am Zürcher Schauspielhaus – zugleich uraufgeführt, zeigt den Verfasser dreier Tragödien erstmals als – sich damit allen schablonisierenden Festlegungen erfolgreich entziehenden – Komödienautor. Den darob Überraschten (das Schubfach »tragischer Problemdramatiker« schien schon fast geschlossen) oder Befremdeten (schließlich war der »Stoff« vom Autor selbst bis dato mit erbittertem Ernst behandelt worden) sagte es Hochhuth mit entwaffnender Unbefangenheit: daß nämlich Sozialpolitik eine viel zu ernste Sache sei, um sie ohne Humor zu betreiben. Der Vorsatz, »sich auch lachend zu engagieren« (Werner Wollenberger[2]), scheint löblich, und gewiß war »der Witz« immer auch eine der »wirksamsten Waffen des Streiters für Wahrheit, Gerechtigkeit und Menschlichkeit«. Dennoch konnte der Übergang zur Komik auch als ein Merkmal der Beschränkung begriffen werden: fort von der welthistorischen Perspektive des *Stellvertreters* und der *Soldaten,* fort auch von der weitausgreifenden revolutionären Geste der *Guerillas.* Dem angestrengt utopischen Modell gesamtgesellschaftlicher Umwälzung folgte die mit Lachen unter die Leute gebrachte Anstiftung zum begrenzten Unfrieden, die im Detail reformieren, nicht das Ganze revolutionieren will. Schon die »mikroskopische« Sicht auf kommunale kleinstädtische Verhältnisse – an Stelle der »Totalen« von Weltmacht-Zentren aus – war bezeichnend. Dieser Blickwechsel entsprach ziemlich genau dem politischen Wandel von den Radikalismen der APO-Jahre zu den »realen Reformen« der Regierung Brandt und ihren »kleinen Schritten« (mit denen es dann, als 1974 die »Macher« in Mode kamen, auch schon wieder vorbei war) – abermaliger Beleg für des Autors ausgeprägte Zeitsensibilität.

Oder hatte Hochhuths Skepsis auch hier schon alle Illusionen hinter sich? Die Berufspolitiker, die, parlamentarisch-demokratisch legitimiert, verpflichtet wären, derlei Reformwerk in die Wege zu leiten – sie bieten in der *Hebamme* allesamt nur das ernüchternde Bild korrupten kleinlichen Bonzen- und Bürokratentums. Sich mit ihnen herumzuschlagen, ja sie zu überlisten, wie es Hochhuths willenskräftige Heldin unternimmt, kann und muß wohl erheitern (da es gelingt) – sie selbst und ihre Machenschaften sind allemal nur komödientauglich. Die »Hebamme«, Oberschwester Sophie, CDU-Stadträtin und Vorsitzende des Sozialausschusses, ist die einzige, die ihren Volksvertreterauftrag ernst nimmt. Ihn zu verwirklichen, muß sie sich jedoch – eine neue, harmlosere Variante der geheimen Saboteure zum edlen Zweck (Gerstein, Nicolson) – ständig an der Grenze der Legalität bewegen, recht oft auch über sie hinaus: »Hält man sich an die Gesetze, verstößt man gegen die Moral. Hält man sich an die Moral, verstößt man gegen die Gesetze.« Auch hier also wieder der Moralismus des entschlossenen Einzelnen, und er allein ist noch imstande, den Weltlauf gelegentlich ein wenig zu korrigieren – mit Glück und mit List: Die reichliche Witwenpension, die Sophie sich an Stelle der seit achtzehn Jahren toten Feldmarschallin von Hossenbach überweisen läßt, dient der Unterstützung der Obdachlosen von »Chicago-Nord«, dem Barackenviertel der hessischen Kleinstadt. Der Einzelne vermag dergleichen aber nur dank seiner Stellung, der Reputation, die er bei den Mächtigen, immerhin, hat, und die er, zum Nutzen der Machtlosen, wahrnimmt: Die »heilige Johanna der Baracken« *(Handelsblatt[3])* ist in der Lage, den Kommunalgewaltigen das Fernsehen auf den Hals

zu schicken – es soll das Slum-Elend filmen –, und als das vom
Oberstadtdirektor mit der lügnerischen Erklärung verhindert wird,
die Schlichthäusler würden sowieso bald umgesiedelt, nimmt sie ihn
mit Raffinesse beim Wort. Am Ende zieht das Getto-Volk tatsächlich
in die den Fernsehleuten präsentierten, in Wahrheit für Bundeswehr-
angehörige vorgesehenen Neubauwohnungen ein. (Hierfür gab es in
der Realität das traurige Negativbeispiel einer – vom Fernsehen auf-
gezeichneten – polizeilichen Räumung derartiger Unterkünfte in Kassel, die nach entsprechender Zusage des Oberbürgermeisters in ähnlicher Weise von dortigen Barackenbewohnern in Besitz genommen
worden waren.)

Der von etlichen Kritikern, vor allem Hellmuth Karasek, erhobene
Einwand, Hochhuth betreibe – wiederum – einen Kult des »starken
Mannes« (»der hier eine starke Frau ist«) oder auch der »charismati-
schen Figur« (Eichholz)[4]), trifft, wie Rainer Taëni zu Recht betont[5]),
dennoch nicht. Einmal tut der »starke« Einzelne nichts, was nur ihn
selbst egoistisch über die anderen erhöbe, sodann motiviert und mobilisiert er die »Masse« der Deklassierten, sobald es sinnvoll erscheint,
zu eigenem Handeln: Die definitive Inbesitznahme der Neubauwohnungen unter Mithilfe der Bundeswehr, schließlich *post festum* legali-
siert, aber auch die spontane Verbrennung der Elendsbaracken, ist *deren* Werk. Hier nun allerdings mußte der Vorwurf des »anarchisti-
schen Aktionismus« fallen, und er hat zweifellos nach allem, was in
den siebziger Jahren geschah, heute besonderes Gewicht. 1972, als das
Stück herauskam, konnte aber, was in der *Hebamme* »aktionistisch«
zu nennen ist, noch durchweg positiv als Vollzug menschlicher Selbstbefreiung erscheinen, die mit den Baracken (im übrigen wertloses
»Gut«) zugleich »symbolisch« das frühere reduzierte Dasein zerstört.

Wie nun fast immer seit den *Soldaten* fuhr die Kritik auch sonst
schweres Geschütz auf – nach strengeren Kunstmaßstäben hatte
Hochhuth ihrer beinahe einhelligen Meinung zufolge wiederum sträf-
lich versagt. Besonders verächtlich war manchen die »Allroundvolks-
tümlichkeit« »im Stile Zuckmayers und Ludwig Thomas« (Eichholz)[6]), die Hauptmann-von-Köpenick-Nähe. Indessen mußte just
diese Effekt machen bei einem Publikum, das sich nach »Absurdis-
mus« und hoher Abstraktion theatralisch einigermaßen ausgedörrt
fühlte. Sie »transportierte« auch die politische »Botschaft« auf eine
ungleich geschicktere, routiniertere Weise als viele ähnliche Versuche,
volksstückhaft agitierend über die Rampe zu kommen. Die *Hebamme*
wurde das nach dem *Stellvertreter* meistgespielte Stück Hochhuths, das
meistaufgeführte der bundesdeutschen Theatersaison 1972/73. Die

damit erfolgte mehrhundertfache anschauliche Demonstration der Zille-Einsicht: »Man kann einen Menschen mit der Wohnung erschlagen wie mit einer Axt«, hatte unzweifelhaft allein schon eine Breitenwirkung zur Folge, der – selbst wo, wie meist, weiterreichende Analyse unterblieb – grundsätzlich politischer Charakter nicht abzusprechen ist.

Rolf Hochhuths Komödie *Die Hebamme* war das meistgespielte
Schauspiel auf bundesdeutschen Bühnen in der Spielzeit 1972/73.
Fast eine Viertelmillion Besucher sahen das Stück in vierhundertsieb-
zehn Aufführungen. Häufiger gespielt wurde nur eine Operette: Lé-
hars *Lustige Witwe*, die in deutschen Singhäusern vierhundertzwei-
undvierzigmal ertönte. Hochhuths publikumswirksame *Hebamme*
handelt von der Not in einem Obdachlosenasyl. Dem Stück voran
steht ein Spruch von Heinrich Zille: »Man kann einen Menschen mit
seiner Wohnung erschlagen wie mit einer Axt.«

Stern, Hamburg,
29. November 1973

Hochhuth ist der herausragende Polit-Dramatiker unserer Zeit. Er ist
es auch in seiner Komödie *Die Hebamme,* in der er beweist, daß ein
deutscher Dramatiker nicht unbedingt auch ein humorloser Stückeschreiber zu sein hat, daß man sich auch lachend engagieren kann und
daß der Witz zu den wirksamsten Waffen des Streiters für Wahrheit,
Gerechtigkeit und Menschlichkeit gehört.

Werner Wollenberger

ROLF HOCHHUTH

Brief an Bundeskanzler Willy Brandt

Riehen – Basel, am 6. März 1971

Sehr verehrter Herr Bundeskanzler,
darf ich Ihnen ... eine Petition für die Getto-Insassen und Obdachlosen in der Bundesrepublik übergeben. Es geht mir um die Skizzierung
eines Weges, auf dem diese mindestens achthunderttausend Parias zu
Mitbürgern hinaufklassifiziert werden könnten. Da ich seit Jahren
Material über unsere Slum-Bewohner sammle, habe ich schon 1965 in
jenem Aufsatz: *Der Klassenkampf ist nicht zu Ende,* den auch Sie damals kommentiert haben, über Gettos geschrieben – die noch heute
existieren: der *Spiegel* hat im vorigen Jahr (Heft 40) einen sehr bedeutenden, äußerst detailreichen Report: *Hier wurde die Marktwirtschaft
zum Fluch* publiziert, der keiner Ergänzung bedarf ...

182

Aus allen Berichten geht hervor, was ich auch ... im Münchner Stadtteil Hasenbergl-Nord beobachtet habe und was mir der Münchner Stadtdezernent für Obdachlose bestätigt hat: die sogenannte Resozialisierung der Getto-Insassen hängt nicht oder kaum von einer architektonischen Umwandlung der Slums in – äußerlich gesehen – normale Mietskasernen ab, wie es zum Beispiel in München weitestgehend bereits geschehen ist. Sondern sie hängt ab von der Planierung der Lager und der Streuung der bisher in Gettos »wohnenden« Familien in *ausnahmslos alle* Stadtteile ... und es wird sich herausstellen, daß der Getto-Mensch, dem bisher das Verdikt anklebte, weder »wohnungswürdig« noch »eingliederungsfähig« zu sein, sehr bald, wenn er erst einmal in der gleichen Straße wohnen und seine Kinder spielen lassen darf, in der auch Ärzte und Bankangestellte wohnen und ihre Kinder spielen lassen: daß *dann* der »Asoziale« samt seinen Kindern von der Familie des Rechtsanwalts Schulze nur mehr dadurch zu unterscheiden ist, daß er einen kleineren oder gar keinen Wagen parkt. Oder daß er die Heizung bedient und die Straße kehrt.

Die meisten Stadtverwaltungen ... geben noch heute ihr Geld dafür aus, Gettos baulich zu verbessern: das heißt, sie ihren Bewohnern erträglicher zu machen – und dies wiederum bedeutet: die Insassen – nicht zufällig dasselbe Wort, das man denen im Gefängnis anhängt –, die Insassen an diese Asyle oder »Schlichthäuser« zu *gewöhnen!* Ist das erreicht – und das wird erschreckend rasch erreicht –, ist die Deklassierung verewigt. Ein schauerliches Bild erklärt dieses Umgebungsblindsein am deutlichsten: Wo die ganze Umgebung und alle Mitlebenden riechen, riecht auch der einzelne nicht mehr, daß er sich nicht gewaschen hat. Mit dem Schwinden dieses Geruchssinns – schwinden sämtliche anderen Lebensinstinkte, soweit sie tauglich sind zur Selbstbefreiung aus der Barackenwelt. Was das Waschen betrifft: in Kiel »besitzen« 193 Menschen, denen heute noch Eimerklos zugemutet werden, eine einzige Wasserzapfstelle. Sechzig Prozent dieser Menschen sind Kinder. Die Stadt Kiel hat in zwölf Jahren insgesamt knapp vier Millionen Mark für Obdachlose ausgegeben; jetzt zahlt sie auf einem Brett sieben Millionen als ihren Anteil für den siebzig Millionen Mark kostenden Olympiahafen Schilksee. Sehr bald genügt der Mehrzahl der Deklassierten, daß sie eine »heile« Welt wenigstens als Zaungast ansehen darf, um ihre eigene zu vergessen: die des Fernsehens. Die Kinder der in Gettos Abgeschobenen sind zwar immerhin Gott sei Dank noch aggressiv – doch findet ihre Rebellionskraft schon keine vernünftigen Ziele mehr: Sie werden – bestenfalls noch – zu Schlägern, anstatt Revolutionäre zu werden. Es ist eine Demütigung für das ganze Menschengeschlecht, daß die Kinder, die in diesen Löchern ihre wertvollsten Jahre verdämmern, nicht wenigstens mehr den Willen aufbringen, wenn sie zwanzig Jahre alt sind, jene Kommunalpolitiker zu ermorden, die sie einst dorthin verbannt haben.

Sie kennen diese Studien auch, verehrter Herr Bundeskanzler. So beschränke ich mich auf den Vortrag meiner Idee, wie allein diese Müllrand-Bewohner unserer Städte nach meiner Auffassung zu uns Durchschnittsbürgern heraufgeholt werden könnten:

1. Es ist zu ermitteln, wie vielen Getto-Bewohnern, seßhaften und anderen, wie viele Hausbesitzer gegenüberstehen, die außer ihrer eigenen Wohnung weitere besitzen und vermieten.

2. Nach Zahl der Getto-Insassen richtet sich die Zahl der Mietwohnungen, die – unabhängig davon, in welchem Stadtteil sie stehen – an ehemalige Getto-Insassen vermietet werden *müssen*.

3. In keinem Haus oder Wohnblock darf mehr als *eine* ehemalige Getto-Familie künftig noch wohnen: Dies ist die entscheidende Voraussetzung zur Integrierung der Slum-Bewohner.

4. Um nicht eine andere Bevölkerungsschicht in ihren Rechten zu beschränken, erhalten die Hausbesitzer vom Staat, der damit das Geld für viele seiner Sozialpfleger und für die »Erhaltung« der beseitigten Slums einspart, die volle Entschädigung für jenen Differenzbetrag, der zwischen der Normalmiete und jener meist geringeren liegt, die jetzt die ehemalige Slum-Familie an ihn zahlen kann. Direkt oder durch Steuerermäßigung …

5. Damit es »negerfreie« Stadtteile oder Mietshäuser überhaupt nicht länger mehr gibt, ist es zu verbieten, daß Hausbesitzer oder die Besitzer mehrerer Eigentumswohnungen die gesetzliche Auflage, *eine* Slum-Familie aufzunehmen, Staat oder Gemeinden abkaufen können …

Sehr verehrter Herr Bundeskanzler, ungefähr kenne ich die vielen Hilfsmaßnahmen, die Bund, Länder und Gemeinden in Form von Mietzuschüssen, steuerlich begünstigten Baudarlehen usw. längst ergriffen haben, um den sozial Verunglückten zu Wohnraum zu verhelfen. Hier aber geht es um ein neu zu erlassendes Bundesgesetz – denn alle bisherigen Maßnahmen haben ja die Bundesrepublik, wie Zahlen bestätigen, *keinen Schritt* weitergebracht in der Beseitigung der Slums, weil stärker als die Bevölkerungszahl die Zahl der Slum-Bewohner wuchs … Es ist belegt, daß nur null Komma fünf Prozent der Slum-Bewohner in einem Maß süchtig oder kriminell sind, das ihr normales Zusammenleben mit den üblichen Städte- oder Dörferbewohnern nicht mehr erhoffen läßt …

Die Rückführung von mindestens achthunderttausend Mitbürgern in ein Leben, das diese Bezeichnung verdient, ist auf einem anderen Weg als dem hier skizzierten bisher jedenfalls nicht erreicht worden. Das mag rechtfertigen, Ihnen *diesen* Vorschlag zu unterbreiten.

Rolf Hochhuth

Ich begrüße es sehr, daß Sie sich dieses wichtigen Themas angenommen haben. Wie Sie richtig bemerken, sind bisher alle Versuche fehlgeschlagen, die Probleme der Obdachlosen zufriedenstellend zu lösen. Auch für die Zukunft sehe ich große Schwierigkeiten, zumal die Einwirkungsmöglichkeiten für den Bund geringer sind (keine Gesetzgebungskompetenz).

Damit Ihre wertvollen Anregungen nutzbringend für die Überlegungen der Bundesregierung berücksichtigt werden können, habe ich sie an die zuständigen Bundesminister weitergeleitet.

Aus der Antwort des Bundeskanzlers,
19. April 1971

HAYO MATTHIESEN

Das Elend, Hochhuth und die CDU

Rolf Hochhuth ist ein Geschichtsfälscher. Einige mißtrauten dem auf eigenwillige Weise engagierten Linken ja schon immer. Hat er doch bereits Gottes *Stellvertreter* Pius XII. und den großen britischen Premier Winston Churchill über seinen literarischen Leisten geschlagen. War das immerhin noch schriftstellerische Absicht, so hat er jetzt die Wahrheit gebeugt zum Zwecke der Agitation. Und dem Kieler Rechtsanwalt Wolfgang Hochheim, dem Vorsitzenden der CDU-Fraktion im Kieler Rathaus, gebührt die Ehre, die schändliche Tat aufgedeckt zu haben.

Hochhuth hat verbreitet: »In Kiel ›besitzen‹ 193 Menschen, denen heute noch Eimerklos zugemutet werden, eine einzige Wasserzapfstelle.« Und: »Die Stadt Kiel hat in zwölf Jahren insgesamt knapp vier Millionen Mark für Obdachlose ausgegeben.« – »Das ist falsch«, sagt Herr Hochheim; richtig ist: »Es gibt kein Obdachlosenlager in Kiel mit nur einem Wasseranschluß.« Und: Die von der Stadt aufgewandten Mittel übersteigen »den von Hochhuth behaupteten Betrag um viele Millionen«.

Hochheim hat recht. In einem Kieler Lager haben 198 Insassen sechs Zapfstellen, in einem anderen »besitzen« 185 Personen sieben.

Auch mit den vier Millionen stimmt es nicht. Zwar: Kiel hat exakt 3,8 Millionen in zwölf Jahren ausgegeben, aber nur für Investitionen. Hinzu kommen noch »viele Millionen« für Unterhaltung, Zinsendienst, Personalkosten. Wie viele es sind, weiß man in Kiel nicht ganz genau – was soll es auch: Hochhuth, der Literat, der mit dem Wort umgeht, hat mit dem Wort geschlampt, mit dem einen Wort »Investitionen«.

Weil es um die Wahrheit geht, muß gesagt werden: Was Hochhuth verbreitete, hat er abgeschrieben. Es stand im *Stern*-Bericht (Nummer 9 vom 21. Februar des Jahres) über das Kieler »Getto der traurigen Kinder«: »Für 193 Menschen gibt es gleich neben den Eimerklosetts eine einzige Wasserzapfstelle.« Und: »Zwischen 1958 und 1970 hat die Stadt für die Betreuung ihrer Obdachlosen . . . 3,8 Millionen Mark verbraucht.«

Was Hochhuth zitierte, war also nicht neu. Bereits am 9. August letzten Jahres hatte der *Stern*-Autor Peter Grubbe das Kieler Elend in zwei NDR-Sendungen angeprangert. Damals rührte sich in Kiel nichts. Als dann der *Stern* erschien, rührte sich ebenfalls nichts. Als am 26. Juli Hochhuths Vorwürfe im *Spiegel* zu lesen waren, rührte sich wiederum nichts. Erst am 17. August las Hochheim das Ungeheuerliche: die Geschichtsklitterung und – eine Aufforderung zum Mord.

Hochhuth: »Die Kinder der in Gettos Abgeschobenen . . . werden bestenfalls noch zu Schlägern, statt Revolutionäre zu werden. Es ist eine Demütigung für das ganze Menschengeschlecht, daß die Kinder, die in diesen Löchern ihre wertvollsten Jahre verdämmern, nicht wenigstens mehr den Willen aufbringen, wenn sie zwanzig Jahre alt sind, jene Kommunalpolitiker zu ermorden, die sie einst dorthin verbannt haben.«

An dieser Stelle des Hochhuth-Elaborats ging Hochheim, das kann man verstehen, der Hut hoch. Er und seine Fraktion wollen Rolf Hochhuth wegen »Volksverhetzung, Verleumdung, übler Nachrede und Beleidigung« verklagen. Der Ruf der Olympiastadt und die tiefe Sorge um Leib und Leben trieben Herrn Hochheim so an, daß er sich nicht erst mit der SPD absprach, die im Kieler Rathaus mit absoluter Mehrheit die politische Verantwortung trägt. Er schritt gleich zur Tat und diktierte »sofort« eine Strafanzeige.

Es geht Hochheim auch um die Ehre der CDU. Setzte er doch mit seiner Tat ein deutliches Zeichen, denn immerhin stellt die CDU seit Jahren in Kiel den ehrenamtlichen Dezernenten für Obdachlose.

Daß es Rolf Hochhuth auch bei seiner ziemlich törichten Formulierung um die Elenden ging, sollte Wolfgang Hochheim für immerhin möglich halten. Hochhuths »Fälschungen« stehen in einem Bundeskanzler Brandt überreichten Brief, den der Schriftsteller als »Petition für die Getto-Insassen und Obdachlosen« versteht. Hochhuths Vorschlag: Alle Lagerfamilien werden in Wohnblocks eingewiesen; die Hausbesitzer erhalten eine staatliche Entschädigung für die niedrigere Miete, die Slumbewohner entrichten können.

Der Kanzler »begrüßte es sehr, daß Sie sich dieses wichtigen Themas angenommen haben«; der Kieler Rechtsanwalt erkannte den Brief dagegen als eine »gewichtige Aufforderung zur Mordhetze«.

Wer freilich meint, Hochheim und die Kieler CDU wollten in der vorolympischen Zeit, wo alle Welt nach Kiel blickt, mit dem Elend um politisches Prestige pokern, der sei darauf hingewiesen: Wolfgang Hochheim gehört einer Partei an, deren »C« ihre Mitglieder verpflichtet, den Nächsten zu lieben – gerade auch denjenigen im Lager. Rolf Hochhuth mag sich an den Untertitel seines *Stellvertreters* erinnert fühlen: »Ein christliches Trauerspiel.«

Die Zeit, Hamburg,
27. August 1971

Daß Rolf Hochhuth nicht zimperlich ist und Verleumdungsprozesse nicht fürchtet, weiß man. Ob der Kasseler Bundestagsabgeordnete und Bundesgeschäftsführer der SPD, Holger Börner, den Hochhuth in der *Hebamme* einen Arbeiterverräter nennt, sich verleumdet fühlt, weiß man noch nicht. Seine Ehre vorbeugend zu verteidigen, hat sich indes die Fördergesellschaft des Kasseler Staatstheaters verpflichtet gefühlt. Einen Tag vor der Premiere der *Hebamme* in Kassel, zog er die zugesagte Spende von 10 000 Mark für die Aufführung zurück. Daran verblüfft eigentlich nur die Geschwindigkeit, mit der sich der Inhalt des Stückes und besagte Textstelle bis zu den Mitgliedern der Fördergesellschaft offenbar durchgesprochen hat. Der Text ist ja erst ein halbes Jahr auf dem Buchmarkt. Wer will es also der Fördergesellschaft verdenken, daß sie vor Wochen, als sie die Spende zusagte, noch ahnungslos war? Oder war sie gar nicht ahnungslos? Erhoffte sie, sich womöglich mit der Spende das Wohlverhalten des Theaters, sprich die Streichung der inkriminierten Textstelle zu erkaufen? Dann allerdings war es notwendig, die Generalprobe abzuwarten. Die Fördergesellschaft tat es, hörte den ungeschmälerten Hochhuth-Text und schritt erbost zur Tat. Irgendwo in der Satzung der Gesellschaft steht, daß sie keinen Einfluß auf künstlerische Entscheidungen nehmen wolle. Formell hat sie ja auch keinen Einfluß genommen. Es ist eben Sache des Intendanten, zu ahnen, was seinen Gönnern genehm oder nicht genehm ist, und sich danach gefälligst und in aller Freiheit zu richten.

Hessische Allgemeine,
8. Mai 1972

MANFRED LEIER

Doppelleben einer Hebamme

Ein Musikzug der Bundeswehr trommelt, pfeift und schlägt die Pauken für den deutschen Schriftsteller Rolf Hochhuth. Wenn in den Münchner Kammerspielen am Freitag der Vorhang aufgeht, ist das Musikkorps Neubiberg auf der Bühne aufgezogen und spielt den Yorckschen Marsch. Die Soldaten musizieren für eine gute Sache: Hochhuth, 42, schrieb über – so die Amtssprache – »Problemfamilien« ...

Sein neues Schauspiel handelt von der Not der Bürger in jenen Siedlungen, die amtlich besorgte Stadtväter eigens für ihre Ärmsten einrichten – wo die Ausquartierten für immer von der bürgerlichen Gesellschaft abgeschlossen werden. Denn wer in Notquartieren seßhaft ist – in Armenvierteln wie »Julienlust« in Kiel oder im »Hasenbergl« in München –, hat beruflich kaum noch eine Chance. Die Adresse diskriminiert. Ein Thema für eine »Komödie«?

Hochhuth ist überzeugt, daß »der einzelne die Macht hat, gegen gesellschaftliche Zustände anzugehen und sie zu verändern, wenn er nur die Courage dazu hat«. So wird Schwester Sophie zum Engel der »Schlichthäuser«. Sie wiegelt die »Barackler« auf, ihre Elendsquartiere in Trümmer zu legen. Die korrupten Kommunalpolitiker sollen dadurch gezwungen werden, menschenwürdige Wohnungen bereitzustellen. Ein mittelgroßer Hund hat Anspruch, so ein hessischer Ministerialerlaß, auf eine sechs Quadratmeter große Hütte. Und die Menschen in den Slums?

Sophies Brandreden haben Erfolg: Das Lager geht in Flammen auf, und die Bewohner besetzen heimlich leere Mietshäuser, die für Familien von Bundeswehroffizieren gebaut worden sind. Das Ende: Die »Barackler« dürfen in den sauberen Neubauten bleiben.

Sophie aber muß sich vor Gericht verantworten. Der Richter hat Verständnis für ihre Tat, doch nach dem Gesetz müßte er die alte Dame verurteilen. Zumal die Hebamme ein Doppelleben geführt hat. Sie bezog die Pension einer längst verstorbenen Generalswitwe namens Emilie von Hossenbach und verteilte allerdings das Geld an notleidende Familien. Daß Schwester Sophie gleichzeitig CDU-Abgeordnete und Alterspräsidentin im Wilhelmsthaler Stadtrat ist, entbehrt nicht der Komik. Ausgerechnet die CDU hat die fortschrittliche Sozialhelferin in ihren Reihen, freilich: »Die CDU hat immer noch 'nen linken Flügel. Die SPD nur 'ne linke Vergangenheit« (Hochhuth).

Das neue Hochhuth-Schauspiel schien deutschen Theatern so bedeutsam, daß fünfzehn Bühnen das Stück annahmen. Die Uraufführung findet jetzt gleichzeitig an sechs Häusern statt: in München, Kassel, Wiesbaden, Essen und Göttingen. Auch das eher konservative Zürcher Schauspielhaus spielt mit. Für Hochhuth also ein neuer spektakulärer Erfolg.

Tatsächlich hat Hochhuth seine Komödie schon lange vor der Premiere publizistisch vorbereitet. In einem Brief an Willy Brandt forderte er vor Jahresfrist, alle Slums aufzulösen ...

Ein erster Erfolg war der *Hebamme* und den Schmähreden ihres Autors schon beschieden: Bis zur Olympiade werden in Kiel alle »Schlichthäuser« abgerissen. Die Bewohner können in Neubauwohnungen umsiedeln. Ausländischen Olympiabesuchern will man den Anblick der Slums nicht zumuten.

Stern, Hamburg,
7. Mai 1972

FRANZ XAVER KROETZ

Ästhetik raus – Politik rein

Die Geschichte ist flach, deshalb handelt es sich auch nicht um eine Komödie, sondern um einen Schwank. Das ist kein Nachteil.

Eine Gemeindeschwester hat begriffen, daß unsere Gesetze ungerecht sind, und daß man sie deshalb unterlaufen muß, wenn man für die Armen etwas tun will. Sie tut es am laufenden Band und erreicht damit, daß eine Obdachlosensiedlung verschwindet, daß die Obdachlosen nach einer Hausbesetzung in diesen Wohnungen bleiben dürfen.

189

mel auf, vermutlich, um dort ihre guten Werke fortzusetzen. Ende.

Um die Geschichte herum: Böse Politiker, denen Geld lieber ist als Ehre, ein Trottel von der Bundeswehr, ein durchtriebenes und ein blödes Pfäfflein und Geschäftsleute.

Mit diesem Hintergrund könnte die *Hebamme* auch noch etwas anderes sagen wollen: Die Demokratie ist eine Staatsform, in der man bis zum Verrecken arbeiten muß – und mit allen Mitteln –, will man etwas Gutes tun.

Und da es solche Menschen sowieso nicht gibt, ist diese Gemeindeschwester gleich von Hochhuth als Engel angelegt. Das ermöglicht dann die reibungslose Himmelfahrt.

Und da liegt der Haken: Jeder Zuschauer wird sich gern auf der Bühne mit einem Engel identifizieren, denn das ist mühelos und unverbindlich.

Deshalb konnte Hochhuth auch diesmal wieder mit mehrfachen Uraufführungen am gleichen Tag in die deutschen Spielpläne einsteigen. Was wäre denn gewesen, wenn diese Gemeindeschwester kein Engel, sondern bloß eine Kommunistin gewesen wäre? Dann wäre einiges gewesen, aber bestimmt nicht fünf Uraufführungen (München, Essen, Bochum, Göttingen und Zürich).

Die Gerechtigkeit an einzelne delegieren, die zu gut sind, als daß es wahr wäre. das ist doch einer der wichtigsten Tricks unserer Herrn Unternehmer, den Arbeitern die Butter vom Brot zu klauen. Und zwar seit langer Zeit.

Wenn der Rolf Hochhuth gemeint hat, diese Sache müsse kritisiert werden, dann hätte er es gefälligst tun müssen, aber nicht mit einer Hebamme, die andauernd die Bastarde der Nächstenliebe entbindet, sondern mit einer gewerkschaftlich organisierten Arbeiterin, die den mit Unternehmeralete aufgepäppelten Caritasbalgen den Hals umdreht.

Dann hätte man sich nämlich weniger gern mit der Hauptperson identifiziert, weil es dann anstrengend wird, aber der Zuschauer hätte etwas davon gehabt.

Hochhuth ist über seine eigene Intelligenz gefallen, sein großes Schreibtalent hat seinen politischen Verstand ruiniert.

In der Münchner Aufführung blieb es dem Regisseur überlassen, jetzt und vor der Ratifizierung der Verträge ganz dumme Politkalauer nicht zu streichen, wie etwa diesen: Die CDU hat wenigstens noch einen linken Flügel, die SPD bloß eine linke Vergangenheit.

Hier muß die Kritik umkippen und auf die Leistung des Stückes hinweisen. Die wichtigste Entwicklung des westdeutschen Theaters seit dem Zweiten Weltkrieg hat es kraftvoll unterstützt: Runter mit der Ästhetik und runter mit den Ästheten vom Theater. Für Akrobatik im luftleeren Raum der Kunst sind die Theater zu hoch subventioniert. Die Großen der Theaterkunst mögen sich in Zukunft selbst finanzieren und den Geldbeutel der Werktätigen in Ruhe lassen, die sowieso nicht ins Theater dürfen. Subventionen sind – und das kann man gar nicht oft genug sagen – Steuern! Und wer zahlt letzten Endes bei weitem am meisten ins Steuersäckel? Die, die die meisten sind: die Werktätigen. Für zehn Millionen von uns beginnt jeden Morgen, wenn um sechs Uhr der Wecker klingelt, das 19. Jahrhundert. Jeden Abend, wenn um zwanzig Uhr der Vorhang aufgeht, beginnt für ein paar Tausend des 20. Jahrhunderts eine teure Leichenschau.

Gegen diesen Zustand etwas zu tun, ist die *Hebamme* ein kleiner Schritt.

Das genügt und mehr ist darüber nicht zu sagen.

Konkret, Hamburg,
18. Mai 1972

HANS SCHWAB-FEHLISCH

Hochhuths Ansturm gegen die Korruption

Der progressiv-konservative, christlich-liberale und sozialradikale Empörer und Moralist Hochhuth hat wieder einmal zugeschlagen. Mit dem Yorkschen Marsch von Beethoven will er, wie weiland die Posaunen von Jericho, die Mauern unserer Hartherzigkeit und Indifferenz zum Einsturz bringen, die es zulassen, daß noch immer Hunderttausende von Obdachlosen nicht nur unter uns hausen, sondern obendrein deswegen sozial diffamiert werden. Mit Kalauern, Zitaten absurder Gesetze, Ausflügen in die Sozialgeschichte unserer, der zweiten deutschen Republik, mit der Gegenüberstellung programmatischer Partei-Erklärungen und dem, was aus ihnen geworden ist, rennt er beherzt, ein Don Quijote des Gewissens, gegen Korruption und die Eine-Hand-wäscht-die-andere-Philosophie an. Mit der Bitterkeit eines zur Karikatur entschlossenen Humors, in den sich nur retten kann, wer von einem heiligen, ernsten Zorn ergriffen ist, liest er uns allen die Leviten. Er will uns aufrütteln, unsere Selbstgerechtigkeit erschüttern. Er stürmt an wider die Trägheit des Herzens.

Aber gelingt ihm das? Nach der Essener Premiere konnte, wer sich da umhörte, ganz andere Meinungen vernehmen. Das sei faschistoid, so raunte es, oder: Dieser Mann will die Demokratie zerstören, man solle dem Hochhuth das Schreiben verbieten. Ihr seid mir schöne Demokraten, möchte man hinzufügen. Freilich rückt Hochhuth der Korruption, der Verschleierung, der sozialen Ungerechtigkeit, der Lüge, der Scheinheiligkeit, dem Widerspruch von Recht und Gerechtigkeit unbedenklich zu Leibe. Aber er tut es mit den Mitteln des Satirikers, nicht des Realisten. Er verwendet die alten Tricks des Kabaretts. Er denunziert Einzelheiten, um das Ganze zu treffen. Er setzt das mit der Währungsreform abgewertete Sparbuch einer Kriegerwaise in Beziehung zur Rente des Feldmarschalls Schörner oder eines obersten Richters, der Bluturteile aus dem Dritten Reich auf dem Gewissen hat. Aber er sagt auch: »Wo Demokratie nicht mehr Kampf ist, ist sie Korruption.« Sollte man dies und anderes tatsächlich in den falschen Hals kriegen? Sollte daran unsere Demokratie ins Wanken geraten? Dann wäre es in der Tat nicht gut um sie bestellt. Sie wird diesen Hochhuth verdauen können. Freilich wird er auch Beifall von der falschen Seite einheimsen . . .

Die Komödie hat viele Qualitäten, Hochhuth versteht es, Situationen zu schaffen, er ist Herr der von ihm gestifteten Verwicklungen. Er hat saftige Rollen geschrieben und, ganz gewiß nicht zu Unrecht, manches in unser Bewußtsein gehoben, was wir allzu leicht verdrängen. Das Stück hat aber auch unübersehbare Schwächen. Zuerst muß allzuviel erklärt und dargelegt werden, was sich nicht unmittelbar und zwingend aus der Situation erschließen läßt. Es ist redselig, wie alle anderen Hochhuth-Stücke, diesmal oft bis zur Unerträglichkeit. Es arbeitet mit vielen billigen Witzen, Kalauern und Pointen. Und manchmal hat man den Eindruck, daß Hochhuth so stolz darauf ist, den Schiebern, Spekulanten und Parteifunktionären hinter die Schliche gekommen zu sein, daß er nichts mehr von dem unterdrücken kann, was er nach langwierigen Detailrecherchen erfahren hat. Das Stück ist bieder in seiner Dramaturgie und von jener sprachlichen Anspruchslosigkeit, die bei Hochhuth immer wieder verwirrt. Dennoch bleibt viel an ihm zu loben, wenn man es in die Dimensionen des legitimen Volksstücks rückt.

Frankfurter Allgemeine Zeitung,
6. Mai 1972

HELLMUTH KARASEK

In Hochhuths Kreißsaal

Was passierte, wenn Schiller und Goethe Humor, satirischen zumal, entwickelten, hat unter anderen Karl Kraus beschrieben, als er die Xenien analysiert und – wer kann's ihm verdenken? – sie ganz und gar nicht komisch fand. Wenn Rolf Hochhuth und der Humor zusammenstoßen, dann gibt das einen dumpfen Knall, der die *Hebamme* heißt. An Schiller muß man dabei nur insofern denken, als der *Stellvertreter*-Autor in seinen bisherigen Stücken eher ein verspäteter Pathetiker (allerdings nicht aus idealistischer Wahrheitssuche, sondern aus provinzieller Rechthaberei) war, einer, der vom Papst über Churchill zum CIA alles in seine Schranken forderte, bis die Funken stoben. Die deutsche Provinz donnerte Moral, die Welt horchte auf. Nun soll gelacht werden dürfen, denn Hochhuth hat eine Komödie geschrieben.

Nur: Hochhuth hat zum Humor ein ähnlich inniges Verhältnis wie ein Seehund zur Sahara. Wie sollte auch in einer antiseptisch-unerotischen Welt Humor gedeihen, wie sollte denunziatorischer Eifer, den Mißstände nur zu finsteren Personalisierungen anregen, zur Satire fähig sein? Was herauskommt, ist Stammtischmuff, der sich über Dialekte ganz köstlich amüsiert, sind politische Kalauer, die hämisch wären, wenn sie nicht in Biederkeit versackten, ist ein Witz, der an seiner Langatmigkeit zugrunde ginge, wenn er überhaupt entstehen könnte. Denn Hochhuth ist ein Zettelkastenstratege, der jeden Spaß, den er sich leistet, mit Beispielen aus der Welt- und Zeitgeschichte belegt, ein Witzarchivar, der seine Komik mit unfreiwilligem Humor erschlägt.

Beispiele? Bitte sehr. Wenn seine Heldin, die Asylbewohner in einer hessischen Kleinstadt dazu bewegen will, ihre Baracken doch einfach niederzubrennen, um in eine neue Bundeswehrsiedlung zu ziehen, feststellt, daß viele dabei feige zögern, folgt bei Hochhuth die folgende Regiebemerkung: »Die Zahl der Feiglinge ist lähmend. Sophie muß sich beherrschen, sie verspürt jenen Ekel, der einen König zu dem Seufzer gebracht haben soll: ›Ich bin es müde, über Sklaven zu herrschen‹ – er hatte vergessen, daß er es war, der die Sklaverei aufrechterhielt. Sophie denkt wie Sachsens letzter König, als ihm die Dresdner während der Weimarer Republik zujubelten: ›Ihr seid mir scheene Rebbubligahner!‹« Ein Autor, der seine Karteikarten wie ein bildungsbeflissener Pfau spreizt – das ist schon zum Verzweifeln komisch.

Die gravitätischen Szenenkommentare, die uns selbst mit Hochhuths Meinung über die Redensart »Wer sich verteidigt, klagt sich an« belehren (er findet sie unzutreffend), mögen ebenso eine Randerscheinung sein wie die Namen der Komödie, die einen Militär, damit man sich vor Lachen kringelt, Traugott Senkblei nennen und einen Staatsanwalt Maise, einen katholischen Geistlichen Rosentreter, na und so weiter bis zum Bauführer Schnüffel – sie spiegeln den Geist dieser unsäglichen Komödie doch recht treffend wider, deren politische Späße das Kaliber haben, daß der soziale Engel und Held des Stücks, befragt, warum er bei der CDU sei, antwortet, die habe doch wenigstens einen linken Flügel, während die SPD nur eine linke Vergangenheit habe. Wer ein politisches Stück über Wohnungsnot, Mietwucher, Bauskandale schreibt und dabei der CDU einen linken Flügel schmeichelnd anwitzelt, der hat mindestens über seinen Zettelkastenspielen die Vorfälle bei der Mieterschutzgesetzgebung verschlafen.

Aber auch als Ganzes hat das Stück die Tiefe einer Bierpfütze auf einem Stammtisch. Denn die Hebamme, die da Gesetze bricht und ein betrügerisches Doppelleben führt, um selbstlos nur den Armen zu helfen, ist – ich sage das mit allem Bedacht und nach sorgfältiger Überlegung – von einem Geist getragen, der, unfreiwillig, arg in die Nähe des Faschismus gerät. Demokraten sind korrupte, bestechliche Schwachköpfe, daher muß die resolute alte Schwester Sophie ran, sie krempelt die Ärmel hoch, bucht dem protestantischen Pfarrer sein Geld kühn für ein Altersheim um (der wollte ja bloß eine überflüssige Kirche damit bauen) und bezieht die Pension einer verstorbenen Generalfeldmarschallin (dafür kommt das Geld ja restlos den Armen zu). Hat Hochhuth denn nicht gemerkt, wohin ihm sein lahmer Hase läuft, wenn er Gerichte lächerlich macht und die Parteienvertreter nur als korrupte Schwätzer darstellt, wenn Hilfe nur von einem einzelnen zu erwarten ist, der bestimmt, wann Brandstiftung zum Guten führt, und der der Lacher im Publikum sicher sein darf, wenn er die Feuerwehr in den Graben karriolen läßt, nachdem er Sicherheitslampen von einer Baustelle entfernt hat, weil es ja einem guten Zweck dient und weil Dramatiker es in der Hand haben, daß Feuerwehrleute sich dabei eben bloß mal den Arm brechen?

Und haben das die deutschen Theater nicht bemerkt, die einen Uraufführungs-*run* auf dieses Stück veranstaltet haben (fünfe an der Zahl) und die dem »Schlager der Saison« noch im reichlichen Dutzend mit einem sicheren schenkelschlagenden Publikum hinterherhinken werden? Und wenn sie den politischen Mief dieses sich progressiv gebärdenden Stücks schon nicht rochen, nicht riechen wollten, haben sie dann nicht mitgekriegt, daß ihnen Hochhuths *Hebamme* alle Klischeebarbareien einer auf den Hund gekommenen Rührstück- und Komödiendramaturgie zumutet? Um eine Heldin zu rechtfertigen, gibt man ihr in einer letzten Gerichtsszene einmal eine johlende Volksmenge bei, die es komisch findet, wenn ein Staatsanwalt nach einer ordentlichen Verhandlung verlangt. Und wenn das nicht genügt, hat sie auch noch ein tödliches Herzleiden, hält aber tapfer durch und lehnt den Arzt ab, bis sie für die Ärmsten endlich gesiegt hat.

Schlimmer trieb es die Ufa nicht einmal in *Kolberg*. Und wer als Intendant oder Dramaturg darüber lachen muß, daß ein bayerischer Bankdirektor bei der Jagd Bier trinkt, oder darüber (typischer Subalternenhumor), wenn hohe Stadtväter vor einem Kreißsaal von einem Arzt (»Hier geht es um Leben und Tod«) sich wie Schulbuben zusammenschnauzen lassen, der sollte künftig das Ohnsorg-Theater um seine Stücke beneiden, denn deren Autoren können so etwas wenigstens noch in einem annähernd lebensechten Dialekt verfrachten. Während Hochhuths Sprache nicht weiß, ob sie sich noch immer jambisch spreizen soll, ob sie bürokratische Akribie verhökern oder stabreimende Witzeleien machen will. Sie ist weder sprechbar, noch konstruiert sie Figuren. Denn Hochhuth kennt nur blinde Anbetung (so daß seine Heldin lebensecht wirkt wie ein »Held der guten Tat« in einer kurzen Boulevardzeitungsspalte) oder finstere Denunziation (statt eines Charakters trägt er hämische Fakten über eine Person zusammen).

So schreiten die Figuren durch raschelndes, langatmig vollgekritzeltes Papier wie Störche durch den Salat; die Freude, die man an ihnen haben kann, ist die pure platte Schadenfreude: dem evangelischen Pfarrer wird des Nachts im Walde, weil er wissen will, wohin seine dreihunderttausend Mark verschwunden sind, der Anlasser am Auto zerstört, man soll lachen, weil er neun Kilometer durch den nächtlichen Wald laufen muß, oder er wird, weil er doch nur egoistisch sein Recht will, vom Gerichtsdiener unter brüllendem Gelächter brutal aus dem Saal gehauen. Ich kann mir nicht helfen: dergleichen erinnert an Jungvolk-, wenn nicht SA-Sturm-Humor.

Wenn das die Theater nicht bemerken, dann offensichtlich deshalb, weil Hochhuths moralischer Eifer sich an einem sozialen Mißstand austobt und auslacht, der doch ein »linkes«, ein »republikanisches«, ein »soziales« Thema ist: das unwürdige Leben der Slumbewohner, der in Notunterkünfte gepferchten sogenannten Asozialen, für die das Stück und seine Hebamme auf die Komödienbarrikaden steigen. So hat wohl niemand gemerkt, daß Hochhuth dieses Thema rüde wenn auch langwierig auf die Formel bringt: ein resoluter einzelner muß diesen ganzen Saustall von Rechtsstaat doch einfach aufräumen. So jubelt das Stück nach dem starken Mann, der hier eine starke Frau ist. Hochhuth kennt keine Verhältnisse, er kennt nur persönliche Leistung oder persönliches Versagen. So geriet ihm der Papst vor Kimme und Korn, weil er Hitler nicht als Gottes Stellvertreter in den Arm fiel. Danach jubelte er Churchill einen ermordeten polnischen Premier unter die Weste, weil dieser mit Stalin paktierte und Bomben werfen ließ. Und Amerika wollte er durch einen allmächtigen Senator retten, der einen Staatsstreich aller Edlen im Lande vorbereitete. Nun muß eine Hebamme und CDU-Stadtverordnete herhalten, um als Engel der Vorstädte die Bundesrepublik in Ordnung zu bringen. Eine Komödie? Eher ein deutsches Trauerspiel, dessen Autor die Lektüre von Brechts *Heiliger Johanna der Schlachthöfe* dringend zu empfehlen wäre. Aber angeblich soll durch die *Hebamme* das Muster der Mutter Wolfen aus dem *Biberpelz* schimmern. Doch Hauptmann wußte, daß Menschen aus und in ihren Verhältnissen leben. Und ließ sie, anders als Hochhuth, weder in die Hölle seiner oberflächlich finsteren Zeitungsausschnitte fahren noch in den Himmel eines Führerkults entschweben.

Die Zeit, Hamburg,
12. Mai 1972

RENATE VOSS

Entgegnung auf Hellmuth Karasek

Ich bin auch einer von den Dramaturgen, die es »nicht bemerkt haben«, was für ein schlimmes Stück Hochhuths *Hebamme* ist. Darüber, daß das so ist, gibt es ja nach Ihrem Artikel in der *Zeit* gar keinen Zweifel mehr. Lassen Sie mich dennoch gegen Ihre gegossenen und geschliffenen Worte meine bescheidene Meinung setzen.

Ich tue das nicht aus gekränkter Eitelkeit: denn unsere Kasseler Aufführung haben Sie ja bis jetzt nicht abschließend gewürdigt – wahrscheinlich, weil sie sich in der »deutschen Provinz« abspielt –, und im übrigen ist sie so ziemlich gut »weggekommen«, ich brauche sie also nicht zu verteidigen. Ich schreibe auch nicht, weil wir – meine Kollegen in Kassel und ich – blinde und wilde »Hochhuth-Fans« wären. Vor diesem »Verdacht« dürfte uns die Tatsache schützen, daß wir bis jetzt keins seiner Stücke gespielt haben und daß er uns letztes Jahr in einem *Spiegel*-Brief nicht gerade freundlich behandelt hat.

Aber ich muß sagen: auch von Hochhuth angegriffen – was Sie ja nicht sind –, wäre ich damals nicht auf die Idee gekommen, ihn persönlich abzukanzeln und abzuqualifizieren, wie Sie es tun. Was gibt Ihnen das Recht, zu entscheiden und zu behaupten, daß ein Autor »nicht aus idealistischer Wahrheitssuche, sondern aus provinzieller Rechthaberei« schreibt? Woher wissen Sie das? Ist das, was Sie mit dieser Behauptung machen, nicht Rechthaberei?

Was soll ich mit Feststellungen anfangen wie: »Auch als Ganzes hat das Stück die Tiefe einer Bierpfütze auf dem Stammtisch«? Eine nette Pointe – aber was sagt sie wirklich? Die Aussage, daß Hochhuth »jeden Spaß, den er sich leistet, mit Beispielen aus der Welt- und Zeitgeschichte . . . erschlägt«, belegen Sie mit einer Stelle aus den Zwischenbemerkungen des Autors statt aus dem Dialog, aus dem sie allein belegt werden müßte (denn im Theater sieht man das Stück ja und liest es nicht). Oder: die Ausdrucksweise einer entsprechend angelegten Figur (nämlich Rosentreters) in einer entsprechenden Situation legen Sie der Hebamme in den Mund und machen sie zur ernsthaften Begründung ihrer Zugehörigkeit zur CDU. Da bin ich empfindlich, wenn die Bonmots eines Kritikers (und damit meine ich jetzt keineswegs nur Sie) sich auf Kosten von Personen und Genauigkeit ausbreiten.

Nun zu Ihrem schwersten Vorwurf gegen das Stück, der zugleich alle die in ein schiefes Licht rückt, die sich mit dem Stück beschäftigt haben: es »gerate« (immerhin: »unfreiwillig«) »arg in die Nähe des Faschismus«. Das ist, finde ich, eine verführerische, aber modisch-bequeme Feststellung, mit der man ziemlich leicht ziemlich viel angreifen kann (unter anderem übrigens auch Ihre Art zu formulieren). Die Tatsache, daß hier ein einzelner, oder eine einzelne, etwas unternimmt, wo sonst niemand etwas unternimmt, bedeutet doch nicht den »Ruf nach dem starken Mann«. Sondern sagt gerade darüber etwas aus, was Sie »Verhältnisse« nennen und in der *Hebamme* vermissen (bzw. Sie wissen und sagen es genauer: »Hochhuth kennt keine Verhältnisse . . .«). Wenn sich jemand so verhält wie die Hebamme – und sie ist keineswegs als »Engel« gezeichnet, wie Sie so einfach behaupten –, dann stelle ich mir die Frage: warum? Dieselbe Frage stelle ich mir, wenn ich von Hausbesetzungen in Frankfurt oder sonstwo höre.

Ich bin doch nicht so dumm – und kein Publikum ist so dumm, wie Sie offenbar meinen –, solche Aktionen für Lösungen zu halten. Sondern für Krankheitssymptome, deren Funktion, auch im realen politischen Leben, darin besteht, daß sie auf die Krankheit aufmerksam machen, die gern verdrängt wird. Das allerdings muß – und kann auf dem Theater nicht mit dem Zeigefinger geschehen (denn Theater ist immer gespielt, und das schließt jede direkte »Moral« aus). Ich halte einen so offensichtlichen Komödienschluß wie diesen, wo alles sich in Wohlgefallen auflöst, so wie es sich in Wirklichkeit nie auflösen würde, für provozierender, anregender zum Nachdenken als den expliziten Aufruf zur Änderung der Verhältnisse (daß die sich übrigens nicht ändern, wenn nicht wirklich viele »einzelne« Initiative und Verantwortung entwickeln, scheint mir klar und ganz und gar nicht faschistisch zu sein).

Aus diesem Grunde halte ich Hochhuths Stück für sehr spielenswert. (Nicht nur deshalb, weil das Wort Kassel darin vorkommt, obwohl uns hier das Thema des Stückes, über das Sie eigentlich kein Wort verlieren, außer daß es »links« ist, zugegebenermaßen nahegeht.) Sie tun so, als wimmele es im Theater, und zumal im deutschen Theater, von guten Stücken und vor allem von Stücken, die einen Versuch machen wie dieses: ein solches Thema mit den Mitteln der Komödie anzugehen. Daß es da Schwierigkeiten mit Figuren und Texten gibt, ist wohl niemandem so klar wie denen, die daran gearbeitet haben – den Autor eingeschlossen, nehme ich an, mit dem man übrigens sehr gut darüber reden kann.

Die Zeit, Hamburg,
9. Juni 1972

Lysistrate und die Nato

Vorbemerkung

Auch das auf die *Hebamme* folgende Werk ist eine Komödie, und wieder stellt Hochhuth eine Frau ins Zentrum: Seine »neue Lysistrate«, klug, entscheidungsfreudig, politisch engagiert wie Oberschwester Sophie, verfügt »daneben« noch, jung wie sie ist, über die körperlichen Vorzüge, zu deren Besitz ihre Rolle sie, frei nach Aristophanes, verpflichtet und die sie, gleich dem antiken Vorbild, wirkungsvoll als »Hebel« zur Bekämpfung kriegerischen Männerwahns einsetzt. »Warum streiken unsere Frauen jetzt nicht wie Lysistrate?« hatte Melina Mercouri 1967 nach Errichtung der griechischen Militärdiktatur gefragt[1]. Dr. Lysistrate Soulidis, Studiendirektorin und Parlamentsabgeordnete einer kleinen Zykladeninsel, richtet ihre – und ihrer Mitstreikerinnen – Verweigerungswaffe, noch vor der Machtübernahme der Obristen, gegen Pläne der Armee, die Insel in eine NATO-Basis zu verwandeln. Lysistrate erkennt, daß derlei »Verteidigungsmaßnahmen« das bislang militärisch bedeutungslose Eiland für einen potentiellen Gegner überhaupt erst interessant machen würden. (Immer noch demonstrierte Vietnam in furchtbarer Deutlichkeit die Absurdität einer »Verteidigung«, die, was sie verteidigen soll, totaler Zerstörung überantwortet.) Sie bringt also die Frauen der Insel dazu, ihre Männer zu verlassen (sie kommen im Gasthof von »Lysis'« Vater unter), um diese – allesamt Bauern oder doch Landbesitzer – am Verkauf der für den Ausbau des Stützpunkts benötigten Grundstücke zu hindern. Aristophanes überbietend, gehen die entschlossen Eheflüchtigen auch noch zum »aktiven Streik« über, indem sie die bereits auf der Insel stationierten athenischen Soldaten durch erotische Attacken »entwaffnen«, damit aber, beabsichtigtermaßen, ihre eifersüchtigen Ehemänner auf die Athener hetzen, die dann auch von den wütenden Bauern vertrieben werden. Deren – wenig glaubwürdigen – Sieg und den der Frauen – statt der geplanten Befestigungen sollen Touristenhotels auf der Insel entstehen – überschattet die Nachricht vom erfolgreichen Militärputsch in der Hauptstadt. Lysistrate wird, wie in den Jahren der deutschen Okkupation, nach Kreta in den Untergrund gehen.

Im Zuschnitt der Komödie läßt dieser Schluß – *kein* happy end – an jenen der *Guerillas* denken: Wie dort hat der Zuschauer/Leser am Ende den Rückschlag zu konstatieren, der den Fortgang der »guten Sache« momentan unmöglich macht, ohne daß darum die Hoffnung auf ihr künftiges Gelingen begraben werden müßte. Im Falle Lysistrates und ihrer Frauen um so weniger, als sie den Schritt zur offensiven Praxis bereits getan und einen prinzipiell bedeutsamen Teilerfolg errungen hatten. Sie haben – darin wiederum ähnlich wie Nicolson und seine »Partisanen« im grauen Anzug – ein *Modell* geliefert, wie »man« »es« machen könnte. (Das beherzt-gewitzte Handeln der *Hebamme* hatte demgegenüber nur »kasuistische« Bedeutung, blieb einmaliger Glücksfall unter besonderen Umständen.) Hochhuth selbst spricht in seinem Einleitungstext von einer »Parabel«. Was aber besagt diese Parabel? Nicht nur, daß man (vielmehr »Frau«) solchermaßen politisch wirksam aktiv werden könne – ja, dies wohl am wenigsten, denn – darin nun wieder steht *Lysistrate* der *Hebamme* näher – das Modell taugt, wenn überhaupt, so nur in äußerst begrenzten räumlichen Bereichen, in der Sphäre überschaubarer Quasi-Kommunalität (der relativ autarken Insel-Einheit, wie der hessischen Kleinstadt). Der Militärstützpunkt, hier verhindert, mag schon bald auf einer Nachbarinsel etabliert werden. Der *eine* Aufstand der Frauen und Bauern, erfolgreich zu nennen nur im Sinne des St.-Florians-Prinzips, ändert an der grundsätzlichen Gefährdung der Region nichts – jedenfalls solange er isoliertes Einzelereignis bleibt. Die politische »Mikroskopie« der *Hebamme* wurde also in *Lysistrate* durchaus beibehalten.

Modell und »Parabel« ist Hochhuths Stück aber noch in anderer Hinsicht: indem es beispielhaft antizipiert, wie Frauen sich menschlich zu sich selbst befreien könnten. Die »große Weigerung« der Lysistrate und ihrer Geschlechtsgenossinnen wendet sich zugleich und vor allem auch gegen die Männerwelt schlechthin und damit gegen das vom traditionellen Patriarchat diktierte Rollenspiel, das den Frauen die minderen Rechte (und allzuoft gar keine) zuweist. Zwar erklärte Hochhuth in einem Interview mit Klaus Rainer Röhl[2], er habe die Emanzipation »niemals als Problem« seines Schreibens aufgefaßt: »Dieses Stück ist kein Stück über die Emanzipation.« Aber »dieses Stück« selbst zeugt, recht besehen, gegen ihn, und auch der lange, der Buchausgabe angefügte Essay (»Frauen und Mütter, Bachofen und Germaine Greer. Studie zu einer neuen Lysistrate«[3]) macht klar, wie sehr die seit Beginn der siebziger Jahre wiederauflebende Diskussion der »Frauenfrage«, weit über die spezielle politische Thematik hinaus, Hochhuths Interesse für den Stoff intensiviert hatte. Freilich, würde »Emanzipation« der Frau lediglich ihre Angleichung an die »maskulinen« Normen des herrschenden gesellschaftlichen Zustandes besagen, hätte Hochhuth zu Recht sein Desinteresse erklärt – im Nachwort-Essay wird daraus entschiedene, ja erbitterte Ablehnung. Dies jedoch eben aus dem Glauben an die Höherwertigkeit »des« Weiblichen, das berufen sei, die in der bisherigen Männer-Geschichte heruntergewirtschaftete Welt zu »vermenschlichen«. Dazu müßten die Frauen den Weg zu »ihrer eigenen Bestimmung« suchen, von der Männer nichts wissen können, die Hochhuth aber doch, soweit er konkret wird, in sichtlicher Übereinstimmung mit der Tradition in den Regionen von Mutterschaft und Eros vermutet. Ausgehend von der Entdeckung eines frühgeschichtlichen Matriarchats durch den Schweizer Rechtshistoriker und Anthropologen Johann Jakob Bachofen, wird das utopische Bild einer kommenden neuen Gynaikokratie gezeichnet, die nach Hochhuths Meinung eine weit radikalere Veränderung bewirken könnte als jede nur äußerlich gleichstellende Integration in die bestehende (Männer-)Gesellschaft. Hier meinte Hochhuth mit der australischen Feministin Germaine Greer *(Der weibliche Eunuch)* übereinzustimmen, die in ähnlicher Weise zur Besinnung auf spezifisch weibliche Qualitäten und zum »Generalstreik« aller im Dienste des – »männlichen« – Leistungs- und Konkurrenzprinzips sich verschleißenden werktätigen Frauen aufgerufen habe.

Um so überraschender traf ihn der scharfe Angriff der deutschen Feministin Alice Schwarzer, die mit ausschließlichem Bezug auf den Essay Hochhuths »Huldigung an die Frau« (so der Autor) als schändlich sexistische Frauenbeschimpfung »entlarvte«. Ihren besonderen Zorn hatte das in der Tat fragwürdige Otto-Flake-Wort von der »Kopistennatur der Frau« erregt, das Hochhuth zitiert hatte, wo er von der angeblichen femininen Unlust zu produktiver Eigenständigkeit handelte. Eben solche »Unlust« als prinzipielle wurde von Frau Schwarzer erbittert bestritten, sie sei lediglich das Ergebnis historischer »Konditionierung«, der vom Patriarchat aufgezwungenen Fremdbestimmung. Gleiches gelte von *jeder* typisierenden Festlegung, zumal wo sie ein, wie immer beschaffenes, »Sex-Etikett« darstelle – die emanzipierten Frauen »pfiffen« auf die von Hochhuth propagierte Weiblichkeit. Es gehe um die Selbstverwirklichung von weiblichen *Individuen.* Dagegen warf Ulrich Schreiber im *Merkur* dem Autor vor, er verwechsle die Frauenemanzipation mit der »Enttabuierung des Sexuellen«[4]. Das mag angesichts der Zuweisung einer besonderen weiblichen Eros-»Zuständigkeit« seine begrenzte Richtigkeit haben. Indessen kann die zuvor schon von Alice Schwarzer erhobene Beschuldigung, Hochhuth erkläre die Frau damit zum »Untermann«, doch wohl nur gelten, wenn man – selbst nicht frei von geheimer Tabuierung – den erotisch-sexuellen Bereich uneingestanden zu einem »unteren«, das heißt »niederen« abwertet. (Hochhuth tut dies nicht, im Gegenteil: er erhöht, verklärt ihn geradezu schwelgerisch.)

Nicht zum erstenmal entzündeten sich die heftigen Debatten um ein Hochhuth-Stück schon vor dessen theatralischer Realisierung anhand der Buchausgabe und gingen weniger von dem Stück selbst aus als von den kommentierenden Texten des Autors. Die Uraufführungen am 22. Februar 1974 in Wien und Essen – beide erfolgreich, doch mit deutlich geringerer Resonanz als *Die Hebamme* – offenbarten die beträchtlichen Schwierigkeiten, durch angemessen komplexe Inszenierungen gerade den stärker »denkspielerisch« bestimmten Stücken Hochhuths (*Guerillas, Lysistrate*) die Wirkungsmöglichkeiten zu erschließen, die sich eben aus der reizvollen theatergemäßen Demonstration des in jenen Vorausdebatten erkennbar gewordenen Reflexionspotentials ergäben. Essen bot, mit Ellen Schwiers in der Titelrolle, in dieser Hinsicht die überzeugendere Leistung. In Wien dagegen wurde, wie Hilde Spiel mit Nachdruck bemängelte, Hochhuths *Lysistrate* unter Ausscheidung alles halbwegs Provokanten, »Kontroversiellen« zum die Absichten des Autors total verfehlenden, nur unterhaltenden szenischen Klamauk entstellt. Die wohl bislang geschlossenste Realisierung ist Hans Anselm Perten am Volkstheater Rostock zu danken, der freilich weniger das Thema Frauenbefreiung als – politisch pragmatischer – das andere der Anti-NATO-Selbsthilfe akzentuierte.

Mein Stück ist durchaus eine Huldigung an die Frau. Wenn ich den Frauen etwas vorwerfe, dann ist es die Tatsache, daß sie ihre ungeheuren Intelligenzen bisher zu wenig für die positive Veränderung unserer geschichtlichen Welt eingesetzt haben. Ich meine, die Männer haben abgewirtschaftet. Alle Hoffnung, das habe ich geschrieben, wenn es etwas zu hoffen gibt, liegt bei den Frauen.

Rolf Hochhuth
Konkret, Hamburg, 31. März 1974

HILDE SPIEL

Eine erotisch-atlantische Aktion

Solch hochgestecktes Ziel, solch ehrliche Absicht: und so vertan! Der am ernsthaftesten um das politische Theater bemühte Autor unserer Tage – engagierter womöglich als Weiß, Frisch, Kipphardt, weil noch ausschließlicher mit der Deutung und Veränderung des Zeitgeschehens befaßt –, der umstrittene Einzelgänger, in seiner moralischen Integrität von niemandem angezweifelt, gleichwohl von vielen angefeindet, ja verhöhnt, hat wieder einmal ein großes Thema anvisiert und den Ikarussturz erlitten. Er schreibt in ihrer Urform unspielbare Gedankendramen. Wir alle, nicht nur der jeweils betroffene Regisseur, müssen Bühnenabende daraus gewinnen, was fast unvermeidlich zu Mißverständnissen und Zerwürfnissen führt.

Der ideologische Unterbau, mit Hilfe eines enormen Apparates, einer Fülle akribisch gesammelter Daten, Argumente, Beweise zementiert, wird im Ablauf des dramatischen Geschehens nur bruchstückhaft sichtbar. In ihm aber, den er in seitenlangen Regiebemerkungen, in Vor- und Nachworten ausführlich erläutert, liegt Hochhuths Herausforderung, liegt die These, mit der man sich jeweils auseinanderzusetzen hat. Auf das blanke Handlungsgerüst, auf die häufig als Sprachrohre des Autors fungierenden Figuren reduziert, sind seine Stücke weit weniger »diskutabel«. Darin liegt wahre Tragik. Hochhuth macht es sich selbst noch schwerer als seinem Publikum.

Gewiß, was zählt, ist die Aufführung. Zu rechtens wäre dem Rezensenten nichts aufgetragen als ein Bericht über das, was er hörte und sah. Wenn aber die Komödie *Lysistrate* von Rolf Hochhuth, wie sie im Wiener Volkstheater verwirklicht wurde, kaum mehr Ähnlichkeit besitzt mit dem immerhin veröffentlichten Text, wenn hier eine Art von Readers' Digest vorliegt, erzielt nicht nur durch drastische – und zweifellos nötige – Striche, sondern durch eine völlige Veränderung des Dialoges sowie häufig auch des Bühnengeschehens, wird man auf des Autors ursprüngliches Opus zurückgreifen müssen. Was davon übrigblieb, genügte für eine freundlich aufgenommene Schauspielpremiere. Es fragt sich, ob Hochhuth ein Durchfall oder gar ein Skandal um sein eigenes Stück nicht lieber gewesen wäre als der Achtungserfolg eines fremden Machwerks, das ein Regisseur zusammengeklittert hat.

Zu seiner *Lysistrate* denn, bevor wir uns mit deren Bearbeitung und Inszenierung durch Peter Lotschak befassen. Hochhuth hat diesmal nicht nur ein, sondern gleich zwei heiße Eisen angepackt, und dafür eine verbindene Formel gefunden. Das erste: die Machtpolitik der Vereinigten Staaten und deren Handhabung durch das Instrument des Atlantikpaktes. Das zweite: die neue, militante Emanzipationsbewegung der Frauen zum Zwecke eines völligen Gleichziehens mit dem männlichen Geschlecht. Der »radikal-konservative« Autor illustriert seine Gegnerschaft zur NATO am Beispiel einer kleinen Insel in der Ägäis, auf der eine Abschußrampe für Atomwaffen errichtet werden soll. Und er demonstriert seine Ansicht, die umweltverseuchende, kriegsrüstende Welt der Männer könne von den Frauen nur durch Besinnung auf ihre spezifisch weiblichen Qualitäten überwunden werden, an jener dem Aristophanes entlehnten Figur, der Lysistrate, die das Zykladen-Inselchen mit ihren Anhängerinnen dem Zugriff der Amerikaner entzieht.

Global und realistisch gesehen, ist das Recht nicht so eindeutig auf seiten der Frauen, wie Hochhuth es uns weismachen möchte: im gegenwärtigen Kräftespiel hat das westliche Militärbündnis, mag es auch korrupte und reaktionäre Regimes unterstützen, eine Aufgabe zu erfüllen, und wird nicht diese Insel zum Stützpunkt, sondern eine andere, ändert sich doch nichts an der Präsenz der Amerikaner im Mittelmeer. Der Modellfall eines Aufstandes gegen maskuline Weltpolitik läßt sich indes aus diesem Vorwurf konstruieren, und Hochhuth hat ja mehr im Sinn als den bloßen Aktualitätsbezug. Er legt sich – und hat aus diesem Lager schon heftige Anwürfe auf sich gezogen – mit den Vorkämpferinnen der Womens' Liberation an. Wie sie hat er die Befehlsgewalt der Männer satt, aber er ist der durchaus vertretbaren Meinung, die Frauen sollen sich, statt den Auspuff-Erfindern, Kommunikationsmittel-Vergiftern, Kriegsverbrechern und Wirtschaftskriminellen so ähnlich wie möglich zu werden, in den Dienst einer matriarchalischen, friedlichen Weltordnung stellen. Freilich: wie er diese Meinung vertritt, grenzt zuweilen ans Absurde, obgleich – oder vielleicht weil – er sich hier auf eine extreme Verfechterin der Womens' Lib berufen kann.

In seiner dem Buch der *Lysistrate* beigefügten Studie »Frauen und Mütter, Bachofen und Germaine Greer« gibt Hochhuth sich als Befürworter jenes antiken Mutterrechtes zu erkennen, wie Johann Jakob Bachofen es 1861 genau, aber ablehnend beschrieben hat, der Gynaikokratie, der Frauenherrschaft mit all ihren kultischen Elementen der Promiskuität, der »Mylittenfreude«, mit ihrer aphroditisch-hetärischen Orgiastik, ihrem Vertrauen auf die »dunklen Tiefen der menschlichen Natur«. Ihre Macht über die Männer übten die Frauen durch verschenkte oder versagte Gunst: Nichts weniger als dies propagiert Hochhuth auch heute und zitiert dazu Germaine Greer über »Sex als revolutionäre Taktik«: »Männer sind Feinde auf ganz ähnliche Weise wie irgendein verhetzter Junge in Uniform der Feind eines anderen war, der sich außer in der Uniform kaum von ihm unterschied. Eine mögliche Taktik ist es, den Versuch zu unternehmen, ihm die Uniform vom Leibe zu reißen.«

Dies also der theoretische Anstoß zu seiner *Lysistrate.* Denn nicht nur verweigern sich die Insulanerinnen den Ehegatten, die ihr Land den Militärs zum Rüstungsbau verkaufen wollen, sie schlafen auch mit den NATO-Emissären aus Athen – sowohl aus Sinnenlust, wie um sich mit ihnen in flagranti ertappen zu lassen und ihnen so ihre Mithilfe beim Schutz der Insel abzuringen. Der Kommandant Manussis, aber auch der Ex-Minister, von dem sie das Geld für eine alternative Einnahmequelle, den Bau von Fremdenhotels, erpreßt, erliegen den Reizen der »Frau Studiendirektor und MDP Lysistrate Soulidis« noch mehr als ihrem Verstand. Hochhuth hat dieses Stück mit der urtümlichen Sinnlichkeit der dionysischen Antike erfüllen wollen, die er im heutigen Griechenland noch unterschwellig vorhanden wähnt. Daß dies mit deutscher Pedanterie geschieht, mit einer durch die Pornowelle zwar nicht ausgelösten, aber ermöglichten kalten Unverblümtheit – ach, warum: nackt ist auch nicht mehr, was es mal war, sagt eine seiner Frauen –, fördert nicht unbedingt diesen Zweck.

Doch wie hat er überhaupt in Theatralik umgesetzt, was er beweisen wollte? Nun, auf Hochhuthsche Weise: in gebundener Rede, reich an Sentenzen, klugen und banalen, durchsetzt mit politischen und ideologischen Plädoyers, gewürzt mit Kalauern, Wortspielen, blasphemischen und obszönen Aussprüchen, diese letzteren neu in seinem Vokabular. Wie immer sind Goldfäden und Strohhalme in seinem Dialog vermischt, wie immer reden alle Figuren hochhuthisch, selbst wenn sie in Dialekt verfallen wie Kalonike, die Magd. Mit einer nahezu manischen Liebe zum Detail sind die Menschen charakterisiert, die dramatischen Knoten geschürzt, selbst die szenischen Details vorgeschrieben. Und doch ist alles zu vorsätzlich als Vehikel seiner Meinungen konstruiert, um auch nur jene Wahrhaftigkeit zu erreichen, die das Theater vorspiegeln kann. Was not tat, diesem Autor stets not getan hat, war ein Regisseur, der seinen Figuren, seiner Handlung Kontur und Glaubhaftigkeit verleiht, ohne den Gedankengehalt des Stückes – anfechtbar oder nicht – dabei einzubüßen.

Hier kommen wir zum Leiter der Uraufführung im Volkstheater, dem es nicht gelang, der es nicht einmal angestrebt zu haben scheint. Peter Lotschak, ein Grazer, der seit Jahren in Paris lebt, hat Pasolini und Arrabal sehr einfallsreich und eindrucksvoll inszeniert. Mit Hochhuth hätte er sich nicht einlassen dürfen. »Ein typisches Schauspielerstück« nannte er die *Lysistrate,* ihren Text nur »pawlatschenfüllend«, was wohl ein Wiener Euphemismus für beiläufig, wortbreiartig ist. Das Gegenteil stimmt. Aber Lotschak bezog aus dieser Erkenntnis die Berechtigung, statt eines klugen Destillats ein auf äußere Effekte getrimmtes Hackwerk zu liefern, das sich mit dem authentischen Text nur gelegentlich berührt. Hochhuths eigensinnige Behauptung, es handle sich hier um eine Komödie – obschon das Stück mit dem Militärputsch von 1967 tragisch schließt –, nimmt Lotschak wörtlich und versucht, durch allerlei Klamauk dem fehlenden oder bloß zelebralen Humor des Autors aufzuhelfen ...

Bleibt etwas von der ersten Absicht Hochhuths, gegen die Militarisierung einer ländlichen Gemeinschaft zu polemisieren, rudimentär bestehen, so ist seine zweite Absicht, ein neues Matriarchat zu propagieren, gänzlich unter den Tisch gefallen. Mit erstaunlicher Prüderie hat Lotschak die Weiberintrige entschärft und die einzige Stelle gestrichen, in der Hochhuth tatsächlich etwas von antikischer Sinnenlust vermitteln kann: eine Szene, in der sechs Frauen einen schönen verwundeten »Helden« in die Badestube tragen. Die Figuren zumeist karikiert, die Abschlüsse plump pointiert, die Argumente wie für die reifere Jugend umgeschrieben, eigene Einfälle hineingedichtet, die inszenatorischen Vorschriften mißachtet, sich über das Urheberrecht eines Verfassers ganz und gar hinweggesetzt. Wäre nicht einmal grundsätzlich dagegen vorzugehen, daß selbst Texte lebender Autoren nicht länger geschützt sind vor der Willkür eines Regisseurs? ...

Fazit: Unter Vermeidung all dessen, was anstößig, aufrüttelnd, kontroversiell sein sollte, kam ein Abend zustande, der dem Volkstheaterpublikum – nun ja, passabel schien. Daß der Autor mit seinem Konzept einverstanden gewesen sei, hatte Lotschak behauptet. Was immer er sich selbst in den Weg legen mag, um mit den eigenen Vorstellungen durchzudringen: diese Unwahrheit hatte Hochhuth nicht verdient.

Frankfurter Allgemeine Zeitung,
25. Februar 1974

HEINZ PLAVIUS

Politik als Moral

Über Rolf Hochhuth sprechen heißt über Politik als Moral sprechen. Hochhuth blickt nicht nur im Zorn zurück, er blickt zornig auf seine Gegenwart ...

Hochhuths Engagement bezieht seinen Impetus aus einem vorwiegend moralischen Anliegen. Was vor dem Hintergrund esoterischer Theaterpraktiken jahrelang als Vorwurf erhoben wurde: Hochhuth ist Moralist, und dieses Charakteristikum reiht ihn ein in die lange Kette von Bemühungen, das Theater als moralische Anstalt, Literatur als Mittel zur Veränderung im Sinne eines Humanismus der menschlichen Existenz zu begreifen. Hochhuth hat es – mit Ausnahme der *Guerillas* – in seinen Stücken bisher immer vorgezogen, historisch konkrete, verifizierbare Sachverhalte aufzugreifen und diese nicht nur zu diskutieren, sondern sie auch zum Drehzapfen des handlungsbestimmenden Konflikts zu machen. Aus diesem Umstand entstand auf natürliche Weise der von ihm bevorzugte Dramentyp, der, rein inhaltsbezogen, bar aller modischen Attitüde ist und dem auch der Ehrgeiz fern liegt, das Genre entwickeln, bereichern zu wollen.

Mit seinen Stücken und den in ihnen mit aufklärerischer Vehemenz verfochtenen Haltungen und Standpunkten hat er in fast allen Fällen große öffentliche Debatten heraufbeschworen, in denen der Kunstwert dieser Stücke bald nur noch eine sekundäre Rolle spielte. Statt dessen – was kann sich ein Schreibender Besseres wünschen? – wurde leidenschaftlich über historische Schuld, über Möglichkeiten des Menschlichen in der Geschichte, über Verantwortung und Verpflichtung im gesellschaftlichen Handeln gestritten ...

Da Staat und Gesellschaft als historische, als Klassen-Institutionen nicht Gegenstand der Hochuthschen Analysen sind, tritt der utopische, illusionäre Gehalt seiner Konzeption unvermeidlich in den Vordergrund.

Das Werk Rolf Hochhuths ist von den Widersprüchen der spätbürgerlich-imperialistischen Gesellschaft gekennzeichnet, in der er wirkt. Ganz im Sinne Leninscher Feststellungen spiegelt sich in seinen Werken humanistische Tradition, der unbändige Wille zu humaner Gestaltung der Gesellschaft und die momentane Schwäche der Kräfte zur endgültigen Durchsetzung der humanistischen Prinzipien.

Es fällt nicht schwer, Hochhuths neue Komödie, *Lysistrate und die Nato,* in sein bisheriges Schaffen einzuordnen. Er benutzt ein altes literarisches Motiv, vielfach notiert in der Geschichte der Literatur, des Theaters und Films – das mit dem Namen der Lysistrate verbundene Eingreifen der Frauen in den Gang der Weltgeschichte.

Ort der Handlung ist der NATO-Staat Griechenland am Vorabend des Putsches. Die Parlamentsabgeordnete Dr. Lysistrate Soulidis mobilisiert die Frauen, ihren Militärstützpunkt zu verwandeln. Die Frauen sitzen insofern am längeren, sprich ökonomischen Hebel, als ihre Männer Großbauern, Landbesitzer also, sind, die mit dem Verkauf des Bodens an den Staat auf das Geschäft ihres Lebens spekulierten. Der Autor ist – und das wird ohne Vorwurf gesagt – dem überlieferten Motiv gefolgt und hat es nur durch ein allerdings nicht unerhebliches Moment ergänzt. Deshalb ist es auch nicht sinnvoll, den Gang der Handlung im einzelnen zu rekapitulieren. Hochhuth ist im übrigen dem von ihm schon gewohnten Weg gefolgt. Das Stück selbst wuchert, und es wird begleitet von wuchernden Kommentaren, Regieanweisungen etc. und natürlich, wie könnte es anders sein, von einem Essay unter dem Titel »Frauen und Mütter, Bachofen und Germaine Greer«. Wie auch anläßlich anderer Werke Hochhuths ruft das Stück überwiegend Zustimmung und rufen die Kommentare am ehesten Widerspruch hervor. Hochhuth hat natürlich recht, wenn er sein Vorhaben mit dem Hinweis rechtfertigt, eine Parabel werde nicht deshalb wertlos, weil sie auf Erden noch keine Entsprechung gefunden habe. Vielleicht liegt darin sogar eine Ursache für die Langlebigkeit bestimmter Motive.

Die bereits angedeutete Bereicherung des Motivs in Hochhuths Stück schlägt eine Brücke zu hochaktuellen Fragen der gegenwärtigen Gesellschaftspolitik. Hauptsächliches und einziges »Argument« in ihrer Auseinandersetzung mit den Männern ist den Frauen der Insel nicht mehr nur ihr Körper. Zu Lysistrates Plan gehört neben dem Streben nach persönlicher und nach politischer Unabhängigkeit auch die ökonomische Sicherung dieser Position. Die Frauen bilden eine Weberei-Genossenschaft und beanspruchen gleiche Besitzanteile an Grund und Boden der Wirtschaften, die bisher uneingeschränkt ihren Männern gehörten. Auf diesem Hintergrund erhält die Auseinandersetzung ihren sozialen Gehalt, und eben ob dieser Dimension wirken die Worte einer Bäuerin überzeugend: »Der Streik hier – wenn er sonst nichts hat – hat uns zu Mündigen gemacht.« Der Autor selbst zieht in einer Vorbemerkung die Verbindungslinie zur aktuellen Politik: »Es ist ja die heutige Lebenslüge der deutschen Sozialdemokratie, den Arbeitnehmern Mitbestimmung zu versprechen, ohne ihnen zuvor den Mitbesitz zu erkämpfen ...«

Man möchte dem Autor wünschen, Gedanken dieser Art mit Konsequenz weiterzudenken, weil sie – früher oder später – an die Analyse von Klassenpositionen heranführen. Als wegführend von solchen Überlegungen empfinde ich die theoretischen Erörterungen, in denen die soziale Analyse des historischen Prozesses verdrängt und durch die Erörterung psychologischer und natürlicher Momente überdeckt wird. Hochhuths Ruf nach einer »radikal anderen Lebensweise« ist voll zu bejahen, aber wenn herauskommt, daß diese dadurch zu erreichen ist, daß die Frauen der Herrschaft der Männer ein Ende bereiten, also gewissermaßen ein neues Matriarchat erreichen müssen, dann erscheint das als eine Illusion, vergleichbar der Illusion der Unterwanderungstheorie.

Deutsche Volkszeitung, Düsseldorf,
29. November 1973

ALICE SCHWARZER

Der Mann und die Peitsche

Es gibt Texte, da lohnt sich die Auseinandersetzung, weil sie inhaltlich Neues bringen. Andere reizen durch ihre formale Brillanz zur Reaktion. Für Hochhuths Essay »Frauen und Mütter, Bachofen und Germaine Greer« gilt beides nicht: Einzig beachtenswert daran ist, daß sein Verfasser so berühmt ist, daß das, was er schreibt, gedruckt und in hohen Auflagen vertrieben wird. Und es ist bemerkenswert, daß in einer Epoche, in der offenbar Antisemitismus und Rassismus selbst bei Reaktionären als unfein gelten, offener Sexismus selbst für einen sich progressiv gebenden Autor möglich, ja offensichtlich sogar chic ist.

Rolf Hochhuth hat also eine »Studie« über Frauen geschrieben, veröffentlicht im Anhang seines neuen Stückes. Der Autor leidet unter dem Malheur, in einer Zeit zu leben, in der »kein Mann mehr an einem Kiosk oder Buchladen vorbeigehen kann, ohne belästigt zu werden durch die Denunziation, er und seinesgleichen gefielen sich seit tausend Jahren in der Rolle dessen, der einmal empfohlen hat, ›die Peitsche‹ nicht zu vergessen, wenn man ›zum Weibe‹ gehe«.

Nicht die Vermarktung des weiblichen Körpers auf den Illustrierten-Titeln also stört ihn, sondern der im Wort verbreitete »Emanzipations-Lärm«. Rolf Hochhuth muß sensible Ohren haben, denn diesen Lärm macht Women's Lib in Amerika und machen die Dollen Minas in Holland, bundesdeutsche Frauen zeichneten sich bisher zwar durch Unmut gegen den § 218 und die Unterbezahlung aus, kaum aber durch männerverschreckende Taten und Theorien. Hochhuth jedoch, offensichtlich in Eile, will antworten, noch bevor er gefragt ist, will ein für allemal klarstellen, daß Frauen in der Geschichte immer gleiche Chancen wie Männer hatten und sie sogar zu nutzen wußten.

Beweise? Nichts einfacher als das. In der »späten Perückenzeit« zum Beispiel gab es eine »Madame de Simiane, die befand, daß Virginiatabak mit einer Steuer belegt werden müsse«. So mächtig also waren damals schon Frauen. Und bei dieser Dame blieb es nicht: »Im 18. Jahrhundert«, so zitiert Hochhuth Simone de Beauvoir, »nehmen Freiheit und Selbständigkeit der Frau noch zu.« In einem solchen Ausmaß, daß adelige und bürgerliche Frauen »dank ihrer beschützerischen und inspiratorischen Funktion das Lieblingspublikum der Schriftsteller« bilden. »Natürliche« Berufung zur Muse und totale Kenntnis des Abc – wer mag da zweihundert Jahre später noch vom Bildungsrückstand reden?

In Vagina und Gebärmutter liegen Bestimmung und Macht des anderen Geschlechts. Wie aber konnte dennoch »die Machtlosigkeit der Frau zum meistzerquatschten Gemeinplatz unseres Zeitalters« werden? Hochhuths Antwort: »Das ist nur erklärbar, weil die Frauen doch schon in erheblicher Zahl die Kommandobrücken der Massenmedien unterwandert haben.«

Man sieht, noch nicht einmal vor der Lächerlichkeit hat der Rowohlt-Lektor seinen Autor bewahrt. Von der tumben Selbstherrlichkeit und hämischen Manipulation ganz zu schweigen. Da scheut Hochhuth selbst davor nicht zurück, Simone de Beauvoir (die in *Das andere Geschlecht* die erste konsequente Analyse des »ewig Weiblichen« lieferte und es als Vorwand zur Unterdrückung und Ausbeutung der einen Hälfte der Menschheit durch die andere demaskierte!)

mit einem aus dem Zusammenhang gerissenen Zitat für seine These mißbrauchen zu wollen: Schon sie habe geschrieben, daß die erste Emanzipation der Frau die als Kurtisane sei.

Mal in Germaine Greer geblättert, durch Engels was vom alten Bachofen gehört und drei, vier Zitate von der Beauvoir in der Schublade, das reicht. Damit demonstriert Hochhuth erst die weibliche Chancengleichheit, um dann den Schluß der weiblichen Ungleichheit zu ziehen; er verwechselt Ursache und Wirkung und läßt sich selbst innerhalb seiner eigenen Argumentation durch den Luxus der Logik nicht bremsen.

Für die Nazis waren Juden Untermenschen: für Hochhuth sind Frauen Untermänner – was auf ein und dasselbe rauskommt, da für ihn der Mann der Mensch schlechthin ist. Ihn kopiert die Frau, wenn sie aus dem Haus in die Welt drängt und so belegt, »daß Flakes Entdeckung ihrer Kopistennatur eine mindest bis heute unumstößliche Wahrheit ist – wenn nicht sogar ein angeborener Defekt«.

Juden sind geizig und hakennasig, Neger faul und potent, Proleten zum Dienen geboren und Frauen faul und charakterlos. Das alles liegt am fehlenden »Trieb«. Welcher Trieb? Na eben der, der das Mannsbild zur Aktion, Kreation, Macht treibt. Den haben, so erkennt Hochhuth, Weibsbilder nicht – was nicht etwa an der Konditionierung, an einer Jahrtausende während en Erziehung zur Demut und zum Anderssein liegt, sondern »biologisch« begründet, also »weiblicher Natur« sei.

Kein Grund zum Verzweifeln, meine Damen! Uns bleibt das ewig Weibliche, uns bleiben Mutterschaft und Eros. Das haben wir den Männern voraus. Zur vollen Entfaltung dieser Talente rät Hochhuth den Frauen: Verweigert die Arbeit! (Womit er sicher nur die entlohnte, nicht die Gratisarbeit im Haus meint.) Huldigt dem Eros! Werdet promiskuitiv! (Nur mit Männern, versteht sich.) Und was wird dann sein? Antike Lust wird wiederauferstehen: »Dadurch herrscht das Weib im täglichen Leben, mehr noch in den Mysterien … Helena, die durch der Reize Fülle selbst bei Greisen Sehnsucht erweckt« (Bachofen).

Und diesen Zustand, in dem Helena ihr höchstes Glück im Aufmuntern von Greisen sehen würde, nennt Hochhuth dann »Matriarchat«, Frauenherrschaft. Das scheint ihm die fällige Antwort auf »Krieg und Umweltverschmutzung«, scheint ihm die historische Berufung der Frau. Entlarvend ist, daß er selbst bei einer so hemmungslosen Anwendung der Begriffe nur in Machtkategorien denken kann: Wo das Patriarchat schon nicht herrscht, muß das Matriarchat dominieren. Abschaffung von Machtbeziehungen an sich – der Gedanke ist ihm sichtlich nie gekommen.

Ginge es um Rassismus oder Antisemitismus, wäre es einfach – noch dazu bei einem so simplen Gegner. Aber es geht um Sexismus. Kein Konflikt auf dieser Welt ist mit so viel Ignoranz, Verleumdung und Böswilligkeit beladen wie der zwischen den Geschlechtern. Systematisch wurde das, was Hochhuth »Trieb« nennt, in den weiblichen Menschen verschüttet. Nur so ist es möglich, Frauen die gesamte Gratisarbeit im Haus aufzubürden. Nur so ist es möglich, jede zweite Arbeitnehmerin mit unter sechshundert Mark abzuspeisen. Die Erziehung hat aus Frauen auf Männer fixierte, ihnen sozial, emotional, sexuell und ökonomisch ausgelieferte Kreaturen gemacht. »Man kommt nicht als Frau zur Welt, man wird es« (Beauvoir). Wo Leute wie Hochhuth von der »menschlichen Natur« reden, muß ihnen entschieden die Konditionierung entgegengehalten werden – egal, ob es sich um die der Klassen, Rassen oder Geschlechter handelt.

Aber diese frauenspezifische Konditionierung macht nicht nur minderwertig. Frauen werden mit dem Besinnen auf sich selbst auch Werte in die Evolution einbringen, die Männern verlorengingen: Emotionalität etwa, die offen, wenn auch verachtet, nur bei den Frauen überdauern konnte. Insofern geht es den revoltierten Frauen keinesfalls um Gleichstellung – und da irrt nicht nur Hochhuth! –, nicht um Vermännlichung, sondern um Vermenschlichung der Geschlechter. Sie pfeifen auf die von Hochhuth propagierte Weiblichkeit und auch auf seine demonstrierte Männlichkeit. Erstrebenswert scheint ihnen eine Gesellschaft, in der Individuen sich ohne Sex-Etikett realisieren können.

Bis dahin ist ein noch weiter und sicherlich auch schmerzlicher Weg. Warum aber sollte der Dichter und Denker sein den Frauen so angedientes »Rezept Eros« inzwischen nicht selbst schon ausprobieren? Warum wählt Hochhuth nicht das erfüllende Leben eines Strichjungen, der in der Horizontalen berühmte Dramatiker inspiriert? Ganz wie die »emanzipierten Kurtisanen«. Sein Hormonhaushalt – das sei ihm physiologisch verbindlich versichert – macht's durchaus möglich.

Der Spiegel, Hamburg,
7. Januar 1974

Tell 38

Vorbemerkung

Mitte der siebziger Jahre verstärkte sich in Hochhuths Schaffen wieder
die zeitgeschichtlich-retrospektive Tendenz gegenüber der lange vor-
herrschenden aktualistischen (oder zukunftsgerichtet-projektiven).
Das wurde bereits im 1976 gedruckten und uraufgeführten Bühnen-
monolog *Tod eines Jägers* deutlich, dem das historische Faktum des
Hemingway-Selbstmordes 1961 Anlaß zu kritischen, doch einfühlsa-
men Reflexionen über die Asozialität einer ganzen Art zu leben und zu
schreiben wurde. Dann aber wandte Hochhuth sich mit Entschiedenheit erneut jener beschämenden deutschen Vergangenheit zu, die nun
zwar keine verschwiegene, verdrängte mehr war, die aber jetzt im
Hochschwappen einer sogenannten »Hitlerwelle« ihre modisch-
kommerzielle »Auswertung«, ja schlimmer: ihre »nostalgisch« schil-
lernde geheime Neuverklärung erfuhr. Überflüssig zu betonen, daß
der Autor des *Stellvertreters* sich von derlei Unsauberkeiten fernhielt
und auch jetzt scharfe, klare Frontlinien zog. In seiner Dankesrede zur
Verleihung des Baseler Kunstpreises am 2. Dezember 1976 über-
raschte er seine Schweizer Zuhörer mit dem Hinweis auf einen neuen
»tragischen« Wilhelm Tell, den gleichwohl niemand von ihnen kannte[1]: Maurice Bavaud, ein französisch-schweizerischer Theologiestu-
dent, hatte es, »als der eine einzige des ganzen Zeitalters«, wagen wollen, »Hitler frontal zu erschießen«[2], und bezahlte den Entschluß mit
seinem Leben.
  Bavaud, 1916 in Neuchâtel als Sohn eines Briefträgers geboren und
von seinen Eltern streng katholisch erzogen, erhielt zunächst eine Be-
rufsausbildung als technischer Zeichner, besuchte dann aber ein Priesterseminar in der Bretagne, weil er Missionar werden wollte. Im
Herbst 1938 kehrte er nicht mehr ins Seminar zurück und fuhr statt
dessen nach Deutschland, vorgeblich, um sich dort um eine Anstellung
in seinem Beruf zu bemühen, in Wahrheit, um Möglichkeiten für ein

Attentat auf den »Führer« zu erkunden, in dem er vor allem einen radikalen Gegner der katholischen Kirche und der Schweiz sah. Mit Hartnäckigkeit und tollkühner Entschlossenheit verfolgte Bavaud sein Ziel, die in Basel gekaufte »Schmeisser«-Pistole immer bei sich. Von Berlin reiste er Hitler nach Berchtesgaden nach, schließlich nach München, wo der Französischsprechende als »ausländischer Journalist« am 9. November sogar eine Karte für die Ehrentribüne beim Erinnerungsmarsch zur Feldherrnhalle erhielt. Die Entfernung zu dem mit seinen »Alten Kämpfern« vorbeimarschierenden Hitler erwies sich aber als zu groß. Bavaud, dem klar war, daß er in jedem Falle sein Leben verwirkt hatte (glückte der Anschlag, würde man ihn lynchen), wagte den Versuch, sich mit einem gefälschten Empfehlungsbrief im Braunen Haus und in der Reichskanzlei Zugang bei Hitler selbst zu erlisten. Sein Vorhaben scheiterte jedoch, und auch am Obersalzberg gelangte er nicht ans Ziel. Da er kein Geld mehr hatte, mußte er sein Unternehmen – vorübergehend, wie er meinte – abbrechen, stieg ohne Fahrkarte in einen Zug München–Paris, wurde von der Bahnpolizei aufgegriffen und als Ausländer der Gestapo übergeben, die ihn folterte und ihm schließlich sein Geständnis abpreßte. Im Dezember 1939 zum Tode verurteilt, wurde er erst im Mai 1941 – nach insgesamt 28 Monaten Haft – in Berlin-Plötzensee hingerichtet. Offenbar vermutete man – wie im Falle des Tischlers Georg Elser, der den Bombenanschlag im Münchner Bürgerbräukeller verübt hatte – immer noch »Hintermänner«. Bavaud aber war »Einzelgänger« – eben darauf beruhte die extreme Beunruhigung des Diktators. Hitler wußte, wie aus der Aufzeichnung seiner Tischgespräche hervorgeht, »daß gegen einen idealistisch gesinnten Attentäter, der für seinen Plan rücksichtslos sein Leben aufs Spiel setzte, kein Kraut gewachsen« sei[3]. Hochhuth erschließt aus weiteren Äußerungen, wie sehr den braunen Tyrannen das waghalsige Vorgehen Bavauds – den er freilich nie beim Namen nennt – beeindruckt und alarmiert haben muß. Interessanterweise zog Hitler es vom nächsten Jahr an vor, dem Münchner Traditionsmarsch fernzubleiben. Auch das vierzehn Tage nach Bavauds Enthauptung vom Führer persönlich verfügte Verbot des Schillerschen *Wilhelm Tell* ist nach Hochhuth in unmittelbarem Zusammenhang mit dem Fall des neuen »Schweizer Heckenschützen« – so Hitlers haßerfüllte Formulierung – zu sehen. Daß alle Informationen über den Attentatsversuch Bavauds streng geheim zu halten waren, versteht sich von selbst. »Hitler fürchtete Bavaud als Vorbild.« Wer konnte wissen, wie viele solcher »Fanatiker« sich in aller Stille ähnlich kühn zum Äußersten entschließen würden?

In Hochhuths Sicht ist all dies ein kaum zu entkräftender Beweis für seine These von der unverminderten Bedeutung des einzelnen sogar angesichts der Terrormaschinerie moderner Diktaturen, von seiner Entscheidungsfreiheit zur exemplarischen Tat, mit der er sehr wohl in den sogenannten »Gang der Dinge« eingreifen könne. Schon immer hatte Hochhuth diesen einzelnen zur bestimmenden Kraft seiner im »klassisch«-traditionellen Sinne dramatischen Handlungen werden lassen. Hier verengte und radikalisierte sich dessen Position, den Bedingungen des Totalitarismus gemäß, zu der des Einzelgängers und seines einsamen Unterganges. Bavauds Tat wäre beinahe gelungen, die Tat, die das Schicksal von Millionen verändert hätte – und dieses *Beinahe* genügt Hochhuth, ihn als Täter, nicht nur als Opfer zu bewerten. Der Mut, die Entschlossenheit zum »frontalen« Handeln wird auch nicht ganz ohne Polemik von der sehr viel weniger direkten »Methode« der Männer des 20. Juli abgehoben. Bereits seine Kühnheit zeichnete Bavaud, laut Hochhuth, vor allen anderen Attentätern des Dritten Reiches aus – wieviel mehr vor jenen »Realpolitikern«, die damals noch, 1938, einem vom Glanz des Erfolges umstrahlten Hitler ihre Aufwartung machten. Wieder richtet sich Hochhuths Ingrimm gegen die Lauen, die Gleichmütigen, die opportunistisch dem Geschehen seinen Lauf ließen oder gar pharisäisch-spießig den Stab brachen, wie auch jener schweizerische Gesandte in Berlin, der in zwei Jahren keinen Prozeßbeobachter seines Landes schickte (selbst Austauschangebote soll es gegeben haben!) und von »verabscheuungswürdigen Absichten« des Angeklagten redete.

Nicht allein solche Konstellationen sind es, die untergründige Nähe zum *Stellvertreter* anzeigen: Bavaud war entschiedener Katholik und sah seine Kirche, wie aber auch die ganze »Menschheit«, wie er seinen Quälern zusätzlich zu gestehen wagte, von Hitler bedroht. In den Prozeßakten wird die religiös-kirchliche Motivation ausdrücklich vermerkt, bis hin zum Schmähwort vom »Gangstertum des politischen Katholizismus«. Bavaud, der Gläubige, aber *unternahm* etwas, und zwar »frontal«, den Urheber aller Schrecken selbst im Visier – nicht »nur« als subversiver Infiltrant wie Gerstein, auch nicht, wie Riccardo, im »bloß« passiven, symbolischen Selbstopfer. Fast hat es den Anschein, als sei Bavaud für Hochhuth die wahre, spät gefundene Kontrastfigur zum Pius des *Stellvertreters*. Hatte die historische Recherche dort, in der Perspektive des Autors, zur Aufdeckung eines nicht zu verhehlenden Versäumnisses geführt, so hatte sie hier im Gegenteil die Enthüllung eines bislang ungekannten Verdienstes zur Folge. Schien dort dem allgemeinen Stillschweigen das Faktum kläglicher Insuffizienz entrissen, so hier dasjenige bewunderungswürdiger Größe (den »großen Mann«, einen »einsamen *Helden*« nennt Hochhuth, ohne Zögern, Bavaud[4]). Dem Denkmalsturz eines Fast-schon-Heiligen korrespondiert die Errichtung eines Denkmals für den bisher Namenlosen. Nach so viel desillusionierendem Enthüllen, Entlarven, Entmythologisieren nun das vorbehaltlose Bekenntnis zur Verehrung, die eingestandene Erhöhung ins schon Mythische. Hochhuth ist überzeugt, daß sich »in fernsten Zeiten noch ›die Phantasie vieler von selber an dieser Gestalt weiterbilden‹« wird[5] – nach Burckhardt wichtigstes Kriterium für die »Größe«, die ruhmvolles Überdauern im Gedächtnis der Menschheit garantiert.

»Gestalt« in diesem Sinne wurde Maurice Bavaud erst durch den »Außenseiterhistoriker« (A. v. Schirnding) – eine literarische wie politische Leistung. Die Fachwissenschaft, die seit geraumer Zeit Kenntnis von der Existenz des Hitler-Attentäters hatte, tat lange wenig oder nichts, die Hintergründe zu erhellen. Den Anstoß gab der mit Hochhuth befreundete David Irving, der die einschlägigen Bemerkungen in Hitlers Tischgesprächen »entziffert« hatte. Es folgten Arbeiten des Historikers Peter Hoffmann (1969 und 1973), die jedoch kaum größere publizistische Resonanz fanden. Hochhuths Rede (1977 zunächst als Privatdruck erschienen, seit 1979 aber, mit erweitertem Anmerkungs- und Dokumentationsteil, dem allgemeinen Leserpublikum zugänglich) wirkte dann nicht nur stark in die Öffentlichkeit hinein, sondern regte ihrerseits eine intensivere Beschäftigung der professionellen Historiker mit dem vorliegenden Material an. Einer von ihnen, Klaus Urner aus Zürich, warf freilich Hochhuth »paradoxe Verzerrungen« in seiner Deutung vor, wogegen dieser sich in seinen Anmerkungen von 1979 bereits energisch zur Wehr setzte. Die Stiftung Pro Helvetia finanzierte zwei Wissenschaftlern, Niklaus Meienberg und Villi Hermann, ein Forschungsjahr, dessen Ergebnisse 1980 vorliegen sollen.

Hochhuths *Liebe in Deutschland,* wo auch von dem »furchtbaren Juristen« Filbinger, mehr aber von einer einfachen, seitdem nicht mehr zu vergessenden Tragödie zweier Menschen in elenden Tagen erzählt wurde, war für mich – wenn es vielleicht so unangemessen gesagt werden kann – das würdigste, schönste Buch des letzten Jahres. Seinen *Tell 38* nenne ich ohne Scheu das wichtigste Buch dieses Jahres: das ehrenvolle Dokument eines toten Helden.

Dietrich Strothmann

WALTHER SCHMIEDING

Ein Tell des Jahres 1938?

Als Rolf Hochhuth am 2. Dezember 1976 den Basler Kunstpreis erhielt, dankte er dafür mit einer für ihn bezeichnenden Rede. Er enthüllte dem überraschten Publikum, die Schweiz habe in unserem Jahrhundert einen neuen »tragischen« Wilhelm Tell hervorgebracht, nämlich den Theologiestudenten Maurice Bavaud, der 1938 Hitler erschießen wollte und nur durch Zufall entdeckt wurde. Die Rede wurde damals auszugsweise veröffentlicht und erschien 1977 als Privatdruck. Aber erst jetzt liegt sie, allgemein zugänglich, in Buchform vor, und ihr umfangreicher Anhang von »Anmerkungen und Dokumenten« erlaubt eine genauere Bestandsaufnahme.

Wer war dieser »Tell 38«, wie Hochhuth ihn nennt? Maurice Bavaud wurde 1916 in Neuchâtel als Sohn streng katholischer Eltern geboren; der Vater war »Oberbriefträger«. Bavaud wurde erst technischer Zeichner, studierte dann aber in einem Priesterseminar in der Bretagne, um Missionar zu werden. Aus den Sommerferien 1938 kehrte er nicht mehr ins Seminar zurück. Er stahl seiner Mutter fünfhundert Franken, kaufte in Basel eine Pistole und Munition und fuhr zu Verwandten nach Baden-Baden. Es handelte sich um die Familie des Werkmeisters Karl Gutterer, dessen Sohn Ministerialdirektor (später Staatssekretär) in Goebbels' Propagandaministerium war. Den Verwandten spielte Bavaud Bewunderung für Hitler und den Nationalsozialismus vor. Er hatte auch stets eine französische Ausgabe des Buches *Mein Kampf* bei sich.

Im Oktober 1938 fuhr Bavaud nach Berlin, las dort aber in der Zeitung, daß Hitler gar nicht in der »Reichshauptstadt«, sondern in Berchtesgaden sei. Er reiste nach Berchtesgaden und freundete sich dort mit zwei Studienassessoren – Französischlehrern – an. Als er sie fragte, wie man den »Führer« einmal aus der Nähe sehen könne, rieten sie ihm, sich am 9. November in München den Traditionsmarsch zur Feldherrnhalle anzuschauen. Bavaud, der sich als Journalist ausgab, bekam in München sogar eine Karte für die Ehrentribüne.

Vor dem Attentat übte er auf dem Ammersee das Schießen; er zielte auf Papierschiffchen. Am 9. November merkte er jedoch, daß die Tribüne zu weit entfernt lag, um Hitler sicher zu treffen. So fälschte er einen Empfehlungsbrief des ehemaligen französischen Premierministers Flandin und fuhr damit wieder nach Berchtesgaden, um Hitler dort zu töten. Er wurde nicht vorgelassen. Im Zug nach München nahm ihn dann die Bahnpolizei fest. Bavaud hatte nicht mehr genug Geld gehabt, um sich eine Fahrkarte zu kaufen. Seine Pistole und der Brief machten ihn verdächtig. Die Gestapo rekonstruierte lückenlos seine Attentatsvorbereitungen.

Bavaud wurde im Dezember 1939 zum Tode verurteilt und im Mai 1941 in Berlin-Plötzensee geköpft. Die Schweizer Gesandtschaft hatte nur lässig interveniert. Bavauds Verteidiger, Dr. Franz Wallau, der auf Freispruch plädiert hatte, wurde deswegen aus der Anwaltskammer ausgeschlossen. Zwei Wochen nach Bavauds Hinrichtung ließ Hitler Schillers *Wilhelm Tell* für die deutschen Theater und für die deutschen Schulen verbieten. Aus dem Datum dieses Verbots und aus der Tatsache, daß Hitler den »Schweizer Heckenschützen« – den er allerdings irrtümlich für einen Kellner hielt – in seinen Tischgesprächen häufig erwähnte, folgert Hochhuth, Hitler selber habe in Bavaud einen neuen »Tell« gesehen und ihn entsprechend gefürchtet.

Aber war Bavaud ein »neuer Tell«? Es läßt sich sehr wohl bezweifeln, daß man ihm – nach erfolgreichem Attentat – im Herbst 1938, als Hitler auf der Höhe seines Ruhms war, diesen Ehrentitel zuerkannt hätte; Hochhuth urteilt von heute aus. Sicherlich aber hätte in diesem Fall die Weltgeschichte einen anderen Verlauf genommen. Welchen? Unsere Phantasie reicht nicht aus, um sich das vorzustellen. Doch es ist charakteristisch für Hochhuth, daß er mit genialem Instinkt wiederum eine historische Position aufgespürt hat, in der ein einsamer einzelner Mensch versucht hat, den Ablauf der Geschehnisse zu verändern.

Dabei sind allerdings auch Hochhuth die Motive seines »Tell 38« nicht völlig klar. Bavaud scheint in Hitler vornehmlich den Feind der katholischen Kirche und der Schweiz gesehen zu haben. Der Schweizer Historiker Urner hat in dem Zusammenhang darauf hingewiesen, daß Bavaud zeitweilig ein Antisemit gewesen sei. Hochhuth polemisiert heftig gegen Urner, der seiner Meinung nach Bavauds Andenken verunglimpft. Nähere Aufschlüsse wird aber wohl erst das Buch bringen, das die beiden Schweizer Niklaus Meienberg und Villi Hermann 1980 (zusammen mit einem Film) vorlegen wollen.

Für Hochhuth jedenfalls ist es entscheidend, daß hier ein einzelner Hitler zu einem Zeitpunkt zu töten versucht hat, als die Staatsmänner aller Großmächte sich noch mit ihm zu arrangieren versuchten. Darin sieht er den Beweis für die Richtigkeit seiner These von der Verantwortung – und der Wichtigkeit – des Individuums. Er fühlt sich damit auch als Dramatiker bestätigt, wenn er Konflikte »personalisiert«. Er besteht darauf, daß in diesem Punkt er recht habe und nicht Adorno und die »Frankfurter Schule«, die er als seine Hauptwidersacher ausmacht. Gleich am Anfang seiner Baseler Rede bezeichnet sich Hochhuth als einen Menschen, der darin »trainiert« ist, »Ohrfeigen und Fußtritte hinzunehmen oder auszuteilen«. In der Rede teilt er mehr aus. Adorno und sein Begriff vom »autonomen« Kunstwerk – samt der damit verbundenen Absage an jede »Aussage« der Kunst – ist für ihn eine politisch gefährliche Abdankung von den »anonymen Mächten«, ja er konstruiert sogar eine »Verantwortungsflucht« der Frankfurter Schule, die konsequenterweise dann auch die Freilassung der Auschwitz-Mörder hätte fordern müssen. Ich fürchte, hier verrennt sich Hochhuth.

Doch er ist eben ein eigenwilliger und eigensinniger Autor. Und es gibt keinen deutschen Schriftsteller, der in den Abraumhalden der Geschichte mehr über die Schuld und über die Würde einzelner Menschen in unserem Jahrhundert entdeckt und damit mehr bewirkt hat als Rolf Hochhuth.

Frankfurter Allgemeine Zeitung,
4. September 1979

ALBERT VON SCHIRNDING

Plädoyer für den Einzelgänger

Die Gerichtsverhandlung ist das Muster, nach dem Rolf Hochhuths Bücher ablaufen. Immer geht es um einen örtlich und zeitlich genau lokalisierten Fall; der Autor tritt als Ankläger und Rechtsanwalt auf, der Leser ist zum Richter bestellt.

Als Hochhuth 1976 den Basler Kunstpreis erhielt, bedankte er sich mit einer Rede, die den Schriftsteller anfangs ohne Robe zeigt. Er gibt Auskunft über sich und über die Prinzipien, nach denen er jeweils antritt. Dann aber geht es wie in jenen Kriminalromanen, wo ein berühmter Kommissar einmal Urlaub macht und schon in der Hotelhalle des Ferienorts wieder über eine Leiche stolpert.

Der Fall, mit dem Hochhuth die zu seinen Ehren versammelte Festgemeinde konfrontiert, hat etwas mit dem Ort zu tun, der dem Preis den Namen gibt. In Basel nämlich kaufte am 20. Oktober 1938 ein Eidgenosse aus Neuchâtel die Pistole, mit der er Hitler erschießen wollte – ein Einzelgänger wie sein Landsmann Tell; allerdings geriet die Neuinszenierung des Stücks charakteristischer Weise nicht mehr zum Festspiel, sondern zur Tragödie: Maurice Bavaud wurde nach 28 Monaten Haft am 14. Mai 1941 in Berlin hingerichtet.

Daß ein Menschenalter vergehen mußte, bis Name und Geschichte dieses Mannes ans Licht der Öffentlichkeit drangen, beruht auf der Totschweigetaktik der Nazis. Wäre der Attentatsversuch ruchbar geworden, so hätte er eine ansteckende Wirkung haben können. Er scheiterte ja weniger an den Sicherheitsvorkehrungen für Hitlers Leben als an einigen dummen Zufällen. Hätte nicht der Außenseiterhistoriker Hochhuth energische Berufung eingelegt, so wäre das Todesurteil des Volksgerichtshofs vom Dezember 1939 noch immer das letzte Wort in der Sache Bavaud. Dieses Urteil ist mit allen übrigen Dokumenten im Anhang des Bandes abgedruckt. Hochhuths Basler Rede nimmt dreißig Seiten ein, der Rest besteht aus Anmerkungen; sie zeigen auf einen Helden und Märtyrer, den »einzigen des ganzen Zeitalters, der wagen wollte, Hitler frontal zu erschießen«.

Wie er das im einzelnen anfing, soll hier nicht nacherzählt werden. Bavaud war vielleicht ein Dilettant, aber gewiß kein Verrückter. Da er bereit war, mit seinem Leben für das Gelingen der Tat zu zahlen, hatte sie eine durchaus reale Chance. Beim Münchner Erinnerungsmarsch zur Feldherrnhalle am 9. November 1938 kam Tell seinem Geßler auf Beinahe-Schußweite nahe, an Treffsicherheit fehlte es ihm nach achtzig in den Tagen zuvor abgegebenen Probeschüssen nicht. (Auf dem Ammersee hatte er von einem Kahn aus Zielschießen auf Papierschiffchen veranstaltet.) Die Weltgeschichte hätte, wäre Bavaud zum Schuß gekommen, einen anderen Lauf genommen – einen Augenblick lag das Schicksal von Millionen in der Hand dieses einzelnen.

Das ist der Punkt, an dem sich die Lebenslinie des zweiundzwanzigjährigen Maurice mit Hochhuths leidenschaftlicher Intention kreuzt, dem, wie er meint, von unserer Zeit schmählich mißachteten Individuum zu seinem verlorenen Recht zu verhelfen. Der einzelne wird nicht nur im Duden kleingeschrieben. Der Haß auf den Einzelgänger drückt sich für Hochhuth auch darin aus, daß weder im Fall Bavaud noch im Fall des Bürgerbräu-Attentäters Elser jemand daran glauben wollte, die Männer könnten auf eigene Faust gehandelt haben; man vermutete Helfershelfer und Drahtzieher. Verachtung steckt auch im pejorativen Gebrauch der Begriffe Individuum und Subjekt. »Subjekt Woyzeck« heißt es schon bei Büchner – im Munde des Doktors, also eines der namenlosen Funktionäre der Gesellschaft.

Die historischen Wurzeln dieses Hasses reichen tief. Hochhuth macht Hegel als den »gefährlichsten aller Götzendiener des Staates und Verächter des Individuums« namhaft. Von ihm führt die Linie zur Frankfurter Kritischen Theorie, dieser »fast allein meinungsmachende(n) Nachkriegsschule der Entmündigung des einzelnen«. Adornos Wort von der »Abdankung des Subjekts« wird zitiert. Das ästhetische Credo von der Autonomie des Kunstwerks führe mit der Aussperrung der empirischen Wirklichkeit zur Blindheit für »jene, die diese Welt ein- oder hinrichten«. Ästhetik und Ethik lassen sich nicht trennen. Wer den einzelnen künstlerisch entmündigt, spricht ihn auch frei von der Mitschuld an den Greueln der Geschichte. Die Adorno-Schule, sagt Hochhuth, habe der Verantwortungsflucht des Zeitalters die Notausgänge gezeigt.

Gegen die Frankfurter und ihre Ahnherrn ruft er Jacob Burckhardt, Karl Jaspers, Hannah Arendt in den Zeugenstand, auch den Germanisten Walter Muschg, schließlich die Dichter überhaupt; denn »tatsächlich ist jede Dichtung ein Plädoyer für den Einzelgänger, und das hat um so beredter zu sein, je weniger die Institutionen das Individuum noch zulassen wollen zur Mitwirkung, auch zur Repräsentation«. Maurice Bavaud ist ihm einer unter denen, die den Kopf dafür hinhielten, daß ein scheinbar ohnmächtiger einzelner auch heute noch Entscheidendes vermag, daß Männer immer noch Geschichte machen. Ein Blutzeuge also.

Hochhuths Parteinahme für die Rolle des Einzelgängers verführt ihn zu einer Polemik, die oft ungerecht und einseitig wirkt. Wenn er vom »historisch einzigartigen Satanismus des Urhebers von Auschwitz« spricht, dann leistet er gerade jener von ihm so bekämpften Haltung Vorschub, die sich zur Rechtfertigung verübten Unrechts auf den Befehls- oder Verführungsnotstand beruft. Indem Adorno und Horkheimer beispielsweise den Charakter der autoritären Persönlichkeit in ihren typischen Erscheinungsformen und ihrem Gewordensein darstellten, versuchten sie nichts anderes, als die Struktur eines massenhaft aufgetretenen Untäters bloßzulegen, deren Elemente mit dem NS-Staat ebensowenig untergingen, wie sie mit ihm entstanden waren. Damit war kein Freispruch für das faktische Verbrechertum eines einzelnen verbunden. Hochhuth vernachlässigt die – sit venia verbo – Dialektik von Es und Ich, er löst das Allgemeine im Individuellen auf, was ebenso falsch ist, wie den einzelnen zum leeren Blatt zu machen, auf das der Geist oder Ungeist der Zeit seine Anweisungen schreibt.

Interessant, auch beunruhigend ist, daß er mit solchem Eintreten fürs Subjekt neuerdings keineswegs allein dasteht. »Ich mag einzelne. Alles andere ist Ramsch«, heißt es in den römischen Aufzeichnungen von Rolf Dieter Brinkmann. »Die vielen« haben hier dieselbe Abschätzigkeitsaura wie bei George oder Benn oder Jünger. Jünger wird bei Hochhuth auch nicht ohne Sympathie zitiert.

1941 untersagte Hitler die Aufführung von Schillers *Wilhelm Tell*; auch in den Schulen durfte er nicht mehr gelesen werden. Daß dieses kurz nach der Hinrichtung Bavauds ausgesprochene Verbot direkt durch dessen Attentatsversuch bedingt war, wie Hochhuth glaubt, halte ich für unwahrscheinlich. 1941 hatte sich die politische Lage in Deutschland doch schon so weit zugespitzt, daß ein Tyrannenmörder auf der Bühne oder im Unterricht nicht mehr als Held erscheinen durfte. Auch in der Erklärung dieses Sachverhalts kollidieren der einzelne und das Allgemeine. Trotz aller theoretischen Einwände: Daß Hochhuth mit solcher Verve als Rechtsanwalt des einzelnen auftritt, hat bisher nur denen geschadet, die es verdient haben. Und dem Theaterbesucher und Leser hat es genützt. Denn je schärfer die Züge des handelnden und leidenden Individuums sich abzeichnen, um so klarer tritt zugleich der Horizont in den Blick, der sie und uns umschließt.

Süddeutsche Zeitung, München,
24. November 1979

DIETRICH STROTHMANN

Das einsame Opfer

Was für ein Schicksal! Gefaßt wurde er an einem Novembertag des Jahres 1938, kurz vor Augsburg, im fahrplanmäßigen Schnellzug München–Paris, nur weil er keine gültige Fahrkarte vorweisen konnte. Von der Bahnpolizei an die Gestapo übergeben wurde er nur, weil er ein Schweizer war. Überführt des mehrfach versuchten Anschlags auf den »Führer und Reichskanzler« wurde er, nur weil in seinem Koffer ein Kuvert entdeckt wurde, das an Hitler adressiert, aber leer war. Und vergessen schließlich blieb er, namenlos, gesichtslos, geschichtslos, über dreißig Jahre hinweg, weil sich seine alten Eltern noch immer seiner schämen mochten, weil seine Landsleute gleichgültig waren, weil die »Welt« die strahlenden Helden mit den klingenden Namen liebt – bis ihn Rolf Hochhuth endlich namhaft machte ...

Maurice Bavaud hieß er, der in den Wochen vom 9. Oktober – dem Tag seiner Einreise nach Deutschland – bis zum 13. November 1938 – dem Tag seiner Verhaftung im Zug – viermal vergeblich versuchte, Adolf Hitler zu töten: ein Zweiundzwanzigjähriger, Sohn eines einfachen Postbeamten aus Neuchâtel, von Beruf technischer Zeichner, der auch einmal katholischer Missionar werden wollte. Ein »schwieriger Heckenschütze«, wie ihn der Tyrann danach gelegentlich während seiner Selbst-»Tischgespräche« in fast anerkennender Verachtung nannte. Der achtundzwanzig Monate in Haft gehalten wurde, davon siebzehn Monate noch nach seinem Todesurteil. Der kühl plante und schwärmerisch dachte (als ihn seine Henker zum Schafott holten, las er Descartes; als er sein Attentat vorbereitete, übte er im Wald und auf einem See mit seiner Pistole zielschießen).

Der, trotz seiner männlich-überlegten Entschlossenheit, jugendlich-leichtfertig war (denn ohne den gefundenen Briefumschlag im Gepäck, nur wegen Schmeisser, Kaliber 6,35 mm, wäre er nicht in die Fänge seiner Folterer und unter das Fallbeil geraten). Der sich auch einmal, für einen kurzen, konfusen Augenblick, in den Antisemitismus verrannte (wofür ihn manche Schweizer noch heute tadeln und sich von ihm abwenden). Der sogar vom Gefängnispfarrer in Plötzensee beschuldigt wurde, über seine Eltern nichts als »Schande« gebracht zu haben; der sogar von seinem Botschafter, Fröhlicher hieß er, ohne Not offiziell wegen seiner »verabscheuungswürdigen Absichten« beschimpft wurde. Und den dann, bis ihn Rolf Hochhuth endlich wieder namhaft machte, der Staub der Geschichte bis zur Unkenntlichkeit, Erinnerungslosigkeit verdeckt hatte. Kein Ruhmesblatt für die Historiker, für die selbstbewußt-stolzen Schweizer, für uns. Es gibt, scheint es, nicht nur die Unfähigkeit zu trauern, die letztens wieder vielzitierte; es gibt auch die Schwierigkeit, zu rühmen die wenigen Tapferen in schlimmen Zeiten.

Wenn Literatur, Geschichtsschreibung einen Sinn hat, dann diesen vor allem anderen: Vergessenes zurückzurufen, Verschollenes aufzuhalten, Verlorenes wiederzufinden. Hochhuths schmales Buch über den stillen, einsamen Attentäter Maurice Bavaud, von dem für so lange Jahre niemand mehr etwas wissen wollte, ist dafür ein Lehrbeispiel, ein Meisterstück. Was dieser kleine »große Mann« – Hochhuth nennt ihn auch einen »Tell von heute«, einen «tragischen Tell«, eine »Sagenfigur« – alles versuchte, an den nun wirklich furchtbar großen Mörder heranzukommen, den er töten wollte (indem er sich eine Tribünenkarte für den Erinnerungsmarsch zur Feldherrnhalle verschaffte, indem er sich in Berlin, in München, am Obersalzberg, in Bischofswiesen in die Nähe Hitlers einzuschleichen versuchte), das ist Stoff für ein Drama. So wie es ein anderer Schweizer, Jacob Burckhardt, verstand: Wo die »ethischen Konflikte Nebensache« sind und, wie es nun Hochhuth vorführt, die »Darstellungen der von der Geschichte aufs Rad geflochtenen einzelnen« zur Hauptsache werden – die wirkungslosen, gescheiterten, also übergangenen Einzelgänger, die für sich handeln und in routinemäßiger Dunkelheit vernichtet werden, die ohne Rütlischwur, ohne Gefolgschaft, ohne die Welt oder doch einen Teil von ihr verändert zu haben, zur Namenlosigkeit noch nachträglich verdammt werden. Denen kein Denkmal errichtet, kein Kranz geflochten wird, in Anerkennung oder Dankbarkeit, in Achtung vor diesem unvorstellbaren, kaum glaublichen Mut. Dazu immer wieder und zuallererst sind Schriftsteller da, sind sie vonnöten: daß jene wenigen, die das Außerordentliche, auch Aussichtslose wagten, unvergessen bleiben, ihren Namen behalten, der schon verwittert, beinahe verweht ist.

Maurice Bavaud, dies ist seine Einmaligkeit, wollte keine Bombe werfen und sich danach einer neuen Staatsführung zur Verfügung stellen wie sechs Jahre später Graf Stauffenberg. Er wollte aus der Ferne keine Höllenmaschine zur Explosion bringen und danach unentdeckt untertauchen, wie ein Jahr nach ihm Johann Georg Elsner. Bavaud wollte Hitler, von Angesicht zu Angesicht, erschießen – ehe die Zeit des millionenfachen Sterbens auf den Schlachtfeldern und in den Gaskammern der Vernichtungslager kam –, in der Gewißheit, sofort gelyncht, selber erschossen zu werden.

Er war schließlich der einzige unter ohnehin wenigen wagemutigen Attentätern, jenen allein und direkt auszulöschen, über den dann Bavauds Richter in ihrer Begründung der »Strafzumessung« in erbärmlich-feierlichem Pathos zu Protokoll gaben: »Der Angeklagte hat es ... unternommen, dem deutschen Volk seinen Retter zu nehmen, jenen Mann, dem achtzig Millionen deutscher Herzen in unendlicher Liebe, Verehrung und Dankbarkeit entgegenschlagen und dessen Stärke und feste Führung ihm heute mehr denn je nötig ist, und dies alles ohne die entfernteste auch nur moralische Berechtigung, lediglich in seinem religiös-politischen Fanatismus.« Wie sich das heute liest: ».. . ohne die entfernteste auch nur moralische Berechtigung«? Wie sich das heute ganz anders liest.

Unerheblich, gemessen an der jungenhaften Courage, am Leid des »heroischen Einzelgängers« Maurice Bavaud, ob Hitler allein seinetwegen noch im späten, anhaltenden Zorn sämtliche Aufführungen von Schillers *Tell* verbieten, sogar *Tell*-Zitate aus den Schulbüchern verbannen lassen wollte. Davon jedenfalls ist Rolf Hochhuth felsenfest überzeugt; darüber mögen sich die Experten streiten, wenn es denn von Bedeutung ist.

Die Zeit, Hamburg,
12. Oktober 1979

RUDOLF KRÄMER-BADONI

Links schlägt sein Herz nicht

Fast jeder kennt den Namen Rolf Hochhuth, aber fast keiner weiß, wer er ist. Soeben ist sein *Tell 38* erschienen, ein Denkmal für einen Schweizer Theologie-Studenten, der sich im Jahre 1938 aufmachte, um Hitler zu erschießen, und auf dem Schafott endete. Und schon schreibt ein Schweizer Historiker, dieser Maurice Bavaud sei kein Denkmal wert.

Hochhuths erstes Stück, gegen Pius XII. Schweigen zu den Judenmorden gerichtet, machte ihm viele Katholiken zu Feinden. Und obwohl die Katholiken neuerdings von Pius XII. wegsehen, bleibt es beim Anti-Hochhuth-Affekt.

Später haben andere Schriften und Aktionen Hochhuth in den Geruch eines radikalen Linken gebracht. Eine Menge Parteipolitiker und anderer Leute sind gegen diesen Linken. Läsen sie ihn, so fänden sie in *Soldaten* das Stichwort Katyn behandelt, und in *Guerillas* erführen sie, es sei weniger beängstigend, wenn zweihundert Familien die Produktionsmittel eines Landes besitzen, als wenn diese nur dem einen konkurrenzlosen Zentralkomitee gehören. Vor allem aber wüßten sie dann, daß Hochhuth unentwegt die Nazizeit aufarbeitet, wie zuletzt in *Eine Liebe in Deutschland* – und das ist gerade nicht typisch für einen radikalen Linken. Die Linksradikalen interessieren sich nicht für Nazigreuel, für sie ist der Nazismus identisch mit dem Kapitalismus und der bürgerlichen Gesellschaft, und das einzige Allheilmittel ist der Kommunismus.

Auch die Linksradikalen sind seine Gegner. In den kommunistischen Ländern werden seine Werke so gut wie nie aufgeführt, für Kommunisten ist Hochhuth ein Kleinbürger, punktum. Daß auch bei uns diejenigen Regisseure, die am Schickeriabedürfnis der Unterentwickelten leiden, von seinen Stücken oft nichts wissen wollen, ist demnach nicht verwunderlich.

Also sind so gut wie alle gegen ihn. Das ist das Schicksal eines Mannes, der dafür sorgen möchte, daß nicht vergessen wird, was gewesen ist – auch nicht von den Jüngeren. Daß aber dieser Mann, der behütet in der hessischen Kleinstadt Eschwege aufwuchs und am Ende der Nazizeit vierzehn Jahre alt war, nicht der Meinung ist, er habe damit nichts zu tun, sondern diese Last auf sich nimmt, das ist ein hoffnungsvolles Zeichen aus dieser jüngeren Generation ...

Daß man mit manchen seiner Schlußfolgerungen nicht einig geht, ergibt sich daraus von selbst. Hochhuth versteht sich als ein Moralist, nicht als ein Jurist. Da er sich nun einmal an besonders schwierige Fälle Lebender oder kürzlich Verstorbener heranwagt, bleiben seine Recherchen nicht selten unvollständig. Und sie führen gelegentlich zu undifferenzierter Beschuldigung.

Manchmal hat er Menschen in den Farben geschildert, die etwa Shakespeare seinem Richard III. gab – den die historische Forschung heute auch ganz anders sieht. Aber Hochhuths Ernst als Bühnenschriftsteller, seine subjektive Ehrlichkeit, die unter kein Parteilehrjahr zu subsumieren sind, haben ihm den Respekt vieler Kenner eingebracht.

Die Welt, Bonn,
4. September 1979

Hochhuth und die Juristen

Die Affäre Filbinger
Eine Liebe in Deutschland
Juristen

Vorbemerkung

Schien es zu Zeiten des *Stellvertreters* und der *Soldaten* mitunter, als gelte Hochhuths Bekenntnis zum einzelnen vorzugsweise prominenten Figuren im sogenannten Rampenlicht welthistorischen Interesses, so war dieser Eindruck schon mit den »kommunalen« Komödien (*Hebamme* und *Lysistrate)* gründlich korrigiert. In Maurice Bavaud hatte der einstige Pius-Kritiker das Gegenbild des wahren »Täters« und »Helden« geradezu unter den bislang Namenlosen gefunden. *Eine Liebe in Deutschland* nun, das erste erzählerische Werk des Autors seit über fünfzehn Jahren, 1977/78 entstanden, spürte dem unaustauschbaren Einzelschicksal eben dort nach, wo es das massenhafte ungezählter anderer auch war – wehrloser Opfer, die keiner mehr kennt und nennt, wenn ihnen nicht jemand wie Hochhuth ihr Epitaph schreibt.

Liebe im Deutschland des Rassenwahns – das war ein todeswürdiges »Verbrechen«, sofern sie einen »Fremdvölkischen« zum »GV« (dies das genierliche Amtskürzel für den Sexualverkehr) mit einer Angehörigen des Herrenvolkes verleitete. Im konkreten Fall des südbadischen Brombach, den Hochhuth aufdeckte, hieß das: Der polnische Kriegsgefangene Stasiek Zasada wird – so forderte es die einschlägige barbarische Bestimmung – statt von einem Berufshenker von einem Landsmann dilettantisch »gehängt«, also elend erwürgt. Seine deutsche Geliebte, die Gemüsehändlerin Pauline, deren Mann »im Felde« ist, kommt für Jahre ins KZ. Möglich war beides erst nach pflichtschuldiger Denunziation durch verantwortungsbewußte Volksgenossen.

Was konnte angebliche Mitmenschen, Nachbarn dazu bringen, sich derart ins hämische Komplizentum mit delirierenden Kriminellen zu verlieren? Neid und Mißgunst reichen als Erklärung nicht aus; Hochhuth meint: Ganz Deutschland sei von einer gemütsverändernden

233

Krankheit, von Hysterie und Paranoia befallen gewesen, und scheint damit die »Kleinen«, die nur »Infizierten« zu entlasten. Dennoch wird der untergründige Schrecken »vor einer Bevölkerung« spürbar, »die jeden noch so grausamen Erlaß, jede noch so ›wahnhafte‹ Gemeinheit als Regen für ihre dürstende Seele empfand, die im Bürokratismus der Todesarten, im Über- und Untermenschentum geradezu zu sich selbst fand, zum erstenmal in ihrer Geschichte mit sich selbst einig war« (Peter Pawlik[1]). Und mag es sich um eine vorübergehende »Erkrankung« gehandelt haben – so bestand die »Genesung« weithin doch nur in einem kollektiven Verdrängungsakt, der selbst wieder pathologisch anmutet. Hochhuth berichtet von den Schwierigkeiten bei der Recherche, von der Unmöglichkeit, die »Geschichte« – im Doppelsinn – genau zu rekonstruieren. Die Akteure von einst haben die Spuren noch vor sich selbst verwischt. »Ihre Berichte sind Triumphe der Willenskraft über das Gedächtnis.« (Nietzsche: »›Das habe ich getan‹, sagt mein Gedächtnis. ›Das kann ich nicht getan haben‹ – sagt mein Stolz und bleibt unerbittlich. Endlich – gibt das Gedächtnis nach.«[2]) Wieder, wie schon in den sechziger Jahren und also immer noch, erweist sich, daß das Problem der Vergangenheit auch eines der Gegenwart ist, denn »niemand begehrt die Wahrheit zu wissen«. Darf das bei den »Kleinen«, den »Verführten« vielleicht als entschuldbar gelten, so sicherlich nicht bei jenen, die als »Durchführer des Führers«, zumeist sehr wohl wissend, was sie taten, dem Terrorsystem durch perfekte Administration sein unmenschliches Funktionieren sicherten.

»Durchführer des Führers« waren viele gewesen, die inzwischen unbehelligt hohe und höchste Pensionen genossen, während ihre Opfer, sofern sie überhaupt noch lebten, sich mühsam mit dürftigen »Entschädigungen« durch ein karges Alter brachten. Auch hatte es den Moralisten Hochhuth lange schon empört, daß eine Justiz, die faktisch Hitlers Unrechtsstaat mitgetragen hatte, nach 1945 ohne einen einzigen selbstreinigenden Prozeß gegen einen der Ihren auskommen zu dürfen meinte. Das »Überdauern« von Rechtssprechern des einstigen Regimes gerade in einem so sensiblen Bereich mußte ihm als politischer Skandal erscheinen – es wird zentrales Thema jenes dann 1980 uraufgeführten Stückes sein, für das der Autor schon seit Beginn der siebziger Jahre Material sammelte und das bereits im Titel die »Zielgruppe« seiner Polemik zu erkennen gibt: *Juristen.* Zunächst und eher beiläufig attackierte Hochhuth in *Eine Liebe in Deutschland* die gnadenlose Maschinerie der deutschen Militärgerichte des Zweiten Weltkrieges (bis zum 31. 1. 45: über 24 000 Todesurteile). Er tat dies exemplarisch, bezogen auf eine Person, und nur in *einem* Absatz – jedoch mit Folgen, die auch er nicht ahnen konnte. Der am 17. Februar 1978, also über ein halbes Jahr vor Erscheinen des Buches, unter dem Titel »Schwierigkeiten, die wahre Geschichte zu erzählen« in der *Zeit* publizierte Vorabdruck löste die allbekannte sogenannte »Filbinger-Affäre« aus, womit die wohl stärkste und direkteste politische Wirkung bezeichnet ist, die je ein deutscher Autor mit den ihm eigenen Mitteln erzielte. »Hochhuth schreibt, und ein Ministerpräsident bleibt auf der Strecke« *(Der Tagesspiegel*[3]) – so sah es rückschauend die Presse, als im Oktober 1978 das Buch herauskam.

Über den Ablauf der Ereignisse, zu dem seit Frühjahr 1980 eine ausgezeichnete Dokumentation vorliegt (Rosemarie v. d. Knesebeck [Hg.], *In Sachen Filbinger gegen Hochhuth,* rororo 4545), hier das Wesentliche in kurzen Zügen:

Am 21. Februar 1978 läßt Filbinger, von Gebhard Müller, einem Amtsvorgänger, auf den *Zeit*-Abdruck hingewiesen, Hochhuth durch seine Anwälte gerichtliche Schritte wegen »Diffamierung« ihres Mandanten für den Fall androhen, daß der Schriftsteller die beigefügte »Verpflichtungserklärung« (Verzicht auf erneute Publikation der beanstandeten Textpartie) nicht unterzeichne. Da eine Reaktion ausbleibt, wird am 28. Februar bei der 17. Zivilkammer des Landgerichts Stuttgart Antrag auf einstweilige Verfügung gestellt und zugleich die Klage gegen Hochhuth und den *Zeit*-Verlag eingereicht, gemäß der es beiden Beklagten untersagt werden soll, den umstrittenen Passus des Vorabdrucks künftig nochmals zu veröffentlichen. Filbingers Anwälte beziehen sich dabei auf ein im Jahre 1972 vorausgegangenes Verfahren gegen den *Spiegel,* das damals der Ministerpräsident gewann. Der *Spiegel* hatte vom Fall des noch drei Wochen nach Kriegsende im Gefangenenlager von Filbinger verurteilten Obergefreiten Kurt Petzold berichtet, auf den Hochhuth in seinem Text anspielt. Seinerzeitige Urteilsbegründung durch Filbinger: »Ein hohes Maß an Gesinnungsverfall.« Der einstige Marinestabsrichter – so Petzold – habe noch einen Monat nach Hitlers Tod »unseren geliebten Führer« gerühmt, der »das Vaterland wieder hochgebracht hat«. Filbingers Klage gegen diese Aussage war 1972 stattgegeben worden, weil das Gericht den Wahrheitsgehalt von Petzolds Behauptung für nicht beweisbar, das Erinnerungsvermögen des Filbinger entlastenden, 1945 ebenfalls in der Militärgerichtsbarkeit tätigen Landgerichtsdirektors Harms dagegen als zuverlässig angesehen hatte. Es war zu erwarten, daß ein neuerlicher Prozeß in dieser Frage zu keinem anderen Resultat führen würde.

Bevor es jedoch am 9. Mai in Stuttgart zur Verhandlung kommt, ändert der »Fund« einer Akte im Bundesarchiv Koblenz – durch Hochhuth selbst – radikal die Lage: Filbinger hat, so ist der Akte zu entnehmen, im Januar 1945 in Oslo als Ankläger gegen den Matrosen Walter Gröger die Todesstrafe wegen »Fahnenflucht« gefordert (in Wahrheit lag nur »unerlaubte Entfernung von der Truppe« vor) und noch im März, wenige Wochen vor dem Zusammenbruch des Regimes, ohne jeden erkennbaren Willen zur Verzögerung, vollstrecken lassen. Filbinger sucht sich mit dem Hinweis auf die Zeitumstände und unabänderliche Weisungen des Flottenchefs zu rechtfertigen, im übrigen habe er in anderen Fällen Schlimmeres verhütet und seine »antinazistische Gesinnung« durchaus auch »sichtbar gelebt«, ja, sogar einem Widerstandskreis (um Reinhold Schneider) angehört. Die Entscheidung zur einstweiligen Verfügung am 23. Mai gibt ihm indessen nur zur Hälfte recht. Hochhuth wird untersagt, Filbinger betreffend zu »vermuten«, er befinde sich »auf freiem Fuße« wohl nur »dank des Schweigens derer, die ihn kannten«. Hingegen darf er die Charakterisierung des Ministerpräsidenten als eines »furchtbaren Juristen« wörtlich aufrechterhalten – so findet sie sich bis heute in *Eine Liebe in Deutschland*. Im gleichen Sinne wird die 17. Kammer auch in der Hauptsache entscheiden, als sie am 13. Juli – nach der »Unterwerfungserklärung« Hochhuths und des Verlages zum Urteil vom 23. Mai – die Klage Filbingers zurückweist.

Inzwischen hat das Interesse an den politischen Dimensionen des Falles längst das begrenztere juristische verdrängt. Das Drama, das da mit atemberaubender Zuspitzung in aller Öffentlichkeit abläuft, gibt auch Antwort auf die Frage: Wie verhält sich ein Mann, der im heutigen Deutschland Verantwortung trägt, zu seiner fragwürdigen Vergangenheit? Und: wie verhält sich zu ihm die – nahezu die Hälfte der Bevölkerung der Bundesrepublik repräsentierende – Partei, die ihn trägt und deren »Wahllokomotive« er war? Filbinger selbst demonstriert unerschüttert sein »pathologisch gutes Gewissen«, wie es mit einem mittlerweile »geflügelten« Wort der baden-württembergische SPD-Vorsitzende Eppler nennt. Er beharrt, uneinsichtig, darauf: Was »damals rechtens« gewesen sei, könne »heute nicht Unrecht« sein – ein Satz voll des »schrecklichen Rechtspositivismus« (Hans Mayer[4]), der ein »unsittliches Recht« allen Ernstes für möglich hält und, konsequent angewandt, in der Tat *alles* »rehabilitieren« kann, was im Vollzug nationalsozialistischer Gesetze und Verordnungen von deutschen Juristen 1933 bis 1945 zu »Rechtswirklichkeit« gemacht wurde. Häufig, allzu häufig verweist der (Noch-)Ministerpräsident auf sein versagendes Gedächtnis – so auch zunächst im Falle Gröger, was ihn dann nicht hindert, zu beteuern, wie sehr dieser ihn damals »bewegt« habe. Er erklärt außerdem – insofern kann er sich erinnern –, an weiteren *Todes*urteilen habe er nicht mitgewirkt. Lange hält seine Partei uneingeschränkt zu Filbinger – auch als durch den *Spiegel* ein Aufsatz des Einundzwanzigjährigen aus dem Jahre 1935 bekannt wird, der sich im Gebrauch von Nazi-Vokabular überschlägt (»Schutz der Blutsgemeinschaft«) und beflissen im Sinne des »neuen Rechts« für die »eindrucksvolle und scharfe Strafe« plädiert. Dergleichen läßt sich noch als »Jugendsünde« abtun, obwohl es bereits recht schwerfällt, die behauptete spätere Gegnerschaft zum Regime schlüssig daraus abzuleiten. Und warum eigentlich soll für Filbinger gelten, was er selbst den jugendlichen »Radikalen« im öffentlichen Dienst seines Landes auch nach erwiesener Wandlung nicht zubilligt: das Recht auf Irrtum?

Am 1. Juni ist die Filbinger-Affäre im deutschen Bundestag angelangt. Oppositionsführer Kohl verteidigt den verdienten Parteifreund mit Entschiedenheit und redet von einer »Diffamierungswand für eine ganze Gruppe in unserm Volk«. Noch am 9. Juli sprechen das Präsidium der CDU Baden-Württembergs sowie der Vorstand der CDU-Landtagsfraktion Filbinger ihr Vertrauen aus. Dies, nachdem ans Licht gelangte, daß er, entgegen seinen Behauptungen, noch an mindestens einem weiteren Todesurteil wegen Fahnenflucht (am 19. April 1945, also drei Wochen vor der Kapitulation), beteiligt war, auch wenn dieses in Abwesenheit des Angeklagten – von Filbinger deshalb als »Phantomurteil« bagatellisiert – gefällt wurde. Als Anfang August jedoch abermals von einem bis dato unbekannten Todesurteil Filbingers (hier hatte dieser, wenn auch erst auf Weisung des Gerichtsherrn, allerdings für Begnadigung plädiert) zu hören ist, stellen sich »Überdrußsymptome« (Roderich Klett, SDR, 3. August[5]) auch bei denen ein, die dem Ministerpräsidenten strikte »Solidarität« schuldig zu sein glaubten: Filbinger hat sein Konto nunmehr eindeutig überzogen. Konsterniert entdecken sie zudem seine neueste Gedächtnislücke: Das jetzt bekannt gewordene Todesurteil stammt aus dem Jahre 1943 – bislang hatte Filbinger immer angegeben, erst »in der letzten Kriegsphase« »zeitweilig richterliche Funktionen« ausgeübt zu haben (Munzinger-Archiv). Man ist der ständigen unangenehmen Überraschungen müde. Schon im Juli hatte Peter Lorenz von der Berliner CDU, hatten Alfred Dregger und Hermann Höcherl die Unhaltbarkeit der Position Filbingers angedeutet und diesem den Rücktritt nahegelegt – ohne Erfolg. Am 7. August ist es dennoch soweit: Der nach wie vor Uneinsichtige wird von der Stuttgarter Partei zur Demission gezwungen, die am 21. in Kraft tritt.

Was noch folgt, ist das peinliche Schauspiel eines »Ämterabbaus auf Raten« (R. v. d. Knesebeck[6]), Filbinger »klebt am Rest« (*Der Spiegel*[7]) der ihm noch verbliebenen Funktionen, die ihm dann, eine nach der anderen, von seinen einstigen Freunden entrissen werden müssen. Auf dem CDU-Parteitag am 25. März 1979 in Kiel wird er nicht mehr ins Präsidium gewählt. Er muß erkennen, daß es für ihn keine Zukunft als Politiker mehr gibt. Der Verzicht auf den Landesvorsitz der baden-württembergischen CDU am 29. April bezeichnet das Ende des langen Abschieds von der Macht. Diesen hatte noch Filbingers erbitterte Schelte am Stuttgarter Urteil begleitet, das er als »Unrechtsurteil« hinzustellen sucht, während er doch auf jede Möglichkeit legalen Einspruchs, auf Berufung verzichtet hat. Das hochmütige Selbstmitleid des ehemaligen Ministerpräsidenten geht so weit, eine »persönliche Prozeßniederlage« zur »Destruktion des Rechtsstaates durch die Gerichte« schlechthin umzufälschen, wie der »Verein der Rechts- und Staatsanwälte« in einer Stellungnahme formulierte[8].

Ähnliche Töne werden von denen angeschlagen, die, der Opportunität folgend, soeben erst Filbingers Sturz bewerkstelligt haben. Sie suchen ihr Vorgehen durch Legendenbildungen im nachhinein vor sich und ihren Wählern indirekt zu rechtfertigen. Außerdem läßt sich so erneut ein »linkes Machtkartell« konstruieren, das man vor allem in einer bestimmten Hamburger Presse und im ARD-Fernsehen (*Panorama*) am finster-verschwörerischen Werk sieht und dessen verlängerter Arm Rolf Hochhuth sei. Eine systematische und unbarmherzige Hetzkampagne von »links« war es, die Filbinger zu Fall brachte, nichts sonst. Die CDU-CSU-nahe Publizistik stößt ins gleiche Horn: von »demagogischen Zerstörungskünsten« einer »gnadenlosen Jagd« (*Deutsche Zeitung*[9]) ist die Rede, von »Rufmord« und »Hexenjägerei« (*Die Welt*[10]). Wiederum, wie so oft in der bundesdeutschen Nachkriegsgeschichte, wird eine Chance zur nie gelungenen Aufarbeitung oder gar Bewältigung einer Vergangenheit, in die zu viele verstrickt waren, absichtsvoll hinweggeschwätzt – zur Erleichterung aller etwa Betroffenen. Das originär demokratische Interesse daran, welche Rolle ein Staatsrepräsentant von heute gestern oder vorgestern spielte und wie er heute dazu steht, erscheint bereits als häßliche Diffamierungslust »linkslastiger« Zersetzer und ist so perfekt neutralisierbar. »Lauten Beifall erntete Strauß, als er zu den Vorgängen um Filbinger erklärte: Man kann aus dem, was er bei Kriegsende unter den damaligen Verhältnissen getan hat, keinen Vorwurf machen. Aber man führt mit Ratten und Schmeißfliegen [erst Hochhuth, dann Engelmann] keine Prozesse« (*Hofer Anzeiger,* 31. Juli 1978).

Filbinger, nicht zu vergessen, hatte als möglicher Kandidat für das Bundespräsidentenamt gegolten. Daß daraus nichts wurde, ist gewiß nicht Hochhuth allein zu danken – der von »demagogischen Zerstörungskünsten« Betroffene betrieb die moralische Entblößung seiner recht statiösen Landesvaterfigur selbst in wünschenswerter Deutlichkeit. Indessen – Hochhuth gab den Anstoß, und wiederum bedurfte es seines eifervollen Zorns, den andere, »Gelassenere«, aufzubringen nicht fähig oder willens waren. (Ohne ihn bliebe der Mutter des Matrosen Gröger noch heute die ihr zustehende Elternversorgung vorenthalten, die sie auf Initiative Walter Scheels, wenn auch mit bemerkenswerter Verzögerung durch die niedersächsischen Behörden, seit September 1979 bekommt.) Schreiben wurde zur Tat, und das Drama, das da in voller Öffentlichkeit ablief, spannend und didaktisch ergiebig zugleich, konnte wirklicher, authentischer kaum gedacht werden. Der von Scharen »Engagierter« in endlosen Debatten nicht herbeizuredende direkte Übergang von Literatur in Realität – hier schien er verblüffend, mit erstaunlichem Effekt, Ereignis geworden.

Als Hochhuth daher ein Jahr später (1979) die Buchausgabe eines neuen Stückes, *Juristen,* vorlegte, das unüberhörbare Anklänge an die »Filbinger-Affäre« aufwies, war zu befürchten, daß dieses Werk als notgedrungen schwächerer, dazu verspäteter Versuch, so eindrucksvolle Praxis auf der Bühne noch einmal nachzuspielen, mißdeutet werden würde. Und so geschah es leider auch: ». . . es gibt zwei Theaterstücke von Hochhuth«, meinte selbst Dramaturg Hermann Beil im Gespräch mit Claus Peymann, als beide über die Entscheidung, das »zweite« nicht vorzustellen, diskutierten: »Das ihm von einem Ministerpräsidenten aufgezwungene [!], das von ihm geschriebene.« Mit diesem doppele der *Juristen-*Autor nur nach, hinke einer imponierenderen Wirklichkeit »in den theatralischen Mitteln« hinterdrein. Beil übernahm hier ohne nennenswerte Vorbehalte die von Hellmuth Karasek schon in der Überschrift seiner *Spiegel-*Kritik vom 22. Oktober 1979 ausgegebene Parole, wonach *Juristen* das »Stück zum Filbinger-Sturz« sei, und kaum mehr als das. Karaseks höhnisch-herablassender Verriß bestimmte, bis hin zur Adaption gewisser Formulierungen, entscheidend den Tenor aller weiteren kritischen Auseinandersetzung um das neue Werk Hochhuths – unzweifelhaft wirkte er »atmosphärisch« auch auf die Inszenierungsbereitschaft der Bühnen. Dabei war, neben der rücksichtslosen Bloßlegung dramaturgischer und stilistischer Schwächen, wichtigstes inhaltliches »Argument« eben die vorgebliche Überflüssigkeit des Stückes: »Alles war getan, noch bevor das Stück aufgeführt wurde«, so pointierte Benjamin Henrichs

nach dem Hamburger Theaterabend in der *Zeit* im gleichen Sinne:
»Lange vor der Premiere war alles vorbei, das Drama hatte seine politische Arbeit getan ... Daß Rolf Hochhuths Theaterstück ... nun
auch leibhaftig aufs Theater kommt, ist eher eine Peinlichkeit.«[11]

Henrichs klärt, wie Karasek, nicht eindeutig darüber auf, daß weder
dieses Stück noch die unmittelbaren Vorarbeiten dazu die »Filbinger-Affäre« auslösten. Schon seit Ende der sechziger Jahre, und lange
bevor er von der Vergangenheit eines Hans Karl Filbinger das gering-
ste ahnte, hatte Hochhuth sich mit dem Thema der unbeeinträchtigt in
den »neuen« demokratischen Staatsapparat übernommenen Justiz-
funktionäre des Dritten Reiches befaßt. Die erste Anregung dazu ver-
dankte er dem 1968 verstorbenen hessischen Generalstaatsanwalt
Fritz Bauer, einem der wenigen Vertreter einer »anderen Justiz« in der
älteren Generation – seinem Gedenken ist das *Juristen*-Drama gewidmet. 1972 hatte es ein Filmexposé zu diesem Stoff gegeben, zuvor
bereits ein Angebot Hochhuths an Peter Palitzsch, ein Stück zum
Thema zu schreiben. Erst die Kenntnis von dem speziellen Skandal der
deutschen Militärgerichtsbarkeit im Kriege führte dann zum Fall Filbinger hin, dem jedoch deutlich immer nur symptomatische, wenn auch
exemplarische Bedeutung zugemessen wurde. Nach Filbingers Sturz
im August 1978 reagierte Hochhuth in einem Brief an den Stuttgarter
Oberbürgermeister Rommel auf einen irreführenden Artikel der *Welt*
(»Streit um Theaterstück. Will Hochhuth jetzt auch Rommel scha-
den?«) aufschlußreich mit dem klärenden Hinweis), er habe eine von
Claus Peymann erbetene »Filbinger-Revue« »sofort abgelehnt«, wohl
aber dem Regisseur sein künftiges Juristen-Stück angeboten, in dem
Filbinger übrigens, als solcher kenntlich, nicht vorkommen werde.
Tatsächlich legte Hochhuth dann die Hauptgestalt seines Ministers
Heilmayer als synthetische Kunstfigur an, in der verschiedene Züge in
bundesdeutscher Wirklichkeit antreffbarer Personen kombiniert sind.
Am 7. Januar 1980, etliche Wochen vor der Uraufführung, stellte
Günter Rühle in der FAZ demgemäß richtig: »*Juristen* ist also nicht
die Ausnutzung des Filbinger-Falles, sondern dessen Begleittext.«
Unbeeindruckt von solchem Einspruch, folgte die Mehrzahl der Kritiker nach der Dreifachpremiere (Hamburg, Göttingen, Heidelberg)
am 14. Februar dennoch Karaseks Version vom »Filbinger-Stück«,
dem schwächlichen Nachklapp eines spektakulären, bereits »historisch« gewordenen Ereignisses.

Woher die beharrliche Tendenz, *Juristen* auf den einen, »abgeschlossenen« Fall zu reduzieren, dieses Werk zum »Schnee von gestern« zu erklären? Man ist versucht, ein Musterbeispiel für entla-

stende »Personalisierung« zu konstatieren, der Hochhuth, seinerseits im Positiven, fixiert auf das einmalige unaustauschbare Individuum, selbst ungewollt entgegenkommt: Filbinger »fiel«, und damit war »alles« vorbei, »alles getan« – so sagte es Henrichs ja mit »aller« (Un-) Eindeutigkeit. In Wahrheit war und ist – Februar 1980 – noch *nicht* »alles« getan, und davon handelt Hochhuths Stück mindestens ebenso. Mit Recht hob Peter Iden *(Frankfurter Rundschau)* hervor: »Die Perspektive geht immer auf die Gegenwart. Die Schuldvorwürfe gelten nicht nur einem vergangenen, sondern dem aktuellen, heutigen Verhalten.« Heilmayer war nicht nur ein gnadenloser Justizfunktionär unter Hitler, er ist auch der »Vater des Radikalenerlasses«. Die ungeheure Absurdität, den freiheitlich-demokratischen Rechtsstaat – auch, ja großenteils – von denen »schützen« und »verteidigen« zu lassen, die einst Radikale im Dienst des absoluten Unrechts waren und dies noch heute für »rechtens« vertretbar halten, erweist sich als das wahre Thema des Stückes von durchaus unüberholter Aktualität. Ob nämlich Heilmayer der »Pappkamerad eigener Fabrikation« ist, zu dem Georg Hensel ihn in der FAZ abwehrend erklärt [12], darf füglich bezweifelt werden – die einerseits übertrieben schmähsüchtigen, andererseits bemüht bagatellisierenden Reaktionen der meisten Kritiker deuten eher auf das Gegenteil. Unbestreitbare formale Mängel der *Juristen* wurden mit einer Ausschließlichkeit in den Vordergrund gespielt, die die Rede wie zufällig kaum mehr auf Inhalte geraten ließ. Und wo dies dennoch nicht zu vermeiden war, leistete das »gelaufene« Filbinger-Spektakel beachtliche Dienste, den Titel-Plural des neuen Stückes und alle offenkundigen Gegenwartsbezüge vergessen zu machen. Nur selten begegnet, wer die »Stimme der Kritik« dieses Februars auf sich wirken läßt, dem Bemühen um gerechte Würdigung über das bloß denunziatorische Fixieren der Schwächen hinaus. Das Ungenügen an »unserm Lebensklima einer falschen Beruhigung« (Iden), so etwas wie ein »Holocaust-Effekt« (Rolf Michaelis [13]) werden da und dort vermerkt. Dieser und jener erkennt, wie einst im Falle des *Stellvertreters:* Wo, bei den möglicherweise formbewußteren, artistisch raffinierteren deutschen Stückeschreibern dieser Jahre, wird »nur« theatralische Realität zur politischen (Michaelis) wie hier? »So hart, so direkt ist bisher kaum auf unserer Bühne in die Bundesrepublik hinein gefragt worden«, erklärt Günter Rühle mit einsamer Bestimmtheit im schon erwähnten Artikel der FAZ und fährt, die Dinge kühn zurechtrückend, fort: »Manchem mag zumute sein, daß das subventionierte Theater hier an die Grenze dessen komme, was es noch könne (›dürfe‹). Also ist das Theater hier auch befragt.«

Ein Theater, muß man hinzufügen, das sich derzeit in funktionslosen Scheinprovokationen auf bloße Eigenprofilierung bedachter Starregisseure gefällt oder in der mutlosen Melancholie einer passiv ihr eigenes Elend genießenden Sensibilität leerläuft. (»Wir sitzen da und beschäftigen uns mit unserm Innenleben . . . Da sind also die Opfer und beschreiben ihren Verfall, und die Henker sitzen da, setzen sich auf ihre Plätze, die Gesetze haben sie schon.« Claus Peymann sagte das unübertrefflich, aber auch er zog es vor, *Juristen* nicht zu spielen). Die nahezu totale Ausblendung alles Politisch-Gesellschaftlichen im Vollzug einer aufgeschwatzten »Tendenzwende« seit dem Ende der Reformperiode 1974 hat zur lähmend spürbaren Entrealisierung des Theaters und zu seinem fortschreitenden Bedeutungsverlust in der Öffentlichkeit geführt. In dieser Situation könnte Hochhuths Insistieren, daß »die Bühne *der* gesellschaftliche Ort der Auseinandersetzung mit den bestimmenden Themen unserer Wirklichkeit« sei[14], wie schon einmal, 1963, eine neue Entwicklung einleiten. »Rechtzeitig, bevor das deutsche Theater mit Hilfe der Parole: Weg von der Politik! ganz einschläft, gibt ihm Hochhuth ein neues Stück« (Rühle). Die Frage des ästhetischen Gelingens oder Nichtgelingens mag solcher initialen Wirkung gegenüber einmal als zweitrangig beurteilt werden. Der »Behandlung öffentlicher Fragen« (Rühle) auf der Bühne – bei zunehmenden Terrainverlusten nun auch im Fernsehen – dürfte in der Tat auf Dauer nicht aus dem Wege zu gehen sein. Oder hat das – relative – Umdenken bereits begonnen? Auch der *Spiegel* bestätigte (Nr. 8/1980), in nunmehr angemessener Wohlabgewogenheit: »Die Hochhuth-Aufführungen zeigen, trotz der Stück-Schwächen, wie sehr dem Theater in den letzten Jahren die politische Auseinandersetzung, die solidarisierende Wirkung fehlte.« So scheint es denn durchaus fraglich, ob Rolf Hochhuths bislang letztes Bühnenwerk, gemäß eiligem Chefkritikerbefund, in der Tat »seltsam folgenlos verpuffen« wird, wie Hellmuth Karasek *vor* den Aufführungen prophezeite[15].

Die Affäre Filbinger

Der Ministerpräsident von Baden-Württemberg hat nichts zu verbergen, und der Ministerpräsident von Baden-Württemberg wird nicht wegen Geschichten, die man ihm vorhält als Marinerichter, zu Fall kommen. Die Dinge sind so eindeutig, daß ich nicht nur nicht das Licht der Öffentlichkeit zu scheuen habe, sondern daß ich selbst alles tue, um die Öffentlichkeit richtig zu informieren. Ich bin der Meinung, daß jemand, der seinem Gewissen nach seine Pflicht getan hat auch in der äußersten Situation, daß der in Anspruch nehmen kann, daß er das Vertrauen und die Glaubwürdigkeit behält, die ihm bisher geschenkt wurden. Allerdings, ich wiederhole noch einmal, ein Krieg, und zumal der letzte Krieg, war und ist ein Verhängnis, und alle Zeitgenossen wurden in das Verhängnis hineingezogen – auch der junge Soldat Gröger, der dabei sein Leben gelassen hat. Er ist ein Opfer dieser verhängnisvollen Verstrickung geworden. Er würde noch leben, wenn ich rechtzeitig hätte eingreifen können. Aber traurig sind wir alle darüber.

Hans Karl Filbinger
Schwarzwälder Bote, 16. Mai 1978

Die Klage des Ministerpräsidenten

Stuttgart, 23. Mai. Die 17. Kammer des Stuttgarter Landgerichts entschied am Dienstag, daß der Schriftsteller Rolf Hochhuth den heutigen Ministerpräsidenten von Baden-Württemberg und Marinestabsrichter während des Dritten Reichs, Hans Filbinger, weiterhin einen »furchtbaren Juristen« nennen darf. Verboten wurde Hochhuth die Formulierung: »Man muß vermuten, er ist auf freiem Fuß nur dank des Schweigens derer, die ihn kannten.« Mit diesem Urteil hat Filbinger nur einen Teilerfolg errungen.

Gegen eine Passage in einer Erzählung des Schriftstellers, die am 17. Februar in der Wochenzeitung *Die Zeit* veröffentlicht wurde, hatte Filbinger auf Unterlassung geklagt. Im Wortlaut heißt es dort: »Ist doch der amtierende Ministerpräsident dieses Landes, der sogar noch in britischer Gefangenschaft nach Hitlers Tod einen deutschen Matrosen mit Nazi-Gesetzen verfolgt hat, ein so furchtbarer Jurist gewesen, daß man vermuten muß – denn die Marinerichter waren schlauer als die von Heer und Luftwaffe, sie vernichteten bei Kriegsende die Akten –, er ist auf freiem Fuß nur dank des Schweigens derer, die ihn kannten.«

Der Vorsitzende Richter der 17. Kammer, Helmut Kissel, meinte in der mündlichen Urteilsbegründung, beide Parteien hätten gleichviel Erfolg und Mißerfolg zu verzeichnen. Der Vorwurf, Filbinger befinde sich nur wegen des Schweigens anderer auf freiem Fuße, überschreite das Recht zur freien Meinungsäußerung, das nicht schrankenlos sein könne. Der durch diese Behauptung erhobene Vorwurf, der Kläger habe das Recht gebeugt oder Unschuldige verfolgt, sei nicht richtig. Der Richter fügte hinzu, über Fragen der Ethik habe das Gericht nicht zu entscheiden gehabt, und erwähnte in diesem Zusammenhang das unter Mitwirkung Filbingers als Anklagevertreter zustande gekommene Todesurteil gegen den jungen Soldaten Gröger.

Der Richter versicherte, der beklagte Schriftsteller Rolf Hochhuth solle nicht an lebhafter und engagierter Kritik gehindert werden. Die Zurücknahme des beanstandeten Zitats, Filbinger sei nur durch das Schweigen anderer noch auf freiem Fuße, durch Hochhuth im Nachrichtenmagazin *Der Spiegel* akzeptierte das Gericht nicht, da es sich dabei eher um einen persiflierenden Text gehandelt habe, die Erzählung außerdem in der *Zeit* und nicht im *Spiegel* abgedruckt worden sei.

Gegen Hochhuths Vorwurf, die Marinerichter seien schlauer gewesen als die von Heer und Luftwaffe, sie hätten die Akten vernichtet, hatte das Gericht nichts einzuwenden. Der Vorwurf sei allgemein gehalten und richte sich nicht speziell gegen den Kläger.

Ausführlich begründete der Kammervorsitzende, warum er den Vorwurf »furchtbarer Jurist« zulassen wolle. Hochhuth habe damit wohl sagen wollen, der Kläger sei ein Mann gewesen, der auch nach Kriegsende noch nicht umgedacht, noch Recht aus dem Dritten Reich angewendet habe. Eine solche Beurteilung könne allein schon durch den Fall Detzold gerechtfertigt sein. (Der junge Matrose, der in einem Internierungslager betrunken durch antinazistische Reden angeblich die Ordnung gefährdet hatte, war dafür von Filbinger mit einer sechsmonatigen Haftstrafe belegt worden.) Unterstützt werde diese Meinung noch durch den Fall Gröger, obwohl dies kein Fall gewesen sei, in dem der Kläger nach damaligem Recht hätte widersprechen müssen; er hätte aber widersprechen dürfen. Es sei »durchaus möglich« gewesen, Bedenken gegen dieses Strafmaß (Todesstrafe) zu äußern und zu »remonstrieren« (Einspruch zu erheben). Noch am Montag hatte Filbinger in Stuttgart erklärt, es sei nicht richtig, daß er im Fall Gröger »auch nur den geringsten Spielraum gehabt« habe.

Auch die Bemühungen Filbingers um den angeklagten Militärpfarrer Möbius und den mit dem Tode bedrohten Guido Forstmeister mochte das Gericht nicht zugunsten Filbingers in die Waagschale werfen. Beide Fälle hätten sich schon 1944, höchstens nach Anfang 1945 in einem anderen Gerichtsbezirk abgespielt. Der Fall Gröger sei Filbingers erster Fall nach der Versetzung nach Oslo gewesen. »Es ist nicht so, daß er damit zunichte gemacht hätte, was er vorher im Fall Möbius und Forstmeister bewirkt hatte.«

Weiter hielt es der Kammervorsitzende für gestattet, im Zusammenhang mit Filbinger von »Hitlers Marinerichter« zu sprechen. Diese Meinung könne aus einer Beurteilung der Fälle Petzold und Gröger gebildet und vertreten werden.

Zusammenfassend meinte der Richter, man habe den verbotenen und den nicht verbotenen Teil aus der beanstandeten Passage in Hochhuths Erzählung »gleichmäßig gewogen«.

Filbingers Rechtsanwalt Klaus Sedelmeier erklärte zu dem Urteil, in der Sache habe sein Mandant einen Erfolg errungen. Trotzdem werde er empfehlen, Berufung gegen die einstweilige Verfügung beim Oberlandesgericht einzulegen, da das Urteil durch das Auseinanderreißen der beanstandeten Passage seiner Ansicht nach rein rechtlich falsch sei.

Das Hauptsache-Verfahren beginnt am 13. Juni vor dem Stuttgarter Landgericht.

Renate Faerber
Frankfurter Rundschau, 24. Mai 1978

Hätte Filbinger gesagt: »Dies ist eine schlimme Geschichte aus einer schlimmen Zeit, und sie gehört zu der Last, die viele von uns tragen müssen aus dieser Zeit und die ich eben in dieser Weise tragen muß ... Ich beneide jeden, der ohne eine solche Belastung leben darf«, dann wären viele von uns bereit gewesen, zu sagen: Mach dies mit dir selber aus, ich will nicht den ersten, den zweiten, den dritten Stein werfen ...

Es könnte daher sein, daß Filbinger nicht die Verstrickungen des einunddreißigjährigen Marinerichters zum Verhängnis werden, sondern das pathologisch gute Gewissen des vierundsechzigjährigen Ministerpräsidenten.

Erhard Eppler auf einer Pressekonferenz,
8. Mai 1978

Ich frage mich, wie viele Todesurteile ein Mensch fällen muß, damit er sich an eins nicht mehr erinnert.

Egon Bahr
ZDF, »Heute«, 7. Juli 1978

JOACHIM FEST

Filbingers Uneinsichtigkeit

Zu den fatalen, das politische Leben dieses Staates belastenden Erscheinungen gehört die Figur des nachgeholten Widerstands gegen das Dritte Reich. Während Angehörige der älteren Generation ihre gelegentlichen Unmutsempfindungen aus jener Zeit vielfach zu einsamen Verschwörerrollen hocherinnern, suchen andere, die durch Alter oder Zufall vor jeder Bewährungsprobe bewahrt blieben, im häufig moralisierend getönten Rundumprotest zu beweisen, daß sie die Lehren der Geschichte erfaßt haben.

Es ist schwierig für jeden, die Arroganz des verschont Gebliebenen zu vermeiden. Nicht wenige Einlassungen zu der Auseinandersetzung, die um den Ministerpräsidenten Filbinger und dessen Mitwirkung an dem Todesurteil gegen den Matrosen Gröger, wenige Wochen vor dem Ende des Krieges, entbrannt ist, machen das deutlich.

Wer ein Beispiel will, denke an den Vorwurf, Filbinger hätte sich dem Auftrag, die Anklage zu übernehmen und auf die Höchststrafe zu plädieren, mühelos entziehen können. Der Einwand liegt aber nahe, daß er sich damit jeder Möglichkeit zur Verhinderng oder Milderung von Unrechtsakten begeben hätte. Immerhin kann er glaubhaft machen, in einigen anderen Fällen erfolgreich interveniert zu haben. Im ganzen war er denn wohl auch nicht der »furchtbare Jurist«, den

Hochhuth in ihm erkennen will; es gibt erschreckendere Beispiele. Aber er war korrekt, von Ordnungsängsten beherrscht und, wie viele seines Berufes zu jener Zeit, arm an humaner Phantasie.

Die eigentlichen Irritationen beginnen später. Ehrgeiz und Opportunitätserwägungen haben Filbinger dazu gebracht, sich zunehmend als aktiver Widerstandskämpfer aufzuführen. Nur mit Beschämung kann man angesichts der jetzt bekanntgewordenen Osloer Vorgänge vom Frühjahr 1945 nachlesen, was er 1960 am Grabe dreier Bürger von Brettheim über das »himmelschreiende Unrecht« geäußert hat, das jenen zugefügt worden sei; denn einer von ihnen hatte etwa zu der gleichen Zeit, da Gröger exekutiert wurde, die sinnlose Verteidigung des Dorfes verhindern, die anderen beiden hatten das daraufhin ergangene Todesurteil nicht unterzeichnen wollen. Anstößig wirkt jetzt auch Filbingers Rede vom 20. Juli 1974, in der er die Verschwörer gegen Hitler rhetorisch feierte. Bei alledem kein Wort persönlicher Betroffenheit. Statt dessen beispielsweise: »Der menschliche Wein in ihnen ist rein gekeltert worden.« Nicht nur das Empfinden für moralischen Takt erscheint hier verletzt, Filbinger hat auch sichtlich nicht bedacht, daß er sich mit der Stilisierung zum Widerstandskämpfer selbst das Argument entzog.

Denn der Vorwurf liegt eigentlich weniger darin, daß er so kurz vor dem Ende des Krieges ein Todesurteil zu erwirken hatte und vollstrecken ließ, wiewohl man fragen mag, ob nicht etwas weniger beflissener Erledigungswahn dem Verurteilten das Leben hätte retten können. Doch die Verblendungsmechanismen nahmen ja mit dem näherrückenden Untergang keineswegs ab. Angst und Ungewißheit steigerten die Blindheit vielfach noch, und man würde dies alles sicherlich auch dem Marinestabsrichter Filbinger zugute halten. Die Behauptung aber, zum Widerstand gehört zu haben, enthält zugleich den Verzicht auf jene Nachsicht, die dem politisch-moralischen Irrtum, sofern er nur Irrtum bleibt, durchweg zusteht. Filbinger gibt vor, sich die moralischen Maßstäbe auch damals bewahrt zu haben. Folglich muß er auch sein Verhalten daran messen lassen. Als Mann des Widerstandes aber hätte er nicht handeln dürfen, wie er gehandelt hat.

Im Saarländischen Rundfunk hat Filbinger sich unlängst zur Frage der Schuld erklärt. Aber er hat es auf eine Weise getan, die Epplers Wort vom »pathologisch guten Gewissen« nachträglich erst rechtfertigt. Ins Theologische ausweichend, hat er sein eigenes Verhalten einem sehr allgemeinen, in Schicksalsnebeln verschwimmenden Schuldbegriff unterworfen: »Wir alle sind an allem für alles schuldig.«

Wiederum kein Wort betroffener Einsicht. Statt dessen der Versuch, alles denkbare Verschulden, das stets an die einzelne Person gebunden ist, in einer universalen Komplizenschaft aufzulösen. Hannah Arendt hat in kleinem Kreis erzählt, wie sie kurz nach dem Krieg, erstmals wieder in Deutschland, von einer einfachen Frau, die über Jahre hin einer jüdischen Mitbürgerin beigestanden hatte, das weinend vorgebrachte Eingeständnis gehört habe, am unerträglichsten sei das Gefühl, schuldig geworden zu sein. Damals, so bemerkte sie, sei ihr aufgegangen, daß die Kollektivschuld-These nichts anderes als die grandiose Vertuschungschance für die wahrhaft Schuldigen sei.

Zweifellos sind viele der gegen Filbinger erhobenen Vorwürfe von politischen Nebenmotiven bestimmt. Ressentiments gegen den Anwalt von Gesetz und Ordnung spielen hinein. Aber wiederum ist es nur ein anderer Ausdruck der Uneinsichtigkeit, wenn er hinter den Angriffen lediglich ein Komplott von Linksextremisten wittert. Viel eher steht ein extremer Moralismus dahinter.

Das hat seinen guten Grund. Man mag über den Schriftsteller Rolf Hochhuth denken, wie man will. Doch steckt in seinem eifernden Rigorismus auch ein Gefühl dafür, daß die Demokratie ein höheres Maß an moralischer Irritabilität besitzt als jede andere Staatsform. Darauf gründet ganz wesentlich ihre Legitimität. Jedermann kann denn auch ein Versagen, das strafrechtlich irrelevant ist, mit sich selber abmachen. Ein Ministerpräsident kann es nicht.

Frankfurter Allgemeine Zeitung,
26. Mai 1978

Phantomurteil ohne Konsequenzen?

Der baden-württembergische Ministerpräsident Hans Filbinger hat entgegen früheren Verlautbarungen während seiner früheren Tätigkeit als Marinestabsrichter am Ende des Zweiten Weltkrieges nicht nur an dem Todesurteil gegen den zweiundzwanzigjährigen Matrosen Walter Gröger, sondern an vier weiteren Todesurteilen mitgewirkt. Dies räumte das Stuttgarter Staatsministerium am Mittwoch ein, nachdem das Fernsehmagazin »Panorama« ein zweites Todesurteil, das Filbinger als Richter am 19. April 1945 gegen einen dreißigjährigen Kommandanten eines Hafenschutzbootes, der sich in das neutrale Schweden abgesetzt hatte, die Todesstrafe ausgesprochen haben soll. Nach Darstellung des Staatsministeriums sind diese Fälle in einer Liste enthalten, die von dem Verteidiger des Schriftstellers Rolf Hochhuth sowie der Wochenzeitung *Die Zeit,* Rolf Jauch, dem Landgericht Stuttgart während der mündlichen Verhandlung im Vorverfahren vorgelegt worden war.

Stuttgarter Zeitung,
6. Juli 1978

Der baden-württembergische Ministerpräsident Dr. Hans Filbinger hat zu der Panorama-Sendung vom 4. Juli 1978 . . . erklärt, daß es sich bei dem von Panorama erwähnten Urteil offenbar um einen Fall von Fahnenflucht im Felde handle, in dem der Soldat sich vor der Verhandlung erfolgreich nach Schweden in Sicherheit gebracht hatte. Dieses Phantomurteil stand also allein auf dem Papier und konnte keine Konsequenzen für den Verurteilten haben.

Wörtlich fährt der Ministerpräsident in der vom baden-württembergischen Staatsministerium veröffentlichten Erklärung fort: »Dieser Fall, an den ich keine Erinnerung habe, liegt aber offenbar parallel zu einem anderen Urteil, das mir von dem ehemaligen Marinerichter Harms mitgeteilt wurde und bei dem die Schiffsbesatzung ihren Kommandanten ermordet und sich anschließend nach Schweden abgesetzt hatte.«

Beide Phantomurteile hätten die Eigenart, daß sie sich gegen Soldaten richteten, die sich außerhalb des Machtbereiches der Militärjustiz befanden und für die der Strafausspruch daher naturgemäß keine Konsequenzen haben konnte. In solchen Fällen sei es nicht um das Leben von Menschen, sondern nur und ausschließlich um Abschreckung gegangen . . .

Stuttgarter Zeitung,
6. Juli 1978

»Keine Erinnerung«

Ich habe, als ich am 5. Mai vor der Presse erklärt habe, außer dem Fall Gröger nichts anderes, da habe ich eben keine Erinnerung an das, was jetzt hochkommt, denn diese beiden Fälle sind, wie ich eben gesagt habe, reine »Phantomurteile« gewesen. Was soll der Vorwurf? Im übrigen, Vorwurf wäre doch nur dann, wenn es sich hier um Menschenleben gehandelt hätte, um Urteile, die mit Menschenleben etwas zu tun gehabt haben. Aber hier ging es lediglich um etwas, was auf dem Papier stand.

Eines muß man ja mit Deutlichkeit sagen: Ich habe mich nicht erinnert, bis ich gestern davon Nachricht bekam, daß ich am 16. Februar 1945 an einem Urteil beteiligt war – ich habe auch daran keine Erinnerung – wegen Fahnenflucht ...

Ich glaube, das ist wohl eindeutig darzutun, daß man an die damalige Zeit, an bestimmte Vorgänge keine Erinnerung mehr haben kann.

Dreiunddreißig Jahre sind eine große Zeitspanne, egal in welcher politischen Position wer ist. Und im übrigen, einer, der sehr viel zu tun hat und in dieser Aufbauphase eine große Arbeit geleistet hat, der hat wahrscheinlich sehr viel mehr vergessen von dem, was früher der Fall gewesen ist, als einer, der ein gemächliches Dasein geführt hat.

Hans Karl Filbinger
Saarländischer Rundfunk, 6. Juli 1978

Ich will das, was man so gerne Verdrängung jetzt nennt, das will ich gerne einen Moment ansprechen, um zu klären, was dieser Begriff meint und wie er entsteht. Wir erinnern uns, unser Weg in die Vergangenheit, in unsere persönliche und in die allgemeine Vergangenheit geht eben über die Erinnerung. Aber es gibt Momente, in denen die Erinnerung gestört werden kann, psychisch gestört werden kann, indem sie nämlich durch Verdrängung ersetzt wird. Verdrängung ist ein unbewußter Vorgang, ein unbewußter Vorgang, in dem wir Dinge, die uns normalerweise durch Erinnerung, durch den Weg der Erinnerung zugänglich werden, nicht zugänglich werden, also eine seelische Störung, ein psychisch auffälliges und pathologisch krankhaftes Verhalten ... Aber das geht nur bis zu einem gewissen Grad. Sie können nicht alles verdrängen. Es ist unmöglich. Sie können sich nicht dadurch entlasten, Ihre Seele kann sich nicht dadurch entlasten, daß sie sozusagen alles streicht, die Wege der Erinnerung total blockiert. Das ist ein Versuch, den wir machen, Psychisches nicht zu belastend wirken zu lassen, wie es bisher war. Wir haben es dann eben vergessen. Wir brauchen uns nicht mit ihm auseinandersetzen. Aber dann kommen Situationen wie die, in denen Herr Filbinger sich jetzt befindet oder die er uns anempfehlen will, ihm zu folgen; das sind dann Wege, die die Verdrängung durchaus stören. Das kann die Verdrängung nicht aufhalten. Hier gibt es dafür nur etwas anderes, man kann es nämlich verschweigen. Man kann es willentlich verschweigen. Und ich glaube, es ist ziemlich klar aus dem Verhalten von Herrn Filbinger, daß er den letzteren Weg gegangen ist.

Alexander Mitscherlich in einem Interview
Deutschlandfunk, 11. Juli 1978

Eine Ehrenerklärung aus Bonn

CDU-Generalsekretär Heiner Geißler gab im Einvernehmen mit dem Parteivorsitzenden Helmut Kohl eine Ehrenerklärung für Ministerpräsident Hans Filbinger ab. Die Erklärung hat folgenden Wortlaut:

»1. Nach Auffassung der CDU kann Dr. Hans Filbinger wegen seiner Tätigkeit als Marinerichter weder rechtlich noch menschlich ein Vorwurf gemacht werden. Aus den vorliegenden Akten geht hervor, daß Dr. Filbinger dort, wo er Angeklagten helfen konnte, dies auch getan hat.

Die beiden jetzt bekanntgewordenen Todesurteile von 1945 sind gegen Soldaten ausgesprochen worden, die sich im sicheren Ausland befanden. Für Dr. Filbinger war klar, daß sein Urteil damals mit Sicherheit ohne Folgen bleiben würde. Es war bekannt, daß Schweden Deserteure nicht auslieferte.

Die CDU stellt sich in diesem Zusammenhang gegen parteiische und selbstgerechte Beurteilungen aus der Distanz über dreißig Jahre. Es muß zum Beispiel daran erinnert werden, daß von Januar bis April 1945 die Hauptaufgabe der deutschen Marine im Ostseeraum darin bestand, Hunderttausende von Flüchtlingen aus Ostpreußen zu retten, was nicht möglich gewesen wäre, wenn nicht ein Mindestmaß an Disziplin aufrechterhalten worden wäre, für die auch die Marinegerichtsbarkeit mitverantwortlich war.

2. Die CDU ist davon überzeugt, daß Dr. Filbinger mit früheren Erklärungen weder die Öffentlichkeit noch seine eigene Partei getäuscht hat. Die CDU glaubt Dr. Filbinger, daß er bei seiner Äußerung vom 5. Mai sich nicht an die genannten Urteile erinnert hat. Diese Urteile wurden gegen Abwesende im Inferno der letzten Kriegstage gefällt, und zwar in Verfahren, bei denen die Angeklagten gar nicht in Erscheinung traten, weil sie sich im sicheren, neutralen Ausland befanden, Verfahren also, bei denen es nicht um das persönliche Schicksal der Angeklagten ging.

3. Eine freiheitliche, rechtsstaatliche Ordnung verlangt, daß der ein-

251

zelne in seinem Anspruch auf Gerechtigkeit geschützt wird. Dr. Filbinger hat in zahlreichen Fällen seine Tätigkeit dazu benutzt, Menschen in Not zu helfen und Menschen zu retten. Er hat bereits am 5. Mai erklärt, er habe nach der Kapitulation veranlaßt, daß die von ihm bearbeiteten Akten nicht vernichtet, sondern aufbewahrt werden sollten. Dies hat sich bestätigt. Dies tut niemand, der etwas zu verbergen hat.

Die Christlich-Demokratische Union bekräftigt ihre Verbundenheit mit einem Politiker, der an hervorragender Stelle am Wiederaufbau des freiheitlich demokratischen Nachkriegsdeutschlands beteiligt war und sich immer für Rechtsstaatlichkeit und Demokratie eingesetzt hat.«

Frankfurter Rundschau,
8. Juli 1978

Keine Entlastung

Stuttgart, 13. Juli. Der Rechtsstreit zwischen dem baden-württembergischen Ministerpräsidenten Hans Filbinger (CDU) und dem Schriftsteller Rolf Hochhuth wurde am Donnerstag beendet. Das Urteil dürfte zugleich die Diskussion darüber, ob Filbinger weiter im Amt bleiben könne, noch einmal beleben. Die Klage Filbingers gegen Hochhuth wurde nämlich von der 17. Zivilkammer des Stuttgarter Landgerichts abgewiesen, und somit darf Hochhuth weiter behaupten, Filbinger sei als »Hitlers Marinerichter« ein »furchtbarer Jurist« gewesen, der noch nach Hitlers Tod einen Matrosen »mit Nazigesetzen verfolgt« habe. Filbinger ließ nach dem Spruch verkünden, er halte das Urteil zwar für falsch, aber er nehme es an. Filbinger stellte fest, er habe sein Prozeßziel erreicht, weil Hochhuth den Satz nicht mehr wiederholen dürfe, Filbinger sei nur auf freiem Fuß dank dem Schweigen derer, die ihn kannten.

Indessen vermag diese Erklärung nicht darüber hinwegzutäuschen, daß die Begründung des Urteils, die der vorsitzende Richter abgab, für den ehemaligen Marinerichter Filbinger streckenweise vernichtend klang. Er betonte, im jetzigen Presseprozeß sei es lediglich darum gegangen, ob Rolf Hochhuth mit seiner scharfen Kritik den Rahmen des Zulässigen überschritten habe oder ob er begründetermaßen solche Vorwürfe habe erheben können. Die Kammer billigt Hochhuth ein solches Recht zu, weil sich Filbinger hohe moralische Ansprüche ge-

fallen lassen müsse und weil Hochhuths Angriffe sachliche Bezugs-
punkte in Filbingers Tätigkeit als Marinerichter hätten ...

Neue Zürcher Zeitung,
14. Juli 1978

Baden-Württembergs Ministerpräsident Hans Filbinger ist durch
neue Fälle aus der Zeit seiner Tätigkeit als Marinestabsrichter in Nor-
wegen schwer belastet worden. Die Illustrierte *Stern* veröffentlicht in
ihrer am Donnerstag erscheinenden Ausgabe fünf bisher nicht bekannte Akten »aus dem Alltag des Marinestabsrichters«, die vom
Schriftsteller Rolf Hochhuth zusammengetragen wurden ...

Regierungssprecher Goll kommentierte die neuen Enthüllungen
Hochhuths im *Stern* mit den Worten: »Offiziere erteilen Befehle,
Regierungsräte erteilen Baugenehmigungen, und Richter sprechen
Urteile.«

Frankfurter Rundschau,
21. Juli 1978

Man kann Filbinger aus dem, was er bei Kriegsende unter den damaligen Verhältnissen getan hat, keinen Vorwurf machen. Aber man führt
mit Ratten und Schmeißfliegen keine Prozesse.

Franz Josef Strauß auf dem
Oberfrankentreffen der CSU in Kronach
Hofer Anzeiger, 31. Juli 1978

HANS REISER

Anatomie eines Sturzes

Kann die Leseprobe eines Schriftstellers in der Bundesrepublik aus
heiterem Himmel einen Ministerpräsidenten stürzen? Der Schein, der
diesen Schluß nahelegt, trägt auch nach Hans Filbingers Rücktritt vom
Amt des Regierungchefs in Baden-Württemberg. Rolf Hochhuth hat
einen Anstoß gegeben, die politische Lawine löste Filbinger selbst aus.
Er sieht sich als Opfer einer Rufmordkampagne, und Franz Josef
Strauß stellt es nicht viel anders dar, wenn er vom Ende »einer monatelang von den vereinigten Linkskräften unseres Landes geführten

Kampagne« spricht. Beide haben nicht begriffen oder wollen nicht begreifen, daß es anders war. Strauß ist sogar in Gefahr, aus Filbingers selbstverschuldeter Tragödie noch ein Geschäft machen zu wollen. Sein Vorwurf einer »systematischen und unbarmherzigen Verleumdungskampagne von links« zielt direkt auf den Wahlkampf ...

Aus den Reihen der Sozialdemokraten gibt es keine Äußerung, die diesen Verdacht rechtfertigte. Daß sich die SPD nicht zum Verteidiger Filbingers machte, kann man ihr nicht verübeln. Erhard Eppler forderte den Rücktritt des Ministerpräsidenten, aber die Argumente dafür bezog er nicht aus dunklen Quellen, sondern aus Filbingers Reaktionen auf die Enthüllungen. Und die FDP hielt sich ohnehin zurück.

Den Rückzug aus dem Amt erzwungen hat zum Schluß die CDU. Sie handelte in ihrem Interesse, nicht als Handlanger anderer. Wenn Strauß die mangelnde Solidarität der Schwesterpartei beklagt, unterschlägt er einfach die vielfältigen solidarischen Bekundungen der letzten Monate. Erst in den vier Tagen vor der Entscheidung war davon nicht mehr viel zu spüren, nachdem Filbinger selbst ein weiteres Todesurteil, das unter seiner Mitwirkung zustande gekommen war, hatte veröffentlichen lassen. Weil es nicht zur Exekution gekommen war, sah es der frühere Ankläger als Entlastung an, obwohl gerade CDU-Politiker vorher deutlich gemacht hatten, die Grenze ihrer politischen Solidarität wäre erreicht, wenn ein weiteres Todesurteil bekannt werden sollte.

In seiner Rücktrittserklärung ließ Filbinger erkennen, daß er auch zu dieser Stunde nicht einsichtig genug war, über den Begriff taktischer Fehler hinauszudenken. Die Schuld liegt für ihn immer noch bei anderen, und »ein freiheitlicher Rechtsstaat, in dem die persönliche Ehre mit Füßen getreten werden kann, ruiniert sich selbst«. Das ist genau jene Attitüde, die ihn schon dazu verführt hatte, sich mit der Aura eines nur zufällig in republikanische Verhältnisse geratenen Landesfürsten zu umgeben, der in seiner Güte allein bestimmt, was Recht ist, aber vom Volk wegen seiner strengen Gerechtigkeit geliebt wird. Für Psychologen mag darin der Schlüssel zum Verständnis der Entwicklung liegen. Die eigene Schuld aus der Vergangenheit verdrängend, steigert sich ein erfolgreicher Mann in eine Rolle, die es ihm dann nicht mehr erlaubt, normale Maßstäbe für sich gelten zu lassen, wenn ihn diese Vergangenheit einholt.

Ihm fehlt nach wie vor die Einsicht, daß andere nicht verstehen können, wie die innere Struktur eines Mannes beschaffen sein muß, der Todesurteile vergißt, die er gefällt oder beantragt hat. Er verlangt einen »wirksamen Ehrenschutz« und gerade von seinen Kritikern das, wozu er selbst bis heute nicht imstande ist, nämlich »die angemessene Würdigung der Situation von damals, der äußeren Zwangslage und der inneren Verworrenheit und Schuldverstrickung«. Der Fall hätte ein Beispiel dafür werden können, wie man der jüngeren Generation wenigstens klarzumachen *versucht,* was sich damals abgespielt hat und warum es sich so abspielen konnte. Genau dies hat Filbinger jedoch durch seine starre Selbstgerechtigkeit verhindert. Und darin liegt letzten Endes die Ursache des erzwungenen Rücktritts ...

Süddeutsche Zeitung, München,
9. August 1978

Streit um ein Theaterstück

Rolf Hochhuths Absicht, sein entstehendes Stück über den »Marinerichter Filbinger« vom Schauspielhaus des Württembergischen Staatstheaters Stuttgart unter dem Schauspieldirektor Claus Peymann inszenieren zu lassen, wird in diesen Tagen der Entscheidung über die Filbinger-Nachfolge zwischen Innenminister Lothar Späth und Oberbürgermeister Manfred Rommel (beide CDU) zur Munition gegen den Oberbürgermeister.

CDU-Abgeordnete aus dem Land, am Mittwoch zur Beratung über die beiden Bewerber ins Parlament gerufen, griffen die Nachricht auf. Sie äußerten sich in der nichtöffentlichen Sitzung dem Vernehmen nach besorgt über die Folgen einer solchen Aufführung und fragten Oberbürgermeister Rommel, Mitglied des Verwaltungsrates des je zur Hälfte der Stadt und dem Land gehörenden Theaters, nach seiner Ansicht.

Rommel antwortete, daß er »nicht glücklich« darüber sei, daß man aber keine rechtliche Handhabe für ein Verbot besitze; die Entscheidung Verbot oder nicht sei Sache des Intendanten. Rommel riet jedoch von einem Verbot ab. Es würde einen »Aufschrei« geben in der Theaterszene, andere Bühnen würden das Stück spielen, und Hochhuth erhielte eine neue »Gloriole« ...

Beobachter halten es für sicher, daß der Vorgang in die Diskussion um die Kandidatur Rommels eingehen und diesem schaden wird ...

Walter Pfuhl
Die Welt, Hamburg, 12. August 1978

Basel, 12. August 1978

Sehr geehrter Herr Oberbürgermeister,

Bekannte machten mich darauf aufmerksam, daß die *Welt* heute auf der Titelseite schreibt: »Streit um Theaterstück. Will Hochhuth jetzt auch Rommel schaden?«

Ich ging eben zur Bahn, um mir den Quatsch anzusehen, und war erschrocken auch über Ihre Äußerungen, ein Prozeß gegen mich brächte mir nur eine neue »Gloriole«. Warum sagen Sie so etwas? ... Daß Springers Journalisten grundsätzlich Nachrichten nicht überprüfen, die sie gegen mich loslassen, das weiß ich. Ihnen aber hätte ich gern Auskunft gegeben ...

Also, ich versichere Ihnen:

1. Eine Filbinger-Revue zu dessen 65. Geburtstag, die ich schreiben sollte, habe ich sofort abgelehnt zu schreiben.

2. Ich bin mit Peymann übereingekommen, daß mein Drama *Juristen,* an dem ich seit Jahren arbeite, Stuttgart zuerst angeboten wird. Meine durch Filbingers Anklage auf die Militärgesetzbarkeit gelenkte Aufmerksamkeit wird in diesem Drama vielleicht – sicher ist das nicht – ihren Niederschlag finden, keineswegs aber sein zentrales Thema sein.

3. Der Matrose Gröger kommt in diesem Drama nicht vor.

4. Dr. Filbinger wird bestimmt in diesem Drama *nicht* auftreten.

5. Ihre Vermutung, ich erhoffte mir von einem Prozeß eine »Gloriole«, ist abwegig: man möchte nach der Mühe – es *ist* eine! –, ein Drama zu schreiben, daß es gespielt; nicht daß es verboten wird ...

Ich hoffe, diese Auskünfte helfen Ihnen, den Verdacht auszuräumen vor Parteileuten, Sie hätten sich durch Verbindung zum Theater »unmöglich« gemacht – wie offensichtlich Autoren schlechthin für die CDU sind. Haben Sie gelesen, daß der Ehrendoktor Franz J. Strauß, der in wenigen Monaten Staatsoberhaupt der westdeutschen Kunstmetropole ist, die Redakteure der *Zeit* und mich als »Ratten und Schmeißfliegen« bezeichnet hat, weil wir uns gegen Filbingers Klage zur Wehr setzten? Da ist es nicht mehr weit zu den »Flöhen«: der Bezeichnung von Goebbels für die Juden.

Mit freundlichen Grüßen und allen guten Wünschen Ihr
Ihnen sehr ergebener
Rolf Hochhuth

256

Eine Liebe in Deutschland

Amnestie – Altgriechisch: das Vergessen – ist unangebracht dort, wo es sich um Figuren der Zeitgeschichte handelt, etwa um Hans Karl Filbinger, der noch als Ministerpräsident des Ländchens Baden-Württemberg 1978 für »rechtens« hielt, was er als Marinerichter mit deutschen Soldaten angestellt hat.

Aus: Rolf Hochhuth,
Eine Liebe in Deutschland

Der Herr Hochhuth ist ein Mann, der offenbar seine schriftstellerische Tätigkeit hauptsächlich auf, wie soll ich sagen, auf inquisitorische Verfahren stützt.

Hans Karl Filbinger
Schwarzwälder Bote, 16. Mai 1978

FRITZ J. RADDATZ

Die Vergangenheit ist Gegenwart

Rolf Hochhuths erste größere Prosaarbeit, formal an die Montagetechnik von Alexander Kluges *Neue Geschichten – Unheimlichkeit der Zeit* erinnernd, ist der Versuch einer mehrschichtigen Antwort auf die Frage: Wie weit ist, was heute ist, abhängig von dem, was gestern war?

Seine Fabel ist von klassischer Einfachheit, ist das bewährte »unerhörte Ereignis« – ein polnischer Kriegsgefangener im Deutschland des Zweiten Weltkrieges liebt eine Deutsche; sie kommt ins KZ, er wird erhängt:

»»Die Erhängung ist durch Schutzhäftlinge, bei fremdvölkischen Arbeitern durch Angehörige möglichst der gleichen Volksgruppe, zu vollziehen. Die Schutzhäftlinge erhalten für den Vollzug je 3 Zigaretten.‹

Der Reichsführer SS
und Chef der Deutschen Polizei –
S IV D – 450/42 g – 81 – v. 6. 1. 1943«

Dieses Motto vor einem Kapitel entspricht Hochhuths Technik. Die »einfache Erzählung« wird unterbrochen, bleibt gleichsam zitternd und bedrohlich in der Luft schweben, während der Autor die Geschichte seiner Recherchen berichtet, das Schürfen nach abgesunkenem Material und Schutt; es war nicht nur der »furchtbare Richter« Filbinger, auf den Hochhuth im Verlaufe dieser Arbeit stieß, es waren viele kleine und große Filbingers. Hochhuths Buch ist nicht nur der Bericht über das gräßliche Ende eines (verbotenen) jähen Liebestaumels und die erbarmungslos in Schwung gesetzten Mahlräder einer Apparatur (damit durchaus an Arnold Zweigs *Grischa* erinnernd); es ist der Bericht vom »täglichen Faschismus«.

Typisch für den Schriftsteller Rolf Hochhuth die Vorzüge und Nachteile seiner Schreibart auch hier: Er ist ein Essayist von Graden, ein Könner des moralischen Pamphlets, dessen Appell und Eindringlichkeit sich niemand – er sei denn unlauter – entziehen kann. Der Widerlichkeit des ewigen »Ich habe von nichts gewußt« begegnet Hochhuth so kühl wie schneidend: »Dieser Satz: ›Damit hatte ich nichts zu tun‹, ist der zweifellos am häufigsten gebrauchte von allen, die nach Hitlers Tod auf deutsch gesprochen wurden.« Hochhuth bleibt hier ganz unrhetorisch, stellt eher lakonisch die Tatsache fest, daß sich stets zur Erschießung von Kameraden mehr Freiwillige meldeten, als man brauchte: »Hanoi, a sonem Erlebnis muß ma sich doch a'chemoal g'stellt habe!« Man mache es sich nicht zu leicht, das ist nicht nur »Integrität« eines Autors, der wie keiner im Lande politische Wirkung erzielen konnte – das ist auch das Geschick, Szenen zu bauen, Schicksale zu zeichnen, Menschen sichtbar zu machen.

Diese Fähigkeit zerstört sich Hochhuth mit seltsamer Disziplinlosigkeit immer wieder. Was in seinen Stücken die ausufernden Bühnenananweisungen sind, gelegentlich geronnene Klein-Essays, sind in diesem Buch die ständig eingesprengten Bildungssplitter oder belehrenden Parenthesen. Seitenlange Ausflüge zu Ortega, Melville, Nietzsche, Heinrich Mann zersetzen die Struktur des Textes geradezu; weniger wäre mehr, Zitate von Churchill, Hitler oder Göring, Reflexionen über Goebbels (die man zum Teil aus Hochhuths Vorwort zu den Tagebüchern kennt) machen das Buch un-schlank. Sie dämpfen damit den Angriff.

Ähnliche Wirkung hat die Unart Hochhuths, seine Personen zu belehren: »Unmöglich hätte Pauline sich erklären können, warum es dahin gekommen war ... denn sie wußte nichts von Psychiatrie. Die Zeit ist krank, dachte sie wieder – ohne zu überlegen, daß es Zeit nur im Sinne der Uhr gibt, daß aber die Zeiten die Menschen sind und was sie denken und tun.«

Sehr merkwürdig: ein so faktensicherer Mann wie Hochhuth traut seinen Fakten nicht; statt den Volksempfänger seinen Schmutz hervorplärren zu lassen, wird ein banales Witzchen angehängt: »... der eigentlich Volks-Ein-Fänger heißen müßte.« Der deutsche Gegenwartsautor, der seine Leser mit den härtesten Tatsachen konfrontiert hat, vom blinden Papst bis zum schielenden Filbinger: der ausgerechnet zögert, die Dinge beim Namen zu nennen; der verniedlicht die Qual des onanierenden Gefangenen, »der sich mit den Händen befreite«. Dabei ist es doch Hochhuth, der Last und Klage der puren Facts uns auflädt, nur indem er sie uns allen ins Gedächtnis ruft: »Zum 21. Jahrestag des Waffenstillstandes veröffentlichte die Warschauer Regierung die endgültigen Zahlen über die Verluste während des Zweiten Weltkriegs. Mehr als sechs Millionen Polen, darunter 3,2 Millionen Juden, verloren ihr Leben. Nur ein Zehntel aller Opfer, etwa 640 000 Personen, wurde im Kampf getötet, darunter 120 000 Soldaten. Mit 220 Toten auf 1000 Einwohner erlitt Polen die schwersten Verluste.«

Die Zeit, Hamburg,
10. November 1978

DIETER LATTMANN

Gewissen verjährt nicht

Es gibt Schriftsteller, in deren Werk die Substanz der Themen und die moralische Energie die literarische Gestaltungskraft bei weitem übertreffen. Dennoch rufen einige von ihnen am Schnittpunkt zwischen Zeitgeschehen und Zeitgeist, zwischen Faktizität und Fiktion unverwechselbare Wirkungen hervor. Dabei erweist sich die professionelle Literaturkritik in ihrem verengten Blickwinkel für das Fachliche und Normale gegenüber diesem Phänomen als vergleichsweise unsensibel.

Rolf Hochhuth ist, scheint mir, ein Autor von solcher Kondition: schwer vereinnahmbar für die eine oder andere literarische Richtung, unerschöpflich im Anpacken heißer Eisen, ein Goliath im Auslösen politischer Steine des Anstoßes, doch mitunter atemlos angestrengt durch den eigenen Themenwurf. Hier verausgabt sich einer, indem er systematisch die Grenze sprengt, an die sein Talent stößt. Er übernimmt sich dabei so planmäßig, dokumentensüchtig und faktenbesessen, daß seine Enthüllungsmethode staunenswert ist und gelegentlich das Geniale streift.

Wenn die Erkenntnis der eigenen Grenzen der Anfang zu deren Überwindung ist, hat Hochhuth sich jederzeit als Grenzgänger in eigener und allgemeiner Sache dem Reibungskontakt mit der Wirklichkeit ausgesetzt.

Das begann vor fünfzehn Jahren mit dem Papst-Drama, das ihn weltberühmt machte: Als *Der Stellvertreter,* das katholische Trauerspiel, als Buch und Bühneninszenierung in siebzehn Sprachen und sechsundzwanzig Ländern bei der Öffentlichkeit Anklage erhob wegen Unterlassung christlicher Hilfeleistung wider die nationalsozialistische Judenausrottung, war die Sensation perfekt. Doch fernab von der inhaltlichen Auseinandersetzung mit dem Stück, das ungemein politisch war, rümpften Literaturkritiker über die Form mehr als nur die Nase. Hochhuth erhielt, begründet oder fahrlässig, nicht die höheren Weihen der Insider unserer Gegenwartsliteratur.

Beides ist ihm zueigen geblieben: das Schockauslösen und die Außenseiterrolle. Hochhuth ist ausgezogen als einer, der Kapitel um Kapitel unserer unbewältigten Vergangenheit zu bewältigen trachtet. Er begreift die literarische Funktion politischen Widerspruchs gegen Schönheitsoperationen, die das öffentliche Bewußtsein an der eigenen Herkunft vornimmt. Er diagnostiziert die Erinnerungsschwindsucht als Krankheit populärer Zeitgenossen, die Macht ausüben. Vor allem das Theater ist für ihn die moralische Anstalt, die das Gewissen nicht verjähren läßt.

So hat auch seine erzählerische Dokumentation *Eine Liebe in Deutschland* Politik gemacht, bevor das Buch erschien. Nach dem ersten Vorabdruck blieb ein Ministerpräsident auf der Strecke, von dem nach gerichtlicher Klärung Hochhuth wie jedermann weiterhin sagen darf, er sei »ein so furchtbarer Jurist gewesen, daß er noch in britischer Gefangenschaft nach Hitlers Tod deutsche Matrosen mit ehemaligen Nazi-Gesetzen verfolgt hat«.

Filbinger stürzte über seinen steinharten Verdrängungsprozeß. Hochhuth hat auch diesen öffentlichen Vorgang schon eingearbeitet, bevor er das Buch in die letzte Fassung brachte: »Amnestie – Altgriechisch: das Vergessen – ist unangebracht dort, wo es sich um Figuren der Zeitgeschichte handelt, etwa um Hans Karl Filbinger, der noch als

Ministerpräsident des Ländchens Baden-Württemberg 1978 für ›rechtens‹ hielt, was er als Marinerichter mit deutschen Soldaten angestellt hat.« Filbinger gehört für den Autor »zu jenen kontinuierlich dasselbe denkenden Menschen, die ihre geistige und sittliche Unfähigkeit, Folgerungen aus historischen Ereignissen zu ziehen, vermutlich mit Konservatismus verwechseln.« Der endlich abgetretene Ministerpräsident interessiert den Autor nicht als private Person, vielmehr als ein ungeheuerliches Exemplar deutscher Unbelehrbarkeit. Die demokratische Funktion von Ungehorsam unter einer unrechtsstaatlichen Obrigkeit wird solchen Machthabern niemals einleuchten.

Das ist das hauptsächliche Thema des »neuen Hochhuth«: dieser Erzählung von einem Schicksal in Deutschland, das 1941 in der dörflichen Gemeinde Brombach im Markgräflerland nahe der Schweizer Grenze ein polnischer Kriegsgefangener mit einer Einheimischen erlitt.

Pauline Krop, 35, und Stasiek Zasada, 20, lieben einander auf seinen Tod. Angst, Heimlichkeit und Unwissenheit über die Zukunft steigern ihre Umarmungen. Stasiek wird vom Nachbarn ausgeliehen, um in Paulines Laden zu helfen. GV, wie die Amtssprache »radikaler Gemütsverwüstungen« den Geschlechtsverkehr damals abkürzte, war gefangenen Ausländern mit Reichsdeutschen bei Strafe des Hängens verboten. Es kam, wie es kommen mußte: Nachbarfeind hört mit.

Hochhuth rollt eine Geschichte auf, die der organisierte Massenwahn tausendfach wiederholte. Neid, Furcht und Denunziation bringen den Polen unter den Galgen, wo er qualvoll erwürgt wird. Pauline überlebt im Konzentrationslager. Was nicht überleben will, ist die Erinnerung der heute älteren Dorfbewohner, die alles miterlebt und mit angesehen haben. Dem Autor, der Bruchstück um Bruchstück zutage fördert, berichtet jeder, der überhaupt reden will, eine andere Version. Die Wahrheit aber liegt nicht in der Mitte. Sie lag begründet in der Gehorsamslust stummverbissener Mitläufer und in der Manipulierbarkeit ehrbarer Durchschnittsbürger zu Erfüllungsgehilfen der Barbarei.

Kein Schriftsteller brauchte eine solche Geschichte zu erzählen, wäre sie ausschließlich Vergangenheit, wäre nicht eine Anfälligkeit noch vorhanden, die Wiederholungen der unmenschlichsten Menschlichkeit – auch wenn sich Geschichte nicht wörtlich noch einmal wie damals ereignet – unter bestimmten Voraussetzungen der Massendramaturgie und Massenpsychose möglich erscheinen läßt.

»Politik in einem literarischen Werk«, schrieb Stendhal in seinem Roman *Die Kartause von Parma,* »ist wie ein Pistolenknall mitten in einem Konzert, sie wirkt roh und plump, und doch kann man ihr seine Aufmerksamkeit unmöglich versagen.« Indem Hochhuth sich darauf beruft, schützt er erzählerische Distanz zu seinem Gegenstand gar nicht erst vor. Was ihn am unerbittlichsten herausfordert, das ist die eigene Betroffenheit, der rückblickende ohnmächtige Zorn. Es ist das Erschrecken, auf der Welt gewesen zu sein – wenn auch in jungen Jahren –, als solche Verbrechen geschahen, und nichts dagegen vermocht zu haben. Auch wer selber damals nur wenig davon wußte, muß sich eingestehen: Spätestens seit der »Reichskristallnacht« 1938, dem unverhüllten Pogrom, war das Dritte Reich Adolf Hitlers kein Geheimvorgang mehr.

Hochhuth prägt den Zorn um in Chronistenpflicht. Stasieks jämmerliches Ende ist nur ein Beispiel für die Wahllosigkeit, mit der die Paranoia der Diktatur Millionen Namenlose vernichtete.

Wie um die wahre Begebenheit noch wahrer zu machen, umgibt der Autor den Mord von Brombach mit Zeitdokumenten, Zitaten aus Tagebüchern (immer erneut die unsägliche Sprache Goebbels'), mit Kriegsberichterstattung von der Luftschlacht über England, in der ein Brombacher umkommt. Die Zitate selbst morden: »Die Erhängung ist durch Schutzhäftlinge, bei fremdvölkischen Arbeitern durch Angehörige der gleichen Volksgruppe zu vollziehen. Die Schutzhäftlinge erhalten für den Vollzug je drei Zigaretten« – das ordnete Himmler am 6. Januar 1943 an. Hochhuth zitiert Beispiele bürokratischer Mordgier, die schlagen einem das Buch aus der Hand.

Doch dieser Schriftsteller übertreibt in seiner Dokumentenwut. Es war nicht erforderlich, daß er bei dieser Gelegenheit eine weitere Ausbeute seiner Churchill-Recherchen mitveröffentlichte. Zu viele Zutaten überanstrengen den Zusammenhang, anderes wird aus bekannten Quellen nur wiederholt. Und wenn die im allgemeinen nüchterne Beschreibung sich ins poetisch Bemühte verirrt, wird es peinlich: »Die hingeschmiegten Bergwiesen haben weibliche Formen, frauliche Frische in der Abendkühle …« Da hält man sich lieber an die selbstprotokollierenden Einschübe, mit denen Hochhuth die Assoziationsmethode seiner Dokumentargeschichte zwischendurch kommentiert oder auch in Zweifel zieht.

Der Tagesdiskussion ist er bis zum Druckbeginn mit einem atemberaubenden Bemühen um Aktualität gefolgt. So hat er »das Geschrei um Blüm, das die Lebenslüge einer ganzen Generation artikulierte« bereits eingebaut. In der Tat war der öffentliche Proteststurm entlarvend, als der CDU-Bundestagsabgeordnete die sachliche Frage nach dem Teil Mitverantwortung aller stellte, die als deutsche Soldaten am

Krieg beteiligt waren, indem er erklärte: »Das KZ stand schließlich nur so lange, wie die Front hielt« – einen anderen, überzogenen Satz hat Blüm zu Recht widerrufen.

Fazit: Ich kann mir nicht denken, daß irgend jemand, der diese Vergangenheit von sich weist, das neue Hochhuth-Buch ohne Betroffenheit liest. Auch diesmal überwiegt das Gewicht der Fakten. Die Darstellung ufert aus und hätte besonders als Materialsammlung des Kürzungsstifts bedurft. Doch das besagt, finde ich, nichts Entscheidendes gegen die radikale, also grundsätzliche demokratische Energie, mit der Hochhuth das Unverjährbare auch tatsächlich nicht verjähren lassen will: das Gewissen derer, die sich zuständig fühlen für Gustav Heinemanns »schwieriges Vaterland«.

Es gab und gibt in Deutschland nur wenige Schriftsteller, die unmittelbare Wirkungen in der Politik auslösten. Geschieht das, besitzt es seine eigene Kategorie, die einen ebenso eigenen Qualitätsmaßstab setzt. Allzu regelmäßig sprengt den Rahmen der ihm gegebenen literarischen Möglichkeiten, der – wie bekannt – nicht zu den geschliffensten und also funkelnden gehört. Aber was dieser Schriftsteller leistet, ereignet sich auch für Menschen, die sich des Ursprungs durch ein Buch keineswegs bewußt sind. Literatur wird Politik und damit profan auf eine außerordentliche Weise. Die Feuilletons, die dem Autor das ankreiden, werden von den Polisbürgern ziemlich schnell umgeblättert.

Erweiterte Fassung des *Spiegel*-Beitrags
vom 4. Dezember 1978

RUPP DOINET

Eine deutsche Galgenliebe

»Die Putzfrau soll sich melden. Herkommen soll sie. Hinstellen soll sie sich und sagen: ›Ich war's, ich sag's.‹ Aber da hat sie wohl nicht den Mut zu. Erst die Heimat schlechtmachen und dann wie tot sein. Den Hochhuth auf die Leut' hetzen und sich dann verstecken hinter ihm. Eine saubere Putzfrau. Pfui ba.«

Worte aus Brombach im Markgräflerwald, einem Vorort von Lörrach unweit der Grenze zur Schweiz. So oder so ähnlich sprechen die Leute hier alle zu Füßen der Schloßruine »Rötteln«, die Johann Peter Hebel einst »so grauslich wie der Tod« schien. Auch vom »Gras« wird gern gesprochen, das »endlich über die Sache gewachsen war«. Bis dann jene Reinmacherin kam und dafür sorgte, daß alles wieder aufbrach.

Die, von der hier die Rede ist, war vor Jahren bei dem Schriftsteller Rolf Hochhuth im nahen Basel beschäftigt. Irgendwann einmal erzählte sie Hochhuth davon, daß kurz vor dem Ende des Zweiten Weltkriegs in Brombach ein polnischer Zwangsarbeiter im Namen Himmlers öffentlich erhängt worden war, weil er mit einer deutschen Frau geschlafen hatte. Die Frau sei in ein Konzentrationslager gekommen, aber noch am Leben.

Hochhuth ist diesem Bericht nachgegangen. Er hat Akten studiert, Protokolle gelesen, die Häuser besichtigt, in denen es geschah, und die Menschen befragt, die es geschehen ließen. Am Ende machte er ein Buch daraus ... Brombach ist bekannt geworden – als das Dorf, in dem ein unmenschlicher Befehl mörderisch korrekt vollzogen worden ist. Als Schauplatz eines Nazi-Verbrechens, das nicht abseits in einem Lager, sondern mitten unter allen geschah.

In Brombach leben 5800 Menschen, es gibt fast ebenso viele evangelische wie katholische Brombacher, die CDU ist der SPD/FDP ebenbürtig, rechtsradikal wählen allenfalls zwölf Brombacher. Es gibt zwei Textilwerke, einen Gravierbetrieb, eine Mühle, die übliche Grundschule. An den Polen, der hier in einem Steinbruch hingerichtet wurde, erinnert nichts. »Was das betrifft«, sagt Ortssprecher Leber, »ist in dem Gemeindearchiv ein Loch.«

Das hätten die Franzosen hinterlassen, als die nach dem Ende des Krieges alle Akten beschlagnahmten, die von der Gestapo nicht mehr verbrannt werden konnten. Es hat einen Prozeß gegeben, wegen des Polen. Pauline wurde befragt, die Frau, die ihn in ihrem kleinen Gemüseladen geliebt hatte, der benachbarte Kohlenhändler, bei dem »der Pol« Stasiek Zasada dienstverpflichtet war, die Nachbarin, die der Gestapo belastende Briefe des Liebespaares übergab, der Bürgermeister, der »die Rassenschande« an die Gestapo verraten hatte. Stasiek war auf diese Anzeige hin in einem Steinbruch über dem Dorf erhängt worden. Von einem anderen Polen, der dazu gezwungen worden war. Ringsherum standen die Brombacher und schauten zu. Franz Leber war nicht dabei. »Ich kam erst später nach Lörrach.« Der Beamte, der ausdauernd stumm als Zeuge neben dem Ortssprecher sitzt, war auch nicht dabei. Keiner war dabei, der heute in Brombach danach gefragt wird.

Den Bürgermeister von damals haben die Franzosen verurteilt. Zu fünf Jahren, wegen Denunziation. Sein Foto hängt heute an einem Ehrenplatz im Rathaus, umgeben von den anderen ehemaligen Bürgermeistern Brombachs. Er hat ein energisches Gesicht und blickt entschlossen nach rechts. Er lebt immer noch in Brombach. Ein alter Mann, der seine krebskranke Frau pflegt. Rolf Hochhuth hat seinen Namen verschwiegen. Im Dorf kennt ihn jeder. Vielleicht, um ihn zu schonen, erklärt der Ortssprecher Leber den Mann für »sicher doch tot«.

Lörracher Straße 9. Hier ist die Kohlenhandlung, in der Stasiek gearbeitet hat. Es hat sich wenig geändert, seitdem. Nur daß heute ein Heizöl-Tankwagen im Hof steht, statt des Kohlenwagens. Frau Luise Ruser, 75, hat damals den Polen bei sich gehabt. Ihr Gesicht wird starr, als sein Name genannt wird. »Ich hab's erlebt. Ich sag' nichts mehr«, sagt sie, wiederholt es, wiederholt es nochmals, wird lauter und versteckt sich im Haus. Nachbarn sagen, es sei eine »Schweinerei passiert« mit dem Polen. Hochhuth hätte ein Kapitel seines Buches im *Playboy* veröffentlicht. Da sei auch Frau Ruser erwähnt worden »zwischen Nackten«. Das hätte sie sehr »tief getroffen«.

Zwei Häuser weiter, in der Textilhandlung des Johann Pollinger, war früher der Gemüseladen der Pauline. Johann Pollinger weiß von nichts, ist erst »viel später gekommen«. Er hat erst jetzt erfahren, was in seinem Haus passiert ist. Jetzt macht er schon Führungen. »Da, die Tür dahinter, da ist er durch. Das war das Zimmer, da ging der Weg.« Ob es ihm zu denken gibt, was da war? »Es ist so viel passiert«, sagt er. Er steht da und zuckt die Schultern. »Die Frau, warum haben sie die Frau nicht auch hingerichtet?«

Die Frage wird später im Gasthof »Adler« beantwortet. Die Frau hat »ja nicht unterschrieben. Dem hatten sie damals einen Schrieb vorgelegt, auf dem er ›hiermit bestätigte‹, daß er hingerichtet werde, wenn er mit einer deutschen Frau was anfange. Das mußten damals alle Zwangsarbeiter unterschreiben«. »Das ist doch ein Vertrag«, sagt die Frau am Tresen. »Da muß er sich doch nicht wundern hinterher.« Auch sie war damals nicht dabei. Auch sie ist »erst viel später gekommen«. Aber: »Menschlich find ich's zwar blöd, so wegen der Liebe, aber jetzt muß doch auch mal ein Ende sein. Ruhen lassen soll man die alten Sachen.«

Karl Speck, katholischer Seelsorger in Brombach, ist zivil gekleidet, als er aus seinem Auto vor dem ehrwürdigen Pfarrhof steigt. Das trifft sich gut, denn er muß beim Davonrennen keine Kutte raffen. Karl Speck nämlich rennt einfach weg. Eine Aktentasche eng an den Körper gepreßt, schlägt er sogar noch Haken und ruft dabei: »Wenn ich den Namen Hochhuth hör', dann geht mir der ...«

Wahrscheinlich geht ihm der Hut hoch, aber das ist nicht mehr zu hören, weil der Pfarrer die Tür hinter sich zugeschlagen hat. Es ist die Antwort auf die Frage, ob er schon mal im Religionsunterricht über den Mord an dem Polen gesprochen hätte.

Stern, Hamburg,
13. Juni 1979

Brombach, den 5. Februar 1979
Sehr geehrter Herr Hochhuth,
Vor mir liegt Ihr neues Buch: »Eine Liebe in Deutschland«. Mit sehr großem Interesse habe ich es – man kann sagen verschlungen, und manchmal wagte ich kaum zu atmen. Die furchtbaren Erinnerungen der damaligen Zeit wurden mir sehr lebhaft vor Augen geführt, denn als Frau des Arztes, der damals den Tod des jungen Polen feststellen mußte, habe ich alles aus allernächster Nähe miterleben müssen.

Ihr Buch ist eine sehr richtige Wiedergabe des unmenschlichen Geschehens und mit Sorgfalt und innerer Anteilnahme geschrieben. Aber – Sie werden es mir ja glauben, wenn man mitten drin stehen mußte, war alles noch erdrückender und einfach nicht mit Worten wiederzugeben. Das Grausamste dabei war, daß es nicht nur Empörte gab über diese Unmenschlichkeit, sondern auch höhnische Befürworter. Unser Dorf wurde ja schon bald bekannt dafür, daß es im Wiesental der Ort sei, wo es die meisten »Nazis« gäbe ...

Sie haben recht Herr Hochhuth, nach dem Dritten Reich gab es niemanden mehr, der diese Unmenschlichkeit bejaht haben will ... Von großer Notwendigkeit ist es gerade heute, daß solche Bücher wie das von Ihnen geschrieben werden – um daran zu erinnern, um nicht zu vergessen.

Aus einem Brief an Rolf Hochhuth

JÜRGEN LODEMANN

Der deutsche Defekt

Rolf Hochhuth hat nun auch einen Heimatroman geschrieben. Die Hauptfiguren seiner ersten großen Prosa-Arbeit *Eine Liebe in Deutschland* sind nicht mehr Churchill, Pius XII. oder Hemingway, sondern einige Bewohner des Dorfs Brombach bei Lörrach im Süd-badischen.

An ihrem Verhalten in den Jahren um 1940 versucht Hochhuth nichts weniger, als die strapazierten Vokabeln »Nazi« und »Faschist« als Bezeichnungen einer spezifisch deutschen Krankheit zu erklären – das Nazi-Sein als ein geistiger Defekt, der latent bei uns immer vorhanden ist und dem wir mal zwölf Jahre lang Gelegenheit gaben, offiziell auszubrechen und die Staatsgewalt zu übernehmen, mit den bekannten katastrophalen Folgen.

Diesen unverwechselbar deutschen Wahnsinn erläutert Hochhuth nun nicht etwa am Fall Filbinger (der seinen Hut nehmen mußte, weil Hochhuth bei seinen Recherchen auf das bekannte Material stieß), sondern an einer ebenfalls wahren Begebenheit, die in den ersten Jahren des Zweiten Weltkriegs dazu führte, daß ein einundzwanzigjähriger polnischer Kriegsgefangener und eine fünfunddreißigjährige Deutsche, deren Mann im Feld war, in jenem südbadischen Ort miteinander ein, wie man noch heute sagt, Verhältnis hatten oder, wie es in der damaligen Partei- und Sicherheitsdienstsprache hieß, »wiederholt GV ausübten«, ein Casus, der ausreichte, den Polen ohne Gerichtsverfahren hinzurichten und die Deutsche ins KZ zu schaffen.

Hochhuth hat das Glück gehabt, zwei Quellen zu kennen, die seiner örtlich begrenzten Geschichte europäischen Rang geben: Er hatte zum einen Einblick in die Fülle der SS-Verfügungen über die Behandlung, gegebenenfalls die Sonderbehandlung der »Fremdarbeiter«, denen jene spezifisch deutsche Verrücktheit nicht einmal die bürgerlichen Ehrenrechte zuerkannte, ja, die ihnen weniger Rechte ließ als dem deutschen Tier. Hochhuth zitiert aus einer Fülle von geheimdienstlichen Anweisungen, schließlich auch aus jenen, die den unglücklichen Polen in Brombach betrafen.

Zum anderen hat Hochhuth als bislang fast einziger das Glück, die Tagebücher des Joseph Goebbels vollständig zu kennen, die Hoffmann & Campe im Lauf der nächsten Jahre, wie man weiß, in Raten veröffentlicht, nämlich wohldosiert und gewinnbringend. Gewinn für den Verlag als Schaden für die zeitgeschichtliche Forschung.

Aus der Kenntnis dieses Zusatzmaterials baut Hochhuth mehrere Zwischenkapitel, die seinem Buch eine Faszination geben, die an die der Haffnerschen *Anmerkungen zu Hitler* heranreicht. Zum Beispiel ist der Ehemann jener fünfunddreißigjährigen Deutschen Jagdflieger und fällt in der Luftschlacht um England. Für Hochhuth ist das Gelegenheit, sein immenses Wissen über die Abläufe dieser deutschen Luftkatastrophe auszubreiten und u. a. zu zeigen, wie Goebbels schon früh vor diesem neuen »Verdun« gewarnt wurde, wie er aber diese Warnung zunächst verdrängt und sich selbst in die damals übliche Siegesbesoffenheit hineinlügt.

Dieses Kapitel »Odysseus 1940« ist eins der aufregendsten, das man über jene weiß Gott genügend aufregenden Jahre lesen kann: Odysseus, das ist Churchill, der mit dreifacher List die deutsche Führung nasführt und sie in ihrer spezifischen Selbstverblendung ins eigene Verderben rennen läßt.

Hochhuth hat sein zeitgeschichtliches Wissen dramaturgisch geschickt über seine an sich schon spannende badische Erzählung verteilt und gibt ihr mit den Zwischenkapiteln immer wieder jene Tiefe, die den Geschichten der kleinen Leute zu fehlen scheint, weswegen sie so selten oder nur zur Weihnachtszeit konsumiert werden.

Von solcher Tiefe oder solchen Spitzen bis tief hinein in unsere bundesdeutsche Herrlichkeit ist das Buch voll, nicht nur die Filbinger-Affäre ist gemeint, sondern auch etwa der Umstand, daß Hitlers Justizminister Schlegelberger zwanzig Jahre lang in Westdeutschland eine Pension beziehen konnte, die dem Gehalt eines leitenden Konzern-Angestellten entsprach, während zur gleichen Zeit die Opfer derselben Hitler-Justiz jämmerlich oder nie entschädigt wurden. Solche grausigen Pointen machen dieses Buch zur Leseaufgabe für jeden, der unsere derzeitigen Verrücktheiten verstehen möchte.

Ich sage bewußt »Aufgabe«. Denn trotz des dramaturgischen Geschicks des Dramatikers Hochhuth wäre dem größten deutschen Belletristik-Verlag Rowohlt zu wünschen, daß er dem namhaften Autor endlich einen mannhaften Lektor an die Seite gäbe, mannhaft, weil er den Mut haben müßte, Hochhuths Satz-Ungeheuer zu erschlagen. Hochhuth weiß einfach zu viel und kriegt über diesem Zuviel seine Wortreihen immer wieder in Unordnung. Schade um ihn, schade aber auch um so entscheidende Informationen, die man sich hier leider ab und an nur noch mit der Geduld des Knoten-Öffners erschließen kann.

Vorwärts, Bonn,
12. April 1979

RUDOLF KRÄMER-BADONI

Sympathie für Namenlose

Das also ist Hochhuths Dokumentarroman, der einen Ministerpräsidenten gestürzt hat. Er wäre schon erschütternd genug, wenn nur die genau recherchierte Beziehung eines polnischen Kriegsgefangenen zu einer deutschen Frau geschildert würde. Der Pole wurde gehenkt, und die Frau landete im KZ. Das war im Hitlerreich der Preis für Liebesverhältnisse zwischen Kriegsgefangenen und Deutschen.

Makaber sind verständlicherweise die Gespräche, die Hochhuth heute mit den überlebenden Beteiligten und Zeugen in einer südbadischen Kleinstadt geführt hat. Vollends entsetzlich wird alles durch die eingeschobenen Dokumente der Himmler, Goebbels, Göring, der Generäle, der Gestapo- und SD-Dienststellen und der untergeordneten Beamten. Hochhuth möchte der jungen Generation die Atmosphäre jener Jahre vermitteln, obwohl er weiß, daß das fast unmöglich ist. Daher unterbricht er die Montage noch zusätzlich durch längere Kommentare und politische Überlegungen.

Aber gerade dadurch, daß er es sich versagt, nur einen spannenden Roman aus dem Nazihinterland zu schreiben, daß er sein starkes erzählerisches Talent immer wieder zurückdrängt – gerade durch die Absage an jede Ästhetisierung entsteht paradoxerweise wahre, wahrhaftige und dadurch bedeutende Literatur.

Rolf Hochhuth wird oft für einen fanatischen Linken gehalten. Das ist er schon deshalb nicht, weil er Geschichte und Politik weder mit apolitischer Hypermoral noch mit parteiprogrammatischer Lesebrille betrachtet; er kann sehr sachlich über Politik und Geschichte schreiben. Die Nazizeit vor allem läßt ihn nicht los. Er begreift den Druck, den ein Terrorregime ausübt, er versteht die Mimikry, die für viele existenznotwendig ist. Das alles ist weit von Fanatismus entfernt. Es ist Teilnahme an den vielen Namenlosen, die von solchen Regimen auf verschiedene Weise in die Enge getrieben werden.

Wenn er schließlich sagt: »Daß einer Parteimitglied Hitlers wurde, um studieren oder an der Autobahn schaufeln . . . zu dürfen, hat ihn so wenig schon zum Nazi gemacht, wie später seine Einberufung in die Armee ihn zum Kriegsverbrecher machte« – warum greift er dann unter den Überlebenden einzig Filbinger mehrfach an? Es geht offensichtlich um die Unterscheidung zwischen formaler Mimikry und echten Handlangerdiensten, hier z. B. um die gedruckte Identifizierung des Studenten Filbinger mit dem Naziregime. Das gab es aber tausendfach, nicht nur unter Studenten. Kurt Ziesel hat vor Jahren zahlreichen führenden Journalisten, die sich als alte Antifaschisten aufspielten, ihre Texte aus der Nazizeit um die Ohren geschlagen. Aber nicht einer hat seinen einflußreichen Posten verloren, nicht einmal der einzige, der prozessierte und den Prozeß in einem entscheidenden Punkt verlor.

Eine genaue Analyse ergibt, daß nicht Hochhuth einen Ministerpräsidenten, sondern daß ein verwirrt reagierender Ministerpräsident
sich selbst gestürzt hat ...

Die Welt, Bonn,
9. Dezember 1978

Juristen

Über die Vorarbeiten zu dem Stück über Radikalenerlaß und ehemalige Nazi-Richter ist niemand Geringerer als Filbinger gestürzt – der Eifer des dramatischen Gipfelstürmers und die Gedächtnislücken des damals noch regierenden Bergwanderers hatten sich da auf das schönste ergänzt.

Hellmuth Karasek
Der Spiegel, Hamburg, 22. Oktober 1979

So wortgewaltig hat vor Hochhuth noch keiner die folgenschweren Prozesse des Verschweigens und Verdrängens als gesellschaftliche Praxis und Funktionsmerkmal unserer Zeit hör- und einsehbar gemacht.

Hans-Peter Platz
Basler Zeitung, 19. Januar 1980

Die Vorgeschichte

»Sie stehen im Verdacht, die *Juristen* vor allem gegen den inzwischen zurückgetretenen Ministerpräsidenten Hans Filbinger geschrieben zu haben. Haben Sie das Stück tatsächlich gegen ihn geschrieben?«

Hochhuth: »Ich kann zweifelsfrei beweisen, daß es nicht so ist. Zu Beginn der siebziger Jahre schon bot ich dem Regisseur Peter Palitzsch einen Stoff über deutsche NS-Juristen als Theaterstück an.

Der nächste Schritt war dann ein Drehbuch für einen *Juristen*-Film. Wie aus einem Briefwechsel mit Marcel Reich-Ranicki aus dem Jahr 1972 hervorgeht, war die NS-Vergangenheit der deutschen Justiz schon damals mein Thema. Allerdings hatte der Film noch nicht mit Kriegsgerichtsurteilen zu tun, die mir im einzelnen noch gar nicht bekannt waren.

Ich wußte zwar schon von dem Problem, . . . daß allein bis zum Januar 1945 annähernd 25 000 deutsche Soldaten zum Tode verurteilt worden sind, bis Kriegsende ohne Zweifel noch einige tausend mehr . . . Ich recherchierte im Münchner Institut für Zeitgeschichte und im Bundesarchiv in Koblenz . . . und nahm den Komplex in die *Juristen* auf . . .

Ich wußte zu dieser Zeit auch längst, daß kein einziger dieser Militärjuristen auch nur zur Rede gestellt, geschweige denn verurteilt worden war. Das hatte mir der Mann, dem ich mein Stück gewidmet habe, der ehemalige Generalstaatsanwalt von Hessen, Fritz Bauer, erzählt. Er machte mich darauf aufmerksam, daß sich die Juristen im erst später eingefügten § 59 des Strafgesetzbuches für solche Urteile den Tatbestand des ›Irrtums‹ attestiert haben, einen Tatbestand, den sie Nichtjuristen grundsätzlich abgesprochen haben. Der siebzehnjährige Bauernjunge, der zur SS eingezogen wurde und sich eingebildet hat, er sei verpflichtet, die von seinem Führer gehaßten Juden zu töten, durfte sich nicht auf ›Irrtum‹ oder ›Befehlsnotstand‹ herausreden. Die Juristen aber bescheinigten sich allenfalls ›Totschlag‹, aber der war bereits 1960 verjährt. Auch im Nürnberger Prozeß wurden, was vielen nicht ganz klar zu sein scheint, NS-Militär-Richter nicht angeklagt.«

Rolf Hochhuth im Gespräch mit Toni Meissner
Abendzeitung, München,
29. Dezember 1979

Ich habe Ihr Exposé zu dem Film *Juristen* gelesen. Es hat mich sehr beeindruckt. Es sollte, meine ich, unbedingt und so schnell wie möglich realisiert werden. Aber leider habe ich nicht die geringsten Möglichkeiten, Ihnen dabei zu helfen. Denn zur bundesrepublikanischen Filmbranche habe ich keinerlei Kontakte und zu Polen erst recht nicht. Ich habe Polen 1958 verlassen. Anfänglich hatte ich noch Kontakte mit einigen Freunden – Schriftstellern, Journalisten, Funkleuten. Das aber waren meist Juden –, und wie Sie wissen, hat Polen zwischen 1968 und 1970 nahezu alle in diesem Land noch lebenden Juden vertrieben, verjagt und auf ungeheuerliche Weise – in jeder Hinsicht – behandelt. Ich kenne eigentlich niemanden mehr dort. Und bedaure nicht im geringsten, daß ch keinerlei Beziehungen zu diesem Land habe. Ich bedauere lediglich, daß ich, eben weil ich keine Kontakte habe, auch nichts für Ihr Exposé tun kann. Aber vielleicht ist mein Brief überholt? Vielleicht hat das Fernsehen zugegriffen? Bitte, lassen Sie mich wissen, was mittlerweile in dieser Sache geschehen ist.

Marcel Reich-Ranicki an Rolf Hochhuth,
30. März 1972

GÜNTHER RÜHLE

Rechnung für einen Stellvertreter

Rechtzeitig, bevor das deutsche Theater mit Hilfe der Parole: Weg von der Politik! ganz einschläft, gibt ihm Rolf Hochhuth ein neues Stück. Der Rigorist, dessen *Stellvertreter* vor sechzehn Jahren das in Verruf gekommene politische Zeittheater wieder als zeitgemäß rechtfertigte, greift mit den *Juristen* deutsche Themen auf; damit sagt er dem Theater aber auch, daß es sich aus der Behandlung öffentlicher Fragen nicht ganz zurückziehen dürfe, wie verständlich das Verlangen danach auch sein mag. Denn im zurückliegenden Jahrzehnt, das wesentlich von der Politisierung des Theaters bestimmt war, ist das politische Theater durch ideologische Vereinseitigung, durch eine Dramaturgie der Voreingenommenheit, durch Mode, Opportunismus und Mitläuferschaft so verkommen wie durch das Abspielen der immergleichen Melodie. Der Dramatiker, der politisch sein will, läßt sich nicht stimulieren von den flüchtigen Bewegungen der Zeit, sondern von ihren bedrängenden Fragen.

Sich diesen auszusetzen war und ist Hochhuths bestes Teil. Er gibt sich und anderen nichts nach und macht Ärgernis. Er spart nicht mit Zorn und Eifer. Er hat sich dabei zeitweise auch verrannt (etwa mit *Guerillas*). Aber er blieb in den deutschen Dialogen doch immer unübersehbar gegenwärtig.

Freilich gehörte es bei den feiner Gebildeten in den letzten Jahren zum guten Ton, Hochhuth zu belächeln. Adornos Polemik gegen den *Stellvertreter* und den Typus des Hochhuth-Dramas, das noch immer auf das Subjekt als Träger einer Handlung setzt, wiewohl – nach Adorno – seine Abdankung zugunsten anonymer Mächte offensichtlich sei, war wie ein Bannspruch, wie eine Verurteilung des Autors und seines Dramatisierungsverfahrens vor dem Angesicht der Geschichte; es war die Verurteilung durch einen Scheidekünstler, der – selbst mit

Kritik nicht sparend – mit seinen Beckett-Interpretationen nicht nur dem autonomen Kunstwerk, sondern auch dem Drama der Entfremdung das Wort redete. Für beides ist Hochhuth nicht zuständig. Hochhuth nimmt Anstoß an bestimmten Zuständen. Er ist ein Dramen-Täter.

Wer heute, nach sechzehn Jahren, auf Hochhuths schriftstellerisches Werk sieht, wird sagen müssen, daß nur wenige Autoren (trotz so beschränkter Mittel) doch so viel gewagt haben, thematisch wie theatralisch. Der Rigorist Hochhuth versuchte sogar – am deutlichsten mit der *Hebamme,* die immerhin zwei große Rollen und den Versuch zur Zeitkomödie enthielt –, ein echter Theaterautor zu werden. Aber inmitten dieses Abstiegs in den Erfolg spürte Hochhuth doch, daß sein Thema das war, was ihn als Autor hervorgebracht hat: die deutschen Probleme. Mit *Eine Liebe in Deutschland* und *Tell 38* führte er sich und sein Publikum nun innerhalb eines Jahres in die noch gegenwärtige Vergangenheit zurück. Er behandelt das lange Nachwirken der Verbrechen, die bleibende Beschädigung der Humanität. Er ist in alledem nie primär historisch. Hochhuth (Jahrgang 31) ist ein Nachgeborener, ein vom Krieg – gerade noch – Verschonter, ein Hellhöriger, der durch sein Alter doch noch fixiert ist an jene Zeit. Er sieht die Spur, die von da aus in unsere Gesellschaft hineinläuft. In *Eine Liebe in Deutschland* warf er zum erstenmal die Frage nach der Humanität der Justiz auf. Ein einziger Satz aus diesem Buch hat jenen wahrhaft ödipalen Selbsterkennungs- und Selbstzerstörungsprozeß eines deutschen Ministerpräsidenten eingeleitet, dessen Bild auch hinter dem neuen Stück immer wieder erscheint. In *Juristen* macht er die Spur ganz deutlich. Ein deutscher Fall. *Juristen* ist dennoch kein Stück über Filbinger und andere ehemalige Wehrmachtsrichter.

Hochhuth arbeitete seit fast zehn Jahren an dem hier ausgebreiteten Stoff. Schon 1972 lag unter dem Titel Juristen ein Film-Exposé vor. *Juristen* ist also nicht die Ausnutzung des Filbinger-Falles, sondern dessen Begleittext. Freilich haben erst die Ereignisse seit 1972, Terrorismus, Schleyer-Entführung, Radikalen-Beschluß, die Verschärfung der politischen Konfrontation, der Generationsbruch, schließlich die von der Erinnerungsarbeit hervorgetriebene Affäre Filbinger selbst den Stoff neu geformt und ihn so in die Gegenwart verschlungen, daß nicht nur die Verschränkung der Zeiten, sondern auch die schlimme Verknotung unserer geistigen und moralischen Probleme hier zur Debatte kommt. Hochhuth läßt nichts aus. Seine Figuren erregen sich bis zum Exzeß, bis zur Injurie. Das Stück reicht vom »Lustspiel« bis zum Pamphlet. Er will »Wirkung«. Erwin Piscator, dem Hochhuth sich bis heute verpflichtet fühlt, hat das journalistische Moment immer wieder als das eine und die Verwendung unabweisbarer Dokumente als das zweite Grundelement des Zeittheaters benannt. *Juristen* vereinigen beides. Der Autor, dem Dokumente die Grundsteine für seine Darlegungen sind, zeigt hier wieder seine Herkunft aus dem (vergangenen?) dokumentarischen Drama.

Hochhuth stellt knapp und deutlich fest, daß deutsche Juristen während des Krieges etwa 24 000 Todesurteile fällten, von denen etwa 16 000 vollstreckt wurden (die Vereinigten Staaten dagegen vollstreckten eins). Hochhuth blickt auf die Bundesrepublik und sieht, daß in ihrer Geschichte etliche dieser Richter eine sehr sichtbare Rolle spielten. Er hat die Namen parat. Nicht nur Globke: Fränkel, der im Krieg vierunddreißig Urteilssprüche in Todesurteile verwandelte und dessen Avancement zum Generalbundesanwalt gerade noch verhindert werden konnte. Er nennt den ehemaligen Minister Schlegelberger, er nennt Senatspräsidenten mit hoher Pension. Der Fall Filbinger, den Hochhuth hier »undokumentiert« läßt, ist in unserer Erinnerung.

Der Minister Heilmayer, der in Hochhuths Stück auftritt, ist die aus solchen Beobachtungen abgeleitete dramatische Person, ein Stellvertreter besonderer Art. Eine Kunstfigur mit Assoziationsfeld. Hochhuth führt ihn ein mit viel Aufwand. Der Besuch des Ministerpräsidenten in der Studentenbude seiner Tochter wird vorbereitet. Das Sicherungspersonal tritt auf. Der Ministerpräsident erscheint und will seiner Tochter, die mit ihrem Freund zusammenlebt, zur Promotion gratulieren. Ein Freund beider ist in der Wohnung, Klaus, der, weil er nach dem Dutschke-Attentat an Anti-Springer-Demonstrationen teilnahm, nun aufgrund des Radikalenerlasses um die Zulassung zum Arztberuf bangt. Der Ministerpräsident soll helfen. Aus dieser Konstruktion entwickelt Hochhuth einen Dialog, der sich ständig verschärft, der die Fronten zwischen den Generationen aufreißt und schließlich als – wieder verworfenes – Drohmittel die Akten über die Verstrickung Heilmayers in die Bluturteile des Hitlerreichs zum Vorschein bringt. Der junge Arzt hat sie durch Zufall bei Studien entdeckt.

Hochhuth spielt dann Karte um Karte. Er versucht, wie in den *Soldaten,* das Spektrum *Juristen* zu weiten. Er weiß und sagt, daß es genug andere Juristen gab, die besser waren als die, auf die er hier anspielt. Aber wo er anspielt, wird es deutlich. Heilmayer, einer der Väter des Radikalenbeschlusses, der zynisch die Radikalität der Jüngeren verfolgt und seine eigene vertuscht, wird hier von seiner Tochter angegriffen: »Daß Zyniker wie du diesen ... Staat in der Hand haben, sagt man sich ja, wenn man nur ein wenig Geschichte kennt; daß aber ihr die Stirn habt, von unserer Jugend einen Funken Loyalität gegenüber diesem Staat zu verlangen, sogar Solidarität, das zeigt, daß ihr doch bei weiten nicht so instinktsicher und intelligent seid wie schlecht ...« Hochhuth läßt jemanden aus der jungen Generation, der nicht mehr ertragen will, daß in das Schuldsystem Verstrickte die Repräsentanten ihres Staates sind, harte Klage führen. Wenn ein Staat Mörder zu seinen Repräsentanten mache, legalisiere er sogar seine Terroristen. Das ist hart, provokativ und innerhalb eines erhitzten dramatischen Dialogs gesprochen.

Hochhuth entschuldigt damit nicht den Terrorismus. Aber an Stellen wie diesen wird wenigstens ahnbar, daß in dieser anscheinend unerträglichen, jede Generation seit 1945 neu herausfordernden Blutschuld ein sich fortzeugender Konflikt verborgen ist. Eine alte Schuld weckt Haß in einer Familie und zerstört sie, weil in den öffentlichen Angelegenheiten ein unausgetragener Konflikt steckt. Hochhuth argumentiert immer nah an der aktuellen Konfrontation. Niemand wird von ihm erwarten, daß er das Atridische, den über Generationen hin wirkenden Fluch der Blutschuld, dichterisch gestalte. Den antiken Aspekt der Verschuldung auf Generationen hin hob vor kurzem Norbert Elias erst wieder hervor, den Gerhart Hauptmann schon während des Krieges in seiner – vom Theater immer noch verkannten Atriden-Tetralogie – zu gestalten versuchte. Aber daß er in diesem Zeit-Stück doch ahnbar wird, spricht für die Vehemenz, mit der Hochhuth seine Fragen in den Stoff hineinhämmert. Dies geschieht oft ohne Rücksicht auf die dramaturgische Ökonomie, auf Geschmack und Zulässigkeit mancher Mittel.

Hochhuths Leidenschaft entspringt aber nicht purer Aggressionslust. Sie hat einen moralischen Kern. Hochhuth fragt deutlich, was denn höher zu stehen habe: das Recht auf Freiheit des einzelnen, die Achtung von Person und ihrer Meinung oder die Staatsräson. Er ist für die Achtung, für das Recht der Person. Darum schlägt er sich – noch die Toten als Wiedergänger beschwörend – auf die Seite der durch Justizspruch eines Unrechtssystems Getöteten.

Aus demselben Impuls erklärt sich auch seine Frage nach dem Recht, Martin Schleyer den Terroristen zu opfern. »Für mich hat der einzelne immer Vorrecht vor dem Ganzen«, ruft diese Tochter gegen ihren Vater. Hochhuth leugnet nicht, daß er damit auch direkt gegen Helmut Schmidt und jene Karlsruher Richter argumentiert, die die Klage des Schleyer-Sohns auf Rettung seines Vaters abwiesen. Daß *Juristen* am Tag der Ermordung Aldo Moros spielt, erweitert den Argumentationszusammenhang nochmals. Auch da wurde einer – gegen seinen Willen – zugunsten des »Ganzen« (das andre Machtmittel hatte, sich zu behaupten) preisgegeben.

Daß ein dramatischer Autor so rigoros gegen die allenthalben schon grassierende Beruhigung, was geschehen sei, habe seine Nützlichkeit erwiesen, anfragt, ist in sich schon ein dramatischer Akt. Einer zwischen Autor und Öffentlichkeit. Nichts kann ruhen, was im Kern bezweifelbar ist. Wenn schon die Opportunität den Sieger der Stunde stellt, so ist solche Nachfrage doch nötig, damit aus den Urteilen und den Entscheidungen der Opportunität keine neue öffentliche Moral werde.

Hochhuth sieht etwas Gemeinsames zwischen den Todesurteilen im Krieg und der Nichtauslösung Hanns Martin Schleyers: die Nachgiebigkeit gegen äußere Gewalt, wo Menschenleben zu retten waren. Hochhuth hat Beispiele aus den Hitlerjahren wie aus den siebziger Jahren parat, mit denen er den jeweiligen Spielraum für die Jurisdiktion belegt. Er schätzte jene Juristen am meisten, die das Gesetz nach dem Prinzip der Lebensschonung und nicht nach dem der Lebensopferung zur Stabilisierung der Ordnung praktizieren. Er ist generell der Meinung, daß jene betroffenen Richter (wo andere zur Verantwortung gezogen worden sind) zu leicht mit der Berufung auf den »Tatbestandsirrtum« davonkamen. Die Rolle, die Heilmayer spielt, spielt er in der Bundesrepublik. Er ist hier vorgeführt als einer ihrer Repräsentanten. Es ist ein Stück über diese, denn ihre Dialoge sind hier geführt.

Man kann Hochhuths *Juristen* leicht unter Berufung auf den mangelnden »Kunstwert« verdammen. Die schmähend-überhebliche Kritik im *Spiegel,* der in der *Zeit* veröffentlichte Dialog zwischen Claus Peymann und seinem Dramaturgen Hermann Beil (ein Gespräch mit zwei Stimmen und einer Bedenklichkeit) als Entschuldigung dafür, daß man das Stück nicht uraufführe, obwohl doch beide Verletzte aus der Stuttgarter Filbinger-Affäre sind – schließlich Kurt Hübners Rückzug von dem Plan, *Juristen* an der Freien Volksbühne Berlin aufzuführen (wo Piscator den *Stellvertreter* zum erstenmal inszenierte), sind Zeichen genug. Lebte Piscator noch, er hätte gesagt: »Kein ›gutes‹ Stück? Es fragt nach. Man muß es machen.« Auch von dem, was zu machen ist, lebt das Theater. Wäre es nicht so, weder *Der Stellvertreter* noch *Der schwarze Schwan* noch *Die Ermittlung* wären auf unsere Bühnen gekommen.

Mit Hochhuth-Stücken hat das Theater jedoch seine Schwierigkeiten. Hochhuth ist kein genuiner Dramatiker. (Es leuchtet ihm freilich schwer ein.) Er sieht das Leben nicht dramatisch, er erlebt das Skandalon bestimmter, großflächiger Stoffe als Fragen an sich selbst. Die Formation seiner Materialien, das Gespür für die Wiedersprüche, eine Intoleranz des Autors gegen Verschleierungen und Zumutungen treiben dann den Stoff in die dramatische Konstellation, Hochhuths pathetische Überschärfe ist das Zeichen dafür. Aber kaum eines seiner Stücke kann das historische Material sich ganz anverwandeln. Immer sind große erklärende Einschübe, Kommentare als Rest, als Ergänzung, auch als Fundament da. Selbst Hochhuths Prosa (*Berliner Antigone, Eine Liebe in Deutschland*) hat die Tendenz zum Drama. Der Leser des jetzt bei Rowohlt erschienenen »Stücks« nimmt ein anderes Stück wahr als demnächst der Zuschauer. Weil das Hochhuth-Drama immer wieder auf sein Material und auf die historische Situation zurückverweist, der es entspringt, wird es nie zum selbständigen Bild, das einen »Fall« auch in eine über die verhandelte Sache hinausreichende Anschauung erhebt. Das alles macht seine Vehemenz aus, ist aber auch eine Schwäche.

Es wird viel gegen *Juristen* vorgebracht werden. Juristisches, aber auch sehr viel Formales; daß zum Beispiel die Form der Schürzung des Stoffs dem Geschürzten nicht standhalte. Die konstruierte Familiensituation sei ein zu kleines Gefäß für den immensen, nach eigener Bildhaftigkeit drängenden Stoff. Hochhuth ersetzt das alles durch die Konfrontation und seinen Sinn für Rollen, für Auftritte, auch für den Aufbau von Dialogen (weniger für die dramatische Sprache in Dialogen). Hochhuth hegt gewiß keinerlei Sympathie für die Hauptfigur (»ein Schurke« nennt er sie im Beitext). Aber er läßt ihr Spielraum für Haltungen und Entgegnungen, über die gerade Zuschauer, denen die Vehemenz der Jüngeren, vor allem der Tochter, entsetzlich ist, ihm Sympathie bezeugen können. Es gehört zur vertrackten Besonderheit dieser Rolle, daß sie um so »wahrer« wird, je glatter, »sympathischer« sie gespielt wird.

So hart, so direkt ist bisher kaum auf unserer Bühne in die Bundesrepublik hinein gefragt worden. Manchem mag zumute sein, daß das subventionierte Theater hier an die Grenze dessen komme, was es noch könne (»dürfe«). Also ist das Theater hier auch befragt. Wer *Juristen* liest, denkt an Heinrich Bölls *Die verlorene Ehre der Katharina Blum*. Die Frage bleibt. Wann wird Versöhnung möglich?

Frankfurter Allgemeine Zeitung,
7. Januar 1980

Eine deutsche Boulevardtragödie

Peymann: Ich bin erschrocken, wie über ein Theaterstück – vor der ersten Inszenierung – berichtet und geschrieben wird, von Theaterkritikern, die wir sonst doch schätzen.

Beil: Ich habe die Kritik von Hellmuth Karasek im *Spiegel* auch gelesen. Aber es gibt ja zwei Theaterstücke von Hochhuth. Das ihm von einem Ministerpräsidenten aufgezwungene, das von ihm geschriebene.

Das »Theater«, das Hochhuth in Stuttgart machte, zeigte auf grandiose, spannende, widerwärtige, auch belehrende Weise das exemplarische Spiel vom Niedergang eines Politikers: Die unaufhaltsame Entlarvung des Moralrichters der Nation als Täter. Und ausgerechnet der sagt: ich weiß nichts – und merkt dann plötzlich, daß die blutige Vergangenheit doch hervorquillt. Und dann wird er abgehalftert von seinen eigenen Leuten, die ihm Persilscheine bis zuletzt ausschreiben. Die können dann auch nicht mehr mitmachen, weil sie Angst haben müssen, daß am Ende noch ein fünftes, sechstes oder siebtes Todesurteil entdeckt werden könnte.

Dieser ungeheure »Theatervorgang« fand in Stuttgart nicht auf der Bühne, sondern in der Villa Reitzenstein, im Landtag statt. Den hat Hochhuth ausgelöst, und dieses bundesrepublikanische »Theaterlehrspiel« hat man, natürlich, in der Erinnerung, und man vergleicht ständig, wenn man Hochhuths zweites, gedrucktes Theaterstück um Filbinger jetzt liest, auch wenn es kein Schlüsselstück über diesen Politiker ist, auch wenn es deutsche Juristerei mit Unrechtsprechung einst und heute ganz allgemein anzielt.

Peymann: Trotzdem: Hochhuth hat mit den *Juristen* ein kämpferisches Stück geschrieben! Aber wie reagiert die »bürgerlich-feinsinnige« Theaterkritik auf den Moralisten?

Ich habe den Eindruck, daß es sich bei Hochhuth um einen ganz späten Vertreter eines leider selten gewordenen Genres handelt: des moralistischen Schreibers.

Die Moralisten haben es immer besonders schwer . . . Ich muß da an Heinrich Mann und Thomas Mann denken. Wenn man bei Heinrich Mann mal nachblättert in seinen Aufsätzen und Schriften – da gibt's ganze Berge von kleinen Pamphleten und Solidaritätserklärungen und von großen Empörungen über das, was er im Laufe der Geschichte – besonders im Entstehungsprozeß des Faschismus – erlebt hat. Das gibt es bei Thomas Mann fast überhaupt nicht . . . Die großen Romane von Thomas Mann stehen halt so da, in ihrer Qualität (fast) unangreifbar; aber bei Heinrich Mann war das anders, er hatte eine *Haltung,* die ich richtig finde . . .

Wir sind aber an einer Situation, an einem historischen Zeitpunkt, an dem wir einfach begreifen müssen, daß Fragen um die moralische Position der Kunst einen anderen Solidaritätsgrad brauchen. Da hilft die Frage nach der Qualität allein nicht weiter.

Gerade an einem Werk wie dem von Hochhuth, kann man das deutlich machen. Hochhuth hat – wie kein Schriftsteller seiner Generation – durch seine Arbeit Wirkungen erreicht. Er hat mit dem *Stellvertreter* eine Debatte innerhalb der katholischen Kirche in Bewegung gesetzt . . . Mit seinem Churchill-Stück hat er ungeheure Wirkung gehabt in bezug auf die doppelte Moral eines Winston Churchill, dessen Denkmal auch unangegriffen auf dem Sockel stand . . . Dann schreibt Hochhuth ein Buch über die Nazizeit und recherchiert für sein Stück *Juristen.* Das führt zum Sturz gerade des Ministerpräsidenten, der sich einst und jetzt als Bollwerk der jeweils herrschenden Moral verstanden hat. Die doppelte Moral eines Mächtigen wird offenkundig. Bestürzender ist die Wirkung literarischer Arbeit nicht möglich. Hochhuth bringt vergessene Opfer in Erinnerung, literarisch und politisch, denn er enthüllt ganz drastisch einen gigantischen Verdrängungsmechanismus.

Beil: Nur: bei Stücken wie *Stellvertreter* oder *Soldaten,* da hat Hochhuth »große Figuren«; hier bei den *Juristen* hat er mit dem Minister Heilmayer ein armes Würstchen auf der Bühne.

Wie weit kommt aber ein Theaterstück in der Reibung an Stoffen oder Figuren? Woran entzündet sich Polemik? Was macht sie unabweisbar? . . . Hochhuth schreibt eine Erzählung, ein ergreifendes Buch, durch literarische Intensität beglaubigt: *Eine Liebe in Deutschland.* In diem Buch stehen die entscheidenden, die moralischen Sätze, die solche Zündwirkung gehabt haben, daß der Jurist Filbinger schließlich doch von seiner Vergangenheit eingeholt wurde . . . Dieses Buch ist ein polemisches Meisterwerk, weil es Verbrechen an Menschen auf die eindringlichste Weise darstellt, das Leid dieser Menschen für uns unabweisbar macht.

Liebe in Deutschland ist ein Stachel, gerade durch seine Form.

Bei den *Juristen* ist das Dilemma, daß Hochhuth für mich nur nachdoppelt, und zwar, ja wie soll ich sagen, unter seinem literarischen Niveau . . .

Peymann: Mich stört, daß auch wir einen so festgefügten Qualitätsbegriff haben. Ich habe ihn auch und ich setze ihn auch immer an. Aber enthält dieser Begriff nicht auch Gefahren? Vor lauter Qualitätsanspruch lähmen wir uns plötzlich selbst. Gut: wir haben das Stück nicht gemacht, und wir haben es in Bochum bisher nicht auf dem Spielplan. Aber ich denke manchmal: unsere grelle, ekelhafte Wirklichkeit, die Figuren wie Filbinger und Carstens zuläßt – erfordert ein solches gesellschaftliches Verhängnis nicht einfach einen anderen Begriff von Kunst?

Ich weiß, daß das Stück *Juristen* voller Schwächen ist. Das Stück gibt sich unheimliche Blößen. Aber ich frage mich, ob nicht heute Kunstformen diskutiert werden müßten, die von derartigen Plattheiten ausgehen, daß Herr Carstens unbedingt Bundespräsident werden mußte und ein Herr Filbinger zwölf Jahre Ministerpräsident sein kann.

Beil: Ja, ich finde es gut, daß Hochhuth zu Stoffen greift, die von Dramatikern oder Schriftstellern nicht beachtet werden. Und ich finde es gut, daß Hochhuth gerade auf das Thema zielt. Er zeigt auf ein Geschwür.

Aber wie deutlich, wie spitz ist das Stück? Denken Sie an die Kampagne, die von der CDU/CSU aus Wahlkampfgründen betrieben wird, diese schäbige, unterschwellige Gleichsetzung von Sozialisten und Nationalsozialisten. Ich finde ja auch, daß man auf diese Schamlosigkeiten ganz grob zurückhauen müßte . . .

Zu Strauß, also zu dem, was mit Strauß symptomatisch ist, was Strauß bewirkt und was ihn ermöglicht, haben wir kein Stück in Arbeit, nur Schweigen.

Peymann: Aber Hochhuths *Juristen* ist kein Schweigen, das haut dagegen.

Beil: Ja, wenn es voriges Jahr im September oder im Frühjahr auf die Bühne gekommen wäre, dann hätte das Stück die richtige Wirkung gehabt durch seine Plattheit: platsch – einfach den Tatbestand auf die Bühne gebracht, nicht kunstvoll verbrämt, nicht »wasserdicht«. Jetzt ist es für mich eine Retrospektive und eben nicht das uns fehlende platte Stück über Herrn Franz Josef Strauß. Die Polemik, die in so einem Stück drin sein kann, ist für mich jetzt verpufft. Die Polemik wäre aber nötig. Auf bestimmte Entwicklungen kann nur mit erhellender Polemik reagiert werden, in einer Form, die trifft.

Peymann: Sind Sie mit Ihren Forderungen dann nicht genauso feindselig wie Hochhuths eingeschworene Kritiker? Drückt sich nicht auch darin unser eigenes Versagen aus? Wir sitzen da und beschäftigen uns mit unserm Innenleben. Ganze Berge von Büchern erscheinen über Krankheitsprozesse, die ausführlichen Selbstmordbeschreibungen, die Schilderung von Neurosen, die vielen Tagebücher und Selbstbespiegelungen.

Da sind also die Opfer und beschreiben ihren Verfall, und die Henker sitzen da, setzen sich auf ihre Plätze, die Gesetze haben sie schon. Und dann stehen wir da mit unserm alten Kunstbegriff und stechen auf dieses Stück ein ...

Es gab den Plan, die *Juristen* in Stuttgart nicht im Theater zu machen, sondern auf der Freitreppe der Staatsoper, angesichts des Landtags, also: als ein »Jedermann«-Spiel.

Herr Filbinger, dieser Jurist, die verdeckte Titelfigur des Stücks, wäre mit den grellen, platten Mitteln des ausgestellten Boulevardspiels an der Stätte seines Wirkens dargestellt worden. Direkt gegenüber dem Landtag, wo die Herren sitzen und weiterregieren, die über zwölf Jahre den Ministerpräsidenten Filbinger ermöglicht haben.

Also vor Ort Theater zu zeigen, unmittelbar, direkt, grell mit eben jener Grobschlächtigkeit, die wir bei den Figuren, um die es geht, vorfinden. Nicht die Parabeln Brechts, nicht die Innenschau, sondern die Grellheit der platten Fernsehshow, des platten Boulevardspiels. Das ist ja eine Boulevardtragödie, die abläuft mit Figuren wie Carstens und Filbinger. Und das Stück von Hochhuth ist für mich auch so etwas wie eine Boulevardtragödie. Daß man einfach mal unsere üblichen Kategorien in Frage stellt, die den moralischen Aspekt so oft außer acht lassen ...

Beil: Ja, es ist ein Glück, daß es Hochhuth gibt, einen Menschen, der wie ein Kind durch die Welt läuft und mit einem ganz großen Rechtsbewußtsein auf Tatbestände, Situationen, Geschichten reagiert und auch seine Empörung ganz direkt äußert, sich nicht einschüchtern läßt.

Aber jetzt habe ich eine Frage an den Regisseur Peymann: Wenn Sie ein Plädoyer für *Juristen* halten, warum führen Sie das Stück nicht auf? Wenn es so wichtig ist, kann der Platzwechsel von Stuttgart nach Bochum doch nicht so viel bedeuten? Im Gegenteil, wenn dieses Stück symptomatisch ist für Rechtsruck und allerlei Verdrängungen, müßte es doch auch hier stattfinden. Warum findet es nicht statt?

Peymann: Ich versuche ja, meinen Konflikt als Regisseur zu beschreiben. Ich hatte eine ganz konkrete Vorstellung für dieses Stück in Stuttgart. Für Bochum habe ich noch keine Zielrichtung. Was in Stuttgart Sinn gegeben hätte, bleibt in Bochum ohne Zusammenhang.

Wenn ich rausschaue aus dem Theater, überhaupt herausschaue aus dem ganzen Kulturdschungel, in dem wir uns ständig verlaufen, in die Gesellschaft, in die bundesrepublikanische Wirklichkeit, dann sehe ich Perversitäten, die man kaum noch beschreiben kann: Welche Perversität zu sagen, Sozialisten seien Nationalsozialisten. Nächstens wird es noch heißen, die Juden hätten die Nazis umgebracht.

Ich empfinde eine Lücke, die zwischen unseren theatralischen Ausdrucksmitteln klafft, und den blutigen Themen, die sich stellen. Vielleicht könnte Hochhuth mit seinen Stücken diese Lücke schließen helfen.

Beil: Ich komme noch mal auf den Widerspruch zu sprechen: Hochhuth hat eine schöne, große Erzählung geschrieben – und zwei Sätze daraus genügen, um ein moralisches Menetekel zu inszenieren. Nun ist es so, daß Hochhuth mit seinem Stück in den theatralischen Mitteln einfach hinterdrein ist.

Peymann: Wer entscheidet hier über die Mittel?

Beil: Sie. Sie auch, wenn Sie das Stück nicht aufführen.

Peymann: Nein. Ich beschreibe einen Konflikt . . .

Die Zeit, Hamburg,
14. Dezember 1979

Berlin (AP/DW)

Der Schriftsteller Rolf Hochhuth ist der Meinung, daß Werke wie sein neuestes Schauspiel *Juristen* von den Massenmedien in der Bundesrepublik ignoriert oder verleumdet werden. Wie die Ostberliner Nachrichtenagentur ADN gestern berichtete, vertrat Hochhuth in Rostock die Ansicht, progressive, humanistische Dramatiker hätten kaum noch Möglichkeiten, gesellschaftliche Resonanz zu finden. Nach Hamburg, Heidelberg und Göttingen wird sein Stück jetzt in Rostock einstudiert.

Die Welt, Bonn,
27. März 1980

PETER IDEN

Von Richtern zu Hinrichtern

Die Entscheidung einiger großer deutscher Bühnen (in Bochum, in Berlin), Rolf Hochhuths neues Drama, obwohl sie es fast schon angenommen hatten, dann doch nicht zu spielen, war falsch. Wenn das Adjektiv noch eine Bedeutung haben kann – dieses Stück ist wichtig.

Warum? Vor allen anderen Gründen ist mit Hochhuths Vertrauen in das Theater zu argumentieren (dessen führende Figuren ihn mit ihrer Zurückhaltung enttäuscht haben). *Juristen* behauptet – und das ist lange so nicht mehr behauptet worden –, die Bühne sei *der* gesellschaftliche Ort der Auseinandersetzung mit den bestimmenden Themen unserer Wirklichkeit. Die Morde an Schleyer und Moro, die Terroristenszene, der Radikalenerlaß, die NS-Vergangenheit, der Paragraph 218 – wir leben alle mit und in diesen Problemfeldern. Aber die Gesellschaft hat sich mit den durch solche Stichwörter bezeichneten Realitäten auch eingerichtet, arrangiert. Das heißt auch: Vieles ist selbstverständlich geworden, was doch niemals selbstverständlich und bewußtlos akzeptiert werden darf. Hochhuth stört dieses, unser Lebensklima einer falschen Beruhigung. Er fragt und stellt einen Zusammenhang her zwischen den Fragen: War es richtig, Schleyer und Moro den Erpressern des Staats aufzuopfern? Einzelne im Interesse des Ganzen? Können wir es wirklich ertragen, daß Richter und Politiker, die im Krieg Hinrichter waren, heute Berufsverbote verhängen? Wie kann man leben, weiterleben, wenn Recht und Unrecht so ineinandergeraten sind? Andererseits, wer darf anklagen? Die äußerste Fragestellung des Stücks zieht die Möglichkeit in Zweifel, noch Kinder zu haben unter solchen Umständen.

Das sind alles Fragen, die treffen. Aber unser Theater ist fast schon zu schwach, zu sehr beschäftigt mit sich selbst, um so viel Stoff noch zu bewegen, die Direktheit von Hochhuths Umgang mit den Problemen zu ertragen. An der Direktheit, der Form also, entzündet sich der ästhetische Widerspruch. Tatsächlich sind Hochhuths Szenen ohne besondere Erfindungskraft und Subtilität entworfen; nichts vom Raffinement der Konstruktion in Thomas Bernhards *Vor dem Ruhestand,* wo es um ähnliche Themen geht. Hochhuth leitet seine Gliederungen und szenischen Konstellationen gleichsam im unmittelbaren Zugriff aus dem Material ab – was dann freilich, soviel Schlichtheit, oft auch wieder lastend konstruiert wirkt. Die Tochter eines Ministers lädt den Vater zu sich und ihrem Freund ein, gefeiert werden soll die bestandene Doktorprüfung. Ein junger Arzt kommt dazu, der seine Anstellung wegen der Jahre zurückliegenden Beteiligung an einer Demonstration verloren hat. Der Minister zögert, dem Mann zu helfen. Daraufhin konfrontiert dieser ihn mit Akten aus der Vergangenheit, Todesurteilen aufgrund von Bagatellvergehen, die der Minister zur NS-Zeit vollstrecken ließ. Die Vaterfigur wird zerstört; die Tochter sieht sich in den Rollen der Opfer des Vaters; sie ist schwanger, aber sie will das Kind nun nicht mehr, will Zukunft zurücknehmen.

Wer das (bei Rowohlt erschienene) Stück liest, wird die Dürftigkeit der szenischen Organisation und der Sprache spüren. Es gibt Partien von unsäglicher Peinlichkeit. Ein Bewacher des Ministers, zu deren Belebung immer wieder durch die Szenen laufend, leidet an Durchfall. Rückblenden werden als Erscheinungen vorgeschlagen, die die Personen haben. Die Figuren sind als individuelle unterdefiniert, gleichzeitig als Vertreter verschiedener Generationen überlastet. Die Gesprächsform ist der Exposition von Anklagen und Verteidigungen unterworfen, realistisch und unwahrscheinlich zugleich. Der Haß Hochhuths gegen jeden Anspruch des Staats, für alle zu sprechen und zu handeln, verzerrt die Sätze und die Gedanken. Eine These ist zum Beispiel, daß in der Bundesrepublik kritische Kunst institutionell verhindert werde; eine andere, daß der Kanzler Schmidt hätte angeklagt werden müssen, weil er Schleyer nicht gerettet hat. Die Attacken sind oft ungebärdig und maßlos. Hochhuth schätzt volle Wörter wie »Verbrecher« oder »Lump«, geht nicht kleinlich damit um.

Andererseits ist dieser emphatische Gestus nicht ohne Wirkung. Und der dramaturgischen Disposition gelingt es immerhin, verschiedene Stoffkomplexe aufeinander zu beziehen. Der Angriff des jungen Arztes gegen den früheren Richter ist in Zusammenhang gebracht mit dessen Verteidigung des Radikalenerlasses. Die Perspektive geht immer auf die Gegenwart. Die Schuldvorwürfe gelten nicht nur einem vergangenen, sondern dem aktuellen, heutigen Verhalten. Die Tochter und ihr Freund sind Juristen wie der Vater, die rechtsphilosophische Kontroverse das Problem des Irrtumsvorbehalts von Richtern, die Frage, ob geltendem Gesetz oder Menschenrecht, Naturrecht zu folgen sei – diese Punkte sind geschickt exponiert. Das Recht des einzelnen gegenüber jeder Ordnung und jedem System ist der Gedanke, der die scheinbar unterschiedlichen Materialien vor allem verknüpft.

Diese Entwicklung von Argumentationszusammenhängen ist zweifellos eine Qualität des Stücks. Es ist auch ein Teil der allgemeinen Tragödie, daß dieses Drama gerade aus seiner groben Dramaturgie seine Wirkung bezieht. Der Kunst und ihren Vermittlern ist es nicht gelungen, in der Gesellschaft das Bewußtsein für eine Ästhetik auszubilden, die Wirkung auch über andere, differenziertere Formen der Darstellung erreichen könnte. Allerdings, hätten wir ein ausgeprägteres Bewußtsein für Form – es wäre vielleicht, wovon Hochhuth handelt, gar nicht geschehen.

So ist *Juristen* auch noch in seinen Mängeln ein Zeitbeleg. Resonanz ist dem Stück, wenn es zunächst auch nur auf kleineren Bühnen gestartet wurde, leicht vorauszusagen. Es werden sich, nach den Uraufführungen in Heidelberg, Göttingen und Hamburg, sicher noch viele Bühnen dazu entschließen. – Sie werden jedoch, wie in Heidelberg von dem Regisseur Eike Mewes schon praktiziert, den Text Hochhuths nicht unverändert akzeptieren können. Der Autor hat sich von der Heidelberger Aufführung distanziert, weil sie des Ministers Begleitpersonal und dessen Auftritte reduziert und, mit einer Ausnahme, auch auf die erwähnten »Erscheinungen« verzichtet hat. Das sind aber sinnvolle und vertretbare Striche. Weniger sinnvoll ist die Umgebung, in die in Heidelberg der Minister von seiner Tochter geladen wird. Die jungen Leute bewohnen ein luxuriöses Penthouse. Viel Raum, schickes Mobiliar, große Fenster, Blick ins Grüne. Man kann sich einen Günter Netzer hier eher vorstellen als zwei Leute, die eben noch Studenten waren und deren Bude der Vater nur ausnahmsweise betritt. Eleganz auch in der Kleidung, und lässig (aber auch allzu aufdringlich das Thema anspielend) improvisiert der junge Hausherr auf einem Flügel »Yesterday«.

Das großbürgerliche Ambiente hat im Verlauf der Aufführung eher einen die Spannung neutralisierenden als sie räumlich vorbereitenden und stützenden Effekt. Gegen die Gefahr, daß die Konflikte nur als die eines Gesellschaftsspiels erscheinen, wird dann aber von den Schauspielern – Günther Zießler als Minister, Doris Buchrucker als seine Tochter, Hans Schenker als ihr Verlobter – mit einiger Nachdrücklichkeit angegangen. Ein szenisch sehr dichter Augenblick ist derjenige der Anklage des Arztes gegen den Minister. Die Regie hat die Personen für diesen Moment in einer engen Sitzgruppe zusammengebracht. Herbert Fritsch führt den Haltungswechsel des Arztes, der vom Opfer des Radikalenerlasses zum Angreifer wird, als einen auch aus der Situation zwangsläufigen Umschlag vor.

Die später folgenden juristischen Diskussionen, der argumentierende Teil des Stücks, bleibt in der Aufführung hinter der Darstellung emotionaler Reaktionen zurück. Es ist sicher eine Schwäche der Heidelberger Inszenierung, daß sie, wo Hochhuth die gegensätzlichen Positionen rational präzisiert, selber nicht hinreichend deutlich und scharf wird. Sie hat ihre Vorzüge besonders dann, wenn die junge Doris Buchrucker einen Eindruck davon gibt, welche Erschütterungen von einer Wahrheit verursacht werden können, die, lange verdeckt, unerwartet an den Tag kommt. Es ist die Bewegung, die das Stück will – und die es zum Beispiel in Protestreaktionen im Heidelberger Stadtrat schon vor der Premiere ausgelöst hat. Es könnte sein, daß noch vieles aufgebrochen und in Gang gesetzt wird durch dieses Drama. Wo es gespielt wird, wird es viele schmerzen.

Weil es in der Form schwankt, ist *Juristen* als bürgerliches Konversationsdrama (wofür Heidelberg sich entschieden hat), aber auch als Groteske und ebenso als Anlaß für ein Dokumentartheater vorstellbar. Von dem dokumentarischen Element ist in Heidelberg abgesehen worden, die Konflikte sind dadurch verkleinert. Wenn Hochhuth sich hinsichtlich des Umgangs mit seinem Text nicht zu sehr festlegt, könnten andere Aufführungen die Bedeutung der Vorlage noch steigern. Eine Herausforderung an das Theater ist das Stück jedenfalls so unbestreitbar – wie an die Gesellschaft von dessen Zuschauern.

Frankfurter Rundschau,
16. Februar 1980

Der Protest der Heidelberger CDU

dpa

Hochhuths Schauspiel *Juristen* hat das kommunalpolitische Klima in Heidelberg angeheizt. Die Christdemokraten sehen die Aufführung als eine »unzulässige Einmischung« in die Werbung der Parteien um Wählerstimmen an. Ihr Ansinnen, das Stück »wenigstens nach der Uraufführung zu verbieten«, hatte Oberbürgermeister Reinhold Zundel (SPD) als »oberster Dienstherr der Stadt« mit der Begründung abgewiesen: »Wenn wir dem Intendanten vorschreiben wollen, welches Stück er wann aufführen sollte, können wir gleich zumachen.«

Frankfurter Allgemeine Zeitung,
2. Februar 1980

CDU-Pressereferent Dr. Raban von der Malsburg: »Es ist durchaus legitim, daß in der Öffentlichkeit ein so lebhaft diskutierter Fall insbesondere auf der Bühne behandelt wird. Allein die Methode, mit der dies getan wird, ist in höchstem Maße unlauter, wenn nicht gar verlogen.« Dies bedeutete Dr. Raban von der Malsburg im Zusammenhang mit der Debatte zu Hochhuths Bühnenstück *Juristen,* das an der Heidelberger Städtischen Bühne aufgeführt wird ...
Anhand einer Reihe von biographischen Identitäten hat der CDU-Pressereferent herausgestellt, daß es sich in dem Theaterstück doch um Filbinger handelt. Der Jurist Heilmayer aus Hochhuths Stück sei genau so wie Filbinger Funktionär des Katholischen Studentenbundes, Militärrichter im Dritten Reich, Innenminister und einer der Vä-

ter des Radikalenerlasses gewesen. Zudem habe die Hauptperson in den *Juristen* Ministerpräsident werden sollen – Filbinger sei es bereits gewesen – und sich um das Amt des Bundespräsidenten beworben – auch wie Filbinger; Tochter und Fahrer »schwäbeln« – wie bei Filbinger; die Aktion spiele sich in »Schöngarten« ab, eine Anlehnung an Stuttgart, was auch aufgrund des Bühnenbildes gefolgert werden könne, wo auf Plakaten das Stuttgarter Museum und das Stuttgarter Theater zu sehen seien. Diese »biographischen Zufälligkeiten« dürften jedem klar machen, daß es hier um Filbinger gehe, gehen müsse, wie von der Malsburg betonte.

Einen »fiesen und niederträchtigen Trick« nannte der Pressereferent die Tatsache, daß die behandelten Fälle nicht aus Filbingers Laufbahn stammen, sondern von anderen Richtern des Dritten Reiches. Es sei eine unfaire, verlogene Methode, biographische Momente von Filbinger aufzugreifen und dabei andere Fälle zu behandeln. Die CDU Heidelberg könne auf keine Weise hinnehmen, daß die politische Auseinandersetzung auf Theaterebene fortgesetzt werde, wo den Beteiligten jede Möglichkeit zur Verteidigung genommen sei. Wie Raban von der Malsburg unterstrich, solle in keiner Weise die Militärjustiz des Dritten Reiches gerechtfertigt oder verharmlost werden. Das Stück sei berechtigt, wenn in Betracht gezogen werde, was an Schrecklichem in der damaligen Zeit passiert sei . . .

An den Oberbürgermeister richtete von der Malsburg die Frage, ob er nach einer gründlichen Lektüre des Stückes allen Ernstes seine Behauptung aufrechterhalten wolle, nämlich, daß in dem Stück nicht Filbinger gemeint sei. »Wir legen auch Wert auf die Feststellung, daß es sich bei unserer Meinungsäußerung auch nicht ansatzweise um Zensur handeln kann, sondern um berechtigte und notwendige Kritik«, sagte der Pressereferent abschließend.   jop

Rhein-Neckar-Zeitung, Heidelberg,
14. Februar 1980

Das Stück handelt von einer jungen Generation, die vom Radikalenerlaß bedroht ist, und von einer älteren Generation, die diesen Radikalenerlaß verhängt hat – obwohl sie sich in ihrer eigenen Jugend den Nazis als Richter und Henker radikal zur Verfügung gestellt hatte.

Das siebte Stück des *Stellvertreter-*Autors sollte eines über deutsche Juristen während der Hitler-Diktatur allgemein werden, eines seiner dokumentarischen Enthüllungsdramen. Aber es wurde, durch die Begleitumstände des Filbinger-Sturzes, vor allem ein Filbinger-Stück –

ein Drama über den selbstgerechten Ministerpräsidenten, der bis zur Kapitulation (und noch danach) stramme Nazi-Urteile als Marinerichter fällte und als Marine-Staatsanwalt beantragte, und den später die Gedächtnisschwäche überkam.

Die »Drei Akte für sieben Spieler« sind teils Boulevardtheater (»Salon-Hochhuth«, schreibt die *Stuttgarter Zeitung*), teils Dokumentartheater, das mit filmischen Rückblenden arbeitet, und teils Thesendrama, bei dem die Auseinandersetzung mit schwadronierendem Pathos geführt wird ...

Göttingen, das mit zwei Stunden die am radikalsten zusammengestrichene Fassung des überbordenden Lesedramas auf der Bühne bot, ließ das Stück unversöhnlich enden.

Gegen die Heidelberger Aufführung, der einzigen im Stammland des gestürzten Ministerpräsidenten, protestierte die CDU und forderte den Kopf des Intendanten. Auch Hochhuth protestierte – gegen Kürzungen und gegen ein Klavier auf der Bühne.

In Hamburg spielte Friedrich Schütter mit »Bonanza«-Röhre den Kriegsrichter und brachte die Figur ungewollt durch seine Gedächtnislücken gegenüber dem Text in die Nähe der Erinnerungsschwächen des baden-württembergischen Ministerpräsidenten a. D.

Was sich beim Lesen als Papier erwies, hatte auf den drei Bühnen seine politische Wirkung. Hochhuth behauptet, so die *Frankfurter Rundschau,* »die Bühne sei *der* gesellschaftliche Ort der Auseinandersetzung mit den bestimmenden Themen unserer Gegenwart«. Auch laut FAZ führt er »schlagkräftig« vor, »daß der ›Vater des Radikalenerlasses‹ während des Krieges schlimmer war als alle Radikalen nach dem Krieg«.

Die Hochhuth-Aufführungen zeigen, trotz der Stück-Schwächen, wie sehr dem Theater in den letzten Jahren die politische Auseinandersetzung, die solidarisierende Wirkung fehlte.

Der Spiegel, Hamburg,
18. Februar 1980

KLAUS LÜDERSSEN

Böse Geheimnisse?

Die Mörder sind unter uns, nannte Wolfgang Staudte den Film, der bald nach 1945 in die Kinos kam und eine so unmenschliche Standgerichtsbarkeit enthüllte, daß mir die verzweifelte Beteuerung des schließlich überführten und – buchstäblich – hinter Gitter gebrachten ehemaligen SS-Offiziers: »Aber ich bin doch unschuldig...« nur mehr als der durch totale Einsichtslosigkeit besiegelte Höhepunkt einer schurkischen Karriere erschien. Ich war damals vierzehn Jahre alt und glaubte, nachdem ich den Film gesehen hatte, daß nun alles klar und daher erledigt sei. Ich konnte natürlich nicht ahnen, daß bereits zur selben Zeit so renommierte Juristen wie Gustav Radbruch und Helmut Coing in den eben wieder erscheinenden Fachzeitschriften mit großem philosophischem Aufwand aus der Notwendigkeit, jene Vorgänge zu bewältigen, ein großes »abendländisches« Problem machten.

Sehr viel später hat Dolf Sternberger – in ganz anderen Zusammenhängen – von den »juristischen Selbstquälern« gesprochen, womit er meinte, daß bei einfachen politischen Wahrheiten die Skrupel fehl am Platz seien. In diesen Tagen nun wird unverblümt gesagt, daß die Selbstquälerei der Juristen, wenn es sie überhaupt gebe, nichts anderes sei als der Deckmantel für eine ebenso schwer entwirrbare wie ungute Mischung aus Heuchelei und Dummheit.

Kommt das an? Ist das die Erklärung dafür, daß Richterklagen – mit Blick auf die Justiz im nationalsozialistischen Staat – so gut wie gar nicht stattgefunden haben? Die Wissenschaft, immerhin, hat nie geschwiegen. Zwar folgten auf die ernsten Beschwörungen oberster Grundsätze des Rechts kühlere, der »ewigen Wiederkehr des Positivismus« ins Auge sehende Abhandlungen, doch fehlte es zu keiner Zeit an Versuchen, die strafrechtliche Haftung nationalsozialistischer Richter zu begründen. Ende der fünfziger Jahre kam es dann zu einigen Strafverfahren, mit der Folge, daß Kontroversen aufflammten, dieses Mal unter Beteiligung eines anderen prominenten Juristen der Nachkriegszeit, des Rechtsanwalts und sozialdemokratischen Abgeordneten Adolf Arndt. Zehn Jahre später gab die Gedächtnisschrift für Gustav Radbruch einigen Gelehrten Anlaß, erneut die Problematik der strafbaren Rechtsbeugung aufzuwerfen. Unter ihnen war der – durch die Einleitung der Auschwitz-Prozesse inzwischen sehr bekannt gewordene – hessische Generalstaatsanwalt Fritz Bauer. Bald darauf wurde der erste Fall eines Richters am Volksgerichtshof (Rehse – sein Name ging durch alle Zeitungen) aufgerollt. Er wurde angeklagt, an nazistischen Todesurteilen mitgewirkt zu haben, und in erster Instanz zu einer Freiheitsstrafe verurteilt. Aber der Bundesgerichtshof hob das Urteil auf. Ehe es zu einer neuen Verhandlung kam, starb der Angeklagte. Auch die wissenschaftliche Literatur versiegte nun. Erst der

Fall Filbinger – inzwischen waren weitere zehn Jahre vergangen – belebte wieder die Szene.

Dieser Mangel an Kontinuität bei der Auseinandersetzung mit elementaren Problemen der Vergangenheit ist bedrückend. Auch die Debatte über die Verjährung nationalsozialistischer Gewaltverbrechen verlief ja in derartigen Schüben. Aber am Ende jeder Kampagne stand dann wenigstens eine Gesetzesänderung, zuletzt die Aufhebung der Verjährung für Mord. Die »Antijustizkampagnen« hingegen scheinen, von Einzelfällen und unwesentlichen Begradigungen abgesehen, stets folgenlos zu bleiben.

Wird Rolf Hochhuths Stück *Juristen* daran etwas ändern? Der Wechsel der Medien kann viel bedeuten, wie die im Fernsehen gesendete Serie *Holocaust* gezeigt hat. Allerdings muß man genau hinschauen. Am Gang der Prozesse (etwa über die Vorgänge in Maidanek) oder sonstigen behördlichen Aktivitäten sind die Wirkungen nicht abzulesen. Gewandelt hat sich nur das, was man Bewußtsein der Öffentlichkeit zu nennen pflegt. Aber darauf kommt es sehr an. Natürlich passieren keine Wunder. Remarques 1928 erschienenes Buch *Im Westen nichts Neues* weckte die gerade ein wenig zur Ruhe kommende Nation und löste allerhand Turbulenzen aus, konnte aber die Heraufkunft der nationalsozialistischen Herrschaft und den zweiten großen Krieg nicht abwenden. Wer dergleichen von Literatur erwartet, wird wenig Neigung spüren, sich mit ihr zu befassen. Sehr demokratisch ist das nicht. Außerdem – wer kann von vornherein schon wissen, daß es nichts nützt, die Menschen, wenn sie keine Macht haben, für ein Problem sensibel zu machen?

Wer in einer festgefahrenen Sache einen neuen Ton anschlägt, sollte also Gehör finden. Verbrechen und Strafe sind – freilich (auch) als Projektion jahrhundertealter Strafrechtspflege – in den Alltagsgedanken der Menschen so gegenwärtig, daß die Stimme des Spezialisten an ihnen vorbeigeht, daß nur der sie erreicht, der zu den bewußten und unbewußten Erfahrungen, sichtbaren und verborgenen Ängsten, Wünschen und Phantasien verstößt. Im letzten Jahrzehnt ist auf diesem Gebiet viel in Bewegung geraten.

Das gilt vor allem für die Literatur, die im Gefängnis über das Gefängnis (und den Weg dahin) entstanden ist. Sie hat ihr Publikum gefunden. Das liegt an der Authenzität der Texte (solange man nicht nach »Kunst« fragt), eine wichtige Eigenschaft, auch wenn Karl-Heinz Bohrer und Günter Grass die Berufung darauf für einen Schwindel halten.

Der Film *Holocaust* beeindruckte, weil er das Bedürfnis der Zuschauer, etwas identifizierend nachzuvollziehen, hervorrief und ausfüllte. Wiederum wird alles sofort sehr schwierig, wenn auch über Kunst verhandelt werden soll.

Hochhuth nun nennt seinen Text »Drei Akte für sieben Spieler«. Prätentionsloser kann man kaum auftreten; an Kunst also wird auch Hochhuth bei seinem Stück nicht gedacht haben (was niemanden hindert, es dafür zu halten). Vielmehr ist anzunehmen, daß er in seiner Weise auf ein Problem aufmerksam machen und einen Beitrag zu seiner Lösung leisten wollte. Sicher nicht mit Hilfe von »Authenzität« (kaum ein Autor läßt seine Person so im Hintergrund), schon eher mit der Spekulation auf »identifizierenden Nachvollzug«, vor allem aber durch eine auf den Effekt von Rhetorik und Kommunikation bauende Argumentation. Seitdem Wissenschaftstheorie, Sprachanalyse und Kommunikationsforschung die erkenntnisfördernde Seite der Rhetorik in ihr Programm aufgenommen haben und der Wissenschaftsbetrieb beginnt, daraus Folgerungen zu ziehen, wird häufig geäußert, für die Literatur bleibe nur noch Phantasie und Imagination. Das mag seine Logik haben, hindert aber – offenbar – nicht die Entstehung von Texten, die – obwohl sie weder der Wissenschaft noch der Reportage oder dem Dokumentationswesen zuzurechnen sind – diese von Literaturwissenschaftlern verkündete Regel ignorieren. Sie erheben Anspruch auf Anerkennung nicht wegen ihrer Zugehörigkeit zu einer respektablen Klasse, sondern aufgrund dessen, was sie unmittelbar ausrichten. Hochhuths Passagen rhetorisch-kommunikativer Argumentation werden also den fragenden Blick der eulenäugigen Witwe (als welche, wie Fontane meinte, die Kritik erscheint): »Geht das denn auch, ist das erlaubt...«, gut überstehen, wenn sie leisten, was sie sollen.

Sie sollen eine Aufklärung bewirken, zu der Wissenschaft und sonstige Publizistik bisher, wie Figura zeigt, nicht in der Lage waren. Es müssen wahrhaft vertrackte Probleme sein, die sich so hartnäckig dem Verständnis entziehen, daß es zu ihrer Bewältigung jemandes von außen bedarf und ungewöhnlicher Mittel. In der Tat berührt die »Rechtsbeugung« durch Richter Fragen, denen die so erkenntniskritische und doch schwer mißbrauchte moderne Sozialphilosophie nicht mehr gewachsen ist.

Da ist zunächst das Dilemma, daß die Rechtssätze, die den richterlichen Entscheidungen den Weg weisen, in die Macht des Staates gegeben sind. Er beachtet dabei, hat er eine Verfassung, zwar gewisse Regeln, doch sind die Spielräume weit. Ein demokratisches Regime kann sie durch allerlei Vermittlungen und Rückkoppelungen überbrücken, so daß nicht unbedingt spürbar wird, welche Kluft zwischen dem, was die Menschen wirklich wollen, und dem, was offizielles Recht ist, besteht. In einer Diktatur aber ist diese Kluft und damit die Frage, ob es nicht höheres Recht als staatliches Recht gebe, ständig gegenwärtig. Die Philosophie der Neuzeit hat, nach mannigfachen Anläufen, es aufgeben müssen, die Existenz absolut geltender Rechtsprinzipien nachzuweisen. Auf dieser Grundlage hat sich eine Ethik des Relativismus und Positivismus entwickelt, die während der Weimarer Zeit Gustav Radbruch mit sehr einprägsamen Wendungen umschrieben hat. Radbruch war schon berühmt, und doch gelangte, was er rechtsphilosophisch sagte, damals und auch später über Fachkreise kaum hinaus.

Wenn aber Hochhuth den – durch seine Richtertätigkeit in der NS-Zeit – schwer belasteten Vater der Tina, den Minister Heilmayer, zu seiner Verteidigung sagen läßt:

»Ihr müßt mir zugestehen, daß ich nie, niemals verstoßen habe gegen das Credo des großen Antifaschisten und Ministers der Weimarer Republik, Gustav Radbruch, zu dessen Füßen auch ich in Heidelberg 1932 gesessen habe«,

so wird daraus eine jedermann fesselnde Sache. Die Spannung und damit die Konzentration auf das – dem Alltagsleben doch sehr entrückte – entscheidende Prinzip wird dann durch einen weiteren Kunstgriff wirksam gesteigert. Es folgt jetzt nämlich das zentrale wörtliche Zitat, in das der Kontrahent Dieter (»gereizt auflachend«) im Tone einer »Gebetmühle« leiernd einfällt. Und in wenigen weiteren Sätzen konfrontiert er den Minister damit, wie es Radbruch unter den Nazis gegangen sei und daß er in seiner Biographie über Anselm Feuerbach (berühmter Strafrechtslehrer des 19. Jahrhunderts) etwas gesagt habe, das zu den gerade zitierten Äußerungen nicht passe.

Das sind – dem Gegenstande nach – Seminardiskussionen. Man schwankt zunächst noch, ob waghalsige Beherztheit oder nichts weiter als Naivität Hochhuth die Feder geführt hat, merkt aber bald, daß diese Deutung dem eigentümlichen Reiz der Stelle nicht gerecht wird. Die Mischung aus hölzerner Entgegensetzung und listiger Präsentation entlegener Details verrät vielmehr eine Raffinesse, die in den schulmäßig wissenschaftlichen Dialog nicht so ohne weiteres Eingang findet und sich ihres Erfolges sicher sein kann.

Natürlich ist damit das Problem »Positivismus oder Naturrecht« nicht erschöpft. Wissenschaftlich wäre unendlich viel hinzuzufügen, etwa, daß schon bei der »Auslegung« des positiven Rechts zusätzliche, im Gesetz nicht enthaltene und daher auf andere Weise (also vielleicht doch naturrechtlich zu legitimierende Gesichtspunkte) gleichsam von der Seite hineinkommen. Wenn das richtig ist, so kann ein Richter auch in einem ganz und gar positivistischen System der unmittelbar materiellen Wertung nicht entgehen und muß daher Maßstäbe akzeptieren, woraus sich Folgerungen für seine Haftung wegen Rechtsbeugung ergeben.

Der Vorwurf gegen im nationalsozialistischen Staat tätig gewordene Richter beschränkt sich deshalb auch häufig darauf, daß von der Möglichkeit, mildere Sanktionen zu wählen, kein Gebrauch gemacht worden sei. Nur Juristen wissen genau über diesen Ermessensbereich Bescheid. Der Laie hat eine übertriebene Vorstellung von der mathematischen Genauigkeit der Rechtsanwendung und wird daher der biederen Auskunft des Fachmannes, das Gesetz sehe leider nichts anderes vor, willig Glauben schenken. Hochhuth entschlüsselt dieses Geheimnis der Juristen für seine Leser ebenso gewandt wie das Positivismusproblem, und dasselbe gilt für die schwierigen Fragen zur – wie die Juristen sagen – subjektiven Tatseite der Rechtsbeugung. Daß ein Richter wegen fahrlässiger Rechtsbeugung nicht bestraft werden kann, ist außer Streit. Darüber aber, welche Anforderungen an den Begriff des Vorsatzes zu stellen sind, gingen die Ansichten lange Zeit auseinander.

Normalerweise genügt es für vorsätzliches Handeln, daß der Täter billigend in Kauf nimmt, der tatbestandsmäßige Erfolg werde eintreten. Bei der Rechtsbeugung indessen verlangte die Rechtsprechung, daß der Richter wissentlich und gezielt das Recht beuge. Die richterliche Unabhängigkeit sei nicht mehr garantiert, wenn man den Richter zu unsicher mache, wenn er riskieren müsse, bestraft zu werden, nur weil er – gewissenhaft alles bedenkend – damit gerechnet habe, einen Rechtsfehler zu machen, und gleichwohl tätig geworden sei. Der Aberwitz dieses Gedankenganges ist in der Fachliteratur natürlich vielfältig angeprangert worden. Aber wen hat das erreicht? Das Unabhängigkeitsargument war plausibel; im Namen einer großen liberalen Errungenschaft zu argumentieren – konnte es etwas Besseres geben? Was sich dahinter indessen versteckte, macht Hochhuth in wenigen Zeilen namhaft.

»Ihr Juristen dürft euch also mit ›Irrtum‹ freischwätzen, obgleich ihr noch in der Weimarer Republik studiert habt, was Recht ist – aber der Schusterjunge, der dann als SS-Mann geglaubt hat, er müsse den Befehl ausführen: den locht ihr ein.«

Daß dieser Art der Umsetzung fachlichen Wissens in theatralische Demonstration Grenzen gesetzt sind, muß allerdings auch vermehrt werden. Abgesehen davon, daß der längst aufgehobene Paragraph 59 des Strafgesetzbuches alter Fassung – an seine Stelle sind die Paragraphen 16, 17 Strafgesetzbuch neuer Fassung getreten – zitiert wird (übrigens auch im Umschlagtext), leistet sich Hochhuth den Lapsus, fahrlässige Tötung und Totschlag (setzt nach Paragraphen 212, 15 Vorsatz voraus) gleichzusetzen (s. S. 129).

Indoktrination und Gruppenzwang, wie psychoanalytische Gutachter neuerdings hervorheben, können so stark sein, daß sogar die Parallelwertung in der Laiensphäre versagt (Vorsatz entfällt nicht etwa schon, wenn man die genaue juristische Terminologie nicht kennt). Auch dieses Problem greift Hochhuth geschickt auf, indem er Heilmayer sagen läßt:

»Dieter bestreitet mir das Recht, mich zu berufen auf Radbruch – wir sprachen von ihm, als du mir die Arznei holtest –, doch du als Tochter wirst mir zugestehen: Da sogar der geirrt und postuliert hat, Gesetzestreue stehe über dem subjektiven Rechtsgefühl des Richters, da durfte auch *ich* – ein Dreißigjähriger in Diensten der von Hitler drangsalierten Justiz – mich irren!«

Leider nimmt der Dialog dann eine Wendung ins Triviale (die übliche Beteuerung, man habe von Auschwitz erst nach dem Kriege etwas gehört). Man könnte so fortfahren und Kategorie für Kategorie des strafrechtlichen Haftungssystems – etwa die Frage nach Rechtfertigungs- und Entschuldigungsgründen – zu Hochhuths Assoziationen in Beziehung setzen. Wichtiger erscheint mir aber noch ein anderer Gedanke.

Die Juristen haben für ihre Argumente einen vor allem durch Tradition festgelegten Rahmen. Natürlich sind sie bemüht, darüber hinausgehende gesellschaftliche Bezüge zu registrieren. Ein entsprechender interdisziplinärer Anspruch ist längst begründet und bedrückt sie zunehmend. Gleichwohl müssen sie sich immer wieder sagen lassen, daß sie die richtigen Zusammenhänge nicht sehen. Hier geht es also nicht darum, ihnen wohlgehütete Geheimnisse zu entlocken, sondern Aufschlüsse zu geben. Das ist erstens nötig, weil die Juristen die Grenzen ihrer Denkgewohnheiten nicht ohne weiteres überschreiten *können,* und zweitens, weil sie es nicht *wollen.* Hier setzt Hochhuth an. Er macht klar, daß ein Widerspruch besteht zwischen der ausgesprochen naturrechtlichen Phase der westdeutschen höchstrichterlichen Rechtsprechung und der gleichzeitigen extrem positivistischen Handhabung des Rechtsbeugungstatbestandes. Er zeigt ferner, wie doppelzüngig Juristen mit der Bewertung höchstpersönlicher Interessen umgehen. Wer – sei es auch um mehr oder weniger verblasener Ziele willen – im Namen allgemeiner Interessen demonstriert und dabei individuelle Rechtsgüter verletzt oder gefährdet, wird auf deren absoluten Vorrang verwiesen und ins Unrecht gesetzt. Ist aber die Staatsräson im Spiel, so tritt das Schicksal des einzelnen zurück. Noch ehe der Skandal – die NS-richterliche Vergangenheit des Ministers Heilmayer – offenbar ist, kommt per Telefon die Nachricht, daß Aldo Moro tot aufgefunden worden sei. Daran spinnt sich ein subtiles Gespräch darüber, ob Schleyer nicht hätte freigekauft werden müssen. Die Sache hat bekanntlich seinerzeit sogar das Bundesverfassungsgericht beschäftigt. Die kurze Begründung seines Beschlusses ist farblos und argumentativ eindeutig schwächer als die wenigen Absätze, die Hochhuth dem Problem widmet. Er operiert mit der Situation; dramatisierend, zugegeben – aber es war ja ein Drama, und ich weiß nicht, ob es dem Bundesverfassungsgericht zur Ehre gereicht, daß man in seinen Sätzen nichts davon spürt.

Hochhuth konstruiert – das bringt ihn durchaus in die Nähe der Juristen, und vielleicht hat er überhaupt eine heimliche Affinität zu diesem Handwerk, denn die Juristen konstruieren auch; eine gute Konstruktion ist schon das halbe Argument. Aber es gibt Fehlkonstruktionen, und so ist es kein Wunder, daß sie auch Hochhuth unterlaufen. Weshalb muß Tina mit den Zeichen höchster Erregung als Zumutung von sich weisen, sie könne ernsthaft erwogen haben, Jura zu studieren, wenn sie von der schweren Schuld ihres Vaters gewußt hätte? Man kann durchaus die entgegengesetzte Rechnung aufmachen – es sei denn, man folgert aus dem Verhalten des Ministers Heilmayer die hoffnungslose Korruptheit des ganzen Rechtssystems. Kann sein, daß Hochhuth tatsächlich so verfährt – einige ins Pamphletistische gehende globale Verdammungen deuten in diese Richtung. Darüber wäre mit ihm zu rechten. Sieht er nicht auch die der Macht entgegentretende Funktion der Jurisprudenz? Gibt es nicht sogar großartige Beispiele dafür – auch in der deutschen Rechtstradition, wenn man ein bißchen weiter zurückgeht? Und was sagt er zu dem Lamento der Atomindustrie, daß irgendwelche »kleinen« Verwaltungsrichter die großartige Technik blockieren?

Ein Stück ist erst richtig interessant, wenn es auch Rätselhaftes enthält. Wer wollte etwa in Schillers Werk Wendungen von der Art vermissen wie: »Werd' ich das, in meines Nichts durchbohrendem Gefühl . . .« So auch Hochhuth. Er liefert den Juristen einen schönen neuen Topos. Sie waren bisher darauf angewiesen, mit Sprüchen wie »Du sollst, denn du kannst« oder »Du kannst, denn du sollst« oder »Du mußt, weil du sollst« zu leben. Jetzt aber können sie mit Hochhuth auch sagen: »Er *darf* nicht, daher *muß* er!« Ob sich wohl jemand findet, der darüber dissertiert?

Frankfurter Rundschau,
9. Februar 1980

HANS-PETER PLATZ

Schonungslose Selbstbefragung

Wer liest, kennt diese Leseerfahrung: Zuerst liest man immer »über«. Über die Leseerfahrungen der sogenannten Vermittler, die notwendigerweise immer auch Verhinderer von Leseerfahrung sein müssen, weil sie selbst nicht alles zu lesen und schon gar nicht alles zu richten vermögen. Immerhin: Es gibt Autoren, über die immer geschrieben wird, wenn sie etwas geschrieben haben. Rolf Hochhuth gehört dazu. Und so war denn auch über sein neues Stück *Juristen* einiges an Meinung mitzukriegen. Interessantes. Bedenkenswertes. Hauptsächlich aber bemühtes »Gejaber«. Was so zu verstehen ist: Auf jedes »Ja« für den »Moralisten« viele »Aber« für den »Stückeschreiber« Hochhuth. Dies scheint er, zumindest im deutschsprachigen Besprechungsraum, nicht mehr loszuwerden. Da scheint man um kein Wort verlegen, um die Verlegenheit gegenüber dem Anspruch Hochhuths loszuwerden, als Autor ernstgenommen zu werden. Nicht als Moralist. Als Rechtschaffener. Als Wohlmeinender. Als Gewissen. Als was auch immer. Sondern als Autor, der zeitgenössische Stoffe für das zeitgenössische Theater schreibt und anbietet.

Vielwortig und teilweise anerkennend formuliert sind die Begründungen, weshalb es eben so, wie Hochhuth das macht, nicht gehen kann. Peymann bedauert in Interviewform. Und der gescheite Golo Mann stellt sich selbst dümmlich die Frage, wer wohl Hochhuth zu seinem Stück »angestiftet« habe. Anstiftung zum Stückeschreiben als Verdächtigung und Delikt also? Das hat Hochhuth mit seinen *Juristen* unter anderem auch gemeint. Und einiges mehr dazu. Was ist in diesem Stück an aktueller Problematik nicht alles enthalten. In Dialogen, die einen angreifen und fordern wie eine schonungslose Selbstbefragung. Wie hält man es selbst mit einer Wirklichkeit, die zweitens auf solcher Vergangenheit gründet und erstens solche Verhaltensnormen akzeptiert, wie sie in den *Juristen* präzise nicht nur angesprochen und angedeutet werden, sondern vorgeführt werden?

297

So wortgewaltig hat vor Hochhuth noch keiner die folgenschweren Prozesse des Verschweigens und Verdrängens als gesellschaftliche Praxis und Funktionsmerkmal unserer Zeit hör- und einsehbar gemacht. Hör- und einsehbar, wenn sich auch nur ein Theater dazu bequemen könnte, diese Sätze sprechen zu lassen. Denn hören müßte man, wie sich die Phrase der Macht – und nicht etwa umgekehrt – bedient. Hören müßte man, wie Subordination und Funktion durch Sprache getragen werden. Wie sich Verzweiflung tarnt, um in einer Gesellschaft durchzuschlüpfen, die einen erbarmungslos zum Opfer gemacht hat. Hören müßte man, wie der Zynismus als Waffe gegen den Zynismus des Systems scheitert und nur noch die unverstellte Klage und Anklage eine Chance hatte. In Hochhuths *Juristen* sind diese Töne und Bedeutungen von Sprache eingefangen und für das Theater nutzbar gemacht. Und ich wünschte mir dringend, diese Sätze auf eben diesem Theater zu hören.

Hier könnte, meine ich, ein Stück sein Publikum im Wortsinne bewegen. Denn Hochhuth hat mit seinen *Juristen* zwar auch ein Stück über jene Militärrichter gemacht, die allein bis Ende Januar 1945 24 559 deutsche Soldaten zum Tode verurteilten, er hat auch ein Stück gemacht über die Vergangenheit mächtiger Repräsentanten in Nachkriegsdeutschland, und er hat auch ein Stück gemacht über Radikalenerlasse, Berufsverbote, Sicherheitsstaat und Terrorklima, er hat aber über diese Unheimlichkeiten der Gegenwart hinaus vor allem auch ein Stück gemacht über die Sinnlosigkeit, jung zu sein, wenn Generationenkonflikt nicht die Chance und das Recht meint, zur Wahrheit auch wider die Väter vorzudringen.

Ein Theater, das sich davor drückt, ein solches Stück zu spielen, und sich nicht mehr getraut, in einer Sprache zu sprechen, die jedes Publikum treffen müßte, stiehlt uns nicht nur die Auseinandersetzung mit einem dramatisierten und dramatischen Stück Gegenwart, es könnte uns eigentlich auch gestohlen bleiben.

Basler Zeitung,
19. Januar 1980

Anhang

ROLF HOCHHUTH

Zensur in der Bundesrepublik Deutschland

»Nach einer Entscheidung der ›Staatlichen Landesbildstelle‹ vom Juli 78, der sich drei Monate später auch Minister Maier anschloß, ist Kotullas Film über das Leben
des Lagerkommandanten von Auschwitz für den ›Ein-
satz im Rahmen von Schulfilm-Veranstaltungen‹ in Bayern verboten. Die Landesbildstelle fürchtet hier als eine
Gefahr, was ein Vorzug des Films ist: Er stellt kritische
Fragen an unser Wertesystem und beschreibt die psychi-
sche Disposition eines Durchschnittsbürgers zum Faschismus.«

Die Zeit, Hamburg, 13. Juli 1979

»Ein Bagatellfall wie die Ermittlung eines Hamburger
Staatsanwalts, der ein Plakat des Ernst-Deutsch-Thea-
ters zur Aufführung von R. Hochhuths Drama *Juristen*
beanstandete, weil ein hingerichteter Soldat abgebildet
war?«

Jürgen Kesting,
Stern, Hamburg, 30. April 1980

Jedesmal, wenn in der DDR oder in Moskau oder in Prag schändli-
cherweise wieder ein Schriftsteller inhaftiert oder ausgewiesen wird,
frohlocken in der Bundesrepublik die in Bonn regierenden Kultur-
abstinenzler wie Zöllner und Pharisäer, weil sie nicht so sind »wie
diese da«.

Zugegeben, sie sind nicht so: schon deshalb nicht, weil sie sich das
ganze Jahr um die Vorgänge im geistigen Haushalt der Nation nicht
scheren – eine Ignoranz, die sie auch noch aus dem Grundgesetz »begründen«. Belästigung durch Kultur verstehen sie nicht als ihre Angelegenheit, sondern als Sache der Kultusminister der Länder, die keiner
auch nur dem Namen nach kennt, weil sie eben keinen Namen haben.

299

Gegenbeispiel: De Gaulle war kaum an der Macht, da holte er den neben Sartre renommiertesten Autor Frankreichs, seinen einstigen Gegner Malraux, als Kultusminister nach Paris. Er hatte das Bedürfnis, seine Regierung auch an Kunst und Kultur, an die bleibenden Traditionen Frankreichs zu binden. Die Bonner dagegen, die in ihren Gründungsjahren immerhin noch einen Schriftsteller, Wilhelm Hausenstein, zum Botschafter in Paris ernannt hatten, scheinen seit dem Abgang von Heuss nur bemüht zu sein, BRD als Kürzel für Banausenrepublik Deutschland dem gleichgültigen Schulterzucken aller Welt auszuliefern. Dieser Staat ist für seine Nachbarn allenfalls so interessant wie eine Bank; man geht halt hin, weil's da Kredit gibt! Aber niemand liebt sie, keinem ist sie eine Reise wert – diese Hauptstadt, die nur belegt, daß Haupt und Kopf keine Synonyme sind: diese einzige Metropole in der Welt, neben ihrer »geistigen« Mutter Washington, die keiner Akademie Wohnrecht gibt, keinem namhaften Künstler oder Gelehrten. Sie hat zwar soviel Geld wie der Schweizer Bankverein, hat aber in dreißig Jahren – und das ist historisch beispiellos in der Geschichte der deutschen Hauptstädte, selbst wenn man sämtliche Duodez-Residenzen mitzählt – nicht ein kulturelles Ereignis hervorgebracht, zu dem irgendein Mensch in der Welt auch nur einen Lidschlag lang hingeschaut hätte. Kein Stück Architektur hat Bonn geschaffen, kein Denkmal von Rang enthüllt, für die Juden etwa oder, Gott behüte, gar für nichtjüdische Nazi-Opfer. Keine Oper- oder Theaterinszenierung, keinen Literaturpreis, keine Kunstausstellung von Rang hervorgebracht. Kein Mann lehrt an seiner Universität, der je etwas Aufschreckendes gesagt hätte!

Und wie Bonn, so das »Schaufenster« der Regierenden: die allabendliche Bundesbeschwichtigungssendung, die sie als *Tagesschau* »Heute« ausgeben. Zwei Beispiele: Als das Deutsche Nationaltheater in Mannheim, Schillers Uraufführungsbühne, den 200. Geburtstag feierte – auch der Präsident der Republik war nicht hingefahren –, wurde dieses Ereignis im überregionalen Fernsehen keine Sekunde erwähnt, während jeder Parteibonze ausgestellt wird, der die zwölftausendste Erklärung zur Olympiade einem anderen nachschwätzt . . .

Als Brecht achtzig wurde, mußten Augsburger Kommunisten das Volkstheater Rostock aus der DDR kommen lassen, das dann in einem obskuren Hotelsaal *Die Tage der Kommune* spielte, während das Theater der Geburtsstadt Brechts an diesem Abend Offenbachs *Herzogin von Gerolstein* aufführte. Die Stadtverwaltung ließ einen Kranz zum Geburtshaus schicken – durch einen Gärtnerburschen, der ihn dann in der Nachbarschaft abgab. Der Junge wußte ja nicht, wo Brecht geboren war. Als der Kranz niedergelegt wurde, war kein Offizieller anwesend. Das Fernsehen erwähnte Brecht nicht.

Fiele unsere Bon(n)zen je der Gedanke an, es könnte fragwürdig sein, daß ihre *Tagesschau* so kulturfeindlich ist wie sie selber – die österreichische beispielsweise stellt jeden Abend fünf Minuten lang eine Neuerscheinung des Buchmarktes vor –, so würden sie es mit »Liberalität« begründen, daß sie niemals hinschauen auf das, was Künstler tun. Oder sie würden sich auf das Grundgesetz berufen, dessen Versprechen: »Eine Zensur findet nicht statt«, allerdings von Anfang an mißachtet wurde. Dagegen war es stets nützlich, zu »bedauern«, daß die Bundesregierung sich nun einmal – laut Grundgesetz, bitte – nicht mit Kultur befassen dürfe. Eine plumpe Ausrede, denn schließlich war ein Wissenschaftsministerium von den Grundgesetz-Schneidern ebenfalls nicht eingeplant. Daß es inzwischen trotzdem einen solchen Minister gibt, geht auf das Bedürfnis der Regierenden nach einem Haus in Bonn zurück, das sich mit Wissenschaft abgibt. Nach einem Haus, das den schönen Künsten und der Literatur – die freilich nicht immer »schön« ist, wo sie gut ist – in Bonn nicht nur Heimatrecht, sondern Mitsprachepflicht oder gar Aufträge, Ideen und Impulse gäbe – nach einem solchen Haus hat keiner unserer Mächtigen sich in dreißig Jahren nur dreißig Sekunden gesehnt ...

Diese Ignoranz der Bonner führt mit Sicherheit zu ihrer Ignorierung durch die Geschichtsschreibung. Denn das Berlin von Bismarck war auch das von Mommsen und Fontane, genau wie Hardenbergs Berlin zugleich die Stadt Hegels und Schinkels war und das wilhelminische Berlin das von Liebermann, Zille und Wilamowitz. Das Berlin von Rathenau und Stresemann war das von Käthe Kollwitz, Piscator, Heinrich Mann. Dagegen wird der spezifisch Bonner Originalbeitrag zur »Wissenschaft« von der Politik – die Surrogation der Politik durch Personalpolitik – nicht einmal als Fußnote in die Geschichtsbücher gelangen. Denn wo dreihundert Tage im Jahr die Titelseiten aller Zeitungen als Hauptproblem unserer Bon(n)zen diskutieren: »Wer kriegt wann wessen Job« – da stirbt das Interesse mit den Personen, deren Selbstversorgung die Aufgabe ihres Lebens war.

Wir wollen das nicht beklagen. Kann doch ein Volk, das einem Parteiberuflichen wie Strauß vier Jahrzehnte lang zujubelte, sich glücklich preisen, wenn der endlich nichts hinterläßt, *nichts* als ein imponierendes Privatvermögen! Immerhin, das wird einmal überliefert werden aus diesem Staat: daß er dem Präsidenten des Bayerischen Landtages, einem Rechtsanwalt mit einer sehr großen Praxis, monatlich über zweiundzwanzigtausend Mark Pension zahlte; ihm überdies die Härte, schon mit vierundsechzig statt mit fünfundsechzig Jahren pensioniert zu werden, mit einhunderttausend Mark »Übergangsgeld« erträglich machte – gleichzeitig aber jedem achten Alten nur fünfhundert Mark oder noch weniger gibt und 7,6 Prozent der Jugendlichen zwischen achtzehn und fünfundzwanzig Jahren, Studierende gar nicht mitgezählt, erwerbslos hält.

Aber sparen, das wollen wir nicht verschweigen, sparen tut er auch, dieser Staat. Als Strauß in München als Landesvater einziehen sollte, tauchte der Plan auf, die Schack-Galerie, ein Geschenk Kaiser Wilhelms an die Stadt, zu schließen und das Palais zum Amtssitz des obersten seiner Demokraten umzuwandeln! Und Münchens schönstes Theater, das im Jugendstil erbaute Prinzregententheater, hält Bayern aus Sparsamkeit geschlossen: getreu der Prophezeiung, die bei seiner Einweihung Exzellenz von Possart, der bedeutende Schauspieler-Intendant, gegenüber dem Botschafter Graf Bernsdorff abgab, als er voraussagte, dieses herrliche Haus werde einst als Pferdestall benutzt werden. Tatsächlich ist das Theater, das den Bombenkrieg so gut überstanden hatte, daß in ihm die großen Nachkriegspremieren stattfinden konnten, heute Abstellkammer. Von einem bayerischen König wäre eine solche Anordnung nie ergangen, zeigten die Fürsten doch meist Interesse an der Kunst (oder wenigstens an den Künstlerinnen). Demokraten mußten erst die Macht ergreifen, diese Barbarei zu veranstalten. Und wurde eigentlich je einer unserer Bonner »Spitzen«-Politiker beim Besuch der Premiere eines *lebenden* deutschen Autors oder Komponisten ertappt?

»Verstehen« doch unsere Machthaber unter geistiger Freiheit, daß sie sich in Kabinetten, in Bundes- und Landtagen, als Stadt- oder Dorfschulzen durch Vergabe wahnwitzig übertriebener und ziellos verteilter Subventionen von der Nötigung freigekauft haben, selber einmal zu einem Künstler, einem Kunstwerk Stellung zu nehmen, es zu kritisieren oder gar zu verteidigen. Nicht, daß sie nie über Bücher redeten, nein: Professor Carstens war kaum Präsident, da tat er kund auf die zudringliche Reporterfrage, ob er lese: »Ja, den David Copperfield.« Nun sollte tatsächlich jedermann als Erwachsener dieses Meisterwerk wieder einmal lesen; doch hatte der Reporter wohl gehofft, und mit ihm alle Zuschauer, seine bislang einzige Äußerung zur Kunst überhaupt – nicht eben sehr viel nach jahrzehntelangem öffentlichen »Wirken«: *eine* Äußerung zur Kunst – endlich vergessen lassen durch ein Wort von Heuss-Niveau. Carstens hatte früher bekanntlich dem Nobelpreisträger Böll angehängt, der predige Terror »unter dem Pseudonym Katharine Blüm«. Womit Carstens zwar nichts über Böll

ausgesagt hatte, wohl aber über sich, der er die (auch noch falsch zitierte) Titelfigur eines Bestsellers für ein Pseudonym des Autors hielt ...
(Dagegen hat Oswald Spengler Hitler immerhin nachsagen können:
»Der Führer hat von meinem Buch den ganzen Titel gelesen.«)

Daß unser Mann an der Spitze sich nie mehr durch Beschäftigung mit einem lebenden Künstler bloßstellen will, hat er anderen Männern in Spitzenpositionen abgeschaut: so hat Barlog, dreißig Jahre lang Chef der Berliner Staatstheater, nicht ein einziges Mal selber eine Uraufführung inszeniert – getreu dem Motto: das Risiko für andere, dann bleibt man selber oben! Bevor nicht Londoner und New Yorker Inszenierungen belegt haben, daß Albees Meisterwerk *Wer hat Angst vor Virginia Woolf* ein Erfolg ist, rührt man das Stück lieber nicht an! Und wie der wagnisscheue Barlog – nur Wagnisscheue werden bei uns Staatstheatertyrannen – stets abwartete, ob anderen geglückt war, was sie riskiert hatten, so hat – noch feiger – der bundesdeutsche »Spitzen«-Regisseur Noelte sich überhaupt niemals mit der Inszenierung eines Lebenden zu blamieren gewagt. Der feine Mann rührt erst an, was durch mindestens dreißig frühere Inszenierungen als idiotensicher ausgewiesen ist.

Diese Praktiken sind die subtilsten, weil gemeinsten Formen der bundesdeutschen Zensur. Solche Vorbehalte verraten den geistigen Rang eines Harry S. Truman, der auf die Frage, ob er eine Beziehung zu Malern habe, forsch und kühn antwortete: »Natürlich, zu Tizian und Rembrandt.« Und so kühn, wie dieser achtundachtzigjährige Ex-Präsident war, sind heute in der Bundesrepublik die Spitzenregisseure bereits mit vierzig. In diesem Alter wenden sie sich von Mitlebenden ab und inszenieren fast nur mehr Klassiker, weil sie glauben, sie würden dadurch klassische Regisseure. Die Kulturgeschichte indessen lehrt – aber sie lesen nichts –, daß allein jene Regisseure Theatergeschichte machten, die zeitgenössischen Autoren beigestanden haben. Max Reinhardt kennen wir noch, nicht weil er entdeckte, daß der für unspielbar gehaltene *Sommernachtstraum* herrliche Inszenierungsmöglichkeiten bot, sondern weil er mit Hofmannsthal »Salzburg« durchsetzte und weil er – dokumentiert in seinen Korrespondenzen – für die Klassiker der Moderne: Schnitzler, Sudermann, Shaw, Hauptmann, Wedekind, Kaiser, Sternheim und andere mehr, gegen eine Meute von Konventionalisten gekämpft hat, so, wie später Fehling Barlach und Billinger auf die Spielpläne brachte.

Zu lebenden Künstlern ein Verhältnis zu haben, setzt allerdings den Mut voraus, der jeder Intimität mit Kunst erst Würde gibt. Die nur museale Beschäftigung mit weltweit anerkannten, von niemandem mehr gefürchteten oder bezweifelten Werken ist medioker. Und schlechthin unentschuldbar ist sie dort, wo Regisseure und Theaterkritiker – an *Zeit, Spiegel* und noch zwei oder fünf Gazetten – mit Kunst und vor allem mit dem Verreißen von Kunst so unverhältnismäßig viel mehr Geld verdienen als fast jeder, der welche hervorbringt und der immer wieder mit einem neuen Werk seinen Ruf und damit auch seine materielle Existenz aufs Spiel setzt, wie es Bühnenautoren tun. Noch mit fünfzig, längst Ehrendoktor von Oxford und Nobelpreisträger, schauderte es Hauptmann, »wieder ein neues Stück auf den Hazardtisch einer Premiere zu legen«. Unbekanntere Autoren werden durch diese Praktiken buchstäblich in ihrer Existenz aufs äußerste bedroht, verschwinden nicht selten für immer von der Bühne. Dem Regisseur dagegen passiert durch einen Verriß nicht viel; höchstens muß er in der nächsten Saison sein (gut belegtes) Brot in einer anderen Stadt, die andere Kritiker hat, verdienen. Kein Wunder, daß die »sicheren« Klassiker achtzig Prozent der Spielpläne füllen. Für den Herbst 1981 kündigt das Mülheimer Theater an der Ruhr ein »Modell« an: Zwei Regisseure, denen die Stadt sofort 2,7 Millionen dafür hinwirft, sollen Nachbarstädte mit Inszenierungen eines neuartigen »mobilen« Theaters überziehen. Kulturdezernent Meyer schämt sich nicht offenzulegen, wie wagemutig sein Plan ist: Shakespeare, Lope de Vega, Molière, Goldoni, Nestroy, Raimund. Die zweite Hälfte des neunzehnten und die erste des zwanzigsten Jahrhunderts scheinen in der Kunst für diesen SPD-Mann noch nicht angebrochen zu sein. Dabei weiß er natürlich genau, wie miserabel die meisten deutschschreibenden Stückemacher dahinvegetieren.

Ist also die BRD schlechthin der Idealstaat, was die Zensur betrifft? Politiker, die Zeitgenossen nicht lesen, können sie ja nicht zensieren. Aber Regisseure, die Zeitgenossen nicht spielen?

Sie bilden *eine* mächtige Crew innerhalb der Kunstkommissare, die Bund, Länder und Gemeinden sich halten, um den Inhaber unseres Staates – der ja identisch ist mit den Inhabern der Theater – gegen neue, gegen rebellierende, gegen kritische Kunst abzuschirmen. Diese intellektuellen Hiwis und Amtsträger in den Anstalten der sogenannten »öffentlichen Hand« sind die deutschen Vorstehhunde, die den Parteifunktionären die Bewachung des Fernsehens und der Theater, auch des Funks, vor rebellierenden Künstlern abnehmen. So wenig ein Hund jemals die Hand beißen wird, die ihm das Futter hinhält, so wenig beißen in die »öffentliche Hand« jene, die von ihr allmonatlich gefüttert werden – gefüttert mit Intendanten- und Redakteursgehältern und Altersversorgungen, deren Höhe jeden verhöhnt, der sich als vogelfreier Künstler finanziell durchzukämpfen hat. Dies ist der Grund, dies allein, daß die Bundesrepublik in drei Jahrzehnten kein einziges Drama hervorgebracht hat, dessen kritischer Gegenstand sie selber ist. Nur Privattheater könnten so etwas aufführen, doch die wurden durch die staatlichen und städtischen Bühnen vernichtet – Folge einer Mißachtung des Grundgesetzes durch die Behörden.

Im Grundgesetz wird bekanntlich die Wettbewerbsfreiheit garantiert, die Chancengleichheit. Wo aber Länder und Gemeinden ihre Theater (wie »ihrem« Fernsehen; daher müssen mehrere private endlich das Konkurrenzprinzip eröffnen, dem allein Freiheit zu danken ist) mit Hunderten Millionen an Subventionen füttern, während sie gleichzeitig von privaten Theatermachern neben anderen Abgaben fünfzehn Prozent Vergnügungssteuer pro verkaufter Karte eintreiben, da werden die Privattheater liquidiert. Mit Absicht, denn natürlich wissen Parteien und Gewerkschaften, daß im Deutschland Wilhelms des Letzten wie auch in der Weimarer Republik alle aufsässige Kunst allein von Privatleuten riskiert und finanziert wurde: Wedekind hätte wie Kleist nie ein Stück von sich auf einer Bühne gesehen, wäre er auf obrigkeitsfromme Staats- und Stadttheater angewiesen gewesen. Kein früher Hauptmann oder Sternheim wurde dort je uraufgeführt, und auch die *Dreigroschenoper* mußte noch von Privatleuten riskiert werden. Wären die Kollwitz und Grosz darauf angewiesen gewesen, von staatlichen Galerien ausgestellt zu werden, sie wären darüber eisgrau geworden. Der Irrtum der Intellektuellen war, mit dem Verschwinden der Monarchie sei auch der Absolutismus beseitigt worden. Der aber ist geblieben und wechselt nur die Erscheinungsformen. Nicht mehr die Hohenzollern und Wittelsbacher, sondern die Banken, die Großindustrie, die Parteien und die Gewerkschaften sind heute Eigentümer des Staates, und so wachen halt sie darüber, daß »ihre« Kunstinstitute die Majestät der Machthaber nicht verletzen. Solche Majestäten können heute Kluncker heißen oder Flick, Wehner oder Strauß, CDU oder Bundeswehr, das Fernsehen selbst oder die Stadtverwaltung von X oder der Ministerpräsident von Y ...

Diese bundesdeutschen Majestäten schreien selten nach dem Staatsanwalt, wenn sie einen Anwalt gegen die Kunst »benötigen« – denn sie sind immerhin schlau genug, niemals selber den Zensor zu spielen. Sie verlassen sich in aller Ruhe auf die von ihnen inthronisierten Kunstkommissare auf den Kommandobrücken der Massenmedien: auf ihre meist sogar parteibuchlosen intellektuellen Hiwis, die als Kunstbeamte vom Staat oder von den Städten mit allen Sicherheiten für ihre Person und ihre Witwen eingekauft werden – Intendanten, Direktoren, Dezernenten vor allem des Fernsehens, der Städte, des Theaters, des Funks und ihre unter dem Baldachin der Sekurität gut lebenden Mitläufer und Pflichtlinge in Redaktionen und Dramaturgien. Diese Leute – die zumeist Gehälter einstecken, deren Höhe diesen Gehältern Bestechungsfunktionen gibt – reagieren nur zu oft ihre Enttäuschung, selber gescheitert zu sein mit Manuskripten oder Kompositionen, an jenen Lebenden ab, die sich zwar durch ihre Werke einen Namen, aber kein Amt erringen konnten, die abhängig blieben von den Pfründeninhabern, von jenen, die allein darüber entscheiden, ob lebende Künstler vorgezeigt oder totgeschwiegen werden. So haben, was wenig bekannt ist, die ach so christlichen Funktionäre des Bayerischen Rundfunks in den Nachkriegsjahren Karl Valentin buchstäblich verhungern lassen, indem sie dem genialen Mann immer wieder beteuerten, von 105 Valentin-Tonbändern im Besitz des Rundfunks sei keines mehr sendefähig, weil Valentin »nicht mehr komisch« sei. Zuletzt hat Karl Valentin, um seinen von demokratischen Kunstkommissaren über ihn verhängten Hungertod hinauszuzögern, versucht, in Münchner Haushaltswarengeschäften selbstgeschnitzte Holzlöffel zum Weiterverkauf anzubieten. Barlach wurde von den Nazis, Valentin von Demokraten ausgehungert.

Nichts spricht dafür, daß die fürstlichen Theaterchefs des neunzehnten Jahrhunderts jemals eine derart niederträchtige Asozialität gegenüber lebenden Künstlern praktiziert hätten, wie es die sogenannten linken Jungregisseure – als links muß fast jeder firmieren, um zugelassen zu werden – gegenüber mitlebenden Bühnenautoren tun. Sollte im einundzwanzigsten Jahrhundert eine Kulturgeschichte des deutschen Theaters geschrieben werden, so wird die Regisseurgeneration, die von Peter Palitzsch bis Luc Bondy jahrgangsmäßig repräsentiert wird, in einer Fußnote als jene vermerkt werden, die das zeitgenössische deutsche Theater durch Aushungerung seiner Autoren liquidiert hat.

Wo aber Regierende, im Gegensatz zu den Bonnern, noch eine Beziehung zur Kunst haben, da ordnen sie an – so im königlichen England, im königlichen Belgien –, daß ein beträchtlicher Prozentsatz der Subventionen an die Kunstinstitute für die Inszenierung und Ausstellung von Werken *lebender* englischer oder belgischer Autoren, Komponisten und bildender Künstler ausgegeben werden. Bei uns, und diese ihre Ignoranz verwechseln unsere Machthaber mit künstlerischer Freiheit, wird gar nicht danach gefragt, wie ein Intendant, ein Regisseur die wahnwitzig hohen Subventionen vernutzt. Er bekommt sein Geld, ob er die achtundachtzigste Ibsen-Inszenierung der Saison oder die sehr schwierige Aufgabe angeht, *Die Ermittlung* von Peter Weiß uraufzuführen. Also entschließt er sich für Ibsen oder irgend etwas anderes »Bewährtes«, denn das hat folgende Vorteile: Erstens eckt er nicht an bei seinen Brotgebern im Stadt- oder Länderparlament, und sein Vertrag wird nächstes Jahr verlängert; zweitens stößt er das Publikum nicht vor den Kopf; drittens läuft er nicht Gefahr, sich zu blamieren – mit einem idiotensicheren Klassiker verunglückt kein Regisseur mehr. Viertens kann er den Klassiker »bearbeiten« und den kunstsinnigen Herren des Bundesrechnungshofes erzählen, erst seine Striche hätten zweihundert Jahre nach Erscheinen das bisher bekanntlich unspielbare Drama *Kabale und Liebe* inszenierbar gemacht, so daß dieser Regisseur als Hausherr – das kommt vor im deutschsprachigen Subventionstheater – in anderthalb Spielzeiten an zwei Klassikern, zusätzlich zu seinem Intendantengehalt von jährlich etwa einer Viertelmillion, weitere achtzigtausend Mark verdient. Würde er dagegen einen lebenden Autor inszenieren, müßte er diesem Tantiemen abgeben. Fünftens kann, wenn er Klassiker inszeniert – und fast nur dann –, ein Regisseur darauf hoffen, zu den Westberliner Festwochen eingeladen zu werden – vorausgesetzt, er entschließt sich, Nora mit nacktem Hintern auftreten zu lassen. Will er die »geistige« Kühnheit auf die Spitze treiben, so inszeniert er Shakespeare und ist nicht nur so tapfer, Polonius mit einem jungen Mädchen zu besetzen, sondern einige Personen mit Hüten und Hosen des neunzehnten oder, wenn er seinen Mut bis zur Waghalsigkeit steigert, sogar in Kostümen des zwanzigsten Jahrhunderts zu zeigen. Ein Wagnis, das er deshalb eingehen kann, weil Shakespeare ihn garantiert nicht mehr verklagen wird – selbst dann nicht, wenn Regisseur Schulze den Monolog: »Sein oder Nichtsein« auch noch verbessert durch Umschreibung. Wer unsere Szene kennt, der weiß, daß dies kein Witz ist!

So feige, das heißt so realitätsfern-unverbindlich wie das deutsche Theater, kann nur eine Branche sein, der die Konkurrenz fehlt. Ein hoher Zusatzreiz für die intellektuellen Amts(fest)halter, »die öffentliche Hand« zu küssen, die sie füttert, ist ihre zwar im Gesetz nicht vorgesehene, aber doch faktische Unabwählbarkeit. Wer sich wie das Land Hessen seit Jahrzehnten seinen Fernsehpopen Hess hält, muß nie einen Parteimann vorschicken, der sich beschmutzt mit der Markierung von »Freiraum« für den Satiriker Henning Venske und dessen Verbannung wegen »Überschreitens« jenes Freiraums, in den der Pfarrer ihn einzusperren versucht hatte. Wer sich wie der NDR einen Filmchef Meichsner hält, der einen erheblichen Teil der Produktion, für die er Etat hat, selber schreiben und durch sich selbst fürs Fernsehen annehmen lassen darf – fällt ihm selber nichts ein, so macht er drei abendfüllende Fernsehfilme nach Fontanes Stechlin von Meichsner –, der muß nicht selber achtgeben und verhindern, daß in Hamburg einmal ein Film losgelassen wird, der die Ernenner unserer Kunstkommissare ins Fernsehen brächte, also die Kirchen-, Gewerkschafts-, Magistrats- und Parteiclowns. Wo sollte zum Beispiel eine Filmgroteske gesendet werden, die »Frau Bäuchle« hieße und das Kleeblatt Wehner, Wienand, Steiner und das Sofa dieser schwäbischen Dorfschulzin zeigte, auf dem angeblich fünfzigtausend Mark ihren Besitzer und ein CDU-Abgeordneter zur Rettung eines SPD-Kanzlers seine Meinung gewechselt haben?

Private Filmgesellschaften können aber ohne Fernsehgarantien nicht mehr filmen. Ja, sollte staatliches Fernsehen sich beteiligen, wenn etwa einer ein Drehbuch anböte, das die Kantinen-Denunziantengeschichte enthielte, derzufolge zwei hochverdiente Luftwaffengenerale deshalb fortgejagt wurden, weil sie geglaubt hatten, der SPD-Gewaltige Wehner lasse das Delikt der Majestätsbeleidigung weniger kraß ahnden als Wilhelm der Letzte? (Was immer man den linken Machthabern nachsagen kann: Humor sicher nicht!) Oder sollte staatliches Fernsehen – und nur das gibt es – einen Film zulassen, der – mit Helmut Qualtinger als Franz Josef Strauß – die Onkel-Alois-Waffenschieber-Story und den termingerechten Autobahn-Tod von Ellen Bormann recherchierte – jener Alois-Sekretärin, die ihren Chef immer wieder erpreßte, weil sie nach eigenen Angaben »über den Strauß weiß, was der Augstein über den wissen möchte«?

Daß sie selber, unsere Herren, nicht vorgezeigt werden wollen als jene Komödienfiguren, als die eine Nachwelt sie sähe, hätten sie Nachwelt, ist begreiflich. Daß sie aber auch Filme wie den über Höß, den Durchschnittsbürger von Auschwitz, nicht einmal Schülern zeigen lassen und vor keinem Parlament begründen müssen, warum sie eine solche meisterliche Aufklärungsarbeit unterdrücken, die längst in 16-Millimeter-Kopien vorliegt, so daß der Vorführung in Schulen nichts im Wege steht als der Bayerische Kultusminister Maier, liegt genau auf dem Wege, der zum Wegdrücken der *Holocaust*-Serie aus dem ersten und zweiten Fernsehprogramm ins dritte geführt hat. Dieses Sich-Winden und Losschwindeln erstens von der nationalen Verpflichtung, selber einen solchen Film zu machen, den wir Deutschen der Welt schuldig gewesen wären, und zweitens von der Verpflichtung, ihn wenigstens der Nation zuzumuten, die Holocaust veranstaltet hat, war so würdelos wie die deutschen Krokodilstränen über die (logische) Teilung jenes Landes, das viermal in hundertsechzig Jahren auszog, das Nachbarland Polen nicht nur aufzuteilen, sondern durch Teilung buchstäblich verschwinden zu lassen!

Wenig bekannt wurde ein Fall von Zensur, der viel einschneidender war als bei *Holocaust*. 1979 wurde alles getan, und erreicht, den von allen anderen Westeuropäern angekauften Film der Russen über ihren »Großen Vaterländischen Krieg« zurückzuweisen. Diese sechzehn Folgen, Bilddokumente aus Archiven, die uns zumeist bisher verschlossen waren, eine russisch-amerikanische Gemeinschaftsproduktion übrigens, sind imponierend, schockierend und aufklärend wie kein anderer Film über den Zweiten Weltkrieg. Daß ausgerechnet die Bundesrepublik ihn nach dem Willen einer so gewissenlosen wie anonymen Zensorenclique nicht sehen darf, interessiert keinen einzigen deutschen Parlamentarier. Interessiert es einen Juristen? Gibt es überhaupt Juristen hierzulande, die je einen Zensor angezeigt haben wegen Vergewaltigung der Verfassung?

Als Filbinger bereits von seiner ach so treuen CDU fallengelassen worden war, bot dem Sozialdemokraten Rohrbach, der damals im WDR Köln das Sagen hatte, was gefilmt werden dürfe, ein junger Regisseur die Tragödie des Matrosen Gröger als Film an. Rohrbachs Antwort, zu der seine Unterlinge beflissen nickten: »Schließlich kennen wir alle die Grenzen von Herrn Hochhuth!« Der Filmer Minow wies in Demut darauf hin – mit der Demut, die ein Freischaffender, also ein Vogelfreier, nun einmal dem Festangestellten gegenüber zu beachten hat, will er überhaupt vorgelassen werden –, daß Hochhuth mit diesem Film überhaupt nichts zu tun habe, sondern lediglich das Todesurteil Filbingers gegen den Matrosen Gröger dazu hergebe. Doch der Funktionär Rohrbach zog sich zurück auf die Sprachregelung, die das deutsche Fernsehen gegenüber den Angeboten von H. und Konsorten seit achtzehn Jahren praktiziert: leider total unbrauchbar, da ästhetisch den hohen Ansprüchen des Fernsehens nicht gewachsen. Mag der *Stellvertreter* künstlerisch so Anspruchslosen wie Piscator oder Ingmar Bergman genügen; mag er selbst in einem Land wie Japan, in dem keine drei Prozent Katholiken leben, auf der Bühne eine lange Laufzeit haben: dem deutschen Fernsehen ist er so völlig uninteressant, daß ein privater Filmemacher, der neulich wieder einmal mein Rom-Auschwitz-Stück verfilmen wollte – natürlich ein Jude; Juden sind ja die einzigen Mäzene, die auch für solche Kunst Geld ausgeben, die sie sich nicht wie Bilder und Statuen wertsicher ins Haus stellen können; Juden haben schon im Kaiserreich und in der Weimarer Republik das Kulturleben, die »Arier« nur den Antisemitismus finanziert –, als ein Jude also den *Stellvertreter* verfilmen wollte und dafür bereits viel Geld aus eigener Tasche ausgegeben hatte, brauchte er, wie heute jeder Filmemacher, die Unterstützung des Fernsehens; er holte sich eine glatte Ablehnung, jedenfalls in Deutschland.

Es war nicht möglich, anläßlich des Filbinger-Prozesses bei den deutschen Fernsehanstalten Aufmerksamkeit für wenigstens einen von mindestens sechzehntausend deutschen Soldaten zu erzwingen, die im Hitlerkrieg von deutschen Militärrichtern in den Tod geschickt worden sind. Nur im Gerichtssaal gelang es, diese Aufmerksamkeit herzustellen, und das ist symptomatisch: Es verrät, daß nicht die Justiz, sondern die intellektuellen Amtsverwalter der öffentlichen Hand die eigentlichen Zensoren unserer Republik sind: mächtiger, weiterreichend, unauffälliger als die juristischen.

Sie zensieren wie der Kreml, der ja Solschenizyn niemals dadurch verketzert hat, daß er ihm nachsagte, er beunruhige Rußland als Sowjetbürger und durch den Inhalt seiner Bücher. Der Kreml ließ vielmehr verlauten, als Künstler, als Epiker, formal, ästhetisch sei dieser Autor leider nicht würdig, als Mitglied der sowjetischen Akademie oder im Moskauer Fernsehen zugelassen zu werden.

So war das stets. Als der spätere Kommunarde Courbet wieder einmal im »Salon« und natürlich auch zur Weltausstellung nicht zugelassen wurde, weil er »Proleten« malte und das auch noch realistisch – 1855 war das, der Zensor befaßte sich gerade mit *Madame Bovary,* während das Gericht, die Justiz (so ist das heute auch bei uns) Flaubert freisprach –, errichtete er am Rand des Ausstellungsgeländes eine Bretterbude, um seine Bilder überhaupt zeigen zu können. Daraufhin einigte sich die feine Pariser Kritik sehr rasch: Courbet könne nicht malen; er sei kein Künstler. Deshalb, nicht etwa weil seine »Steineklopfer« eine soziale Anklage seien, habe man ihn hinauswerfen müssen aus dem »Salon«. Mit dieser Methode hat im letzten Drittel des neunzehnten Jahrhunderts die kaiserlich-deutsche Philologie einige unserer Klassiker für immer vernichtet: Sie hat »belegt«, daß zum Beispiel der revolutionäre Gutzkow sowie alle anderen Achtundvierziger und Repräsentanten des »Jungen Deutschland« als Künstler, als Dramatiker, als Lyriker, als Erzähler Stümper seien; daß sie »ästhetisch« kellertief unter dem Reaktionär Friedrich Hebbel stünden, der so radikal wie der zum Establishment übergelaufene ehemalige Revolutionär Richard Wagner alle Zeitbezüge aus seinen Dramen entfernt hatte, um nicht Anstoß bei jenem Establishment zu erregen, von dem – und das muß freilich Hebbel zugute gehalten werden – buchstäblich abhing, ob er leben könne oder – und er war nahe daran! – ob er verhungern müsse. Dieses Establishment war das offizielle, das kaiserliche Wien des Burgtheaters. Und ebenso hat Wagner zähneknirschend Frieden geschlossen mit dem Staat, weil die Frau eines Botschafters in Paris, Pauline Metternich – später in Berlin war es die Gräfin Schleinitz, Gattin des Hausministers des Kaisers – ihm überhaupt erst dazu verhalf, in den Metropolen uraufgeführt zu werden.

Nietzsche hat dann mit seiner Behauptung, die Tragödie sei aus der Musik geboren, den Grund gelegt, alle Literatur als unkünstlerisch zu diffamieren, die politisch, das heißt zeitkritisch war: Jacob Burckhardt hat Nietzsches »dichterische« Vision, die keine historische Grundlage hat, nur mit sanfter Ironie – sanft wegen seiner Kollegialität gegenüber dem jüngeren Basler Professor – als unhaltbar zurückgewiesen, indem er in Vorlesungen ab 1871 von »jener mysteriösen Entstehung der Tragödie ›aus dem Geiste der Musik‹« sprach. Der junge Wilamowitz hatte vollkommen recht, als er Nietzsches Werbetext zugunsten Wagners als Fälschung verwarf: Er ist eine bewußte Verdrehung der Tatsache, daß die Tragödie durchaus einen politischen, nicht aber – wie Nietzsche es wegen Wagner erfunden hat – einen musikalischen Ursprung hatte. Denn natürlich wußte Nietzsche, daß er – aus Haß auf alles, was zeitgenössisch war: er hat ja nicht einmal das Bismarckische als das Augusteische Zeitalter Europas erkannt – die Unwahrheit sagte. Er unterschlug nämlich, daß die frühesten Tragödien, von denen die Menschheit überhaupt Kenntnis hat, zwei rein politische, zeitbezogene, umweltkritische Dramen gewesen sind: *Der Fall von Milet* des Phrynichos und *Die Perser* des Aischylos. Sie waren Kriegserschütterungen der unmittelbaren Gegenwart nachgeschrieben – die Geburt der Tragödie aus dem Krieg, nicht aus der Musik. Heraklits furchtbares Wort vom Krieg als dem Vater der Dinge: auf das Drama trifft es nachweislich zu. In den Mythos verlagert wurden die Dramen dann, als die aus der Zeitgeschichte geborenen Stücke wegen Erregung öffentlichen Ärgernisses von der Polizei verboten wurden. Es gereicht dem Drama zur Ehre, daß schon das erste nur einmal aufgeführt werden durfte und dann verboten wurde. Generell wurde die Darstellung jüngster politischer Ereignisse untersagt, weil sie – wie Burckhardt formuliert – »erweislich zu stark wirkten«. Die Erschütterung der Athener war so mächtig, daß der Autor zu tausend Drachmen Strafe und zur Vernichtung seines Textes verurteilt wurde. Sein Nachfolger Aischylos umging dann bei seinem ersten Stück das Verbot, dem *Der Fall von Milet* zum Opfer gefallen war, indem er die Tragödie nicht mehr im Lager der Griechen, sondern in dem ihrer Feinde ansiedelte. Er wich – nicht anders als später Vergil, Wagner und Hebbel – vor der Gefahr, von der Obrigkeit lahmgelegt zu werden, in den Mythos aus. Zeitkritik war fortan nur mehr in Komödien möglich; bei Gogol, Gustav Freytag, Oscar Wilde nicht anders als einst bei Aristophanes.

Wir wissen gar nicht mehr, ob nicht Werke Büchnerschen Ranges im achtzehnten und neunzehnten Jahrhundert durch Philologen und beamtete Feiglinge an den Theatern vernichtet worden sind. Man lese nur einen maßgebenden Philologen wie den Herausgeber der Schiller-Fragmente, Witkowski: Die Ruchlosigkeit, mit der ein solcher Mann mitentschied, was aufgenommen werden sollte in den Kanon des – nach seiner Meinung – Überliefernswerten und was nicht, entsprang seiner (und seiner Kollegen) Hochachtung vor dem offiziellen wilhelminischen Geist. Wer ihn bejahte – und nur wer ihn bejahte, wurde Lehrstuhlmachthaber –, konnte freilich die Dramen, Gedichte, die Prosa des Vormärz nur mehr überspannt, weltfremd und daher auch künstlerisch unzureichend finden.

Und da diese Lehrstuhlinhaber – Andersgesinnte gab es nicht, mindestens nicht vor 1918 – fast fünfzig Jahrgängen von Studierenden dieses Vorurteil einpaukten, erübrigte es sich für diese jungen Philologen, ja wäre examensgefährdend gewesen, einen Gutzkow, einen Anzengruber auch nur zu lesen. »Erledigt« waren solche Autoren aus vorwiegend politischen, zum Teil aus »sittlichen« Gründen. Selbst Geniale wie Hebbel und Nietzsche waren als bösartige Spießer kleinbürgerlich beflissen, dem »Sittenkodex« des Victorianischen Zeitalters gehorsamst zu parieren: Man lese in Hebbels Tagebuch, wie ihn empörte, daß eine Komödie des von ihm neidzerfressen und mit Haß betrachteten Kotzebue sich aus der Frage eines Gastes an die Kellnerin entwickelte, ob sie bei Nacht auf sein Zimmer komme; man lese, wie Nietzsche sich brieflich bei Rohde dafür entschuldigte, daß er Cosima von Bülow und Richard Wagner besuchte, obgleich doch alle Welt wußte, daß sie Kinder miteinander hatten, ohne verheiratet zu sein! Diesem »Geist« haben die Deutschen, voran die christlich überspannten Romantiker, die ja auch Lessing und Iffland nicht mehr als Dichter gelten ließen, ihren genialen Komödiendichter Kotzebue, vermutlich den einzigen genialen vor Sternheim, zum Opfer gebracht – einen geborenen Dramatiker, dessen Werke noch Somerset Maugham über Gogols *Revisor* stellte und den so unterschiedliche Persönlichkeiten wie Schiller, Napoleon, Schopenhauer, Stendhal, Hauptmann hoch geschätzt haben! Ließen aber die Lehrstuhlinhaber der Kaiserzeit einmal einen rebellischen Autor wie Anzengruber als Könner gelten –

rührte der doch nicht die Grundfesten des neuen Staates an wie die Autoren aus dem Paulskirchen-Geist oder wie der »sittenlose« Wedekind, sondern er verspottete nur die Kirche –, so blockierten ihn die Intendanten. Nahezu ohne Subventionen haushaltend, wagten sie es der Kasse wegen nicht, etwa ein Stück in den Spielplan zu nehmen, das der Pfarrer verurteilte. Anzengruber schrieb die noch heute fesselnde Prosa seines *Sternsteinhof* unwillig, weil er als Bühnenautor verhungert wäre. Seinen Sarg konnte die Witwe erst bezahlen, nachdem sie seine kleine Bibliothek verkauft hatte.

Genau vor hundert Jahren, 1880, hat Anzengruber gesagt, was wortwörtlich heute Dorst, Weiß, Kipphardt, Walser, Enzensberger, Dürrenmatt, Frisch, ich, Henkel, Forte sagen könnten: »Wir haben keine Bühnen mehr.« Einigt man sich darauf, daß momentan Handke, Bernhard und Botho Strauß die von den Theatern meistrespektierten Bühnenautoren sind, so zähle man nach, wie viele der deutschsprachigen Bühnen die drei spielen: weniger als *zwei* Prozent . . . Mit einem Satz: Da Städte und Staat die Intendanten haben, brauchen sie keinen Zensor, der zeitkritisches Theater aushungert! Würden die hier genannten, immerhin namhaften unter den Bühnenautoren sich nicht Nebeneinnahmen erschreiben oder sich hin und wieder den Fernsehgewaltigen anbequemen – es könnte keiner von ihnen die Schulmilch für seine Kinder bezahlen. Nur Kroetz bildet momentan die regelerhärtende Ausnahme.

Hatte die bundesdeutsche Zensur zur Zeit Adenauers fast nur »die Sitte« im Sinn, da es politische Literatur damals beinahe nicht gab, so hat sie heute fast nur mehr ein Ziel: gesellschaftskritische Schriften. Reagierten damals die Zensoren sich an nackten Oberschenkeln ab und gründeten die »freiwillige« Film-Selbstkontrolle, weil schon damals Staat und Justiz zu viel Würde hatten, selber mit der Schere verfilmtes Fleisch zu beschneiden, so haben Staat und Justiz heute ebensowenig Scherereien mit kritischen, satirischen Schriften, weil sie sich als Zensoren die angeblich vom Staat Unabhängigen im Fernsehen und in den Rathäusern halten.

Benn hatte noch nicht einmal intellektuelle Funktionäre dieses Verächtlichkeitsgrades im Blick, als er 1948 sachlich prophezeite: »Das Abendland geht nämlich meiner Meinung nach gar nicht zugrunde an den totalitären Systemen oder den SS-Verbrechen, auch nicht an seiner materiellen Verarmung oder den Gottwalds und Molotows, sondern an dem hündischen Kriechen seiner Intelligenz vor den politischen Begriffen . . . Daß diese politischen Begriffe die primären seien, wird von dieser Intelligenz der Klubs und Tagungen schon lange nicht mehr bezweifelt, sie bemüht sich vielmehr nur noch, um sie herumzuwedeln und sich von ihr als tragbar empfinden zu lassen.«

Was da Benn vor dreißig Jahren an die Wand malte – zieht sich als schleimiges Mäanderband, als das Verhaltensmuster durch sämtliche Fernsehredaktionen der BRD; dem sich anzupassen ist die erste und letzte Pflicht aller Fernsehredakteure, die nicht hinausgeplant werden wollen auf tote Geleise, indem man zum Beispiel ihre bisherige Sendung zusammenlegt mit der eines Neutrums. Wer wie ich häufig Fernsehmacher und Hörfunker zu Gast hat oder am Telefon – »natürlich« ist noch niemals, in zwanzig Autorenjahren nicht, aus der BRD einer zu mir gekommen, um einen Text von mir, Stück oder Story, zu verfilmen; sie kommen nur wegen Interviews, was dann ihre Obrigkeit instand setzt zu sagen, sie hätten den H. doch neulich »gebracht«, während sie in Wahrheit, alles, was ich schrieb, doch stets nur ignoriert oder unterdrückt haben –, wer zu tun hat mit diesen fast ausnahmslos Frühgelähmten, der ist erschüttert! Diese Mitarbeiter aus dem Medienmilieu sind dreißig, vierzig Jahre alt und klagen ohne Ausnahme – ohne eine einzige Ausnahme! –, daß sie im Amte pausenlos eingeschüchtert und durch Zensur entmannt oder bedroht werden. Manche lachen noch und erzählen von den vielfachen »Versuchen«, auch an ihnen jene Operation: »Rückgrat raus!« durchzuführen, die der Graphiker A. Paul Weber den Machthabern der Massenmedien vor Jahren vor-»gezeichnet« hat. Doch während diese Redakteure davon erzählen, beschleicht einen der Verdacht, daß die Operationsmethode im bundesdeutschen Fernsehen bereits dermaßen perfektioniert ist, daß sie auch an jenen Redakteuren schon erfolgreich vollzogen wurde, die sich – noch lachend – einbilden, man habe nur versucht, auch ihnen das Rückgrat fortzuoperieren: keine Frage, daß viele der Medienmilieugeschädigten ohne Rückgrat – ist das erst einmal weg und drückt sie nicht mehr – so lustig leben wie ohne Blinddarm; es muß offensichtlich in diesen Anstalten des öffentlichen Rechts ein Anästhesieverfahren entwickelt worden sein, daß diese Operationen jene nicht mehr bemerken läßt, an denen sie vollzogen werden: Vermutlich liegt das daran, daß unsere Medien-Anästhesisten nicht wie die in anderen Anstalten mit Äther operieren, sondern die Betäubungen allmählich mit dem anstaltsüblichen athmosphärischen Druck durchführen, den sie nicht Äther nennen, sondern: Ausgewogenheit . . .

Da beklagen – zum Beispiel – diese hochgestellten Entmündigten, daß sogar seinerzeit, und das blieb »natürlich« verbindlich, ein als liberal verdächtigter Intendant wie Herr von Bismarck schriftlich verboten habe, das Wort Berufsverbot jemals zu benutzen. Begründung:

Bekanntlich gäbe es in der BRD kein Berufsverbot! Wer sich genötigt sieht, mit diesem Glauben zu leben, weil ihn der Boss verordnet hat – es gibt keinen Betrug, der nicht mit Sprachregelung beginnt –, der ist alsbald vermutlich befähigt, sogar Klagen des eigenen Sohnes über dessen Aussperrung von Universitäten »dank« Numerus clausus anzuhören, ohne sich noch selber klarzumachen, daß auch dies bereits Berufsverbot ist!

Dahin verkommt eine Nation, die auf allerhöchster Ebene, kaum daß ihr von ausländischen Alliierten die Demokratie als Staatsform aufgezwungen worden war, schon wieder nicht mehr geradeaus gehen kann, ohne sich das Korsett neuer Zwänge und Zensoren anzulegen, indem sie das Grundgesetz bricht und ihre zwei Staatsparteien CDU und SPD unter Denkmalsschutz stellt durch Einführung der Fünf-Prozent-Klausel, womit jeder Politiker hinausreglementiert wird, der aus dem Laufstall der Fraktionen weg will. Sich vorzustellen, daß eine politische Potenz wie die Gustav Heinemanns überhaupt nach schwierigsten Umwegen – ebenso fähige, aber materiell schwächere wie Renate Riemeck sind auf diesen Umwegen als Politiker verendet, ehe sie am Ziel waren –, nur deshalb im Leben noch einmal Mitspracherecht erwarb, weil er zuletzt unterkroch bei einer der zwei Gruppen, die seinesgleichen mundtot gemacht hatten durch diese Grundgesetzverzerrung! Und das in einer Zeit, in der die Fernsehminute derartige Summen kostet, daß keine Gruppierung, die nicht bereits an der Macht teilhat, und folglich gratis das Fernsehen ständig benutzen darf als ihr Schaufenster, finanziell mehr in der Lage ist, dieses Medium auch für sich einzuspannen. Sich vorzustellen, daß jene, die immerhin die FDP aufbauten, heutzutage in unserer Republik überhaupt gar nicht mehr zu Worte und deshalb ins Parlament hineinkommen könnten! Ein Staat – von seinen gestrigen Feinden einem Volk als Demokratie geschenkt – wird, kaum daß er existiert, schon wieder um einen seiner wesentlichsten Bausteine geprellt: um die Freiheit für jedermann, sich politisch zu artikulieren! Wie deutsch das ist. Engels mußte am 2. 5. 1891 aus London Bebel in Berlin ermahnen, doch seinen Fraktionsdrill nicht zu übertreiben: »Daß der Vorstand resp. du persönlich einen bedeutenden moralischen Einfluß . . . auf alles auch sonst Entscheidende behältst und behalten mußt, ist selbstredend. Aber das muß auch genügen und kann es. Im ›Vorwärts‹ wird immer geprahlt mit der unantastbaren Freiheit der Diskussion, aber zu bemerken ist davon nicht viel. Ihr wißt gar nicht, wie eigentümlich solche Neigung zu Gewaltmaßregeln hier im Ausland einen anmutet, wo man gewöhnt ist, die ältesten Parteichefs innerhalb der eigenen Partei gehörig zur

Rechenschaft gezogen zu sehen . . . Und dann dürft ihr doch nicht vergessen, daß die Disziplin in einer großen Partei keineswegs so straff sein kann als in einer kleinen Sekte.«

Gewaltmaßregeln! Was hätte Engels dazu gesagt, daß der verbal stets unbedenkliche Haustyrann des Bundestages Wehner es fertigbringt, einen um die SPD so Hochverdienten wie (den schon Staatssekretär und Regierungssprecher gewesenen) Conrad Ahlers – der als Hamburger Senatorensohn im entscheidenden Wahlkampf die SPD erst zahllosen »Bürgern« wählbar gemacht hat, so, wie auch der dann undankbar von der SPD liquidierte Wirtschaftsminister Schiller das getan hat –, was hätte Engels dazu gesagt, daß Wehner als Fraktionsdompteur es fertigbrachte, den zum MdB gewählten Ahlers anderthalb Jahre lang daran zu hindern, im Parlament seine erste Rede zu halten?

Zensursucht bei den Machthabern – Feigheit bei ihren Untertanen, immer unter tausend »Begründungen«, die allesamt nichts anderes sind als die Auslebung eines starken Charakterdefekts in jedem Deutschen: Ordnung, Ordnung über alles als Machtinstrument derer, die oben, und als kollektive Zuflucht derer, die unten sind. Heinrich Mann hat im *Untertan* zeitlos auch jenen Deutschen gezeigt, dessen Obertan heute – zum Beispiel – Wehner heißt oder Strauß: »Was stark machte, war der Beifall ringsum, die Menge, aus der heraus Arme . . . halfen, die überwältigende Mehrheit drinnen und draußen . . . Wie wohl man sich fühlte bei geteilter Verantwortlichkeit und einem Selbstbewußtsein, das kollektiv war!«

Anordnen und unterordnen und den Untergeordneten so weit bringen, daß er zufrieden ist, »Arbeitnehmer« zu heißen, in welchem Job auch immer. Zuletzt dann aus der Tatsache, daß es *das* Fernsehen heißt, die Verpflichtung an jeden seiner Mitarbeiter ableiten, ebenfalls als Neutrum zu arbeiten! Daher sie nicht mehr die Realität zeigen, sondern – selber unterstellt dem Imperativ der »Ausgewogenheit« – nach diesem Imperativ ihr Bild von der Realität machen! Welche Heuchelei ausgerechnet jener beiden Parteien, die angeblich Privatwirtschaft und Privatinitiative fördern, also der CDU und FDP, ist die von ihnen wesentlich mitverantwortete Entrechtung jener Fernsehmitarbeiter, die keine Angestellten und Beamten sind, sondern »freie« – in Wahrheit: vogelfreie – Risikoträger.

Unverfroren und inhuman benutzt das Fernsehen seine Monopolmacht – deshalb allein bedarf es des privaten als konkurrierenden –, diesen seinen »freien« Mitarbeitern einschüchternd den Herrn zu zeigen: Erstens wird keiner der freien Mitarbeiter über einen bestimmten Betrag hinaus beschäftigt, weil er sonst »einen Anspruch auf eine feste Anstellung hätte«. Diese Niedertracht wird von den Bonzen praktiziert, als sei sie naturgegeben und bindend auch für sie selber – während sie doch in Wahrheit sich diese Knebelverordnung nur ausgedacht haben (und sie jederzeit aufheben könnten), um »Freie« kleinhalten und jederzeit durch die Drohung, sie fortzuschicken, kirre machen zu können. Zweitens: Sie überlassen den Privaten, den Außenmitarbeitern alles finanzielle Risiko bis zum Tage der Sendung, indem sie nicht die Bankbürgschaft einlösen für einen vom Fernsehen bei diesen Privaten festbestellten Film. Beispiel: Bei höchst bewährten Dokumentaristen, die schon häufig für diesen und andere Sender gedreht haben, bestellt der WDR einen Film, der die Übernahme der Uhrenfabrik von Besançon durch ihre Mitarbeiter zeigt. Bestellt wurden hundertzwanzig Minuten, schließlich »abgenommen« noch ganze fünfundvierzig Minuten – und auch die werden dann, da sie natürlich bedeutenden sozialkritischen Zündstoff enthalten, nicht gesendet: so daß dann auch der Sender nicht verpflichtet ist, die Bürgschaft bei der Bank einzulösen. Ergebnis: Die zwei, drei Privaten, die den Film gemacht hatten, sind ruiniert – und halten die Schnauze, was brisante Themen betrifft, wenn sie überhaupt zur Mitarbeit noch einmal zugelassen werden. Demokratie der BRD!

Unsere ganze Verfassung – wie gut gemeint immer von denen, die sie machten – ist zum Witz geworden, wenn sie nicht ergänzt wird durch eine Wirtschaftsverfassung. Ich habe das bereits 1965 in jenem Aufsatz geschrieben, der mir Kanzler Erhards Pinscher-Verdikt eintrug . . . Den Hut nehmen muß hierzulande nicht einmal jener Willibald Hilf, der Helmut Kohls Hiwi war, bis er dafür Südwestfunkchef wurde, als er sich erlaubt hatte, die Programmsouveränität zugunsten einer Vorzensur durch Rundfunk- oder Fernsehräte zu brechen . . . Wie sagte Benn: »Das Abendland geht zugrunde . . . am hündischen Kriechen seiner Intelligenz vor den politischen Begriffen.«

Daß ein namhafter Fernsehredakteur einem einen langen Brief schreibt und Details des innerbetrieblichen Einschüchterungsterrors mitteilt, habe ich einmal erlebt; und da dieser Tollkühne nicht einmal um Diskretion gebeten hat – so lasse ich selbstverständlich seinen Namen weg; es fehlte noch, Informanten preiszugeben. Er schrieb: »Die Selbstzensur funktioniert weithin reibungslos. Das hängt mit der hierarchischen Form der Sendeanstalten zusammen, in der, wer etwa gegen die Entscheidung seines Abteilungsleiters protestiert, einen langen Weg durch die Instanzen, ›in die Watte‹ vor sich hat. Die Chance, die eigene Ansicht durchzusetzen, wird immer geringer, je dünner die

Luft dort oben wird. Und wenn er ausnahmsweise ›ganz oben‹ sein Recht bekommen hat, dann hat er es natürlich mit dem Chef direkt über ihm verdorben. Wer sich in seiner Arbeit als ein unbequemer Journalist gezeigt hat, der bekommt nur schwer einen Sendetermin oder wird in die Nachtstunden verbannt, wo er neunzig Prozent der Fernsehteilnehmer erst gar nicht erreichen kann. Ein so renommierter Kultur-Fernsehmensch wie Jürgen Lodemann vom Südwestfunk (Bücher-Bestenliste, Sie wissen) hat in Erlangen vor dem PEN-Club öffentlich bekannt, er müsse seine Moderationstexte vor der Aufzeichnung seines ›Büchermagazins‹ von seinen Vorgesetzten genehmigen lassen. Natürlich werden die meisten Sendungen schon längst nicht mehr live gesendet, sondern aufgezeichnet und ›abgenommen‹, meist gleich von einem Gremium. So wurde etwa beim ZDF das Jugendmagazin ›Direkt‹ ›entschärft‹ und gleichgeschaltet. ›Direkt‹ war ja berühmt, weil Jugendliche die Filme, mit professioneller Hilfe, selbst machten, ein Magazin aus der Arbeitnehmerperspektive. Das paßte den Unternehmern und den Gewerkschaften gar nicht. ›Entschärft‹ wird auch, indem man die unliebsamen, weil wider den Stachel löckenden Redakteure in andere Abteilungen versetzt. Das sind Beispiele, die durch Zeitungen bekannt wurden. Aber Sie sehen das völlig richtig: Heute regt sich keiner mehr über Zensur oder über die Ablösung von Redakteuren oder das Abschaffen von Sendungen auf. In Seminararbeiten der Freien Universität Berlin können Sie nachlesen, wie 1974 der ›Aspekte‹-Leiter Hoffmeister fristlos entlassen werden sollte, weil er einen Kommentar von Zwerenz über nachweislich stattgefundene Mißhandlungen zweier junger Leute im Frankfurter Polizeipräsidium gebracht hatte, ohne gleich das (falsche) Dementi des Frankfurter Polizeipräsidenten mitzusenden. (Das kam natürlich einen Tag später eilfertig.) Das gab damals noch einen bundesweiten Aufruhr (der Fall war auch zu dick), und der Intendant Holzamer brach unter Protesten und Resolutionen zusammen und mußte Hoffmeister wieder reinholen. Heute kräht keiner mehr bei Zensurfällen, das ist Alltag geworden. Das Schlimmste aber ist tatsächlich die immer übler werdende Selbstzensur. Wer erlebt hat, wie er sich in seinem Hause vor wechselnden Gremien oder vor Ausschüssen der Rundfunkräte gegen die dämlichsten und oft haltlosen Vorwürfe verteidigen muß, hoffnungslos auf seine eigene Courage und mal auf den einen oder anderen Verbündeten (nie die Mehrheit!) im Ausschuß angewiesen, der wird es sich beim nächsten oder übernächsten Mal länger überlegen, ob er wieder ehrlich, scharf formulieren oder ob er die Sache ganz weglassen soll – ›lohnt sich denn das für den Ärger?‹ Dabei haben Sie völlig recht: Festangestellte Fernsehredakteure sind sozial und arbeitsrechtlich ungeheuer gesichert, kaum zu entlassen, allenfalls bei den berühmten silbernen Löffeln. Aber sie können natürlich schnell jeden Einfluß verlieren, auf unwichtige Pöstchen abgeschoben und rausgeekelt werden.«

Wenn in zwei renommierten Buchverlagen, bei Hanser in München, bei Fischer in Frankfurt, innerhalb eines Vierteljahres zwei dicke Bücher mit zahllosen Belegen erscheinen (Frühjahr 1980), um die Zensur in der BRD zu dokumentieren; wenn diese Bücher auch in Magazinen wie dem *Stern* – den sogar unsere notorisch büchermeidenden Politiker »lesen« – auf mehreren Seiten (von Jürgen Kesting) besprochen und abgebildet werden: so regt das gleichwohl keinen Politiker, keinen Staatsanwalt in der BRD einmal dazu an, anhand dieser Bücher den Verfassungsbruch – »eine Zensur findet nicht statt«, Artikel 5 – zum Anlaß für wenigstens eine kleine parlamentarische Anfrage zu nehmen: So sehr ist halt in dieser BRD die Zensur zur Tages-»Ordnung« gehörend.

Diese Bücher heißen: *Mut zur Meinung,* von Ingeborg Drewitz und *Zensur in der BRD,* von Michael Kienzle und Dirk Mende. Zahllose Zensurbeispiele hat schon im Sommer 1978 der *Stern* mit seiner Dokumentation *SOS – Freiheit – Deutschland* veröffentlicht, die Peter Koch und Reimar Oltmans zusammengestellt hatten. Hanjo Kesting, Bruder des Obengenannten, hat am 18. 1. 77 eine Stunde lang im NDR-Hörfunk belegt – auch anhand zahlloser Fälle: *Eine Zensur findet doch statt.* Darüber kann man sich bei weitem nicht mehr so aufregen – wie über das Trauerspiel, daß dies niemanden mehr aufregt . . . Auf Menschen, denen durch eine Besatzungsmacht – wie denen im Osten – eine Diktatur aufgenötigt wurde, trifft dies nicht zu, wohl aber auf uns Untertanen in einer Demokratie: daß wir den Staat verdient haben, in dem wir leben. Wir haben in der BRD eine Zensur, weil der Mehrheit der Menschen die Zensur gefiele – würden sie davon Kenntnis nehmen, woran jedoch ihr totales Desinteresse an allem Gedruckten und Abgebildeten sie hindert. Sie teilen dieses Desinteresse mit ihren Regenten in Parteien und Kommunen, deren spirituelle »Füllung« der ihren so ähnlich ist wie der Inhalt einer Coca-Cola-Flasche dem einer anderen.

Könnte man sich dazu durchringen, täglich eine bundesdeutsche Zeitung zu lesen, so würde man täglich wenigstens einen Hinweis auf einen Verstoß gegen das Grundgesetz durch praktizierte Zensur finden.

Zensur hat viele Waffen, und die meisten zielen auf jeweils kleine Bevölkerungsgruppen ab; wo aber das Fernsehen sie anwendet, werden sie so getarnt abgefeuert, daß sie für die Betroffenen nicht einmal sichtbar werden. Wer erfährt von einem unterdrückten Film? Nicht die Abermillionen, die ihn hätten sehen sollen, sondern die drei oder dreizehn Personen, die ihn nun nicht drehen dürfen oder, haben sie ihn gedreht, nicht verkaufen können. Ganz selten ist, daß eine unbestreitbar integre Person wie Horst Stern, der Tier- und Umweltschützer, die eigenen Chancen, fernerhin bundesweit als Fernsehfilmer zugelassen zu werden, aufs Spiel setzt, indem er die etablierten Parteien herausfordert durch die Feststellung, wie sehr er sich gefreut habe, daß »bis zu sechzehn Prozent junge Menschen Grüne und Bunte Listen gewählt haben« (in Hamburg und Niedersachsen). Stern setzte hinzu, und darum gehört seine Äußerung als ein Kernsatz in diese Betrachtung: »Solange wir einen Bundeskanzler haben, für den Umweltschützer immer noch Anarcholiberale sind, wird sich nichts ändern ... Und die CDU? Die stellt Herbert Gruhl, dessen Buch *Ein Planet wird geplündert* Hunderttausende von Menschen aufgerüttelt hat, vor die Alternative, konform zu gehen oder aus der Partei zu verschwinden. Wenn sich eine Partei wie die CDU keinen einzigen Zweifler leisten kann, das ist doch furchtbar.«

Noch furchtbarer: daß niemand dergleichen mehr ausspricht ... und zwar meist nicht einmal aus Angst vor Nachteilen, sondern weil – und das ist am furchtbarsten – kaum jemand es noch merkt. Ein Ausländer – wer zusieht, sieht mehr, wer mitspielt (Wilhelm Busch) – hat beobachtet: »Die parlamentarisch-demokratische Apparatur, eingespielt auf Kompromiß in Permanenz, erzieht nicht zur Toleranz ... sie erzieht zur Resignation, zur Preisgabe jeder Utopie. Unter Demokratiepraktikern ist Utopie das schlichte Synonym für Hirngespinste ... Schüler und Lehrlinge, sogar Studenten, befragt nach ihren Gedanken über die Aufgabe einer Demokratie, zucken heute die Achsel. Sie wissen, was es kosten kann, wenn sie Gebrauch machen von dem verfassungsmäßigen Recht auf Meinungsfreiheit. Daß es gelungen ist, sogar die Jugend in die Resignation zu zwingen, ist kein Triumph der Demokratie.«

Das beobachtete der Züricher Max Frisch nicht nur, sondern sagte es sogar in Frankfurt, als er den Friedenspreis bekam, und weil es stimmte, nahm man es ihm übel. Wir Deutschen haben selbst nach zwei verschuldeten Kriegen nicht begriffen, daß unsere Imponiergeste »Wir sind wieder wer« im Ausland angst macht, angst und sonst gar nichts! Ein Schweizer reist 1980 unter Zusicherung freien Geleits nach

Karlsruhe, um vor Gericht eine Aussage zu machen; bereits der vernehmende Richter weiß, daß der Staatsanwalt unter Bruch dieser Zusicherung den Eidgenossen hinter Gitter bringen will. Nach vielen Wochen gelingt es ihm freizukommen, das Bonner Justizministerium gibt die dünne Verlautbarung ab, daß es fragwürdig war, diesen Ausländer zu vergewaltigen – und das ist alles. Es erfolgt nichts, was das Vertrauen in die Justiz der Bundesrepublik wiederherstellen könnte.

In Heidelberg blättert ein nicht betroffener Zuhörer bei einer Gerichtsverhandlung im *Spiegel* und wird dafür von einem Vorsitzenden Gutmacher mit achthundert Mark »Ordnungsgeld« bestraft, weil ein Merkblatt des Gerichts den Zuschauern einer Verhandlung »Leseverbot« erteile. Die Strafe – der Staatsanwalt hatte sogar tausend Mark beantragt – bleibt ausgesprochen, auch als sich herausstellt, daß von einem Leseverbot in diesem Merkblatt überhaupt nicht die Rede ist, sondern nur von »Störungen irgendwelcher Art«. Diesen Fall veröffentlicht der *Spiegel*; sonst geschieht nichts, obgleich er doch aufgrund der Unverhältnismäßigkeit des »Vergehens« zur Höhe seiner wahrhaft terroristischen Bestrafung geeignet wäre, auch unsere Regenten zu erschrecken! Zweifellos war hier keine Zensur, sondern die Selbstzensur aller jener Zeitungsleute am Werk, die eine solche Geschichte schon deshalb nicht mehr entsetzt, weil sie nur den täglichen Faschismus dieses von Faschisten nie befreiten deutschen Halbstaates widerspiegelt, also gewöhnlich, alltäglich ist. Und weil – wie gesagt – eine Zeitung, die eine solche »Geschichte« brächte, jeden Tag eine – oder mehrere – solcher Geschichten drucken müßte.

Und ebensowenig wie die Zeitungen will der Essayist die Leser ermüden. Wo sollte eine Betrachtung der Zensur in der Bundesrepublik auch enden, würde man nur mit einer Zeile erwähnen, was allein an persönlichen Erfahrungen mit dieser machtvollsten aller offiziell nichtinstitutionalisierten Instanzen gesammelt wurde, seit man veröffentlicht (oder zu veröffentlichen versucht)! Dieses Buch hat den hochtrabenden – und mich beschämenden – Titel: Politische Wirkung . . . Mag dieses Nachwort dazu beitragen, den Titel erheblich einzuschränken; ihn mit einem Fragezeichen zu versehen. Denn welche politischen Wirkungen hat eigentlich ein Autor? Jaspers, der mit dreiundachtzig Jahren sein radikalstes Buch schrieb: *Wohin treibt die Bundesrepublik?*, und sich dafür »politisches Schwein« schimpfen lassen mußte, hat darüber gesprochen, wie empfindlich die Bonner reagiert haben, wenn er – sehr selten, fast nie! – einmal im Fernsehen die Thesen seines Buches vortragen konnte: nur dann!

Sie schätzten richtig ein, daß keinen aufstört, was in Büchern steht –

selbst dann nicht, wenn zwei, drei Zeitungen es aufnehmen. Nein, erst das Fernsehen, das Propagandainstrument, das jeder etablierten Partei jeden Tag zur Verfügung steht, kann Politiker gegen Autoren aufbringen, die dort – durch welchen Zufall auch immer – einmal zu Wort kommen. Jaspers hatte geschrieben, was heute eine selbst von der CDU anerkannte Binsenweisheit ist, damals aber als Landesverrat galt: daß die Wiedervereinigung nicht nur nicht zu haben sei, sondern auch überschätzt werde. Man solle die DDR als eigenen Staat anerkennen, um den Preis des Zugeständnisses, den dort Lebenden größere persönliche Freiheiten zu geben. Dies galt ebenso als Landesverrat wie alles, was wenige Jahre zuvor Renate Riemeck und Gustav Heinemann – bevor dieser sich notgedrungen wieder bei einer der herrschenden Parteien unterstellte, um überhaupt gehört zu werden – ausgesprochen hatten: daß die totale Integrierung Restdeutschlands in die NATO zu allem möglichen, nimmermehr aber zur Wiedervereinigung führen *könne*. Die Zensur begnügte sich auch hier damit, sie nicht im Fernsehen zuzulassen – in der exakten Einschätzung der Tatsache, wie wirkungslos Nur-Gedrucktes ist!

Das ist in den hundertdreißig Jahren, seit Melville die Ohnmacht jener Autoren beklagte, die Bücher schreiben statt Zeitungen, nicht anders geworden, so daß einer wie ich geniert ist, wenn ihm öffentliche »Wirkung« bescheinigt wird, obgleich er doch nur schreibt. Einmal hatte ich gegen die Zensur einen Sieg zu verzeichnen: die Abschaffung der Theaterzensur in England anläßlich des Versuchs, meine *Soldaten* drüben zu verbieten ... es war des Zensors letztes Verbot; es wurde aufgehoben – und verboten wurde der Zensor, der immerhin seit 1737 seines unrühmlichen Amtes gewaltet hatte.

Shaw hat beschrieben, wie er selber noch unter diesem »Lord Chamberlain« – so hieß das Amt, nicht etwa der Mann – gelitten hat, den Walpole eingeführt hatte. Shaw schreibt – und belegt, daß auch in England Bühnenautoren wie bei uns Anzengruber vor dem Zensor in den Roman ausweichen mußten, so wie sie heute, Martin Walser zum Beispiel, dank ihrer Ignorierung durch die Theatermachthaber in die Epik ausweichen, auch Peter Weiss tut das notgedrungen –, Shaw schreibt: »Im Jahre 1737 hatte Henry Fielding, der größte ausübende Dramatiker – einzig Shakespeare ausgenommen –, den England zwischen dem Mittelalter und dem neunzehnten Jahrhundert hervorgebracht hatte, sein Genie der Aufgabe gewidmet, die parlamentarische Korruption ... bloßzustellen und zu vernichten. Da knebelte Walpole, der ohne Korruption nicht regieren konnte, die Bühne sofort durch eine Zensur, die noch heute in voller Kraft besteht ...«

Shaw erzählt dann, welche widerlichen Erfahrungen er ständig mit dieser Zensur zu bestehen hatte, die nun dank des Labour-Abgeordneten Professor Strauss bei ihrem Versuch, *Soldiers* zu verbieten – verboten wurde! Also nicht ich, sondern ein Labour-Abgeordneter hatte Wirkung, wenn auch anläßlich eines meiner Stücke. Der Autor ist die Wirkungslosigkeit in Person.

Als Melville an seinem *Moby Dick* schrieb, redete er einem Briten die Hoffnung aus, Amerika werde einen Schritt tun, »zu einem internationalen Copyright zu kommen«. Er fragte: »Wer hat denn hierzulande irgendein Interesse, in dieser Angelegenheit einen Finger krumm zu machen? Nur die Autoren. Wer sind denn die Autoren? . . . und welchen Einfluß haben sie auf ein Problem, das notwendigerweise auf der politischen Ebene gelöst werden muß? So gut wie gar keinen haben sie. Dieses Land und alle seine Angelegenheiten werden von derben Hinterwäldlern regiert – ehrenhafte Kerle, doch ohne jedes literarische Interesse. Leute, die sich den Teufel um Autoren scheren, mit Ausnahme jener Autoren, die heute das schreiben, was am besten geht – nämlich Zeitungen und Zeitschriften.«

Was hat sich seit jenem 20. Juli 1851, als Melville mit diesen Worten den Autor als die Wehrlosigkeit in Person definierte, geändert, außer der Tatsache, daß dank des Geschäftssinns der Verleger tatsächlich jenes Copyright weitgehend Wirklichkeit wurde? Welche Politiker, die ja nicht an sich für Autoren besonders interessant sind – fast jeder Fernfahrer ist weniger farblos –, aber doch leider als Herren der Legislative, meist auch der Exekutive, interessant sein müssen, welcher Parteimann hierzulande hätte irgendeine Beziehung zu Autoren? Daß zuweilen die Parteien höflich und geniert die Wahl-»Hilfe« mancher Schriftsteller hinnehmen, obgleich sie den Verdacht der meisten Wähler teilen und davon angewidert sind, daß Künstler während eines Wahlfeldzuges vorwiegend für sich selber, weniger für eine Partei, Propaganda machen wollen – dies darf nicht darüber hinwegtäuschen, daß Autoren bei den Bonnern nicht einmal als Devisenbringer Kredit genießen.

Zuweilen erscheinen lange Artikel, die schon morgen so ver-»jährt« sind wie die Wettermeldungen von vorgestern, unter ungefähr gleichlautenden Überschriften, wie: »Bundeshauptstadt – Hauptstadt der Kultur?« (so Schwab-Felisch in der *Frankfurter*) und erzählen zum Beispiel von der produktiven Idee des Präsidenten Scheel – kennt den noch jemand? –, in Bonn »Deutsche Festspiele« zu begründen, damit Abermillionen Bonn-Besucher jährlich dort nicht nur das öde Bundeshaus besichtigen können. Diese Festspiele wären mit nur zwei Millionen Deutsche Mark zu finanzieren, liest man weiter; das ist (was man da *nicht* liest) nur die dreifache Summe dessen, was alle Jahre das Gartenfest des Bundeskanzlers kostet. Doch steht schon im gleichen Artikel, der Finanzminister sei nicht bereit, diese zwei Millionen herzugeben für »Deutsche Festspiele«: der Mann firmiert als »Sozial«-Demokrat und hat niemals als Parodie empfunden, daß ausgerechnet unter dem Baldachin seines »sozial«-demokratischen Kanzlers in jenem Katastrophenjahr 1978, als über neuntausend Firmen des deutschen Mittelstandes durch Krisen vernichtet wurden, die drei deutschen Großbanken, Deutsche-, Dresdner- und Gewerkschaftsbank, *das* Rekordgewinnjahr seit Gründung der BRD feiern konnten – Haifischgeschäfte, wie sie offensichtlich die »kapitalistischen« Kanzler Adenauer und Erhard diesen Banken nie zugestanden hatten! (Zensur ist auch, daß keine Zeitung, daß niemand hierzulande »Rechtsbruch« nennt; wenn von einem Tag auf den anderen – so Mitte August 1980 – die Großbanken einseitig diktieren, durch über Nacht von ihnen beschlossene Kürzungen der Sparzinsen, die ohnehin Schwindel sind, weil zu gering, den jährlichen Wertschwund des Geldes abzufangen, hätten die Ärmsten im Lande – die auch die Dümmsten sind, weil sie nämlich ihr bißchen Geld den Banken noch zu zweieinhalb Prozent leihen, damit *die* vierzehn, ja sechzehn Prozent bei ihren Kredit-»Gewährungen« dafür einstreichen –, durch Senkung dieser Schwindelzinsen hätten die kleinsten Leute, die ohnehin permanent von den Banken betrogen werden, dafür einzustehen, daß deren Rekordgewinne in den vergangenen Jahren auf gleicher Höhe bleiben! Das nennt keine Zeitung: Rechtsbruch.)

Doch zwei Millionen Mark für »Deutsche Festspiele« am Rhein sind nicht lockerzumachen, vermutlich schon deshalb nicht, weil ein solcher Betrag wegen Geringfügigkeit überhaupt nicht diskussionsfähig ist im Kabinett; bei jedem Frühstücksglase könnten Präsident und Kanzler, stände ihnen Kultur so nahe wie Fußball, von Industriellen und Gewerkschaftsfürsten diese zwei Millionen als Spende eintreiben. Doch keinem Offiziellen zu Bonn fällt auch nur auf, daß von der Maas bis an die Oder, von der Etsch bis an den Belt keine einzige deutschsprachige Festspiel-Ortschaft einen Komponisten oder Stückschreiber mehr zuläßt in ihrem Programm, wenn die nicht mindestens so lange tot sind wie der große Schnitzler, fünfzig Jahre …

Es fällt ihnen *nicht auf,* weil ihnen nicht *einfällt,* überhaupt Kultur eines Blicks zu »würdigen«. (Was übrigens der einzige Grund ist, warum konservative oder rechte Tageszeitungen wie *Frankfurter, Zeit, Süddeutsche* zuweilen ein liberales Feuilleton dulden: Da Industrielle und Parteiliche kein Feuilleton lesen, darf das liberal sein, ohne das Inseratengeschäft zu gefährden.) Fiele unseren Politikern zur Kultur etwas ein – statt daß Kultur ihnen nur zur Last fällt –, so würden die Bonner sich doch mindestens verbal einmal beteiligen an öffentlichen Ärgernissen wie den – inzwischen wieder erstickten – Diskussionen, ob die neue Oldenburger Universität nach Carl von Ossietzky, dem Oldenburger, benannt werden dürfe, was die örtliche SPD bekanntlich ebensowenig wünschte wie die CDU; oder ob anläßlich des fünfundachtzigsten Geburtstages von Jaspers das Gymnasium zu Oldenburg, das er besucht hatte, seinen Namen erhalten solle. (Der Inhaber einer sehr großen Oldenburger Buchhandlung wurde damals gefragt, warum er kein einziges Buch des Oldenburgers Jaspers führe. Antwort: »Wir lieben keine Emigranten« – Jaspers war niemals Emigrant.) Gibt es eine für die deutsche Kulturgeschichte exemplarischere Anekdote als jene tragikomische, daß in jeder Generation erneut Wort-»Führer« zur Macht kommen, die verhindern, daß Düsseldorf Heine ehrt: sei es durch ein Denkmal, das einst Kaiserin Elisabeth von Österreich der Stadt stiften wollte, was Wilhelm der Letzte persönlich untersagte; sei es, daß Demokraten verbieten, die Universität nach Heine zu benennen?

Politische Kunst parteilich zu zensieren ist hierzulande der Brauch; da sind die Linken so stramm wie die Rechten; und auch darin unterscheiden sie sich voneinander nicht, daß sie – wir sagten das schon – höchst selten den Mut aufbringen, ehrlich einzugestehen, daß sie ein Bild, ein Buch, ein Stück deshalb ablehnen, weil es der Leitplanke ihrer Partei oder ihrer politischen Gesinnung zuwiderläuft. Fast immer schützen sie vor, ästhetisch »genüge« es ihren Ansprüchen nicht. Ich kann mich nicht erinnern, in den achtzehn Jahren, seit Rowohlt und ich meine ernsten Stücke herumbieten – völlig vergebens übrigens im Rheinland und im Deutschen Fernsehen, nahezu völlig vergebens in der BRD südlich des Main –, mehr als dreimal von Intendanten oder einem Dramaturgen ehrlich die Antwort erhalten zu haben, Politik hindere sie, mich zu spielen. Einmal sagte spontan und aufrichtig Meisel, gerade Chef am Residenztheater geworden, er sei zu kurz in München, um dort schon die *Hebamme* der CSU zumuten zu können. Einmal schrieb Haberland vom Salzburger Landestheater dem Verlag: »H. hat sich eigentlich sehr genau an das gehalten, was er mir vor sechs Jahren, als er das Stück plante, hier in Salzburg erzählte ... Ich finde das Stück auch nach wie vor sehr interessant und wahrscheinlich auch gut, wichtig und richtig, aber ... es sind für das derzeitige Salzburger Publikum doch zu viele Politika im Vordergrund. Ich kenne das

Publikum jetzt hier genau und traue mich nicht, ›Juristen‹ hier anzusetzen. Schade!«

Problematisch – drittens – sind dann Ablehnungen, deren Formulierung verdeutlicht, daß der Ablehner (Ernst Wendt, weiland Dramaturg der drei Berliner Staatstheater) selber nicht einmal mehr spürt, daß er nicht nur als politischer Zensor spricht, sondern auch noch als Zensor sowohl in erster wie zugleich schon in letzter Instanz, die jeden Widerspruch des Autors gegen den Hinauswurf unmöglich macht. Vor Gericht haben Autoren – wie oft habe ich das erlebt – größere Chancen hierzulande als vor solchen dank der Subventionen persönlich jeglichem Risiko entrückten Göttern des Theaters. Denn Wendt sprach für alle drei Westberliner Staatstheater zugleich: für Schiller-, Schloßpark- und Werkstatt-Bühne, die von den Behörden gedankenloser oder intoleranterweise nur *einem* Hausherrn unterstellt werden. Mißfällt dem oder seinem Wendt – wer immer wann und wie lange dieser Wendt ist – ein Autor, so hat der überhaupt in keinem staatlichen Theater dieser Zweieinhalb-Millionen-Einwohner-Stadt mehr eine Chance! Und es kann Autoren zustoßen (und dem Publikum), daß die Profillosigkeit eines Intendanten à la Barlog dem Senat von Berlin so genehm ist, daß der diesen *einen* Herrn über gleich drei Theater ein Schriftstellerleben lang, über ein Vierteljahrhundert, nicht ablöst. Kurios nun, daß der Dramaturg dieser drei Häuser zwar nichts dabei findet, allein oder fast allein zu entscheiden, ob die Berliner in ihren Staatstheatern einen Autor jemals zu sehen kriegen, daß er aber dem Autor vorwirft, *allein* sein Stück verfaßt zu haben: »Und merken Sie nicht letzten Endes auch, daß gerade ein Stück wie dieses *(Hebamme)* auf andere – kooperativere – Weise entstehen müßte, worauf es dann gewiß auch anders aussehen würde? ... ich halte das Stück auch für politisch verfehlt.« Die politische Meinung *eines* Mannes – der sicherlich von Mitbestimmung so oft redet wie der Papst von Jesus, dem Autor aber niemals Kooperation angeboten hat, die er fordert – als »Grund«, allen Besuchern der drei Berliner Staatsbühnen eine Komödie nicht zu zeigen! Wenn nun die Besucher politisch einer *anderen* Meinung wären als Zensor Wendt? Für Publikum wie Autor: kein Einspruchsrecht ...

Der Autor als die Wehrlosigkeit in Person – wie sehr trifft das auf uns Geringe zu, wenn sogar Brecht auf dem Gipfel seines Ruhmes, im Jahr seines Todes, den Autoren nur einen Weg zu weisen vermochte, auf dem sie (wie Brecht selber) den Zensor unterlaufen könnten: ihre Anstellung in den Theatern! Brecht, der nach dem Zweiten Weltkrieg derart in die Isolation abgetrieben worden war, daß er seine Stücke in

Dörfern wie Chur (oder Thun, in Ortschaften jedenfalls, die man verwechselt) uraufführen lassen mußte und einmal festhielt, alte Bühnenautoren würden von den Kulturbetrieben in die Ecke gestellt wie Regenschirme – und alt ist ein Stückschreiber für die jeweils neue Dramaturgengeneration bereits mit vierzig; Brecht hat ja vergebens versucht, in Salzburg zugelassen zu werden, und obgleich er dem damaligen ÖVP-Landeshauptmann Klaus sogar angeboten hat, einen neuen *Jedermann* zu schreiben und dank der Freundschaft Gottfried von Einems auch die österreichische Staatsbürgerschaft »nachweisen« konnte, ließ man ihn dort so wenig zu wie in der BRD, so daß er sich genötigt sah, nach Ostberlin zu entweichen. Dort sagte er kurz vor seinem Tode vor der Sektion Dramatik auf dem IV. Deutschen Schriftstellerkongreß: »Hinsichtlich der Zusammenarbeit mit den Theatern wird geklagt, daß die Stückschreiber auf Einsendungen gar keine oder sehr späte Antworten bekommen ... Nun bin ich ... der Meinung, man sollte überhaupt für die Leitung der Theater unter anderem auch ein neues Reservoir heranziehen und sollte für Dramaturgien und Intendanzen auf Theaterschriftsteller zurückgreifen, die ja schließlich ein gewisses Verhältnis zu diesen Instituten haben ... ich schlage den daran interessierten Schriftstellern vor, in eine Dramaturgie einzutreten ... oder Intendant eines Theaters zu werden ... Mir scheint, daß ökonomisch etwas geholfen wäre, wenn ein Stückschreiber, sagen wir: zweiter Dramaturg an einem Theater würde. Erstens kommt er dadurch in den Genuß eines Gehalts und nicht von Stipendien, die auf die Dauer ... demoralisierend wirken. Zweitens arbeitet er an einem Theater mit und bekommt eine wesentlich andere Einstellung zum Theater. Ich denke dabei an mich selber, der ich dadurch, daß ich ein Theater leite, meine Stücke aufgeführt bekomme. [Heiterkeit.] Das ist auch durchaus nötig ... Ich bin also durchaus gezwungen, sie selber aufzuführen, und rate Ihnen, sich schleunigst in eine ähnliche Situation zu begeben. [Erneute Heiterkeit.] ... Ich würde vorschlagen, sich um einen solchen Posten zu reißen, weil er immerhin eigene Arbeit ermöglicht.« (Heiterkeit.)

Der Schwejk in Brecht macht Späße, wo – wie Brecht sehr gut wußte – nur historische Erfahrung zugrunde lag: Natürlich kannte Brecht das Schicksal der deutschen Theaterautoren, die fast immer nur dann Bühnen für eine längerfristige Zusammenarbeit gefunden haben, wenn sie vermocht hatten, auch noch eine *andere* Beziehung zum Theater herzustellen als nur die des – dort meist verachteten – Textlieferanten. Hebbel wäre verhungert, würde er nicht in Wien bereits seine erste, überraschend schnell gewährte Audienz in der Hofburg *verlobt* verlassen haben: verlobt mit einer führenden Burgschauspielerin, weil ein Mächtiger für die Schwangere einen »Vater« suchte! Goethe war Hausherr der Weimarer Bühne und Schiller war es durch Goethe; der hauslose Lessing hingegen sah seinen *Nathan* so wenig je auf der Bühne wie der hauslose Kleist zeitlebens ein Stück von sich. Büchner erging es nicht besser. Das furchtbarste Kapitel Literaturgeschichte des neunzehnten Jahrhunderts – die Ausmerzung des deutschen Dramas zuerst durch die Theater, dann *folglich* aus den Literaturgeschichten – kann nie mehr geschrieben werden, weil meist nicht einmal mehr die handgeschriebenen Textbücher der durch Ignorierung liquidierten Dramenschreiber auffindbar sind. Man muß – was der immer schlau kalkulierende Brecht gewußt hat – von wenigen Ausnahmen wie Grillparzer und dem verhungerten Anzengruber abgesehen, zu der fürchterlichen Einsicht kommen, daß überhaupt nur jene Bühnenautoren wenigstens noch dem Namen nach tradiert werden, die sich mindestens einige Zeit lang allein dank ihres Jobs als Theaterhausherren zum »Begriff« zu machen wußten: Iffland, Kotzebue, Immermann, Laube, Gutzkow, Dingelstedt, Wilbrandt – wenige, sehr wenige andere noch! Während Autokraten wie Walter Ulbricht und die Fürsten des neunzehnten Jahrhunderts keine Hemmung hatten, Komponisten oder Dramatiker zu Intendanten zu ernennen, ist mir kein Demokrat bekannt, dessen Einfühlungsvermögen in die Situation eines Stückschreibers ausgereicht hätte, diesem einen solchen Job anzubieten.

Welche Jobs dagegen demokratische Kommunen *ihren* intellektuellen Hiwis antragen, das war zum Beispiel – solche Zahlen werden meist verschwiegen – in der Züricher Presse ruchbar geworden im September 1980, während der Verhandlungen mit einem neuen Bewerber für einen von zwei gleichzeitig amtierenden Direktoren des dortigen Schauspielhauses: »Werner Düggelin verlangt eine Jahresgage von 192 000 Schweizer Franken, in der eine Regie inbegriffen ist. Für eine zweite Regie, die er pro Jahr am Schauspielhaus machen will, soll er ein Extrahonorar von 28 000 Franken beziehen. Außerdem beansprucht Düggelin im Jahr 22 (zweiundzwanzig) Wochen Ferien – neben den sechs Wochen Theaterferien in der Sommerpause noch acht Wochen, um auswärts Gastinszenierungen zu machen, dazu acht Wochen Ferien, um sich kreativ zu erholen und aufzuladen.

Die Forderungen des Herrn Heinz sind zwar etwas bescheidener, wurden aber vom Verwaltungsrat auch als übertrieben und zu hoch befunden.«

Wie gesagt: die Pointe ist, daß bereits der Verwaltungsrat durchaus einkalkuliert hatte, daß dieser Bewerber nur als halbe Portion anzusehen ist – und einen gleichzeitig mit ihm amtierenden zweiten Direktor im Schauspielhaus erforderlich macht: In der Tat ist noch nirgendwo einem Menschen eine Inszenierung dieses Herrn D. als überlokal erwähnenswert aufgefallen ...

Das Netz der Zensur hängt – keine Übertreibung – nahezu unmerklich feinmaschig über dieser Republik und arbeitet perfekt wie George Orwells großer Bruder 1984: Die weitaus meisten Bundesbürger merken nur deshalb nichts davon, weil die Menschen – überall, keineswegs allein in der Bundesrepublik – gar nicht zur Kenntnis nehmen, wenn ihnen der geistige Brotkorb höher gehängt wird. Welcher Theaterbesucher, der die *Lustige Witwe* anhört, nähme schon wahr, daß Opern lebender Komponisten meist unterdrückt werden; und würde er es wahrnehmen und gar kritisieren – man käme ihm »demokratisch entrüstet« mit der Diktatur der Demoskopen, die politisch in dem Maß ihre Berechtigung hat, wie sie künstlerisch unverantwortlich ist: nämlich nur zur Unterdrückung problematischen Geistes eingesetzt wird. Warum sollte ein Zensor aus einem Film ein nacktes Mädchen oder einen Kernsatz von F. J. Strauß, durch den dieser bis zur Kenntlichkeit zitiert würde, herausschneiden, wenn er nur dafür zu sorgen braucht, daß diese beiden Filme erst ab 23 Uhr gezeigt werden – also zu einer Zeit, wenn jeder Lohnabhängige, der morgens um halb sieben an der U-Bahn stehen muß, längst schläft? Verbote sind schließlich nur die allerprimitivste Form der Zensur. Hat irgendwer je gelesen, daß sich »das Volk« oder wenigstens einige Vertreter der Normalverbraucher gegen die Bevormundung durch jene Programmgestalter des Fernsehens aufgelehnt hätten – freilich: wo sollten sie ihre Auflehnung auch artikulieren! –, die da dekretieren, daß Filme oder Diskussionen für geistig Anspruchsvolle regelmäßig erst dann gesendet werden, wenn Kinder, Hühner und Werktätige längst schlafen? Womit die weitaus personenreichste Klasse der Nation abermals total deklassiert wird – durch die stillschweigende Übereinkunft, wer früh aufstehen müsse, sei so seicht wie das Programm bis 22 Uhr 30.

Absurd, daß unsere jungen Linken, sofern es noch welche gibt, zwar die Übermacht der in der Tat freiheitsgefährdenden übermächtigen Pressezaren Augstein, Nannen, Springer attackieren; daß sie aber über das vergleichsweise allmächtige Team, das über das weitaus bedeutendste Politikum, das überhaupt ein Medium sein kann, entscheidet: nämlich über das, was in der *Tagesschau* und in *Heute* gesendet und was unterdrückt wird – daß sie darüber kein Wort verlieren.

Überhaupt wirkt gekünstelt und heuchlerisch, daß die Linke sich über Machtzusammenballung im Presseurwald ausläßt, solange sie selber nicht Hand anlegt an die Milliarden der Gewerkschaften und der Bank für Gemeinwirtschaft, um dort Geld für eine eigene, für eine linke Zeitung loszureißen! Das geschah wohl bisher deshalb nicht, weil linke Kapitalisten geiziger sind als rechte oder liberale und weil sie zum gedruckten Wort stets ein ablehnend-mißtrauisches Unverhältnis hatten. So reglementierte die SPD ihre Blätter stets dermaßen, daß sie unfähig waren, ein lesbares Feuilleton zu machen. Doch hindert nichts anderes sie so sehr, Zeitungen und Bücher zu drucken, wie ihre Geldgier, seit sie selber als Kapitalisten den rechten und liberalen Geldmachern ebenbürtig wurden – ebenbürtig an Macht, keineswegs aber an Risikofreudigkeit und Freiheitssinn! Denn während selten ein rechter oder liberaler Kapitalist zu finden ist, der nicht einmal hinnimmt, mit seinen Druckerzeugnissen in die Verlustzone, in rote Zahlen zu geraten, machen die linken Kapitalisten in einem solchen Fall kürzesten Prozeß: Sie verhökern ihre Zeitungen und Buchverlage an den »Klassenfeind«, den so zu nennen sie sich nicht entblöden, auch wenn sie mit ihm Geschäfte machen. Als seien noch die rechten und linken *Kapitalisten* durch Klassen getrennt – während sie doch der *gleichen* Klasse angehören; dagegen sie beide gleich weit getrennt sind von der Klasse, der ihre Drucker angehören. Ein SPD-Oberbürgermeister ist ja schon dank seiner Pension und seiner Aufsichtsratsbezüge ein unverhältnismäßig viel abgesicherterer Kapitalist als der parteilose Besitzer einer mittleren Druckerei, der vielleicht in drei Jahren von irgendeinem Haifisch seiner Branche aufgefressen wird.

Das vorerst letzte Beispiel widerlicher Habgier linker Kapitalisten ist die Verhökerung der bislang gewerkschaftseigenen Europäischen Verlagsanstalt, das deshalb vermutlich das letzte Beispiel bleiben wird, weil es sich überhaupt um den letzten nennenswerten Buchverlag handelt, den bisher die Linken ihren »Klassenfeinden« noch nicht aus Geldgier ausgeliefert hatten. Und aus Mangel an Interesse für Literatur. Das ist die Selbstzensur der Linken in Potenz: mit eigenen Zeitungen und Verlagen zugleich die Möglichkeit abzustoßen, geistigen Sprengstoff, der in so beschimpften »bürgerlichen« Zeitungen und Verlagshäusern nicht erwünscht ist, an die Öffentlichkeit zu bringen. Von der Würdelosigkeit linker Kapitalisten, alles finanzielle Risiko, das die Verbreitung geistiger Waffen mit sich bringt, den »Scheißliberalen«, wie sie sagen, oder den Rechten zu überlassen, ganz zu schweigen.

Ein deutsches Trauerspiel!

Also bleibt der liberale Verleger, der einen Autor auch dann jahrelang mitfüttert, wenn dieser ihm Verluste einbringt, die einzige Hoffnung, in der Bundesrepublik die Freiheit vor der Zensur zu retten. In der Tat: eine reale Hoffnung. Und zwar nicht, weil Buchverlage schlechthin mutig wären, sondern weil es diese in Hülle und Fülle gibt. Ja, weil – das ist erstaunlich und überraschend – sich sogar trotz der Machtkonzentration gigantischer Verlage immer wieder Menschen finden – »kleine Leute«, vom Standpunkt der Börse –, die nicht nur waghalsig genug sind, einen neuen Verlag zu gründen, sondern auch wie Wagenbach geschickt genug, mit wenig Kapital zu überleben! Dieser Aspekt läßt einen die geistige Selbstentmannung unserer von der »öffentlichen Hand« gefütterten intellektuellen Hiwis fast vergessen, jedenfalls aber überstehen. Natürlich sind auch Buchverlage, die großen besonders, zuweilen fast so obrigkeitsfromm und gerichtescheu wie die Machthaber in Funk und Fernsehen und in den meisten der Zeitungen; doch die Vielzahl der Buchverlage führt zu jenem Konkurrenzgerangel, dem allein Freiheit abzugewinnen ist. Sagt ein Fernsehgewaltiger von Einfluß: Nein! kann der Anbieter eines Films, sei er Autor, Regisseur, Produzent, einpacken. Sagt ein Verleger nein zu einem Buch, so warten zwanzig andere auf das Angebot. Und das allein hat es ermöglicht, Autoren, Künstler am Leben und sogar bei Wirkung zu erhalten, die von Presse, Funk und Fernsehen wegen eines Verstoßes gegen die Obrigkeit entweder liquidiert oder boykottiert worden wären – was fast dasselbe ist: Liquidation auf Zeit ...

Ganz wichtig ist auch folgender Aspekt: Weil der private Verleger, im Gegensatz zum Amtsverweser der »öffentlichen Hand« oder der »Anstalt des öffentlichen Rechts«, selber finanziell bluten muß, weil er in seiner Person pausenlos dem Streß unterliegt, Gewinne machen zu müssen, ist er ein unverhältnismäßig humanerer Mensch als der Beamte oder höchstdotierte Angestellte, dem Staat, Bundesland oder Gemeinde, Fernsehredaktion oder die Inseratenabteilung seiner Zeitung jedes persönliche, das heißt stets nur: jedes finanzielle Risiko abgenommen haben. Wer selber nichts zu fürchten hat, der fürchtet sehr bald selbst Gott nicht mehr, geschweige denn, daß er sich noch hineinzuversetzen vermag in das risikoreiche Leben sogenannter »Freischaffender«, die ja in Wahrheit die unfreiesten, die abhängigsten aller Berufstätigen sind, es sei denn, auch sie hätten ein »Amt«, das heißt: eine Firma oder einen Redaktionsjob oder eine Praxis wie Steuerberater, Anwälte, Ärzte.

Der Buchverleger leidet mit seinem Autor, weil er mit ihm verliert, wenn liegenbleibt, was sie beide angeboten haben. Der Intendant, schon gar der des Fernsehens, spürt nicht im geringsten – spüren heißt hier: materiell –, wenn er am Publikum vorbeiproduziert hat oder wenn er vor den Kadi muß mit einem seiner Erzeugnisse. Auch bleibt es ihm erspart, auf der Bank Anleihen wegen entstandener Verluste zu nehmen. Und da unsere Welt einmal so eingerichtet ist, daß zum Maßstab aller Dinge das Geld wurde – so hat jener, der im geistigen Haushalt freigestellt ist von der Nötigung, Geld zu machen, eine Übermacht, die ihn unmenschlich machen muß. Daß eine Banalität ist, zu sagen: »Macht korrumpiert, absolute Macht korrumpiert absolut«, darf nicht zu dem Trugschluß führen, diese Maxime Lord Actons sei nicht mehr aktuell.

Sie ist so aktuell wie die Forderung jedes Bundesdeutschen an den Gesetzgeber, die Allmacht des Fernsehmonopols – und damit die pausenlos vom Fernsehen ausgeübte Zensur – durch Gründung eines, besser: mehrerer konkurrierender Privatfernsehsender zu brechen. So aktuell wie die Forderung an die Linke, endlich wieder selber in das waghalsige Presse- und Verlagsgeschäft einzusteigen, wenn sie sich schon beklagt über Springers Monopol und über die Zensur, die private Buchverlage ausüben. So aktuell wie die Forderung, staatliche, städtische Subventionen an Theater zu reduzieren zugunsten der Möglichkeit, daß auch Privatleute wieder Theater gründen, die Staat und Städte und Behörden und Gewerkschaften und Kirchen kritisieren können, weil sie ihnen nicht – wie die jetzigen Theater – völlig hörig aus der Hand fressen müssen. So aktuell wie ein Gesetz, Subventionen – wie in England – zu einem bestimmten, nicht zu geringen Prozentsatz nur zu vergeben für die Realisierung der Werke lebender deutscher Künstler. So aktuell wie der Zwang, der deutschen Fernsehanstalten auferlegt werden müßte, einen hohen Prozentsatz in die Produktion, statt in ihre Selbstverwaltung zu investieren, und zwar in die Produktion eigener und von deutschen Schauspielern gespielter Filme. Hier bietet sich wieder das Beispiel England an: Undenkbar, daß London wesentliche Teile seines Programms mit dem Ankauf alter deutscher Ufa-Filme speisen würde, solange noch britische Schauspieler stempeln gehen.

Alle diese vom Gesetzgeber nie erfaßten Formen der Zensur – Zensur ist in ihrer furchtbarsten Ausartung: Nichtzulassung – sind unvergleichlich viel infamer als das Geschrei über ein vom Südwestfunk einmal unterdrücktes Gedicht, das dann immerhin in der *Frankfurter Rundschau* erscheinen konnte. Und zwar nicht, weil sein Autor Alfred Andersch Rückhalt bei seinem Verleger oder sogar in der Presse fand, als ihn das Fernsehen fortjagte, sondern weil die versteckte, nicht lauthals bekanntwerdende Zensur die permanente ist, die Hunderte, wenn nicht Tausende deutscher Schauspieler, Autoren, Komponisten, bildender Künstler, Journalisten teilweise fürs Leben durch Nichtzulassung entrechtet – und sie zudeckt mit jenem Schweigen, mit jener Verurteilung zur Namen- und Gesichtslosigkeit, die tödlicher ist als jeder Bannfluch unserer geistigen Eunuchen der »Anstalten des öffentlichen Rechts« gegen einen Text, dessen Wiedergabe sie bei ihren Brotherren in Mißkredit bringen könnte.

Liest man – denn noch gibt es Zeitungen wie die *Frankfurter Rundschau,* die solche Dinge immerhin einmal erwähnen, ohne später jedoch den Leser wissen zu lassen, was geworden ist aus einem solchen Verstoß gegen das Grundgesetz –, liest man also, daß irgendwo Bücher beschlagnahmt wurden, so wird man vergeblich auf eine Reaktion warten. Keiner der bestbezahlten eintausendneunhundert Volksvertreter in Land- und Bundestagen fühlt sich durch eine Meldung wie die folgende zu einer Anfrage angeregt: »Auf Ersuchen der Staatsanwaltschaft in Frankfurt haben am Mittwoch Polizeibeamte die Oldenburger Carl-von-Ossietzky-Buchhandlung und die Privaträume der beiden Inhaber des Buchladens durchsucht. Dabei wurden nach Angaben der Ladeninhaber insgesamt zehn Bücher beschlagnahmt, darunter Dokumentationen zum Anarchistenprozeß gegen den in Köln angeklagten Hamburger Arzt Karl-Heinz Roth und zum Fall Ulrike Meinhof. Über die genaue Zahl und die Titel der beschlagnahmten Schriften waren keine Angaben zu erhalten. Sie sollen laut Polizei ›verfassungsfeindliche Straftaten befürworten‹.«

Daß in Ländern und Gemeinden zweifellos wöchentlich, wenn nicht öfter, Bibliotheksschnüffeleien des Verfassungsschutzes oder Eingriffe einzelner Juristen gegen den Verkauf bestimmter Bücher in Buchhandlungen – vielmehr: unbestimmter, denn niemand weiß, welcher Staatsanwalt sich heute oder morgen an welchem Buch vergreifen wird – durchge»führt« werden, ist zuerst der Tatsache zuzuschreiben, daß wir in Bonn keinen Kultusminister haben.

Jedenfalls weiß der Bundesbürger, warum die Bundesrepublik die Verfolgung mißliebiger Autoren durch die DDR geradezu benötigt – siehe den Ausgangspunkt unserer Betrachtung –, wenn er am 6. April 1979 in der *Zeit* lesen mußte, daß Ministerialdirektor Dr. Seifert vom Baden-Württembergischen »Ministerium für Kultus und Sport« deshalb zum Gebrauch in der Schule ein Lesebuch nicht zuließ, weil »die Begutachtung des im Betreff genannten Werks« den Beamten zu der fürchterlichen Entdeckung führte, daß es neben anderen folgende Texte enthielt: Ernest Hemingway: *Die Killer;* Marie Luise Kaschnitz:

Christine; Johann Gottfried Herder: *Edward*; Heinrich Heine: *Karl I.*; Charles Dickens: *Adel und Volk*; Peter Huchel: *Dezember 1942*; Paul Celan: *Todesfuge*; Ingeborg Bachmann: *Alle Tage*; Günter Grass: *In Ohnmacht gefallen*; Erich Kästner: *Kennst du das Land*; Kurt Tucholsky: *Kleine Begebenheiten*; Heinrich Heine: *Le Grand*; Heinrich Böll: *Der Wegwerfer*; Ilse Aichinger: *Seegeister*; Johann Wolfgang von Goethe: *Erlkönig*; Eduard Mörike: *Der Feuerreiter*; Theodor Fontane: *Die Brücke am Tay*; Georg Heym: *Der Gott der Stadt*; Bertolt Brecht: *Die Bergpredigt*; Theodor Heuss: *Rede zur Einweihung des Gedenksteins im ehemaligen Konzentrationslager Bergen-Belsen, Nov. 1952.*

Dies lesen heißt voraussehen, daß die sozialliberale Regierung unter Kanzler Schmidt – mag sie auch glauben, »verfassungskonform« Kultur und Kulturunterdrückung an die Länder abschieben zu können – einmal in die Zeitgeschichte eingehen wird als jene Bundesregierung, die sich in höherem Maß als alle bisherigen nachsagen lassen muß, daß sie unsere arme, einst so hoffnungsvoll gegründete Republik in jedem Jahr um weitere dreihundertfünfundsechzig Tage von der Aufklärung entfernt hat.

Von einer CDU-Regierung hätte man das nicht anders erwartet; die sozialliberale aber war gewählt worden, das zu verhindern.

Quellennachweis
zu den Zwischentexten

Der Stellvertreter

1 Christian Geißler, Anfrage. Hamburg (Claassen) 1960

2 Erwin Piscator, Vorwort zu »Der Stellvertreter«. Reinbek (Rowohlt) 1963. S. 7

3 Ernst-Wolfgang Böckenförde, Der deutsche Katholizismus im Jahre 1933. Eine kritische Betrachtung. Hochland, 1960/61, H. 3, S. 215–239; sodann: Böckenförde, Der deutsche Katholizismus im Jahre 1933. Stellungnahme zu einer Diskussion. Hochland, 1961/62, H. 3, S. 217–245

4 Fritz J. Raddatz (Hg.), Summa iniuria oder Durfte der Papst schweigen? Hochhuths »Stellvertreter« in der öffentlichen Kritik. Reinbek (Rowohlt), September 1963 (= rororo 591). Redaktionsschluß: 30. 6.

5 Thomas Dehler, Sie zuckten mit der Achsel. Abendzeitung, München, 10. 5. 1963 (abgedruckt in »Summa iniuria«, S. 231f.)

6 Wilhelm Grenzmann, Blinder Haß auf Pius XII. Deutsche Zeitung, 16./17. 3. 1963 (abgedr. in »Summa iniuria«, S. 71ff.)

7 Pater Willehard Eckert, O. P., Noch einmal: Hochhuths »Stellvertreter«. Kölnische Rundschau, 23. 3. 1963 (abgedr. in »Summa iniuria«, S. 67 ff.; Zitat: S. 69)

8 Grenzmann, a. a. O., S. 72, 80; ähnlich auch Bischof Otto Dibelius, Kein guter Dienst an unserem Volk und an der Welt. Berliner Sonntagsblatt, 7. 4. 1963 (abgedr. in »Summa iniuria«, S. 190 ff.)

9 Siehe dazu den Brief des Kardinals Montini, des späteren Papstes Paul VI., an die englische Wochenschrift »The Tablet« im Dokumentationsteil. Der »Osservatore Romano« äußerte sich ähnlich. Auch die Erklärung des Fürsten Karl zu Löwenstern namens des Zentralkomitees der deutschen Katholiken (2. 3. 1963) erhob den Schuldabwälzungsvorwurf, allerdings, ohne Absichtlichkeit zu unterstellen. Schließlich ist auf die »redaktionelle Stellungnahme«

der Zeitschrift »Der Monat« (Mai 1963) zu verweisen (abgedr. in
»Summa iniuria«, S. 216)

10 Alexander Rüstow, Verfehlte Kritik am »Stellvertreter«. Leser-
brief in der »Frankfurter Allgemeinen Zeitung«, 13./14. 6. 1963
(abgedr. in »Summa iniuria«, S. 141 f.)

11 Helmut Gollwitzer, Darf der Papst schweigen? Diskussionsbeitrag
zu einer Fernsehsendung des Hessischen Rundfunks, 9. 5. 1963
(abgedr. in »Summa iniuria«, S. 206 f.)

12 Carl Amery, Der bedrängte Papst. Süddeutsche Zeitung,
2./3. 3. 1963 (abgedr. in »Summa iniuria«, S. 84 ff.; Zitat: S. 90)

13 Karl Otmar Freiherr von Aretin, Unbewältigtes Schweigen. Zu
Rolf Hochhuths »Stellvertreter«. Das Echo. Merkur, H. 186,
1963, S. 812–820. Zitat: S. 819

14 Wilhem Unger, Interview m. Propst Heinrich Grüber: »Entscheidend ist, was ausgesprochen wird.« Kölner Stadt-Anzeiger,
14. 3. 1963, auch: Frankfurter Allgemeine Zeitung, 27. 3. 1963

15 Aretin, a. a. O., S. 819

16 Sebastian Haffner, Der Papst, der schwieg. Stern, 7. 4. 1963 (abgedr. in »Summa iniuria«, S. 233 ff.)

17 Gollwitzer, a. a. O.

18 Alfred Kazin in »New York Review of Books«, n. Sabina Lietzmann, Hochhuth und das Gewissen Amerikas. Frankfurter Allgemeine Zeitung, 16. 3. 1964

Der Klassenkampf ist nicht zu Ende

1 Michael Guttenbrunner, Skript einer Besprechung im Österreichischen Rundfunk I, Wien, ges. 25. 9. 1971

2 Rolf Hochhuth, Krieg und Klassenkrieg. Reinbek (Rowohlt) 1971
(= rororo 1455), S. 49

3 Ernst Bloch, zit. n.: Hochhuth, Krieg und Klassenkrieg, S. 73

4 Hochhuth, Krieg und Klassenkrieg, S. 74

5 Dolf Sternberger, Hess. Rundfunk, 13. 7. 1965, zit. n.: Hochhuth,
Krieg und Klassenkrieg, S. 80 f.

6 Zit. n. Der Spiegel, Der Mann mit dem Dolch im Gewande,
23. 6. 1965

Soldaten

1 Marcel (= Marcel Reich-Ranicki), Rolf Hochhuth und die Ge-
mütlichkeit. Die Zeit, 6. 3. 1964

2 David Irving, Und Deutschlands Städte starben nicht. Zürich 1963
   ders., Der Untergang Dresdens. Gütersloh 1964
3 Rolf Hochhuth, Krieg und Klassenkrieg, S. 112, auch 125f.
4 Abgedruckt in: Hochhuth, Krieg und Klassenkrieg. Reinbek
   (Rowohlt) 1971 (= rororo 1455), S. 106–129
5 Wolfgang Venohr, Gespräch mit Rolf Hochhuth und David Irving.
   Die Zeit, 6. 10. 1967
6 In: Rolf Hochhuth antwortet der »Tat« [auf einen Artikel des
   Londoner Korrespondenten der Zeitung, H. G. Alexander: So
   wurde Hochhuths Mord-Hypothese widerlegt, 26. 5. 72]. Die Tat,
   Zürich, 9. 6. 1972
7 Auf der Bermudakonferenz 1953, wie Hochhuth betont: Erfahrungen mit »Soldaten« in London. Randnotizen zu den Angriffen
   gegen mein Stück. Weltwoche, Zürich, 17. 1. 1969
8 Rainer Taëni, Rolf Hochhuth. München (C. H. Beck) 1977
   (= Autorenbücher 5), S. 66
9 Karl-Heinz Janßen, Hochhuth als Historiker. Die Zeit,
   20. 10. 1967
10 Wolfgang Venohr, Gespräch mit Rolf Hochhuth und David Irving.
   a. a. O.
11 N.: »Verdammte Lügen«/Randolph Churchill zu Hochhuth.
   Frankfurter Allgemeine Zeitung, 21. 10. 1967
12 Hans Habe, Hochhuth kommt vor dem Fall. Zürcher Woche,
   20. 10. 1967
13 In: Hochhuth, Erfahrungen mit »Soldaten« in London (s. o.)
14 A. C. (= Cattani), Zerrbild der Zeitgeschichte. Rolf Hochhuth –
   »Historiker« auf Abwegen. Neue Zürcher Zeitung, 10. 12. 1967.
   Siehe dazu Hochhuths Entgegnung: »In den Fußstapfen Goebbels« – wer? Neue Zürcher Zeitung, 16. 2. 1968 (und Stellungnahme Cattanis). In erweiterter Fassung, abgedr. unter dem Titel
   »Gegen die ›Neue Zürcher Zeitung‹« in: Krieg und Klassenkrieg,
   S. 192–216
15 N. Hochhuth in: Erfahrungen ..., a. a. O. Zu Carlos Thompson
   contra Hochhuth s. auch: Der Spiegel, 20. 1. 1969
16 Dieter Hildebrandt, Die »Soldaten« auf den zweiten Blick. Nachträgliche Erfahrungen mit einem verurteilten Stück. – Peter Stoltzenberg, Nach der 50. Aufführung. Frankfurter Allgemeine Zeitung, 2. 12. 1967
17 Karl-Heinz Janßen, Die »Soldaten« im Sperrfeuer. Gespräch mit
   Rolf Hochhuth über seine Vorwürfe gegen Churchill. Die Zeit,
   10. 1. 1969

18 So Janßen. Siehe dazu auch: Hochhuth, Hat Frost die Wahrheit manipuliert? Süddeutsche Zeitung, 3. 1. 1969
19 Hochhuth, Erfahrungen ..., a. a. O.
20 Hochhuth, Appell an Verteidigungsminister Schmidt. Rede vor der Paulskirche am 20. März 1970. Abgedruckt in: H., Die Hebamme. Komödie, Erzählungen, Gedichte, Essays. Reinbek (Rowohlt) 1971 (= Die Bücher der Neunzehn, Bd. 203), S. 327–346; Zitat: S. 332
21 Mein Vater heißt Hitler. Fritz J. Raddatz im Gespräch mit Rolf Hochhuth. Die Zeit, 9. 4. 1976
22 Im Brief an die »Times«. Siehe: Hochhuth, Erfahrungen ..., a. a. O.

Guerillas

1 Rolf Hochhuth, Guerillas. Reinbek (Rowohlt) 1973 (= rororo 1588), Vorwort, S. 7
2 Rainer Taëni, Interview mit Rolf Hochhuth am 12. 1. 1971, gekürzt veröffentlicht auf englisch als »Revolution by Infiltration« in: Meanjin Quarterly, Melbourne, Vol. 30/1 (März 1971); zit. n.: Taëni, Rolf Hochhuth. München (C. H. Beck) 1977 (= Autorenbücher 5), S. 69
3 Adolf Muschg: Modell einer Revolution. Ein Gespräch mit Rolf Hochhuth über sein neues Stück »Guerillas«. Weltwoche, Zürich, 27. 2. 1970
4 Modell einer Revolution, a. a. O.
5 Modell einer Revolution, a. a. O.
6 Rainer Taëni, Rolf Hochhuth, a. a. O., S. 73
7 Hilde Spiel, Hochhuths »Guerillas« in Wien. Frankfurter Allgemeine Zeitung, 30. 12. 1970
8 Zit. n.: Karl-Heinz Janßen, In der Politik ein Konservativer. Die Zeit, 22. 5. 1970
9 Hilde Spiel, a. a. O.
10 R. M., Anti-Hochhuth. Frankfurter Allgemeine Zeitung, 8. 10. 1970

Die Hebamme

1 Abgedruckt in: Krieg und Klassenkrieg, S. 247–249
2 Werner Wollenberger, Von einem, der auszog, das Gruseln nicht zu verlernen. Programmheft der Landesbühne Wilhelmshaven, 1979

3 Handelsblatt, 3. 12. 1971
4 Armin Eichholz, Unterm Schellenbaum: des Herrgotts Generalin. Münchner Merkur, 6./7. 5. 1972
5 Rainer Taëni, Rolf Hochhuth, S. 86 ff.
6 Eichholz, a. a. O.

Lysistrate und die Nato

1 Zit. n.: Streik im Bett. Stern, 11. 10. 1973
2 Der Liebes-Boykott. das da, März 1974
3 In: Hochhuth, Lysistrate und die Nato. Reinbek (Rowohlt) 1973 (= das neue buch 46). S. 181–236
4 Ulrich Schreiber, Die neue Lysistrata. Hochhuth und das politische Theater. Merkur, H. 312, 1974, S. 488–490

Tell 38

1 Hochhuth, Tell 38. Reinbek (Rowohlt) 1979, S. 7–29. Zitat: S. 29
2 Tell 38, S. 52
3 Zit. n.: Tell 38, S. 20. – Hitlers Tischgespräche im Führerhauptquartier 1941–1942, gesammelt von Henry Picker, neu herausgegeben von Percy Ernst Schramm. Stuttgart (Seewald) 1963
4 Tell 38, S. 24, 53
5 Tell 38, S. 24 f.

Hochhuth contra Filbinger

1 Peter Pawlik, Spirale des Grauens. Die Weltwoche, Zürich, 10. 1. 1979
2 Nietzsche, Jenseits von Gut und Böse. Viertes Hauptstück. Sprüche und Zwischenspiele
3 Michael Stone, Hochhuths Stärke. Der Tagesspiegel, Berlin, 7. 1. 1979
4 Hans Mayer, Hochhuth und Filbinger. In: Rosemarie von dem Knesebeck (Hg.), In Sachen Filbinger gegen Hochhuth. Reinbek (Rowohlt) 1980 (= rororo 4545), S. 7–11, Zitat: S. 10
5 Zit. n.: R. v. d. Knesebeck, a. a. O., S. 165
6 R. v. d. Knesebeck, a. a. O., S. 177
7 Der Spiegel, 15/1979, n. R. v. d. Knesebeck, a. a. O., S. 194
8 Zit. n.: R. v. d. Knesebeck, a. a. O., S. 186

9 Ludolf Herrmann, Die gnadenlose Jagd. Deutsche Zeitung, 11. 8. 1978, n. R. v. d. Knesebeck, a. a. O., S. 171

10 Enno von Loewenstern in »Die Welt«, 9. 8. 1978, n. R. v. d. Knesebeck, a. a. O., S. 169–171

11 Benjamin Henrichs, Porträt eines Jägers. Die Zeit, 22. 2. 1980

12 Georg Hensel, Abbau einer politischen Vaterfigur. Frankfurter Allgemeine Zeitung, 16. 2. 1980

13 Rolf Michaelis, Steckbrief eines Hin-Richters. Die Zeit, 22. 2. 1980

14 So Peter Iden (in »Von Richtern zu Hinrichtern«)

15 In der erwähnten »Spiegel«-Kritik vom 22. 10. 1979